“十四五”国家重点出版物
出版规划项目

中国肥料研究与应用全书
Books of Fertilizer Research and Application in China

肥料产业

张卫峰 主编

Fertilizer Industry

化学工业出版社
·北京·

内容简介

本书立足我国肥料产业，详细地梳理了中国肥料产业各品种的产、供、需以及技术创新等情况，并对产业链上下游的情况进行了分析和思考；重点介绍了中国肥料产业在技术创新方面的成果，并阐述了新型肥料的研发与应用、生产工艺的改进、绿色环保技术的应用、农化服务的技术创新等方面的内容。

本书对从事农业、肥料制造与加工行业的生产企业、工程公司、高等院校、科研院所的专业技术人员具有较高的学术价值，也可作为高等院校化工、农业及相关学科本科生和研究生的教学参考书。

图书在版编目（CIP）数据

肥料产业 / 张卫峰主编. -- 北京 : 化学工业出版社, 2025. 2. --（中国肥料研究与应用全书 / 张福锁主编）. -- ISBN 978-7-122-46718-8

Ⅰ. F426.7

中国国家版本馆CIP数据核字第2024VN6153号

责任编辑：刘　军　陈思逸　冉海滢　孙高洁
文字编辑：丁海蓉
责任校对：李雨函
装帧设计：王晓宇

出版发行：化学工业出版社
（北京市东城区青年湖南街13号　邮政编码100011）
印　　装：北京建宏印刷有限公司
787mm×1092mm　1/16　印张25　字数580千字
2025年11月北京第1版第1次印刷

购书咨询：010-64518888　　售后服务：010-64518899
网　　址：http://www.cip.com.cn
凡购买本书，如有缺损质量问题，本社销售中心负责调换。

定　　价：228.00元

本书编写人员名单

主　　编：张卫峰

副 主 编：陈　丽　沈　兵

编写人员：（按姓名汉语拼音排序）

白海丹　陈国福　陈　丽　陈　清　陈绍荣　陈胜男　方俊文
丰智松　符纯华　高　力　郭　璐　郭智超　韩跃明　胡　敏
江敬安　江志阳　金　典　雷光元　李　光　李国辉　李　俊
李学斌　李扬阳　李增源　栗　歆　刘青林　刘　蕊　刘雨薇
吕　阳　马鸣超　聂向冲　牛仁杰　乔莉英　庆　玥　任先顺
单国芳　沈　兵　沈德龙　沈建华　石　磊　史忠录　苏嘉颖
苏建英　孙庆广　孙绍华　孙小虹　谭光勇　汤建伟　汪　洪
王　蓓　王国胜　王　敏　王石军　王晓雪　王孝峰　王旭波
王雁峰　王　莹　问立宁　吴军华　吴锡林　武　娜　向赛男
熊思健　许　锋　阎　亮　姚超美　叶丽君　叶学东　于广武
张朝春　张广忠　张丽君　张　宁　张卫峰　张雪梅　张育维
张紫怡　周予晴　周　月　朱彬彬

序言

肥料是粮食的“粮食”，是保障国家粮食安全、人类营养健康和生态环境安全的重要的战略物资。肥料产业是关乎“粮食－资源－能源－环境”乃至经济社会绿色可持续发展的巨大产业。

进入新时代，绿色低碳发展成为高质量发展的主旋律。国家在“十二五”至“十四五”期间不断出台政策来优化肥料产业结构，其中 2015 年工业和信息化部下发了《推进化肥行业转型发展的指导意见》，农业部出台《到 2020 年化肥使用量零增长行动方案》，从肥料生产端和消费端同时推动肥料产业升级以及产品结构调整，加之不断优化的肥料施用技术以及不断改进的农化服务技术体系实现了我国化肥消费总量在 2015 年达到峰值后连续 10 年持续下降。

当前，我国提出了 2030 年实现“碳达峰”、2060 年实现“碳中和”的战略目标，在环境保护的高压态势下，新的肥料产品标准不断出台，肥料行业准入条件和环保标准不断提升，肥料产品质量逐渐提高，推动着肥料产业结构向着绿色低碳转型。因此，系统梳理中国肥料工业进步、分析肥料产业结构演变、了解行业技术现状等情况，对推动行业转型升级、提升国际竞争力、保障国家粮食安全、促进农业绿色发展以及提供国家政策制定依据都具有重要意义。基于此，受化学工业出版社的委托，我们组织了国内肥料领域的一线专家学者，编写了这套《中国肥料研究与应用全书》（以下简称《全书》）。

《全书》由十一个分卷组成，在强调历史性、阶段性、创新性的前提下，全面系统介绍了近年来我国肥料研究与应用领域，包括肥料创制、肥料产业、各大类肥料生产与加工、有机肥料制造、肥料生态环境效应、肥料精准科学施用技术等领域所取得的成果，充分反映了当前国内外肥料创新、生产与精准科学施用技术的最新进展。《全书》还通过成功案例分享和经验总结，结合国际前沿研究，细致分析了国家“十四五”

“十五五”肥料领域的研究现状、趋势和对策，针对农业可持续发展和行业绿色低碳转型的需要，对中国肥料发展方向和产品创新做了深入思考，提出了建议。

《全书》以独特的论述体系、编排方法和新颖丰富的内容，进一步开阔相关专业师生和肥料产业领域研发、管理人员的视野，提高科研工作者的系统思维和创新能力，创新绿色、清洁、可持续发展的肥料生产工艺，有助于高效率地发挥现有肥料品种的特长，提高现有肥料的应用效率，对我国新肥料的创制与科学施用具有重要的参考价值。

《全书》已顺利入选“十四五”国家重点出版物出版规划项目，这是对本书系的最大肯定与鼓励。

《全书》的编写得到了全国农业技术推广服务中心、中国氮肥工业协会、中国磷复肥工业协会、中国无机盐工业协会、中国化肥信息中心、中国农业科学院农业资源与农业区划研究所、中国科学院南京土壤研究所、北京市农林科学院、中国农业大学、南京农业大学、四川大学、西南大学、华东理工大学等单位的鼎力支持，这里表示衷心的感谢。

张福锁

2025 年 1 月

前 言

随着中国经济的快速发展和人民生活水平的不断提高，农业产业也得到了快速的发展。作为支撑农业生产的重要因素之一，肥料产业在我国的农业发展中扮演着至关重要的角色。然而，由于我国肥料产业起步较晚，技术水平相对较低，加之市场竞争激烈等因素的影响，我国肥料产业整体水平与国际先进水平存在较大差距。因此，为了促进我国肥料产业的健康和可持续发展，提高其技术水平和市场竞争力，有必要对我国肥料产业的发展进行深入研究和分析。

本书旨在通过对我国肥料产业的历史、现状和未来发展趋势等方面的分析，探讨如何促进我国肥料产业的转型升级。在研究过程中，采用了多种方法，包括文献资料收集、实地调研、数据分析等，以期为我国肥料产业的发展提供有力的支持和参考。

来自全国肥料行业的近 20 家单位的 80 余位科研工作者参与了本书的编写工作，涵盖了长期从事全国肥料管理和研究的主管部门、行业协会、信息机构、科研单位、企业等。为了提高内容的准确性、全面性和权威性，本书综合了国内外主要数据渠道的统计资料，并着重收集了专业机构的有关信息，例如农业农村部肥料登记管理信息、全国农业技术推广服务中心的科技信息和流通信息、各个肥料行业协会的生产信息、中国化工信息中心的流通信息等。在此，感谢中国农业大学等单位领导在组织和协调方面的支持，感谢所有编写人员的辛勤付出，感谢协助收集数据并对书稿提出修改意见的所有领导和专家。

由于时间仓促以及作者水平有限，书中疏漏与不当之处在所难免，请广大读者批评指正。

编者

2024 年元月

目 录

中国肥料研究与应用全书

Books of Fertilizer Research and Application in China

FERTILIZER

第1章

肥料产业概况

人类农耕文明发展史就是肥料的发展史，从夏商周时期的刀耕火种原始农业生产方式开始，人们利用草木焚烧后的地表灰肥作为肥料（植物体燃烧后的灰分，这是刀耕火种时期的主要肥料），灰肥中的养分以钾为主，兼有磷、钙等养分，而作物需求的大量元素氮则很少，所以不能很好地提高作物产量。到了秦汉时期开始施用粪肥，《氾胜之书》《周礼》中都有相应的记载。再到魏晋南北朝时期，可利用的粪肥极为有限，只好广辟肥源，绿肥得到了很好的发展，农书《齐民要术》中记载了绿肥栽培与利用技术。如在绿豆田耕翻后种谷子，每亩（1 亩 ≈666.7m^2）能收获 600kg 谷子（按照一亩 10 石产量计算，1 石 ≈60kg），当时一般亩产只有 200kg。有机肥的种类越来越丰富，养分种类多但含量低，仍不能满足作物的精细化需求。直到 18 世纪工业革命开始，才实现了肥料商品化，高浓度的化肥产品真正出现了，能精准提供某一种元素或几种元素的化肥的诞生是肥料产业的重大革命，也开启了现代农业之路。

1.1 世界肥料产业发展及展望

1.1.1 全球现代肥料产业起源及发展历程

1.1.1.1 全球肥料创新进程

伴随着矿质营养学说理论的诞生，世界各国开始了对化肥生产技术长期艰辛的摸索，走出了一条从满足农业生产需求到适应农业可持续发展的道路。1800 年，英国率先从工业炼焦中回收硫酸铵作为肥料，但数量有限，供应效率也不高。后来在秘鲁海鸟岛上发现了亿万年来形成的厚厚的鸟粪石，这种鸟粪含有氮（14%）和磷（14%），是非常好的肥料，秘鲁政府靠鸟粪石出口获得了大量财政收入，进入了一个繁荣时期，即“鸟粪时代”。但是由于鸟粪数量有限，在欧洲国家的疯抢之下，“鸟粪时代”只持续了 40 年，鸟粪资源基本枯竭[1]。19 世纪初，德国人用硫酸处理骨粉用作肥料，取得较好的肥效[2]。1842 年，英国科学家 John Lawes（劳斯）用硫酸和磷矿生产出了过磷酸钙，开启了磷肥工业发展的历程[3,4]。1861 年，在德国施塔斯富特市首次开采光卤石钾矿，为钾肥产业奠定了原料基础，逐渐形成了钾肥产品完整的技术体系，为农业提供了不可或缺的钾肥[5,6]。1895 年，欧洲科学家开始从大气中直接获取氮素，例如用电石法生产石灰氮（也称氰氨化钙，22% N），以及用电弧法生产硝酸，但这些方法都存在能耗高、规模难以扩大的问题。直到 1908 年德国巴斯夫的哈伯（Habor）发明了合成氨技术，使氮素生产有了基本保障，也因此改变了世界粮食生产历史，奠定了化工学科基础[7]。但是，在 20 世纪 50 年代以前，它的生产技术还不够完善，价格比较高，多数用在工业方面，少量用来制造氮肥。第二次世界大战期间，为了制造炸药，硝酸铵得到了发展。1922 年，以氨和二氧化碳为原料合成尿素的第一个工厂在德国投入了生产，为氮肥产业的急速发展奠定了基础。1920 年，复合肥料首次在美国氰氨公司的一个磷酸铵小型生产装置中投入运转，之后 1933 年加拿大联合采矿和冶炼公司也建成了一个生产磷酸铵的工厂 [8]。20 世纪 30 年代初，用硝酸分解磷矿并用氨中和加工制造硝酸磷肥的奥达法首先在德国建厂 [9]。

进入 20 世纪 60 年代，一场肥料领域的绿色革命逐渐爆发，硫包衣肥料、包膜肥料、稳定性肥料、增效剂、有机无机复混肥料相继开始快速发展，实现了从传统肥料向新型肥料的过渡 [10,11]。历经一个多世纪，人类终于可以利用工业革命技术高效地从自然界获取生产粮食所需的养分，肥料的总产量在 2019 年也达到了 20944 万吨，肥料产业逐渐开始了从高产向绿色的转变，在满足了人类粮食供应的同时逐渐适应着人类可持续发展的时代要求（图 1-1）。从世界肥料工业协会（IFA）统计数据来看，世界肥料生产经历了“上升—下降—再上升—再下降—上升”五个阶段，分别为 1961 ～ 1988 年、1988 ～ 1993 年、1993 ～ 2007 年、2007 ～ 2009 年、2009 ～ 2019 年，生产总量从 1961 年的 3250.6 万吨增长至 2019 年的 20943.6 万吨，增长了 5.4 倍，其中 1961 年到 1988 年期间肥料产量增速最快，以平均每年 431.5 万吨的产量迅速增加，随后增速有所放缓。近几年肥料产量保持稳中有升的态势，维持在 20000 万～ 21000 万吨的水平。

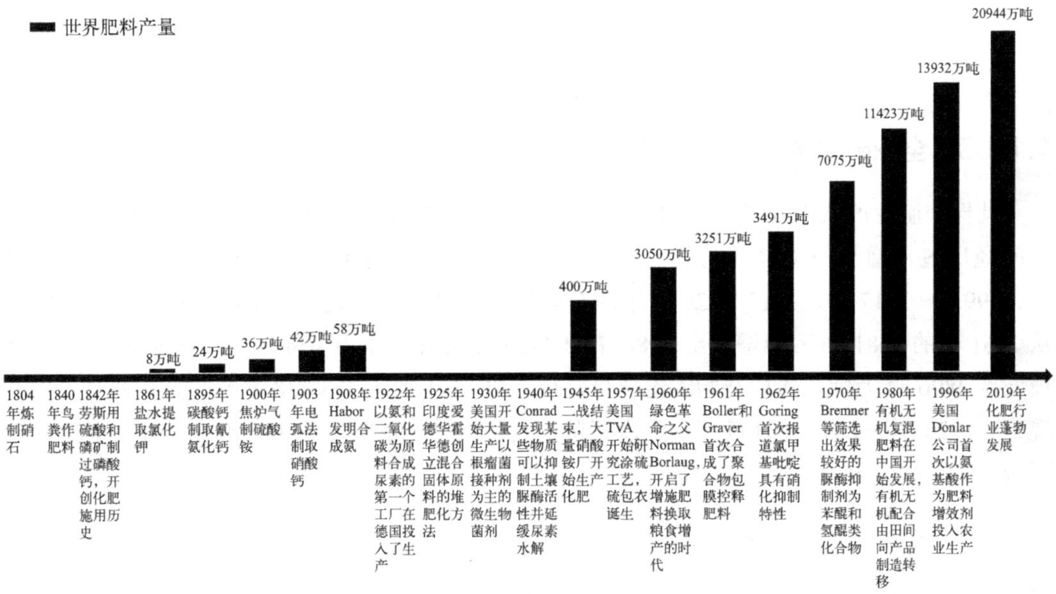

图 1-1　全球肥料产业重大科技突破

数据来源于文献整理

1.1.1.2　全球氮肥生产总量演变

据世界肥料工业协会（IFA）统计数据，世界氮肥生产从 1961 年的 1233.75 万吨（纯量，以下同）增长至 2019 年的 11955.38 万吨，增长了 8.7 倍，这期间除受苏联解体的影响，氮肥产量有短暂的几年下降外，总体保持持续增长的趋势，但不同阶段增速有所不同。第一阶段 1961 ～ 1989 年，以平均每年 20% 的速度增加至 8276.4 万吨。第二阶段 1991 ～ 2013 年，增长速度放缓至 4%，从 7084.8 万吨增长至 12876.5 万吨。近几年氮肥生产增长速度持续放缓，始终保持着稳中有升的态势（见图 1-2）。

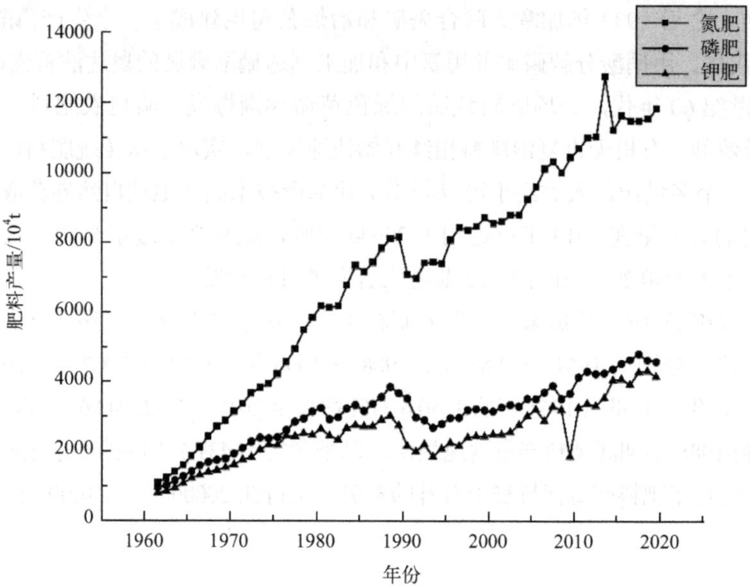

图 1-2 世界肥料生产进程及总量

数据来源于 IFA 数据库

1.1.1.3 全球磷肥生产总量演变

世界磷肥生产从 1961 年的 1081.36 万吨增长至 2019 年的 4711.81 万吨，增长了 3.4 倍，其间经历过“增长—下降—再增长—下降”阶段，分别为 1961 ～ 1988 年、1988 ～ 1993 年、1993 ～ 2017 年、2017 ～ 2019 年四个阶段，共计生产磷肥 187987.85 万吨。磷肥生产从 1961 年的 1081.36 万吨增长至 1988 年的 3969.72 万吨后呈现下降趋势，直至 1993 年降至最低点 2806.54 万吨，随后开始缓慢增长，直至 2017 年到达 4937.38 万吨的高点后又开始出现下降，2017 ～ 2019 年连续三年呈现下降的趋势，这一下降主要由中国产量降低引起，中国减产的贡献达 50.1%（图 1-2）。

1.1.1.4 全球钾肥生产总量演变

世界钾肥生产从 1961 年的 935.53 万吨增长至 2019 年的 4276.36 万吨，涨幅 357%，这期间经历了“增长—下降—增长—下降—增长”五个阶段，分别为 1961 ～ 1988 年、1988 ～ 1993 年、1993 ～ 2007 年、2007 ～ 2009 年、2009 ～ 2019 年。第一阶段从 935.53 万吨增长至 3143.78 万吨；第二阶段到 1993 年降至 1976.75 万吨；第三阶段开始持续增长，2007 年增长到 3418.61 万吨；第四阶段又开始下降，尤其是 2008 年到 2009 年期间，受全球金融危机影响，钾肥需求量迅速下降，在一年的时间内，世界钾肥产量迅速从 3320.03 万吨跌至 1990.12 万吨；第五阶段迅速反弹至 3384.97 万吨后缓慢上升，直至 2019 年产量有一定的下降，降幅为 3.6%（图 1-2）。

1.1.1.5 全球化肥施用量变化

从世界肥料工业协会（IFA）统计数据和世界粮农组织（FAO）数据库来看，全球化肥施用总量从1961年的3165.7万吨增长至2019年的19080.8万吨，单位耕地面积化肥用量从1961年的24.87kg/hm^{2}增长至2019年的137.93kg/hm^2。氮肥、磷肥、钾肥对化肥施用量增加的贡献度分别为62.1%、20.3%、17.6%。1961～2019年期间氮、磷、钾施用总量及单位面积用量趋势变化类似，但波动幅度差异较大，尤其在2007～2009年期间，受国际金融危机影响，肥料产业受到巨大影响，肥料产量及需求量下跌，氮、磷、钾在一年内施用总量分别下跌4.4%、12.8%、16.3%，单位面积用量分别下跌1.6%、10.7%、15%，但随后又迅速反弹至金融危机前的施用水平并持续增长，2019年氮、磷、钾肥单位耕地面积用量分别已达到77.75kg/hm^2、33.50kg/hm^2、26.69kg/hm^2。然而，随着化肥产业的快速发展，化肥使用逐渐从农田转向草地、林地等生态系统，从而加快恢复由不合理放牧导致的草地生态系统养分的快速流失，以及为人工林地创造更大的经济价值[12,13]。因此，有必要从不同的角度分析世界单位土地面积肥料用量情况，从而更清晰地明确当前世界化肥用量变化，为减肥增效提供参考。从结果来看，单位土地面积化肥用量均呈现上升趋势，但林地和草地增长较为平缓，化肥用量增加仍以耕地为主导。因此，化肥减量增效的主要领域为耕地，但草地和林地化肥用量仍不容忽视（见图1-3）。

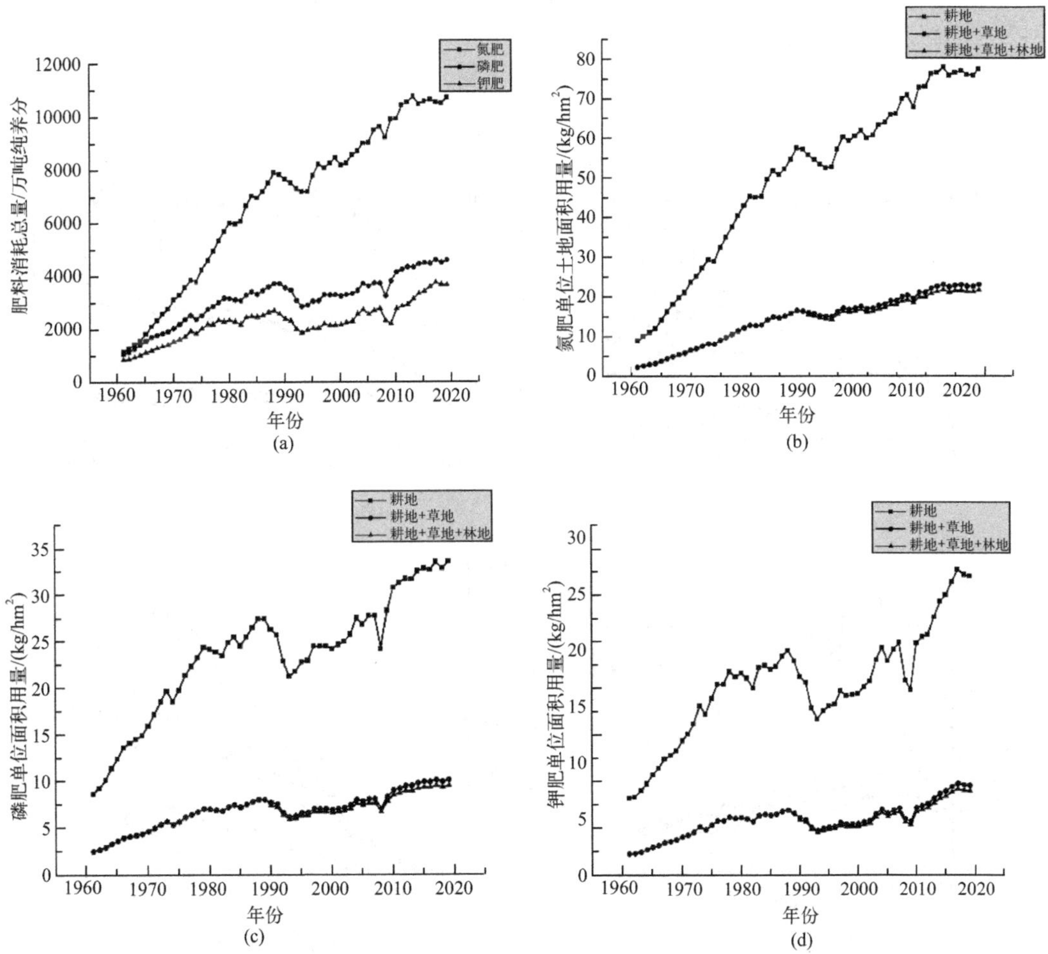

图1-3 世界化肥施用总量（a）及单位土地面积用量变化[（b）~（d）]

肥料总量数据来源于IFA数据库，耕地面积、草地面积、林地面积（人工林）来源于FAO统计数据

目前，中国肥料总用量稳居世界首位，2019 年单位耕地面积用量达到 350.7kg/hm^2，是世界平均水平的 2.54 倍。其中，氮肥自 1990 年单位土地面积用量首次进入世界前十位后，近些年一直稳居世界前 5 位，2019 年单位土地面积用量达 198.23kg/hm^2，是世界平均水平的 2.55 倍。磷肥分别在 2010 年、2012 年、2014 年达到世界单位土地面积用量的第一位，目前已保持在前五位左右的水平，达 76.1kg/hm^2，是世界平均水平的 2.27 倍。钾肥从改革开放以后单位土地面积用量迅速上升，从 1978 年的 2.35kg/hm^2 增长到 2019 年的 76.29kg/hm^2，稳定保持在世界单位土地面积钾肥用量排名的前十五位。

1.1.1.6 肥料施用量国别特征

自 20 世纪 60 年代“绿色革命之父”Norman Borlaug 创立作物高产育种技术以来，世界各国爆发了通过增施化肥来换取粮食增产的“绿色革命”时代。化肥产业开始迅速发展，从农业发达的欧、美、日等国家和地区来看，化肥使用历程大致经历了“上升—下降—稳定”三个阶段（见图 1-4）。中国 2019 年刚结束化肥施用的上升期，开始了化肥减量初始阶段，预计未来逐渐走向化肥施用稳定阶段。因此，应学习发达国家的化肥施用经验，加速中国肥料发展道路向下一阶段迈进。

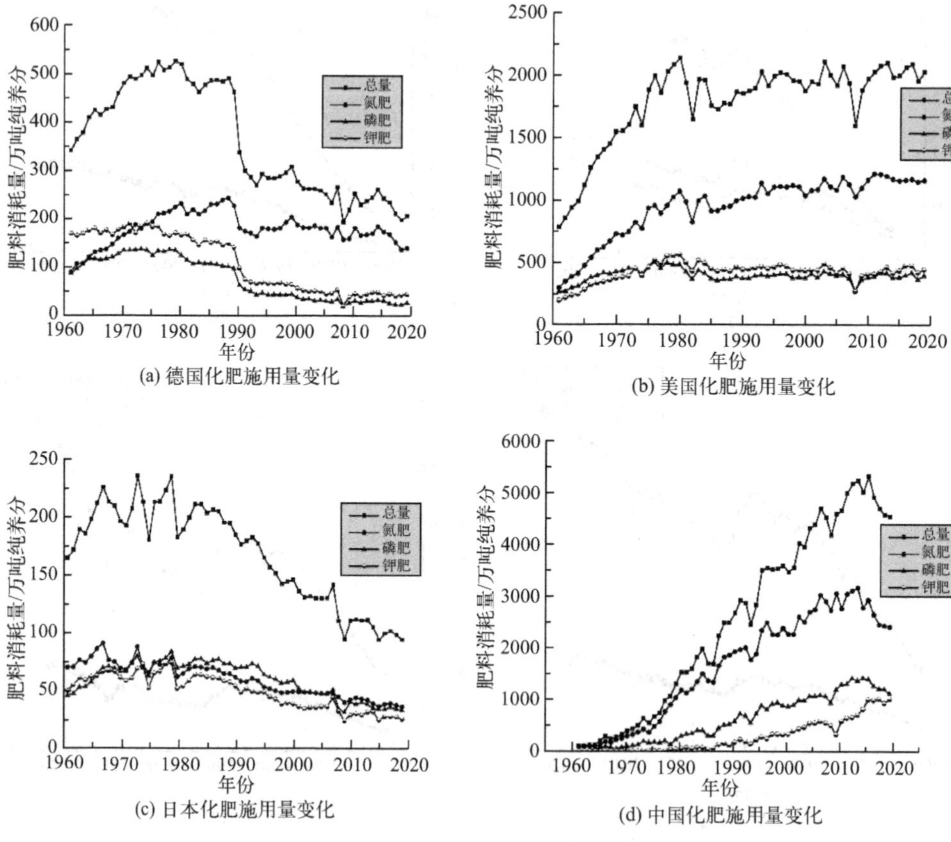

图 1-4 不同国家化肥施用总量变化

数据来源于 IFA 数据库

1.1.1.7 国际肥料贸易特征

由于能源资源储量以及经济发展水平的不同，肥料的国际贸易成了保证世界粮食生产的重要手段，近些年肥料贸易量在世界肥料生产量中的占比也是逐步提高。据世界肥料工业协会（IFA）统计数据，肥料贸易量从20世纪60年代一直保持着上升的态势，直至近几年氮肥、钾肥贸易量占比逐渐趋于稳定，但磷肥贸易量占比仍呈现上升趋势，截至2019年，磷肥贸易量已占世界磷肥生产总量的47%，氮肥、钾肥贸易量保持在总产量的40%、80%左右。随着近些年限制性贸易政策的增多，预计未来肥料贸易将进一步放缓（见图1-5）。

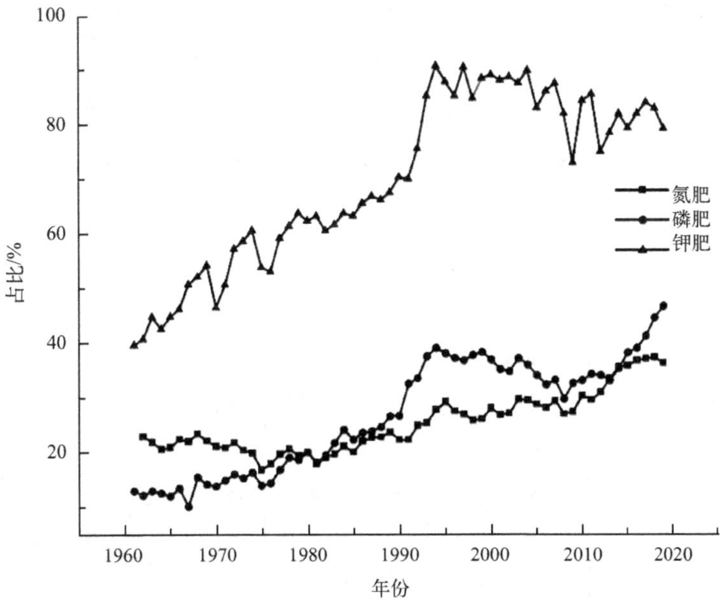

图1-5 肥料贸易量占世界肥料总产量的比例

数据来源于IFA数据库

1.1.2 肥料产业国别特征

1.1.2.1 化肥产业从发达国家向发展中国家转移

（1）氮肥生产及消费区域变化特征

欧、美、日氮肥生产减少，化肥施用控量；发展中国家生产增加，化肥施用持续增加。2019年，氮肥生产区域已主要集中于亚洲地区，氮肥生产总量7467.75万吨，占比62.5%。中国和印度的氮肥产量已位居世界前两位，分别为3009.1万吨、1372.2万吨，分别占25.2%、11.5%。北美和西欧地区氮肥生产总量分别占13.6%、8.6%，美国和德国生产占比分别降低至10.8%、1.2%。1991年以来世界肥料生产增长幅度最大的两个地区为非洲和亚洲，增长幅度分别为298%、214%，北美增长幅度仅为114%，西欧氮肥产量降幅已达23%。目前氮肥消费则主要集中于以中国、印度为代表的发展中国家，氮肥消耗总量在2019年分别达到了2411.0万吨、1910.1万吨，分别占世界氮肥消费总量的19%、15%（表1-1）。从世界氮肥生产及消费变化来看，发展中国家占据的地位越来越高，尤其是中国自1991年后对全球氮肥产量增长的贡献达到30.9%，氮肥产业逐渐由经济发达地区向资源丰富地区以及消费量高的发展中地区转移。

表1-1 不同年份氮肥生产及消费量排名前10位的国家

单位：万吨

排序	1961年				1988年				2019年			
	国家	生产量	国家	消费量	国家	生产量	国家	消费量	国家	生产量	国家	消费量
1	美国	304.2	美国	305.7	苏联	1557.8	中国	1820.9	中国	3009.1	中国	2411.0
2	德国	144.4	中国	88.0	中国	1365.3	苏联	1158.7	印度	1372.2	印度	1910.1
3	苏联	116.8	德国	87.6	美国	957.0	美国	960.9	美国	1292.4	美国	1173.0
4	日本	108.9	苏联	85.9	印度	672.4	印度	715.8	俄罗斯	1070.5	巴西	435.8
5	法国	77.3	日本	69.5	加拿大	300.0	法国	260.3	印度尼西亚	397.6	印度尼西亚	347.6
6	意大利	68.9	法国	62.5	德国	230.1	德国	241.3	埃及	343.4	巴基斯坦	341.5
7	中国	47.5	英国	49.8	印度尼西亚	203.3	印度尼西亚	158.5	加拿大	331.0	加拿大	285.7
8	英国	46.6	意大利	34.8	罗马西亚	192.0	英国	151.4	巴基斯坦	321.1	俄罗斯	253.2
9	荷兰	43.5	西班牙	32.7	荷兰	182.5	波兰	150.4	沙特阿拉伯	291.5	法国	212.6
10	挪威	28.6	印度	31.0	波兰	161.4	巴基斯坦	132.5	伊朗	277.4	乌克兰	174.0.
占比		80.0%		71.9%		70.8%		72.5%		72.8%		70.0%

注：数据来源于IFA数据库。

（2）磷肥生产及消费区域变化特征

欧、美、日磷肥生产量减少，施用减量；发展中国家或地区如中国、中东、非洲生产量增加，施用量增加。从生产区域变化来看，1961年主要集中于西欧和北美，产量占世界磷肥总产量的比例分别为43.8%、27.1%，然而经济较为落后的亚洲和非洲地区占比仅为8.5%、2.1%。随着肥料生产技术的完善、经济的发展以及肥料需求量的不断增加，磷肥生产的主要区域已转移至亚洲地区，2019年亚洲地区生产量占磷肥生产总量的57.5%，尤其是东亚地区，磷肥生产量从1961年的82.76万吨增长至1799.84万吨，涨幅2075%。中国在1993年后磷肥产量增加对世界磷肥产量增加的贡献率达到32.7%，并于2005年磷肥产量首次超过美国跃居第一，此后产量一直保持在第一位的水平。2019年中国磷肥产量占世界磷肥生产总量的 35.2%。相反，西欧地区已从 1961 年的磷肥主要生产地区转变为仅高于大洋洲的地区，产量也从 1961 年的 473.35 万吨降至 2019 年的 80.2 万吨，成为仅有的两个生产量降低的区域之一（大洋洲和西欧），而且降幅最大（见表 1-2）。

表1-2 不同年份磷肥生产及消费量排名前10位的国家 单位：万吨

排序	1961 年				1988 年				2019 年			
	国家	生产量	国家	消费量	国家	生产量	国家	消费量	国家	生产量	国家	消费量
1	美国	269.8	美国	276.2	苏联	907.0	苏联	855.6	中国	1660.7	中国	1117.8
2	苏联	93.5	法国	105.8	美国	767.0	中国	509.5	美国	536.0	印度	766.2
3	法国	91.1	德国	84.5	中国	369.2	美国	373.5	摩洛哥	499.3	巴西	541.7
4	德国	89.6	苏联	84.3	印度	230.5	印度	257.8	印度	479.1	美国	407.6
5	澳大利亚	58.5	澳大利亚	58.3	巴西	140.7	巴西	150.7	俄罗斯	375.1	印度尼西亚	128.4
6	日本	49.4	英国	46.3	摩洛哥	97.0	法国	146.0	沙特阿拉伯	249.1	加拿大	120.7
7	比利时	46.1	日本	45.3	波兰	96.1	德国	99.2	巴西	183.9	巴基斯坦	108.4
8	英国	43.0	意大利	39.7	法国	94.0	波兰	89.0	印度尼西亚	61.1	俄罗斯	96.6
9	意大利	42.6.	西班牙	30.8	突尼斯	74.7	澳大利亚	84.3	巴基斯坦	54.9	澳大利亚	92.3
10	西班牙	30.3	波兰	23.4	澳大利亚	72.3	日本	72.6	土耳其	49.7	孟加拉国	77.4
占比		75.3%		72.0%		73.5%		70.2%		88.0%		74.5%

注：数据来源于 IFA 数据库。

（3）钾肥生产及消费区域变化特征

钾肥生产高度集中，生产区域布局变化较小。从钾肥生产区域及生产量来看，世界钾肥产量居于前十名的国家始终占据着总产量的 95% 以上。钾肥生产主要集中于：东欧，如俄罗斯、白俄罗斯；北美洲，如加拿大；东亚，如中国。四个国家的生产量占钾肥总产量的 77%。从生产进程变化来看，钾肥主要生产国家略有变化，1961 年钾肥生产区域主要集中在西欧和北美，生产总量分别为 575.3 万吨、232.9 万吨，占比分别为 61.5%、24.9%，代表国家为德国、美国和法国。然而，到 2019 年钾肥生产区域已转移至东欧、北美以及东亚地区，产量分别为 1479.71 万吨、1296.14 万吨、651.71 万吨，分别占钾肥总产量的 34.6%、30.3%、15.2%，钾矿资源丰富的加拿大、俄罗斯和白俄罗斯地区已稳居钾肥生产总量的前三位，总计占世界钾肥生产总量的 63.5%。西欧也成为 1961 ～ 2019 年期间世界上唯一钾肥生产量降低的地区。从总体生产区域布局来看，钾肥生产区域始终集中于欧洲、北美以及东亚地区这些资源丰富以及需求量大的区域，并未发生较大变化（见表1-3）。

表1-3　不同年份钾肥生产及消费量排名前10位的国家　　单位：万吨

排序	1961年				1988年				2019年			
	国家	生产量	国家	消费量	国家	生产量	国家	消费量	国家	生产量	国家	消费量
1	德国	371.1	美国	206.0	苏联	1130.0	苏联	704.4	加拿大	1258.3	中国	1011.1
2	美国	232.9	法国	166.7	加拿大	832.7	美国	438.9	俄罗斯	732.5	巴西	610.2
3	法国	169.2	德国	92.0	德国	577.8	法国	193.5	白俄罗斯	726.1	美国	455.4
4	苏联	116.5	苏联	70.3	法国	141.1	中国	154.8	中国	587.1	印度	260.7
5	西班牙	25.8	澳大利亚	49.3	以色列	121.8	德国	147.0	德国	255.9	印度尼西亚	160.4
6	以色列	8.9	英国	44.2	美国	111.3	巴西	140.6	以色列	249.2	马来西亚	74.5
7	意大利	8.7	日本	35.9	约旦	80.5	印度	103.0	约旦	151.7	加拿大	72.9
8	智利	1.4	意大利	17.7	西班牙	75.4	波兰	102.1	智利	64.8	俄罗斯	58.1
9	秘鲁	0.5	西班牙	17.6	英国	44.5	日本	57.7	其余东亚各国	42.6	波兰	56.9
10	荷兰	0.3	波兰	13.9	意大利	13.7	英国	52.3	美国	37.8	越南	55.8
占比		99.9%		80.8%		99.5%		76.2%		96.0%		76.2%

注：数据来源于IFA数据库。

1.1.2.2　中国肥料产业在全球肥料产业体系中的角色和竞争力

随着中国肥料产业的快速发展，近些年来中国在世界肥料产业发展中扮演着重要作用，在化肥生产与进出口贸易中占据重要地位，化肥生产总量已稳居世界第一位，占世界生产总量的24%。尤其是近20年，中国肥料产业更是以突飞猛进的速度在发展，据世界肥料工业协会（IFA）统计数据，2000～2019年中国肥料产量增加对世界肥料总产量增加的贡献率为36.5%，其中氮肥、磷肥、钾肥的贡献率分别为24%、68.5%、33.7%。中国肥料出口量在2019年仅落后于俄罗斯和加拿大居世界第三位，达1143.23万吨，占世界肥料出口总量的11.5%，其中氮肥、磷肥出口总量分别居世界第二位、第一位，分别为587.14万吨、508.91万吨，分别占世界肥料出口总量的13.5%、23.1%。

1.1.3　肥料产品结构国别特征

世界处于不同发展阶段的国家走出的肥料产品发展道路有很大差异。以中国、美国、德国三国为例，1980 年前后中国氮肥产品结构主要以单质氮肥为主，尿素占了超过三成的市场份额，到 2009 年中国尿素及复合肥市场份额已接近七成，近些年逐渐转变成以三元复合肥为主要产品的氮肥生产结构。美国、德国则是逐渐向着多元化的氮肥产品结构发展，三元复合肥占比逐渐减少，转变成了以单质肥料和二元复合肥为主要产品的氮肥施用结构。美国氮肥产品结构向氨水、尿素、氮溶液三种产品均衡施用的方向发展。德国则一直以硝酸铵钙为主，但占比从 1980 年的接近六成降至 2019 年的不到四成，单质氮肥和尿素占比超过半数。可见，发展中国家在氮肥施用方面以多元复合肥料为主要产品，北美、西欧等发达国家则逐渐转换成了以单质肥料为主的产品结构。从磷肥产品施用结构来看，中国和美国、德国也存在较大差异，中国从以过磷酸钙为主逐渐转换成以磷铵复合肥、三元复合肥为主的消费结构，然而美国和德国则逐渐由三元复合肥向二元磷铵复合肥转变。对于钾肥产品结构，中国与德国、美国的发展路径截然相反，中国从以氯化钾为主要施用产品转变成以三元复合肥为主，德国、美国则从以三元复合肥施用为主转变成以氯化钾为主要产品。可见，不同经济水平下的国家在化肥产品施用结构方面存在巨大差异。

1.1.4 世界肥料产业发展展望

1.1.4.1 资源和能源形势主导肥料产业格局发展的总体趋势

肥料生产需要的主要资源和能源有煤炭、天然气、磷矿、硫黄、钾矿等。资源和能源的供应将会对肥料生产产生巨大影响，资源的短缺将会成为肥料生产和供应的主要矛盾。当下，氮肥生产主要依赖于煤炭、天然气能源供应，随着能源价格的大幅上涨[14]，氮肥生产将逐渐集中于一些原材料丰富以及能源价格低的区域。另外，随着环境治理力度的不断加深，以煤炭为能源生产肥料的区域将逐渐受到限制。高品位磷矿短缺，而且磷矿资源不断整合，磷矿龙头公司摩洛哥的磷酸盐集团和美国的美盛公司控制着全球 40% 以上的磷矿资源，国际市场竞争将进一步加剧[15]，磷矿渣及尾矿处理等环境问题会成为磷肥生产的主要限制因素。世界钾矿资源较为丰富，环境压力相对较小，除了运输和战争等不可抗拒因素外，资源和能源一般不会成为钾肥生产的主要限制因素。因此，未来肥料生产将更加集中于资源丰富、运输方便以及发展清洁型能源的地区。

1.1.4.2 环境保护政策推动着肥料产业走向绿色化、优质化、高效化

联合国可持续发展目标以及碳中和目标的确立使得许多国家和地区加大了环境保护的力度。近些年来，农业不合理生产行为造成了一系列面源污染问题，如空气质量下降、土壤酸化板结、地下水污染等，其中不合理施肥是重要因素之一，因此化肥减量增效也成了农业绿色发展的关键步骤[16]。因此，各个国家加大了对肥料厂商的监管力度，排放多、污染大、质量低的肥料也将逐渐被市场淘汰。同时，出台了一系列化肥减量增效的政策，发达国家较早开展了肥料减量增效的行动，如欧盟采取法治强制性政策和经济激励性政策来限制肥料使用[17]。如英国的《硝酸盐法令》，限定了氮肥、有机肥的最高用量，规定了氮肥施用时间[18]；德国实施的《德国肥料条例》限制了肥料的使用量和施用时间，与此同

时还采取一些经济激励性政策鼓励农民减施化肥[18,19]。欧洲地区在30多年的政策治理下，成功使氮肥、磷肥减量了30%～50%[20]。美国主要通过完善的市场服务体系，由政府、企业、科研院所多元融合推动施肥技术的发展来实现化肥减量增效，同时采取最佳管理措施的经济激励方式来提高肥料利用效率[21]，成功地将农业面源污染面积减少了66%左右[22]。日本主要通过优化养分管理体系，以市场需求为导向，驱动产品生产由数量到质量的转变，加之政策激励、限制，农业技术创新，以及完善社会服务组织（农协），实现了化肥减量增效[23]。

中国近些年也开展了一系列行动来实现化肥减量增效，降低化肥对农业面源污染带来的危害，其中2005年农业部启动了测土配方行动，2015年实施了化肥需求零增长方案，2017年开展了有机肥替代行动，2021年加大了对缓释肥料、水溶性肥料、液体肥料、叶面肥、生物肥料、土壤调理剂等高效新型肥料政策的扶持力度。

从不同国家的肥料政策可以看出，肥料减量增效是未来肥料产业发展的必然趋势。各大肥料企业也会逐渐加快肥料创新的步伐，肥料创新成为未来肥料产业发展的首要任务。新型肥料、绿色智能肥料将成为未来肥料产业发展的重要产品，微生物肥料、稳定性肥料、有机肥料等新型绿色产品近些年产能、产量占比不断增多[24]，未来随着生产效率的提高、农艺农技匹配程度的提高，在农业绿色发展的背景下，肥料产业发展会持续沿着绿色、高效、优质、低耗、高产的方向发展[25,26]。

1.1.4.3 国际贸易形势影响肥料市场的流通速度

肥料作为大宗商品，国际间贸易政策影响着其市场流通速度。近些年，限制性贸易政策增多，如中美贸易摩擦，肥料进出口关税增长5%～25%，导致贸易自由化的步伐减慢，限制了肥料的正常生产和流通[27]。另外，因客观原因的影响，世界经济发展变缓，经济复苏乏力，大宗工业品需求疲软[28]。加之近几年，北非、西亚等地新建磷肥产能集中释放，全球磷肥生产贸易格局发生巨大变化，美国美盛公司、摩洛哥OCP等磷肥行业龙头不断继续巩固地位，加速抢占磷肥市场，中国磷肥出口挑战进一步加大，中国磷肥的国际竞争能力将被削弱[15]。

当前国际粮食价格较大幅度地提高，促使肥料等投入品需求的增加。加之俄罗斯作为磷肥、钾肥生产的主要国家之一以及肥料出口量最大的国家，短期内肥料市场在国际上的流通将受到冲击，国际磷肥、钾肥市场供应紧张，价格存在较大幅度上涨的趋势。

1.1.5 结语

肥料作为粮食生产必不可少的要素，不合理使用存在巨大的环境风险。因此，肥料产业在满足粮食生产的同时也需满足当下农业绿色发展、可持续发展的时代要求。在各国环境政策驱使下，绿色、高效是未来肥料产业发展的主题，传统肥料需求逐渐接近饱和，肥料企业将加速寻求绿色发展道路。中国应加大力度学习发达国家在减肥道路上的成功经验，分析欧、美、日等国家和地区的肥料使用历程、产品结构变化，为中国未来肥料使用提供参考。从资源和能源形势以及国际贸易形势来看，未来肥料企业之间竞争继续加剧，他们将加速合并重组的步伐来提升自身竞争力。因此，能源、资源丰富以及肥料产品创新能力强大的区域将在未来肥料市场中占据巨大优势。

1.2　中国肥料产业概况

中国作为全球肥料生产量与消费量最大的国家，近些年在市场需求以及环境政策的驱动下，肥料产业供给侧结构不断改革，肥料产业体系不断发展，形成了原料、一次制造、二次加工、多渠道流通和多种类型用户的架构。肥料产品不断丰富，截止到2020年具有标准和纳入登记的一次产品达到40种，二次加工产品达到39种，共79种。企业集中度不断提高，原料、一次制造、二次加工、流通的企业总数估计达到6740家，比2010年减少610家，其中氮、磷、钾原料企业数和复合肥生产企业数大幅减少，而有机肥等企业数增长迅速。全国肥料生产能力巨大，一次制造能力达到18500万吨（以实物量计，下同），二次加工能力达到30430万吨。基础肥料产量达到14445万吨，二次加工量达到9900万吨。由于环保等政策限制，2020年氮、磷类产品产能较2010年减少1465万吨，产量降低757万吨，而有机肥等产能由2010年的3666万吨增长至8948万吨，产量由1929万吨增长至3303万吨。

1.2.1　肥料产业体系

目前，中国肥料产业形成了从生产、流通到消费的庞大产业体系，大致可分为原料及中间体、一级加工产品、二级加工产品、流通模式、种植户五个层级。

原料及中间体指生产肥料产品的原料及能源物质，主要包括合成氨、磷矿、硫矿、钾矿等。

一级加工产品指可通过原料及中间体直接合成的肥料产品，主要包括一些基础的氮肥、磷肥、钾肥产品，可直接由加工企业或者流通企业到达种植户，或者还可经过再加工形成二级加工产品后，通过批发商、零售商的层级流通或直接到达种植消费端。

二级加工产品指一级加工产品通过物理、化学等方法再加工形成的产品，主要包括复合肥、增效肥料、有机肥料及微生物肥料等（图1-6）。

流通模式主要有两种：一种是生产企业通过批发商、零售商的层级代理方式形成“生产厂商—批发商—零售商—农户”的流通模式；另一种是当下较大规模的新型经营主体直接与生产厂商对接或者是企业电商模式，连接企业与农户，形成流通环节简短的“生产厂商—合作社（家庭农场）—农户”模式。

肥料可用于农业、林业、渔业、牧业等多种行业，当下主要应用于农业生产。目前中国农业生产主体主要有一家一户分散经营的小农户、依靠土地集约新兴起的农民专业合作社、家庭农场、种植大户等新型经营主体，尤其是新型经营主体在近些年已成为中国农业生产的重要力量，在国家政策的扶持推动下数量迅速增长。合作社从 2010 年的 38 万家增长至 2020 年的 220 万家，家庭农场个数已达 380 万家，在衔接小农户与肥料市场中起重要作用。

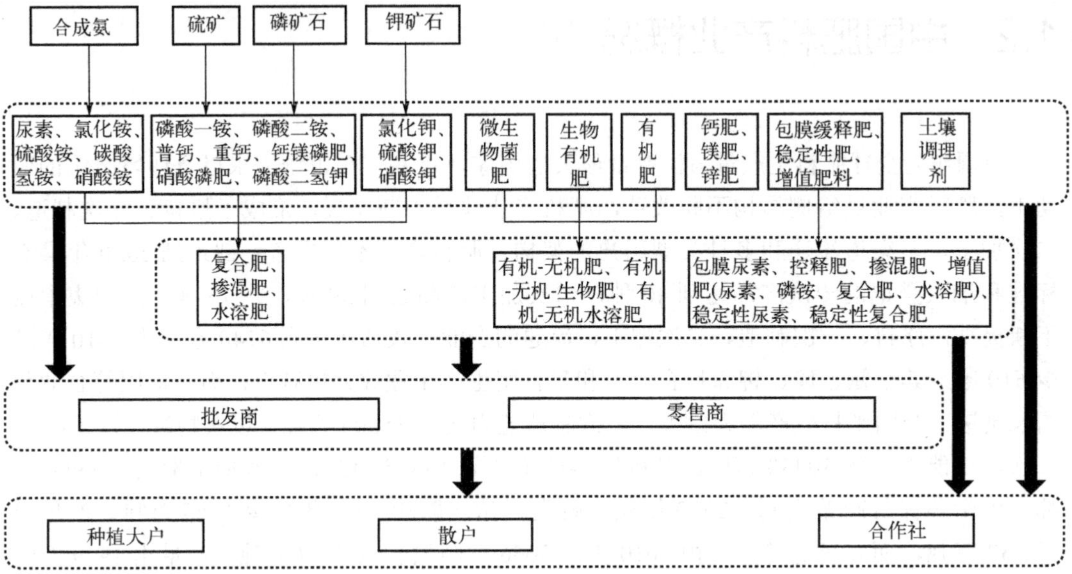

图 1-6　中国肥料产业流通体系

1.2.2　肥料产品体系

产品在流通前为了加强质量管理，保护生态环境，保障人畜安全，促进农业生产，国家有关部门制定了肥料生产许可、标准以及产品登记要求，本节根据这三类管理办法允许的目录，梳理了中国现有肥料产品种类。

1.2.2.1　肥料生产许可

企业生产许可由质检部门颁发，重点约束部分肥料生产条件的规范性，涉及的肥料种类包括部分磷肥、复合肥产品。

1.2.2.2　肥料产品标准

肥料产品标准是约束产品质量的重要方式，主要包括国家强制性标准（目前仅有二项）、国家标准、行业标准、团体标准、企业标准等，不同的标准颁发主体不同，本节选取了具有上述五类标准的产品，共涉及尿素、碳酸氢铵、氯化铵、氰氨化钙、硫酸铵、过磷酸钙、重过磷酸钙、磷酸一铵、磷酸二铵、钙镁磷肥、氯化钾、硫酸钾、磷酸二氢钾、碳酸钾、中微量元素肥、微生物肥、土壤调理剂、复合肥料、水溶肥料、有机肥、增值肥料等 79 种产品。产品类型及相关标准详见表 1-4 和表 1-5。

表1-4　我国肥料一次加工产品类型及相关标准

类型	肥料产品	分子式	缩写	养分含量	标准
氮肥	尿素	$CO(NH_2)_2$	Urea	46% N	GB/T 2440—2017
	农业用碳酸氢铵	NH_4HCO_3	ABC	17% N	GB/T 3559—2001
	液体无水氨	NH_3		82% N	GB/T 536—2017
	肥料级硫酸铵	$(NH_4)_2SO_4$	AS	21% N	GB/T 535—2020
	硝酸铵	NH_4NO_3	AN	34% N	GB/T 2945—2017
	氯化铵	NH_4Cl	ACL	24% ～ 25% N	GB/T 2946—2018
	农业用硝酸钙	$Ca(NO_3)_2 \cdot 4H_2O$		11.86% N	HG/T 4580—2013
磷肥	磷酸一铵	$NH_4H_2PO_4$	MAP	$11N\text{-}44P_2O_5$	GB/T 10205—2009
	磷酸二铵	$(NH_4)_2HPO_4$	DAP	$18N\text{-}46P_2O_5$	GB/T 10205—2009
	过磷酸钙	$Ca(H_2PO_4)_2 \cdot H_2O$	SSP	14(12,16,18) P_2O_5	GB/T 20413—2017
	重过磷酸钙	$Ca(H_2PO_4)_2$	TSP	46(40,42,44) P_2O_5	GB/T 21634—2020
	工业磷酸氢二铵	$(NH_4)_2HPO_4$			HG/T 4132—2021
	工业磷酸二氢铵	$NH_4H_2PO_4$			HG/T 4133—2021
	钙镁磷肥	$Ca_3(PO_4)_2$、$CaSiO_3$、$MgSiO_3$	FCMP	15(12,18) P_2O_5	GB/T 20412—2021
	硝酸磷肥	混合物	NP	$25N\text{-}10P_2O_5$	GB/T 10510—2023
钾肥	肥料级氯化钾	KCl	MOP	$60K_2O$	GB/T 37918—2019
	农业用硫酸钾	K_2SO_4	SOP	$50K_2O$	GB/T 20406—2017
	农业用硝酸钾	KNO_3	NOP	$13.5N\text{-}44K_2O$	GB/T 20784—2018
	硫酸钾镁	$MgK_2(SO_4)_2$			GB/T 20937—2018
	肥料级磷酸二氢钾	KH_2PO_4	MKP	$50P_2O_5\text{-}33K_2O$	HG/T 2321—2016
	工业碳酸钾	K_2CO_3		$35K_2O$	GB/T 1587—2016
中微量元素肥	农业用硫酸镁	$MgSO_4 \cdot 7H_2O$		13% ～ 16% MgO	GB/T 26568—2011
	工业硫酸镁	$MgSO_4 \cdot H_2O$		27.1% MgO	HG/T 2680—2017
	六水合硝酸镁	$Mg(NO_3)_2 \cdot 6H_2O$		15.7% MgO	HG/T 5272—2017
	工业氯化镁	$MgCl_2 \cdot 6H_2O$		25% MgO	QB/T 2605—2003
	硫酸钾镁肥	$2MgSO_4 \cdot K_2SO_4$		8% MgO	GB/T 20937—2018
	氯化钾镁肥	$KCl \cdot MgSO_4$		19.92% MgO	Q/DBJM 0001—2017
	工业氢氧化镁	$Mg(OH)_2$		58% ～ 75% MgO	HG/T 3607—2024
	工业硼酸	H_3BO_3		17%（以 B 计）	GB/T 538—2018
	硼镁肥料				GB/T 34319—2017
	农业用硫酸锌	$ZnSO_4$			HG/T 3277—2000
	硫酸铜（农用）	$CuSO_4$			GB 437—2009
	农业用硫酸锰	$MnSO_4$			NY/T 1111—2006
	硅肥				NY/T 797—2004

表1-5　我国肥料二次加工产品类型及相关标准

类型	肥料产品	标准
复合肥料	复合肥料	GB/T 15063—2020
	工业聚磷酸铵	HG/T 2770—2020
	硝酸磷钾肥	GB/T 10510—2023
	含硫酸脲复合肥	HG/T 5516—2019
	腐植酸复合肥料	T/CHAIA 3—2018
	腐植酸钾复合肥料	T/CHAIA 8—2020
	无机包裹型复混肥料	HG/T 4217—2011
	硝基复合肥料	HG/T 4851—2016
水溶肥料	大量元素水溶肥料	NY/T 1107—2020
	中量元素水溶肥料	NY 2266—2012
	微量元素水溶肥料	NY 1428—2010
	含腐植酸水溶肥料	NY 1106—2010
	含氨基酸水溶肥料	NY 1429—2010
有机及微生物肥料	有机肥料	NY/T 525—2021
	生物炭基有机肥料	NY/T 3618—2020
	生物有机肥	NY 884—2012
	复合微生物肥料	NY/T 798—2015
	有机无机复混肥料	GB/T 18877—2020
	矿物源腐植酸有机肥料	HG/T 5602—2019
	农用微生物菌剂	GB 20287—2006
	农用微生物浓缩制剂	NY/T 3083—2017
土壤调理剂	土壤调理剂	NY/T 3034—2016
	磷石膏土壤调理剂	HG/T 4219—2011
	腐植酸土壤调理剂	HG/T 5782—2020
	农林保水剂	NY/T 886—2022
增效肥料	农业用硝酸铵钙	NY/T 2269—2020
	尿素硝酸铵溶液	NY/T 2670—2020
	脲铵氮肥	NY/T 4214—2022
	含海藻酸磷铵	HG/T 5515—2019
	稳定性肥料	GB/T 35113—2017
	硫包衣尿素	GB/T 29401—2020
	缓释肥料	GB/T 23348—2009
	控释肥料	HG/T 4215—2011
	含腐植酸尿素	HG/T 5045—2016
	含海藻酸尿素	HG/T 5049—2016
	含腐植酸磷铵	HG/T 5514—2019
	腐植酸钾	GB/T 33804—2017
	腐植酸复合肥料	HG/T 5046—2016
	含腐植酸水溶肥料	NY 1106—2010
	含氨基酸水溶肥料	NY 1429—2010

① 氮肥。按照国家标准体系，目前有尿素、农业用碳酸氢铵、液体无水氨、氨水、肥料级硫酸铵、硝酸铵、氯化铵、农业用硝酸钙、氰氨化钙等多个产品。其中国家标准 6 个，行业标准 3 个。

② 磷肥。按照国家标准体系，目前有磷酸一铵、磷酸二铵、过磷酸钙、重过磷酸钙、钙镁磷肥、硝酸磷肥、工业磷酸氢二铵、工业磷酸二氢铵等多个产品。其中国家标准有 6 个，行业标准有 2 个。《植物营养学》磷肥分类中提及的富过磷酸钙、沉淀磷肥、脱氟磷肥无相关标准。

③ 钾肥。按照国家标准体系，目前有肥料级氯化钾、农业用硫酸钾、农业用硝酸钾、硫酸钾镁、肥料级磷酸二氢钾、工业碳酸钾、硫酸钾钙镁等多个产品。其中国家标准有 5 个，行业标准有1个，企业标准有1个。其中氯化钾和资源型硫酸钾可通过一次性加工完成，加工型硫酸钾、硝酸钾、磷酸二氢钾等均需要经过二次制造后才能形成。《植物营养学》钾肥分类中存在的草木灰及窑灰钾肥暂无相关标准。

④ 中微量元素肥。按照国家标准体系，目前有农业用硫酸镁、工业硫酸镁、六水合硝酸镁、工业氯化镁、硫酸钾镁肥、氯化钾镁肥、工业氢氧化镁、工业十水合四硼酸二钠、工业硼酸、硼镁肥料、农业用硫酸锌、硫酸铜（农用）、农业用硫酸锰、硅肥等多个产品。其中国家标准有 6 个，化工行业标准有 4 个，企业标准有 2 个，农业行业标准有 2 个。《植物营养学》中微肥分类中存在的极少量施用的氧化镁、磷酸镁、磷酸镁铵、石膏、石灰、硫黄、石膏、硫代硫酸铵、五硼酸钠、八硼酸钠、八硼酸钾、氯化锌、氧化锌、螯合态锌、钼酸铵、钼酸钠、三氧化钼、氧化铜、螯合态铜、含铜矿渣、硝酸锰、碳酸锰、氯化锰、氧化锰、硫酸亚铁、硫酸亚铁铵、铁的螯合物等中微量肥料产品还未有相关标准。

⑤ 复合肥料。按制造工艺可分为化成复合肥料和混成复合肥料两大类；按所含养分数量可分为二元复合肥、三元复合肥和多元复合肥三大类；按氮素养分形态可分为尿基肥、硝基肥和铵基肥三大类；按磷素养分形态可分为水溶磷复合肥和枸溶磷复合肥两大类；按钾素原料种类可分为硫基复合肥和氯基复合肥两大类；按肥效时间长短可分为普通复合肥料、控释肥料和缓释肥料三大类。按照国家标准体系，二次加工复合肥料产品中目前有国家标准 2 个，行业标准 4 个，团体标准 2 个。

⑥ 水溶肥料。目前有大量元素水溶肥料、中量元素水溶肥料、微量元素水溶肥料、含腐植酸水溶肥料、含氨基酸水溶肥料，均有相应的农业行业标准。另外，有机水溶肥料目前没有标准，但需要在农业农村部进行产品登记。

⑦ 有机及微生物肥料。目前有粪尿类、堆沤肥类、秸秆肥类、绿肥类、土杂肥类、饼肥类、海藻肥类、腐植酸类、农用城镇废弃物、沼气肥 10 大类，共 433 个品种。微生物肥料主要分为菌剂类和菌肥类。菌剂主要有根瘤菌制剂、固氮菌制剂、溶磷细菌制剂、溶磷真菌制剂、硅酸盐细菌制剂、促生细（真）菌制剂、光合细菌制剂、放线菌制剂、有机物料腐熟剂、土壤修复菌剂等。有机及微生物肥料产品主要有生物炭基有机肥料、有机肥料、有机无机复混肥料、矿物源腐植酸有机肥料、生物有机肥、复合微生物肥料、农用微生物菌剂、农用微生物浓缩制剂，有国家标准 2 个，化工行业标准 1 个，农业行业标准 5 个。

⑧ 土壤调理剂。目前土壤调理剂有天然矿物类、固体废弃物类、人工提取或合成的高分子聚合物类、生物制剂类。按照国家标准体系，目前有化工行业标准 2 个，农业行业标准

2个，其余产品还未形成标准。

⑨ 增效肥料。按照国家标准体系，目前增效肥料类主要有农业用硝酸铵钙、尿素硝酸铵溶液、脲铵氮肥、含海藻酸磷铵、稳定性肥料、硫包衣尿素、脲醛缓释肥料、缓释肥料、控释肥料、含腐植酸尿素、含海藻酸尿素、含腐植酸磷铵、腐植酸钾、腐植酸复合肥料、含腐植酸水溶肥料、含氨基酸水溶肥料。其中国家标准有4个，化工行业标准有7个，农业行业标准有5个。

1.2.2.3 肥料产品登记要求

肥料登记/备案是农业部门对肥料质量控制的手段，尤其是预防肥料施用后对农田、作物和人的健康的影响。目前纳入登记备案的产品一部分有标准，一部分尚无标准，就大类而言，大量元素水溶肥料、中量元素水溶肥料、微量元素水溶肥料、农用氯化钾镁、农用硫酸钾镁等肥料2020年10月起不再在农业农村部登记，改为备案。复混肥料、掺混肥料不再在省级农业农村部门登记，改为备案。硫酸铵、尿素、硝酸铵、氰氨化钙、磷酸铵（磷酸一铵、磷酸二铵）、硝酸磷肥、过磷酸钙、氯化钾、硫酸钾、硝酸钾、氯化铵、碳酸氢铵、钙镁磷肥、磷酸二氢钾、单一微量元素肥、高浓度复合肥免予登记。

1.2.3 肥料产业结构现状及变化

1.2.3.1 中国肥料产业企业数量现状及变化

2010～2020年，中国肥料产业进入转型发展期，从企业数量、产能产量来看均有较大变化。从企业数量变化来看，目前原料开采企业有522个、一次加工企业约有460个、二次加工企业约有5760个，行业共约有6740个企业涉及肥料生产，其中有一些企业既有原料开采，也有一次加工，还有二次加工，目前无法彻底厘清综合型企业数量。过去十年，不同类型企业发生较大的合并、重组，企业数量变化较为明显。化肥产业上游原料开采企业数量急剧下降，如合成氨企业由394个降低至214个。基础肥料中，氮肥磷肥及复合肥企业数量也均呈现下降的现象，如氮肥、磷肥、复合肥生产企业分别由2010年的434个、216个、2682个减少至2020年的172个、141个、1715个；而新型肥料企业呈现出增加的趋势，如商品有机肥企业由2776个增长至3565个。

1.2.3.2 中国肥料产能现状及变化

不同产品类型产能呈现不同的变化趋势。养分含量较低的肥料产品产能迅速下降，如碳酸氢铵、过磷酸钙分别由2010年的3411万吨、1680万吨降低至2020年的553万吨、700万吨，合成氨和尿素产能稳中有升。养分含量较高的氮磷肥产品以及磷复肥产能有一定程度的上升，如硫酸铵由333万吨增长至1373万吨；磷酸一铵、磷酸二铵分别由1615万吨、1670万吨增长至1815万吨、1960万吨；氯化钾、硫酸钾、商品有机肥增长较为明显，分别从567万吨、348万吨、3666万吨增长至862万吨、782万吨、8948万吨，增长幅度分别为52%、111%、144%。可见，近十年来产能结构调整的方向是高浓度、复合化以及高效化，养分含量较低的产品逐渐在市场中淘汰，新型肥料如商品有机肥等发展迅速。

1.2.3.3 中国肥料产量现状及变化

从产量上来看，原料产品产量约为15709万吨（以实物量计，下同），一次加工产品产量约为14445万吨，二次加工产品产量约为9933万吨。合成氨由5221万吨增至5884万吨；氮肥、磷肥产品中养分含量较低的产品，如碳酸氢铵、过磷酸钙产量分别由2461万吨、1444万吨降低至430万吨、371万吨，尿素、硫酸铵、氯化铵、磷酸一铵、磷酸二铵等产品产量均有所提升，其中尿素由5200万吨增至5623万吨，氯化铵由956万吨增至1426万吨，硫酸铵由240万吨增至1112万吨，磷酸一铵、磷酸二铵分别由1220万吨、1143万吨增至1566万吨、1450万吨。钾肥和新型肥料产量增长较快，如氯化钾和硫酸钾分别由458万吨、194万吨增至730万吨、444万吨，增长幅度分别为59%、130%，商品有机肥由1930万吨迅速增至3303万吨。

由上可知，2010年至2020年期间中国肥料产业产能不断集中，氮肥和磷肥等产能过剩现象有了很大的缓解，产能利用率不断提高，其中合成氨的产能利用率由79.6%增长至88.1%，尿素、氯化钾、硫酸钾产能利用率分别由78.1%、80.7%、55.6%增长至84.7%、84.7%、56.7%。养分含量低的肥料产品的产能、产量逐渐下降，产业不断集中，产品结构逐渐向着多元化、复合化、高效化、功能化发展。

1.2.4 结语

过去十年中国肥料产业结构发生了较大调整，产业上下游不同层次的构成发生显著变化，主要体现在原料产品产能稳中有升、产量增长较快，产能利用率迅速提高；一次加工产品中养分含量低、高污染、易损失的肥料产品的市场占比逐渐降低，逐渐向着高效、多元的方向发展；商品有机肥等绿色肥料的产能、产量迅速上升。从行业数量变化来看，行业总数呈现下降趋势，但不同产品类型的行业变化方向不同，其中，基础肥料龙头企业产能、产量市场占比逐渐提高；小规模、低效率的企业在环保政策的限制下加速合并、重组、转型的步伐，企业数量迅速下降，行业的集中度大幅度提高；有机肥料、微生物肥料及增效肥料等企业处于快速发展阶段，肥料企业迅速增长，新兴肥料行业仍在分散化发展。肥料产品结构逐渐向着多元化、复合化、绿色化的方向发展。

未来，在双碳调控政策、农业绿色发展的交互影响下，果菜茶有机肥替代化肥行动进一步深化，绿色新型肥料的支持力度进一步加大，在种养结合、多样化种植、水肥一体化等技术模式的多重驱动下，化肥减量增效将取得进一步突破。因此，在农业绿色发展的时代背景下，技术、政策逐渐完善，肥料产业结构仍将发生较大变动。

参考文献

[1] 枫林. 秘鲁的鳀鱼和鸟粪[J]. 拉丁美洲丛刊，1980(2):73-74.
[2] 梁祖义. 过磷酸钙名称探源[J]. 化工标准·计量·质量，2003(9):12-48.
[3] 刘立新. 过磷酸钙的农化作用[J]. 磷肥与复肥，1995(4):34, 73-74.
[4] 朱希茹，许梦瑶，王芳，等. 主要磷肥产品的发展历程与展望[J]. 肥料与健康，2021,48(4):10-16.
[5] 白仟，张寿庭，袁俊宏，等. 钾盐开采-加工技术及其对产业发展的影响[J]. 资源与产业，2015,17(3):79-88.

[6] Tosdal H R. The kartell movement in the German Potash Industry[J]. The Quarterly Journal of Economics,1913,28(1):140-190.
[7] 刘化章．合成氨工业：过去、现在和未来——合成氨工业创立 100 周年回顾、启迪和挑战 [J]．化工进展，2013,32(9):1995-2005.
[8] Tzika M, Alexandridou S, Kiparissides C. Evaluation of the morphlogical and release characteristics of coated fertilizer granules produced in a wurster fluiuiced bed[J]. Powdertechnology,2003,132(1):16-24.
[9] 武志杰，石元亮，李东坡，等．稳定性肥料发展与展望 [J]．植物营养与肥料学报，2017,23(6):1614-1621.
[10] 涂仕华，朱钟麟．国内外复混肥料的发展趋势 [J]．西南农业学报，2001(S1):92-95.
[11] 潘沛华，张鹏，时忠慧．硝酸磷肥生产的回顾与展望 [J]．化肥工业，2000(4):3-8, 61.
[12] 李小坤，鲁剑巍，陈防．牧草施肥研究进展 [J]．草业学报，2008(2):136-142.
[13] 陈伟，薛立．人工林施肥研究进展综述 [J]．广东林业科技，2004(1):61-66.
[14] 高慧颖，朱柳泉，齐结斌．全球能源产品价格趋势及预测 [J]．金融发展评论，2021(4):1-10.
[15] 景绍慧，何东升．磷肥行业发展现状及前景 [J]．现代化工，2018,38(9):5-9.
[16] Shen J B, Zhu Q C, Jiao X Q, et al. Agriculture green development: A model for China and the world[J]. Front Agr Sci Eng, 2020,7(1):5-13.
[17] 李芳，冯淑怡，曲福田．发达国家化肥减量政策的适用性分析及启示 [J]．农业资源与环境学报，2017,34(1):15-23.
[18] 马海龙，李婷玉，马林，等．欧洲国家农田养分管理差异及其对我国的启示 [J]．土壤通报，2019,50(4):974-982.
[19] 刘坤，任天志，吴文良，等．英国农业面源污染防控对我国的启示 [J]．农业环境科学学报，2016,35(5):817-823.
[20] 付晓玫．欧盟、美国及日本化肥减量的法律法规与政策及其适用性分析 [J]．世界农业，2017(10):80-86.
[21] 潘昭隆，李婷玉，马林，等．美国农田养分管理体系的发展及启示 [J]．土壤通报，2019,50(4):965-973.
[22] Darcy B, Forst A. The role of best management practices in alleviating water quality problems associated with diffuse pollution[J]. Science of the Total Environment,2001,265(1/3):359-367.
[23] 王晨珲，李婷玉，马林，等．日本化肥减量增效实现途径及启示 [J]．土壤通报，2020,51(3):725-732.
[24] 李俊，姜昕，马鸣超．新形势下微生物肥料产业运行状况及发展方向 [J]．植物营养与肥料学报，2020,26(12):2108-2114.
[25] 冯尚善，崔荣政，王臣．我国新型肥料产业发展现状及展望 [J]．磷肥与复肥，2020,35(10):1-3.
[26] 高向南．新型肥料产业发展现状及展望 [J]．化工管理，2021(27):7-8.
[27] 中美贸易摩擦：2019 年 6 月 1 日起对美国部分进口肥料及相关商品提高加征关税 [J]．磷肥与复肥，2019,34(6):51.
[28] 刘洪铎，张铌，卢阳，等．新冠肺炎疫情对全球贸易的影响研究 [J]．统计研究，2021,38(12):61-76.

中国肥料研究与应用全书

Books of Fertilizer Research and Application in China

FERTILIZER

第 2 章

中国氮肥产业发展

2.1 概述

早在 19 世纪，科学家就发现了氮元素对植物生长的重要作用，农民对氮肥的需求也大幅增加。人们最早使用氮肥是开采利用硝酸钠矿时，在智利阿塔卡马沙漠里发现的硝酸钠矿，曾经是世界上氮肥的主要来源。但人们意识到矿藏资源终究会开采完，于是不断探索和尝试各种人工合成氮肥的方法。到了 19 世纪后期，随着炼焦工业在欧洲各国的逐渐兴起，人们发现，可以用从煤气中回收的氨制成硫酸铵或氨水，作为氮肥施用，但这仍远远满足不了需要。直到 1913 年“哈伯-博施法”生产合成氨获得成功，氮肥工业才真正迅速发展起来[1]。

中国的氮肥工业始于20世纪30年代，此前中国没有合成氨生产，工业和农业需要的氨、硝酸、硫酸铵全部依赖进口，氮肥则以进口硫酸铵为主。国内最早的自办合成氨工厂为上海天利氮气股份有限公司和永利化学工业公司铔厂。一直到新中国成立前，全国也只有 5 个氮肥生产厂，氮肥年产量仅 6000 吨左右（折纯，下同）[1]。为了满足粮食生产对化肥的需求，经过几代人的艰苦奋斗和不懈努力，通过引进、消化、吸收、自主创新，先后闯过了制约发展的“技术关”“原料关”“经济关”，我国氮肥工业实现了长足的进步，取得了惊人的业绩。尤其是改革开放以后，由于农业的快速发展及国家一系列优惠政策的扶持，氮肥总量取得一次又一次跨越。1991 年我国成为世界上最大的氮肥生产国，2003 年实现尿素产品净出口，2007 年成为世界上最大的尿素出口国，2015 年氮肥产量达到历史最高值 4791 万吨，占世界总量的 38%[2]。到 2020 年，合成氨、氮肥和尿素产量分别达到 5884 万吨、4033 万吨（折纯，下同）和 5623 万吨（以实物计，下同）。

从建立第一家氮肥厂到成长为全球第一大氮肥生产国、消费国，我国氮肥工业一路走来，战胜艰难险阻、攻克重重难关，取得了辉煌的发展成绩。当前，国内外政治、经济环境发生巨大变化，我国氮肥产业面临天然气供应短缺、能源消耗总量控制任务艰巨、高附加值产品开发不足、安全环保低碳发展任务繁重、国际化经营水平不高等一系列问题和挑战，仍需以习近平新时代中国特色社会主义思想为指导，坚持绿色、高质量发展理念，为将我国建设成氮肥强国不懈努力。

2.1.1 氮肥类型

氮肥是指以氮（N）为主要成分，具有 N 标明量，施于土壤可提供植物氮素营养的肥料。氮肥按照来源可分为有机氮肥和无机氮肥。对植物而言，能够被吸收同化的氮素类型主要为无机态的铵态氮和硝态氮，有机态的酰胺态氮、氨基酸和核酸等的吸收与同化较少。氮肥产业中主要生产的是无机氮肥和酰胺态氮（尿素），按照化合物的形态可分为铵态氮肥、硝态氮肥及酰胺态氮肥三类（图 2-1）。

铵态氮肥指含有铵根离子（NH_4^+）或氨（NH_3）的含氮化合物。合成氨本身可以液氨的形式直接施用，也可以和水形成氨水，进一步添加尿素 [$CO(NH_2)_2$] 和硝酸铵（NH_4NO_3）（常称硝铵）可进一步形成尿素硝酸铵溶液。氨和不同酸反应形成生理酸性的铵态氮肥，例如和碳酸形成碳酸氢铵（常称碳铵），和硫酸形成硫酸铵（常称硫铵），和盐酸反应形成氯化铵（常称氯铵），以及和磷酸反应形成磷酸铵（常称磷铵）。氮肥产品中最常用的尿素则是利用液氨和二氧化碳为原料，在高温高压条件下直接合成尿素。硝态氮肥指含有硝酸根（NO_3^-）的含氮化合物，包括硝酸铵、硝酸钠、硝酸钙等，也可被加工成硝酸铵钙等氮肥产品。为了提高氮肥利用率，减少氮肥施用过程中的养分损失，增效氮肥产品不断被研发出来，如长效碳铵、硫包衣尿素、树脂包膜尿素、稳定性尿素、增值尿素等。

按化学酸碱性分类，尿素、硝酸钠属于化学中性氮肥，这类肥料溶于水后，水溶液呈中性的肥料。硫酸铵、氯化铵、硝酸铵属于化学酸性氮肥，这类肥料的水溶液呈酸性。碳酸氢铵、氨水、液氨属于化学碱性氮肥，其水溶液均呈碱性。按生理酸碱性分类，尿素、碳酸氢铵、硝酸铵属于生理中性氮肥，其阴阳离子均为作物吸收，使用后不会改变土壤酸碱度。硫酸铵、氯化铵属于生理酸性氮肥，其阳离子的吸收量要大于阴离子的吸收量，导致土壤中的酸根离子较多，从而使得土壤酸度提高。硝酸钠属于生理碱性氮肥，作物对阴离子的吸收量要大阳离子的吸收量，导致土壤中的阳离子较多，从而使得土壤碱度提高。

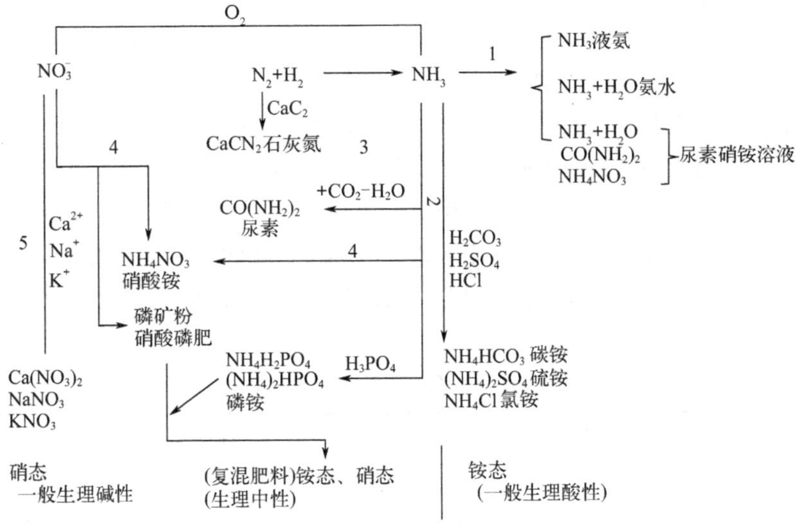

图 2-1　氮肥形态分类

2.1.2　主要氮肥产品的概念、发展概况及用途

2.1.2.1　液氨及氨水溶液

液氨，是指将气态的氨气通过加压或冷却得到的液态氨。液氨易溶于水，溶于水后形成铵根离子（NH_4^+）、氢氧根离子（OH^-），溶液呈碱性。液氨多储于耐压钢瓶或钢槽中，而且不能与乙醛、丙烯醛、硼等物质共存。液氨在工业上应用广泛，具有腐蚀性且容易挥发，所以其化学事故发生率很高。液氨主要用于生产硝酸、尿素和其他化学肥料，还可用作医药和

农药的原料。可用作有机化工产品的氨化原料，因为液氨在气化后转变为氨气，能吸收大量的热，被誉为“冷冻剂”。同时，液氨具有一定的杀菌作用，所以在家禽养殖业中，被用于杀菌和降温制冷。

氨水，是氨的水溶液，无色透明且具有刺激性气味。工业氨水是含氨 25% ～ 28% 的水溶液，氨水中仅有一小部分氨分子与水反应形成一水合氨，是仅存在于氨水中的弱碱。用作农业肥料的氨水一般含氮 14% ～ 17%，氨水中的氮呈不稳定的结合态，因此易挥发，具有刺激性臭味，当氨气达到一定浓度时会烧伤作物茎叶。氨水浓度越大，温度越高，则氨气挥发损失越多，烧苗也越严重。氨水对眼睛和呼吸道等人体黏膜有强烈的刺激损害作用，因此贮存、运输、施用过程中要注意安全。施用时要加水稀释氨水，一般稀释 20 ～ 30 倍，因为氨水越浓，挥发越多；不离土就是深施盖土，一般要求盖土 7cm 以上。如果在田间稀释氨水，必须在下风处调配，以免氨气扩散熏伤作物。氨水可作基肥和追肥，但不宜作种肥或幼苗追肥。在水田施用时，可稀释数倍后直接泼入田中，立刻匀耙，最好用氨水施肥器把氨水施入土层下面。如果作追肥，不要泼在叶片上，要用氨水施肥器插入土层 7 ～ 8cm 深处，注入浓氨水。

工业级氨水检测依据标准为 HG/T 5353—2018《工业氨水》。而化学试剂用氨水则需要依据 GB/T 631—2007《化学试剂 氨水》检测。在检测项目上，不同用途的氨水也不相同。如工业氨水只需要检测氨水浓度、色度、蒸发残渣三个项目即可。而化学试剂氨水除了这三个项目外，还要检测氯化物、硫化物、硫酸盐、碳酸盐、磷酸盐、钠、镁、钾、钙、铁、铜、铅、还原高能高锰酸钾物质等项目。以氨衡量氨水质量的最关键的指标氨水浓度为例，食品级氨水浓度检测要求应该在 27.0% ～ 30.0% 之间，工业氨水浓度检测则要求应该 ≥ 20.0%，化学试剂氨水浓度检测要求则应该在 25.0% ～ 28.0% 之间。液氨的浓度要求更苛刻，达到了 ≥ 99.9990%。液氨相关标准和重要技术指标见表 2-1。

表2-1　液氨的相关标准和重要技术指标

类别	标准号	重要技术指标
液氨	GB/T 536—2017	（1）外观：无色透明液体。 （2）氨含量：≥ 99.99%（优等品），≥ 99.8%（一等品），≥ 99.0%（合格品）。 （3）残留物含量（重量法）：≤ 0.1%（优等品），≤ 0.2%（一等品），≤ 1.0%（合格品）。 （4）水分：≤ 0.1%（优等品）。 （5）油含量：≤ 5mg/kg（重量法），≤ 2mg/kg（红外线光谱法）（优等品）。 （6）铁含量：≤ 1mg/kg（优等品）

2.1.2.2　碳酸氢铵

碳酸氢铵，化学式 NH_4HCO_3，又称“碳铵”，为中国氮肥的主要品种之一。含氮量 17.0% 左右，是固体氮肥中含氮量较低的品种。白色细粉结晶，略带氨臭。属碱性（pH 值

8.2 ～ 8.4）、速效性肥料，易溶于水，20℃时溶解度为 20.8g。一般较稳定，当气温在 30℃以上及受潮时极易潮解结块。在储存及使用时要采取措施，防止受潮，以免散失养分。分解后的 NH_4^+ 能被作物吸收利用，肥效较快，HCO_3^- 分解为 CO_2，不会对土壤产生不良影响，为生理中性速效性氮肥。

农业用碳酸氢铵的标准最早为 GB 3559—1992，2001 年发布了 GB 3559—2001（表 2-2），而 2017 年根据国家标准公告（2017 年第 7 号）和强制性标准整合精简结论，标准自 2017 年 3 月 23 日起转为推荐性标准，不再强制执行。

表2-2　碳酸氢铵的标准和重要技术指标

类别	标准号	重要技术指标
碳酸氢铵	GB 3559—2001	（1）外观：白色或浅色结晶。 （2）氮（N）含量 ① 碳酸氢铵：≥ 17.2%（优等品），≥ 17.1%（一等品），≥ 16.8%（合格品）。 ② 干碳酸氢铵≥ 17.5%。 （3）水分（H_2O）：≥ 3.0%（优等品），≥ 3.5%（一等品），≥ 5.0%（合格品）

注：优等品和一等品必须含添加剂。

2.1.2.3　硫酸铵

硫酸铵，简称硫铵，俗称肥田粉，是我国最早生产和使用的氮肥品种，生产中主要由合成氨与硫酸中和制成，含氮约 20.0%，纯净的硫酸铵为白色晶体，有少量的游离酸存在。硫酸铵物理性质稳定，分解温度高（≥ 280℃），不易吸湿，易溶于水，在常温（20℃）下每 100mL 水可溶解 75g，水溶液呈酸性，物理性状良好，化学性质稳定，常温下存放无挥发、不分解。硫酸铵施入土壤后溶解于水，在土壤溶液中解离为 NH_4^+ 与 SO_4^{2-}。由于作物根系吸收的阴、阳离子不平衡，吸收 NH_4^+ 量大于 SO_4^{2-}，在土壤中残留较多的 SO_4^{2-}，与 H^+（来自土壤或根表面铵的交换或吸收）结合，引起土壤酸化，故硫酸铵是一种典型的生理酸性肥料。SO_4^{2-} 在石灰性土壤中易与 $CaCO_3$ 或土壤胶体置换下来的 Ca^{2+} 发生反应，形成难溶性的 $CaSO_4$，虽不会明显影响土壤 pH 值，但易堵塞土壤孔隙，引起板结现象。因此，土壤中施用硫酸铵时应注意配合施用有机肥料，在酸性土壤中还应注意加石灰中和土壤酸性，并补充钙的损失，但石灰与硫酸铵应分开施用，以消除其副作用。硫酸铵宜作追肥用，每亩用量应视作物目标产量和生长情况而定。硫酸铵还可作基肥和种肥施用。值得注意的是，水田不适宜施用硫酸铵，因为 SO_4^{2-} 在淹水条件下易被还原为 H_2S，造成水稻根系的损害，发生这种现象后，应及时排水通气。

《肥料级硫酸铵》（GB/T 535—2020）是 2021 年 6 月 1 日实施的一项国家标准（表 2-3）。GB/T 15063—2020 的发布对进一步提高肥料复合化率的需求以及 BB 肥（掺混肥料）行业的发展，推动复合肥企业采用硫酸铵作原料，都具有积极性的意义。当然，硫酸铵主要用作蒸汽团粒法复合肥料的原料，优点是可以改善造粒性能、含硫、不含氯等；缺点是，硫酸铵粉末属于焦化或电力行业的副产品，难以控制结块现象、流动性差、难以实现机械化施肥、在施用过程中易流失，所以硫酸铵直接施用都需要进行造粒处理。

表2-3 硫酸铵的标准和重要技术指标

类别	标准号	重要技术指标
硫酸铵	GB/T 535—2020	（1）外观：白色或灰白色，粉末状或结晶状，无可见机械杂质。 （2）氮（N）含量：≥ 20.5%（Ⅰ型），≥ 19.0%（Ⅱ型）。 （3）硫（S）含量：≥ 24.0%（Ⅰ型），≥ 21.0%（Ⅱ型）。 （4）游离酸（H_2SO_4）：≤ 0.05%（Ⅰ型），≤ 0.20%（Ⅱ型）。 （5）水分（H_2O）：≤ 0.5%（Ⅰ型），≤ 2.0%（Ⅱ型）。 （6）水不溶物：≤ 0.5%（Ⅰ型），≤ 2.0%（Ⅱ型）。 （7）氯离子（Cl^-）：≤ 1.0%（Ⅰ型），≤ 2.0%（Ⅱ型）

2.1.2.4 尿素

尿素是一种化学合成的有机态氮肥，其中氮素以酰胺（—$CONH_2$）形态存在。合格的尿素产品总氮含量（质量分数）≥ 45.0%（优等品≥ 46.0%），缩二脲含量≤ 1.5%（优等品≤ 0.9%），水分含量≤ 1.0%（优等品≤ 0.5%），有效粒度范围内的颗粒占比≥ 90%（GB/T 2440—2017）。

尿素存在于人和动物排泄的尿中。1773 年，化学家 Rouelle 将人尿蒸发得到的固体残渣，再用酒精抽提并蒸干，首次得到尿素结晶。1824 年，Prout 首次进行了精确分析，得出尿素的结构式。1824 年，德国化学家 Wohler 采用氰酸与氨反应，产生一种白色结晶，经确定其性质与从尿中提取的尿素一样，证明为同一物质。在人类历史上，这是第一次用人工方法由无机物制得有机化合物尿素，用人工方法由无机物制得尿素，这对科学是一大贡献。在 Wohler 之后又出现了制备尿素的其他方法，包括光气与氨反应、一氧化碳与氨反应、氰氨化钙水解等，达 50 多种。由于种种原因，它们最终大部分未能实现工业化，唯一成为当代尿素工业化基础的是由 NH_3 和 CO_2 合成尿素的反应。到 20 世纪初，工业规模的合成氨生产开始形成，为由 NH_3 和 CO_2 合成尿素提供了廉价的原料。德国巴斯夫公司是世界上第一家进行大规模尿素工业生产的国家。此后，各国研究者对合成氨反应的平衡转化率、动力学以及有关工业化的问题都进行了较全面的研究，为工业化奠定了基础，并相继出现了各种生产尿素的工业装置 [2]。

尿素除被大量用作农用氮肥外，也被广泛用于人造板、三聚氰胺、烟气脱硝、陶瓷、涂料、医药、除雾剂、洗涤用品等领域。人们习惯上把尿素称为无机氮肥，是目前氮肥的主要形式。

针对尿素的执行标准 GB/T 2440—2017（表 2-4）自 2018 年 7 月 1 日起正式实施。与被替代的 2001 版标准相比，产品等级划分、总氮含量的表示方式、总氮技术指标、包装标识要求等方面均发生了变化。新版尿素国家标准将总氮由干基变更为湿基；借鉴欧盟、北美、印度，将农业用肥料级尿素合格品总氮要求适当降低，为（含多肽、海藻酸、腐植酸等）增值型尿素产品预留了技术接口；增加了平均主导粒径（SGN）和均匀度指数（UI）的计算方法作为资料性附录，为可能用作掺混肥料原料的颗粒尿素产品供需双方提供了粒径匹配指标；农业用（肥料）尿素产品标识中增加了“含缩二脲，使用不当会对作物造成伤害”的警示语要求。新标准限定增值型尿素添加物的范围，对于添加了海藻酸、腐植酸的尿素，执行其对应的化工行业标准 HG/T 5049—2016《含海藻酸尿素》、HG/T 5045—2016《含腐植酸尿素》。含有尚无国家或行业标准的添加物的产品，应按相关标准规定的方法进行陆生植物生长试验，判断添加物的毒性。

表2-4 尿素的标准和重要技术指标

类别	标准号	重要技术指标
尿素	GB/T 2440—2017	农业用（肥料）尿素要求： （1）外观：颗粒状或结晶，无机械杂质。 （2）总氮（N）的质量分数：≥ 46.0%（优等品），≥ 45.0%（合格品）。 （3）缩二脲的质量分数：≤ 0.9%（优等品），≤ 1.5%（合格品）。 （4）水分：≤ 0.5%（优等品），≤ 1.0%（合格品）。 （5）亚甲基二脲（以 HCHO 计）的质量分数：≤ 0.6%。 （6）粒度（0.85 ～ 2.80mm；1.18 ～ 3.35mm；2.00 ～ 4.75mm；4.00 ～ 8.00mm）：≥ 93%（优等品），≥ 90%（合格品）（注：粒径范围符合其四档中的任意一档即可）。 工业用尿素要求： （1）总氮（N）的质量分数：≥ 46.4%（优等品），≥ 46.0%（合格品）。 （2）缩二脲的质量分数：≤ 0.5%（优等品），≤ 0.7%（合格品）。 （3）水分：≤ 0.3%（优等品），≤ 0.7%（合格品）。 （4）铁（以 Fe 计）的质量分数：≤ 0.0005%（优等品），≤ 0.0010%（合格品）。 （5）碱度（以 NH_3 的质量分数计）：≤ 0.01%（优等品），≤ 0.03%（合格品）。 （6）硫酸盐（以 SO_4^{2-} 计）的质量分数：≤ 0.005%（优等品），≤ 0.020%（合格品）。 （7）水不溶物的质量分数：≤ 0.005%（优等品），≤ 0.040%（合格品）

注：工业用尿素在生产工艺中加入甲醛等添加物的应在质量证明书上标明。

2.1.2.5 硝酸铵改性产品

硝酸铵，简称硝铵，化学式为 NH_4NO_3，可用作农用化肥，一般含氮量低于 35%。纯净的硝酸铵为无色无臭的透明结晶或白色的小颗粒，具有刺激性气味，有潮解性，易吸湿结块。硝酸铵极易溶于水，同时吸收大量的热。硝酸铵置于等量水中，可使水的温度由 15℃降到 −10℃，所以硝酸铵也可作冷冻剂使用。硝酸铵饱和溶液的沸点、密度随浓度的增加而增大。硝酸铵还易溶于液氨、甲醇和丙醇、氨水等溶剂中，微溶于乙醇，不溶于乙醚。硝酸铵属于铵盐，受热易分解，与碱反应有氨气生成，而且吸收热量，是一种重要的仅次于尿素的高效氮素固体化学肥料，还是分析试剂、氧化剂、制冷剂，以及生产烟花和炸药的工业原料。但其作为化肥原料，常受限于以下各性质而无法大量推广使用。硝酸铵受热易发生分解，甚至爆炸，受热温度不同，产物也不同。因此，硝酸铵也被大量用于炸药生产，此性质虽扩大了硝酸铵的应用范围，但也给农业用硝酸铵产品的生产和使用造成了许多困难。因为其危险系数较高，在生产和使用过程中也发生了许多的硝酸铵爆炸事件，给人们的生命健康造成了威胁。自 2002 年起，硝酸铵禁止直接用作肥料，其生产和销售参照民用爆炸器材管理。因此，生产中常对硝酸铵进行改性，生产改性产品，如硝酸钙和硝酸铵钙等。

（1）硝酸钙

硝酸钙的分子式为 $Ca(NO_3)_2 \cdot 4H_2O$，白色结晶，易溶于水、甲醇、乙醇和丙酮，几乎不溶于浓硝酸。有 α 型和 β 型两种晶体。α 型晶体的相对密度为 1.896，熔点为 42.7℃；β 型晶体的相对密度为 1.82，熔点为 39.7℃。理论含钙量为 16.95%，含氮量为 11.86%。

硝酸钙在农业上是一种常用肥料，适用于多种植物和各类土质，特别适用于缺钙的植物和土质。钙元素为植物所需的中量营养元素，能促进植物根毛数量的增加，有利于植物对各种营养的吸收和利用。硝酸钙中所含氮为硝态氮，不需要转化就可以被植物快速吸收，不存在氨的挥发损失，氮的综合利用率高，而且没有酸化作用，对土壤酸碱度影响较小。在工业上，硝酸钙可用于烟火、电子管的生产，可作为橡胶工业的絮凝剂、织物染色的媒染剂，可用于金属表面磷化处理液的配制等[3]。

此前，农业用硝酸钙没有国家标准或行业标准，大部分企业参照工业用硝酸钙（HG/T 3787—2005）组织生产和销售，工业用硝酸钙标准的指标设置与农业产品不匹配，迫切需要有适合肥料产品的统一指标和对应检测方法标准出台。为解决这一问题，2013 年发布了 HG/T 4580—2013，见表 2-5，规定了农业用硝酸钙的要求、试验方法、检验规则、标识、包装、运输、贮存，适用于由化学方法制得的主要成分为四水硝酸钙的农业用硝酸钙产品，作为无土栽培、滴灌施肥、叶面喷施的肥料等应用于农业生产。

表2-5　农业用硝酸钙的标准和重要技术指标

类别	标准号	重要技术指标
农业用硝酸钙	HG/T 4580—2013	（1）硝态氮（以氮计）的质量分数：一等品≥ 11.5%，合格品≥ 11.0%。 （2）水溶性钙的质量分数：≥ 16.0%。 （3）水不溶物的质量分数：≤ 0.5%。 （4）氯离子的质量分数：≤ 0.015%。 （5）游离水的质量分数：≤ 4.0%。 （6）pH 值（50g/L 溶液）：5.0 ～ 7.0。 （7）砷、镉、铅、铬、汞含量指标应符合 GB/T 23349 的要求

（2）硝酸铵钙

硝酸铵钙是一种硝酸铵改性产品，一般分为两种。第一种是由稀硝酸与石灰石反应得到硝酸钙，硝酸钙与硝酸铵按一定比率混合、蒸发、造粒而成，或为冷冻法生产硝酸磷肥的副产品——四水硝酸钙与硝酸铵混合、蒸发、造粒而成的复盐，全水溶性，其分子式为 $5Ca(NO_3)_2 \cdot NH_4NO_3 \cdot 10H_2O$，分子量 1080，含氮量为 15%，硝态氮为 14%，水溶性钙为 18%，通常称为农业用硝酸铵钙。第二种是硝酸铵与碳酸钙的混合物，根据 NH_4NO_3 与 $CaCO_3$ 混合物摩尔比的不同，其分子式为 $CaCO_3 \cdot nNH_4NO_3$，总氮不小于 26%，钙不小于 3.0%，该类产品生产工艺简单，但水溶性差，通常称为石灰硝酸铵钙[4]。国内目前在农业农村部登记并广泛应用的主要是水溶性的农业用硝酸铵钙。

硝酸铵钙作为硝基补氮补钙的中性肥料，适用于多种土壤和作物，对酸性土壤具有改良作用，可广泛应用于大田种植的粮食作物、经济作物、花卉、果树、蔬菜等。硝酸铵钙含硝态氮和速效钙，硝态氮可直接被植物吸收，肥效快，有快速补氮的特点。钙是植物结构的必需元素，具有增强植物抗逆、抗病害能力的作用。硝酸铵钙为全水溶性，施肥方式广泛，适合作基肥、种肥和追肥，可用于喷灌、滴灌等水肥一体化现代技术。

《硝酸铵钙》（HG/T 3790—2005）是 2005 年 7 月发布的化工行业标准，该标准规定了总氮、钙、镁、游离水和粒度指标。2016 年 1 月，工业和信息化部发布了《农业用硝酸铵钙》（HG/T 3790—2016）标准，代替了《硝酸铵钙》（HG/T 3790—2005）标准，将标准名称由《硝酸铵钙》修改为《农业用硝酸铵钙》；根据目前产品实物质量状况调整了产品的主要成分指标，增加了水不溶物、pH 值、重金属限量要求，增加了抗爆性能试验要求；细化了包装标识的要求。通过标准的完善，促进了农业用硝酸铵钙在水肥一体化技术等方面的发展。农业用硝酸铵钙（NY/T 2269—2020）同样也是行业标准，见表 2-6。

表2-6　农业用硝酸铵钙的标准和重要技术指标

类别	标准号	重要技术指标
农业用硝酸铵钙	NY/T 2269—2020	（1）总氮（N）含量：≥ 15.0%。 （2）硝态氮（N）含量：≥ 14.0%。 （3）钙（Ca）含量：≥ 18.0%。 （4）pH 值（1∶250 倍稀释）：5.5 ～ 8.5。 （5）水不溶物含量：≤ 0.5%。 （6）水分（H_2O）含量：≤ 3.0%。 （7）粒度（1.00 ～ 4.75mm）：≥ 90%。 （8）砷、镉、铅、铬限量应符合 NY 1110 的要求。 （9）抗爆试验应符合 WJ 9050 的要求。 （10）毒性试验应符合 NY/T 1980 的要求

2.1.2.6　氯化铵

氯化铵（NH_4Cl），简称氯铵，含氮 24% ～ 26%。是指盐酸的铵盐，多为制碱工业的副产品。它所用的原料是氨、二氧化碳、食盐和水。氯化铵具有原料来源广、成本低、工序简便等特点。如果将氨通入盐酸中，也可生产出氯化铵。纯品呈白色或略带黄色的方形或八面体小结晶，味咸凉，加热升华或分解，从表面上看与食盐非常相似，易溶于水，水溶液呈弱酸性，对黑色金属和其他金属有腐蚀性。有粉状和粒状两种剂型，粒状氯化铵不易吸湿，易储存，而粉状氯化铵较多用作生产复肥的基础肥料。

农业用氯化铵是一种生理酸性速效氮肥，正常的含氮量在 22% ～ 25% 之间，吸湿性比硫酸铵大，比硝酸铵小。农业用氯化铵肥料一般不结块，适用于含碳酸钙丰富的石灰性土壤上，即使长期（30 ～ 50 年）施用含氯化肥，也不会对土壤酸碱度产生根本性影响，而且更有利于土壤中磷、钾等营养元素的活化。同时，氯化铵特别适宜施用于水稻田中，而且有更好的增产效果[5]。直接施用主要用于粮食作物、油菜等，但主要作为原料生产复混肥料。

氯化铵现行标准 GB/T 2946—2018（见表 2-7）自 2018 年 12 月 1 日起开始实施，新标准增加了砷、镉、铅、铬、汞及其化合物的限量要求，增加了粒状农业用氯化铵的颗粒平均抗压碎力要求，产品最大批量由 500t 调整为 1000t，增加了吨袋包装规格，还调整了农业用氯化铵的氮含量、水分含量、粒状产品的粒度和钠盐的要求。将粒状产品的粒度尺寸指标由 2.00 ～ 4.00mm 调整为 2.00 ～ 4.75mm，粒度指标优等品由 75% 提高到 90%，一等品由 70% 提高到 80%。氮的质量分数指标上，一等品由不低于 25.0% 调整为不低于 24.5%，合格品由不低于 24.0% 调整为不低于 23.5%。钠盐的质量分数指标上，一等品由不高于 1.0% 调整为不高于 1.2%（表 2-7）。

表2-7　氯化铵的标准和重要技术指标

类别	标准号	重要技术指标
氯化铵	GB/T 2946—2018	工业用氯化铵： （1）氯化铵质量分数：优等品≥ 99.5%，一等品≥ 99.3%，合格品≥ 99.0%。 （2）水的质量分数：优等品≤ 0.5%，一等品≤ 0.7%，合格品≤ 1.0%。 （3）灼烧残渣的质量分数：优等品≤ 0.4%，一等品≤ 0.4%，合格品≤ 0.4%。 （4）铁（Fe）的质量分数：优等品≤ 0.0007%，一等品≤ 0.0010%，合格品≤ 0.0030%。 （5）重金属的质量分数（以 Pb 计）：优等品≤ 0.0005%，一等品≤ 0.0005%，合格品≤ 0.0010%。 （6）硫酸盐的质量分数（以 SO_4^{2-} 计）：优等品≤ 0.02%，一等品≤ 0.05%。 （7）pH 值（200g/L 溶液）：4.0 ～ 5.8。 农业用氯化铵： （1）氮（N）的质量分数（以干基计）：优等品≥ 25.4%，一等品≥ 24.5%，合格品≥ 23.5%。 （2）水的质量分数：优等品≤ 0.5%，一等品≤ 1.0%，合格品≤ 8.5%。 （3）钠盐的质量分数（以 Na 计）：优等品≤ 0.8%，一等品≤ 1.2%，合格品≤ 1.6%。 （4）粒度（2.00 ～ 4.75mm）：优等品≥ 90%，一等品≥ 80%。 （5）颗粒平均抗压碎力：优等品≥ 10N，一等品≥ 10N。 （6）砷及其化合物的质量分数（以 As 计）：≤ 0.0050%。 （7）镉及其化合物的质量分数（以 Cd 计）：≤ 0.0010%。 （8）铅及其化合物的质量分数（以 Pb 计）：≤ 0.0200%。 （9）铬及其化合物的质量分数（以 Cr 计）：≤ 0.0500%。 （10）汞及其化合物的质量分数（以 Hg 计）：≤ 0.0005%

2.1.2.7 尿素硝酸铵溶液

尿素硝酸铵溶液（简称 UAN）是一种含有三种形态氮元素｛硝态氮（NO_3^-）、铵态氮（NH_4^+）和酰胺态氮 [$CO(NH_2)_2$]｝的液态混合型氮肥。UAN 将三种氮源集中于一种产品，能发挥各种氮源的优势：硝态氮可以提供即时的氮源，供作物快速吸收；铵态氮一部分被即时吸收，一部分被土壤胶体吸附，从而延长肥效；酰胺态氮水解需要时间，尤其在低温下通常起到长效氮肥的作用。为了减少氮的淋溶损失，现在市场上许多尿素硝酸铵溶液产品中还会加入硝化抑制剂和脲酶抑制剂。UAN 在常压下为无色液体，不易燃；腐蚀性极微，安全性能好；全水溶性，无任何杂质。

相对于传统固体氮肥，UAN 产品具有以下几个特点：第一，UAN 含三种形态的氮，产品稳定，杂质少，腐蚀性低，有利于植物高效吸收和土壤氮素循环。第二，产品偏中性，不会导致土壤酸化，施用上可配合喷雾器或灌溉系统施用，可少量多次施用，环境污染胁迫小。第三，UAN 有很好的兼容性、复配性，可与非碱性的助剂、化学农药及肥料混合施用等。第四，生产 UAN 采用尾液中和工艺，减少了烘干造粒环节的耗能，生产时节能减排。

对 UAN 的应用，国内外的情况也有所不同。UAN 在国外应用广泛，用量较大，美国每年 UAN 的应用量超过 1500 万吨，俄罗斯、英国、罗马尼亚、澳大利亚等国家也均大面积使用 UAN。国外的施用方法分为两种：一是直接施用；二是做液体肥的原料施用。通过灌溉设施（如滴灌或喷施设备）喷洒在土壤表面或与除草剂混合叶面喷施，都取得了良好的效果。UAN 在国内的施用并不普及，并且国内直接施用 UAN 的效果并不理想，因为我国农田土壤中有机质不丰富，基肥应考虑氮、磷、钾配比均衡，适当添加微量元素，农民多施用固体颗粒的复合肥作基肥。如考虑在我国基施 UAN，可以把 UAN 当作液体肥的氮原料，配成液体复混肥，通过水肥一体化设备施用。由于 UAN 的成本比一般氮肥产品高，种植蔬菜等经济作物的农户可以将 UAN 通过叶面喷施的方式用作追肥，河南晋开集团在开封、漯河、许昌等地蔬菜上进行的 UAN 推广实验表明，UAN 可以改善作物品质，提高抗病性，明显减少各种生理性病害的发生。

与磷肥、钾肥等大量元素肥料的有效形态单一性不同，农用氮肥有效成分有多种形态，主要有酰胺态、铵态和硝酸态三种形式。在不同土壤条件下，这三种不同形态氮素的转化、作物吸收过程也不同；不同作物种类、品种对氮素形态的吸收利用效率也有差别。为满足农业需求，全球许多国家和地区都有不同氮肥品种混合加工而成的“混质复合氮肥”产品标准。以现行欧盟肥料标准为例，这类肥料有硝铵硫铵（ASN）、尿素硫铵（UAS）、尿素硝酸铵溶液（UAN）等品种。在美国，尿素硝酸铵溶液是最常见、施用量最大的肥料品种。按加拿大的肥料管理制度，在尿素硫铵、尿素硝酸铵溶液、硝铵-硫铵等“混质复合氮肥”商品肥料中，还允许根据用户要求添加一定量中量、微量营养元素。中国台湾现行的《肥料品目及规格》中，除了尿素硝酸铵溶液外，还有两种以上氮肥肥料或氮质肥料与中微量元素肥料混合而成的固体混合氮质肥料（总氮含量不小于 15%）和液态混合氮质肥料（总氮含量不小于 8%）。2015 年 5 月，农业部批准发布《尿素硝酸铵溶液》农业行业标准，是继化工行业标准《脲铵氮肥》之后，我国发布的又一个不同形态氮肥混合加工而成的“混质复合氮肥”产品行业标准。该标准的性质是强制性行业标准，适用于以尿素、硝酸铵、水为主要成分按比例加工而成的水溶性肥料。执行该标准的尿素硝酸铵溶液含三种形态的氮，产品稳定、杂质少、腐蚀性小、复配性好，有利于植物高效吸收和土壤氮素循环。该产品标准对指导生产、规范市场有重要作用。近年来，在具备水肥一体化、微灌、滴灌条件的区域，中国尿素硝酸铵溶液的销售发展较快，国内生产量也快速增加。中国尿素硝酸铵溶液产品质量和稳定性已经得到国际市场的认可，出口量达到22.34万吨。行业标准实施后，执法部门规范尿素硝酸铵溶液国内生产、销售秩序有了标准依据。2020年新发布的（NY/T 2670—2020）标准代替（NY 2670—2015），将强制性标准改为推荐性标准，将标准名称改为《尿素硝酸铵溶液及使用规程》，指标中pH值由5.5～7.0改为5.5～7.5，增加了尿素硝酸铵溶液使用的基本要求、施用量、施用方法和注意事项等使用规程部分，增加了作物施氮量的推荐方法、氮的施用技术参数和植物营养特性等附录部分（表2-8）。

表2-8　尿素硝酸铵溶液的标准和重要技术指标

类别	标准号	重要技术指标
尿素硝酸铵溶液	NY/T 2670—2020	农业用尿素硝酸铵溶液： （1）总氮（N）含量：≥ 28.0%。 （2）酰胺态氮（N）含量：≥ 14.0%。 （3）铵态氮（N）含量：≥ 7.0%。 （4）硝态氮（N）含量：≥ 7.0%。 （5）缩二脲含量：≤ 0.5%。 （6）pH值（1∶250倍稀释）：5.5～7.5。 （7）水不溶物含量：≤ 0.5%。 （8）汞（以Hg元素计）：≤ 5mg/kg。 （9）砷（以As元素计）：≤ 5mg/kg。 （10）镉（以Cd元素计）：≤ 5mg/kg。 （11）铅（以Pb元素计）：≤ 25mg/kg。 （12）铬（以Cr元素计）：≤ 25mg/kg。 （13）毒性试验应符合NY/T 1980的要求

2.1.2.8　脲铵氮肥

脲铵氮肥指含有尿素态氮、铵态氮两种形态氮元素的固体单一肥料。脲铵氮肥由尿素（酰胺态氮）和硫酸铵或氯化铵（铵态氮）通过特殊工艺复合造粒而成，其造粒工艺有挤压法、氨酸法、喷浆造粒法、高塔造粒法等。

脲铵氮肥产品具有以下几个特点：一是减少氨挥发，减缓尿素态氮向铵态氮转化。脲铵氮肥施入土壤，铵态氮肥被根系吸收后，降低了土壤pH值，可有效减少氨的挥发，并且可降低土壤脲酶活性，减缓尿素分子矿化成铵态氮的速度。二是可降低硝态氮的淋失和反硝化损失。硝态氮阴离子不易被土壤胶体吸附，很容易随水流失（包括地表径流和地下径流）；还可以被反硝化细菌转化成氮气和氮氧化物。脲铵氮肥能减缓或抵制“尿素分子→铵态氮→硝态氮”的转化过程。三是氯离子可有效地抑制铵态氮的硝化作用，减少氮的损失。脲铵氮肥能保持土壤中较高的NH_4^+∶NO_3^-比例，能满足喜铵作物的需要。四是部分企业的脲铵氮肥中添加螯合态中微量元素，将中微量元素与氮肥一起造粒，可以有效地降低与磷酸根结合固化的比例，提高中微量元素的有效性。

中国的脲铵氮肥发展初期，由于进入门槛较低，产品质量参差不齐。2011 年 11 月 20 日，工业和信息化部批准发布中国化工行业标准 HG/T 4214—2011《脲铵氮肥》，规定了脲铵氮肥产品技术指标（表 2-9），适用于仅含有尿素态氮、铵态氮两种形态氮元素的固体单一肥料。这是我国首个针对新型氮肥的行业标准，此标准的实施对规范脲铵氮肥生产、净化脲铵氮肥市场起到了积极作用。

表2-9　脲铵氮肥的标准和重要技术指标

类别	标准号	重要技术指标
脲铵氮肥	HG/T 4214—2011	（1）总氮（N）含量：≥ 26.0%。 （2）尿素态氮（N）含量：≥ 10.0%。 （3）铵态氮（N）含量：≥ 4.0%。 （4）水分（H_2O）的质量分数：≤ 2.0%。 （5）粒度（1.00 ～ 4.75mm 或 3.35 ～ 5.60mm）：≥ 90%。 （6）缩二脲质量分数：≤ 1.5%。 （7）中微量元素的质量分数（以单质计）：标识微量元素（单一元素）≥ 0.02%，标识中量元素（单一元素）≥ 2.0%。 （8）氯离子的质量分数：未标“含氯”的产品≤ 3.0%，标识含氯（低氯）的产品≤ 15.0%，标识含氯（中氯）的产品≤ 30.0%

2.1.2.9　石灰氮

石灰氮，化学名称为氰氨化钙，分子式 $CaCN_2$，分子量 80.09，是由氰氨化钙、氧化钙和其他不溶性杂质构成的混合物。呈灰黑色，有特殊臭味。是一种碱性肥料，也是高效低毒多菌灵农药的主要原料之一，可用作除草剂、杀菌剂、杀虫剂等，可用于生产双氰胺、三聚氰胺和氰熔体等。氰氨化钙的生产一般采用氮化法，即将电石破碎后均匀配入萤石及回炉石灰，经球磨机磨成电石粉末，再进入氮化炉，在 1000℃高温下与氮气反应，经 42 ～ 48h 后生成石灰氮。

氰氨化钙是一种黑灰色带有电石臭味的油性颗粒，pH 值在 12.4 左右，有强碱性，是一种迟效氮肥，是药、肥两用的土壤净化剂，同时具有土壤消毒与培肥地力的双重作用。其水溶性差，可以防止土壤酸化，改良土壤结构，提高土壤钙素和有机质含量，提高氮素利用率，没有残留，满足大多数作物的需求，肥料的有效期达 80d 以上。它是一种无公害、无残留、对环境不造成污染并且能够改善产品品质、提高耐储性的肥料。

氰氨化钙是一种药、肥两用的肥料。目前石灰氮主要是作为一种土壤净化剂来使用，它分解的中间产物氰氨具有防病灭虫的作用。石灰氮一般采取与基肥混合撒施的方法。沈文生的研究表明，石灰氮对油菜根肿病有良好的预防效果，而且播种前施入石灰氮的预防效果优于齐苗后[6]。以往的研究表明，施用石灰氮能有效地改善土壤的理化性质，防止土传病害[7]。但是石灰氮的杀灭作用是无选择的，会造成土壤的“生物真空”[8]。因此，有研究将生物菌剂与石灰氮进行配施来调控土壤环境。

石灰氮施入土壤中后，先与土壤中的水分、二氧化碳发生化学反应，生成氰氨化钙、氢氧化钙、游离氰氨和碳酸钙。氰氨化钙与土壤胶体上吸附的氢离子交换形成游离氰氨，进一步水解生成尿素，再进一步水解为碳酸铵。石灰氮中约含有60%的石灰，在土壤中分解产生的氢氧化钙可提高土壤的pH值，中和土壤酸度，减轻土壤中某些重金属污染，同时其分解过程中产生的中间产物氰氨具有杀灭有害生物的作用。

2.2 氮肥产业发展历程

2.2.1 原料结构演变

原料成本占氮肥生产成本的比重最大，原料结构优化一直是氮肥工业技术革新的重点。由于富煤、少气、贫油的资源禀赋特点，我国形成了以煤为主，以天然气、焦炉气、油为辅的原料结构，其中以煤为原料的具体发展过程主要有以下几个阶段[9]。

（1）无烟块煤替代焦炭

新中国成立之初，我国氮肥工业基础非常薄弱，生产厂仅有天利氮气厂、永利铔厂、大连化学厂以及鞍山和抚顺两个炼焦副产硫酸铵的车间，并且由于战争破坏、原材料供应短缺等困难，基本处于停产状态。大连化学厂是新中国成立后重点恢复的工业企业之一。根据东北工业部“重点恢复合成氨和酸、碱等重化学工业，建立利用炼焦油副产品工业”的方针，政府派出领导干部，集中一批技术骨干，发动工人群众，克服重重困难，仅用约一年半的时间，就修复了十孔炼焦炉、两套水煤气发生炉以及合成氨、硫酸、硫酸铵等生产装置，完成了预计三年才能完成的任务。1951年2月，第一套合成氨装置投产，同年5月第二套合成氨装置也恢复生产[10]。新中国成立后，永利铔厂更名为永利宁厂，并很快开展恢复和改扩建工作。试制出固定层煤气发生炉和高压循环气压缩机等关键设备，还成功开发了多层卷板式31.4兆帕氨合成塔。同时，还开拓出利用无烟块煤替代焦炭制取合成氨原料气的工艺条件，开辟了新的合成氨原料路线，是氮肥工业领域史无前例的创举，为利用我国较为丰富的无烟块煤资源、扩大氮肥原料来源和加快发展氮肥工业创造了条件。

（2）碳化煤球改造解决无烟块煤供应难题

尽管当时无烟块煤已经替代焦炭成为生产化肥的主要原料，但因山西晋城无烟块煤基地尚未开发，无烟块煤的供应非常紧张，即使少数有无烟块煤的地区（如福建等省），小型氮肥厂生产用无烟块煤也难以保证供应。为解决小型氮肥企业“吃不饱”的问题，国家提出“就地取材、有啥吃啥、粗粮细作、吃饱吃好”的口号，行业掀起无烟粉煤成型造气热潮。1968年，福建永春化肥厂开始尝试碳化法粉煤成型试验，次年取得成功。同时，福建长泰化肥厂在永春化肥厂的基础上，在制造工艺和气化技术上下功夫，制成质地优良的碳化煤球，其发气量能够达到甚至超过同品种的块煤，这为在全国推广碳化煤球提供了宝贵经验。以碳化煤球为主要内容的原料路线改造成功，是自力更生解决小型氮肥厂原料供应难题的重要路线，前后有600多家企业进行了改造，对全国氮肥增产起到了重要的历史作用。1978年，石灰碳化煤球制合成氨技术获得全国科学大会奖。

（3）引进以天然气、石油为原料的中型、大型氮肥装置

1963年，国家批准引进的第一套以天然气为原料的化肥生产装置在四川泸州天然气化工厂开工建设。合成氨装置从英国引进，采用天然气加压蒸汽转化法制合成氨原料气，年产氨10万吨；尿素装置从荷兰引进，采用水溶液全循环法，年产尿素16万吨。1966年成功建成投产。1965年，陕西兴平化肥厂开始建设，从意大利引进了年产5万吨的合成氨重油加压部分氧化法装置，国内与其配套的一部分合成氨生产装置和硝酸、硝铵生产系统，也于1970年相继建成投产。20世纪70年代，又先后在甘肃省刘家峡、黑龙江省浩良河、吉林省长山、湖北省应城以及天津、广州、新疆等地建成了一批以重油为原料年产合成氨5万～6万吨的中型氮肥厂。到“六五”末，我国中型氮肥厂有56家，分布在27个省、区、市。其中27家以煤为原料，8家以重油为原料，12家以天然气或焦炉气为原料，6家以重油、煤为原料，2家以天然气、煤为原料，1家以重油、天然气为原料，合成氨总生产能力为450万吨左右。

1973年至1979年，我国引进了世界先进水平的13套大型合成氨、尿素装置。其中，以天然气为原料的有10套，以石脑油为原料的有3套，分别在四川成都（川化）、四川泸州（泸天化）、山东淄博（齐鲁二化）、云南水富（云天化）、贵州赤水（赤天化）、湖南岳阳（洞庭氮肥厂）、湖北枝江（湖北化肥厂）、河北沧州（沧化）、辽宁盘锦（辽化）、黑龙江卧里屯（大庆）、江苏南京（金陵）、安徽安庆（安庆）、广东广州（广石化）等地建设。其中湖南岳阳洞庭氮肥厂和湖北化肥厂，因供气来源问题，原料由天然气改为石脑油。以上引进的13套化肥装置，到1979年9月湖北化肥厂建成投产，总共经历了约6年时间，从1976年到1983年共生产合成氨1947万吨，尿素3089万吨。

随后又引进了8套以渣油为原料和2套以煤为原料的大型装置，分别在浙江镇海（镇海化肥厂）、宁夏银川（宁夏石化）、新疆乌鲁木齐（乌石化）、内蒙古呼和浩特（天野）、江西九江（九江石化）、甘肃兰州（兰化）、辽宁大连（大化）、吉林（吉化）、山西潞城（山化）、陕西渭南（渭化）等地建设。这些装置的规模均为年产30万吨合成氨、48万吨或52万吨尿素（或复合肥）。

我国从20世纪80年代中期开始引进节能大型合成氨装置，陆续有10套以天然气为原料的大型氮肥装置投产，分别为：河南濮阳（中原）、辽宁锦西（锦天化）、重庆建峰（建峰，2套）、四川合江（川天华）、海南东方（海南富岛，2套）、新疆乌鲁木齐（乌石化，第2套）、宁夏银川（宁夏石化）、新疆塔里木（塔石化）。

节能型合成氨工艺的引进、消化和吸收，使我国大型合成氨装置的工艺技术上了一个新台阶，对20世纪70年代引进的以天然气、轻油为原料的采用传统工艺流程的大型合成氨装置的节能技术改造以及后来引进大型装置的工作起到了很大的推动作用。

（4）部分以石油为原料的装置改成以天然气或煤为原料

为了降低原料成本，部分以石油为原料的装置陆续改造成以天然气或煤为原料。

如20世纪80年代以后，以重油为原料的兴平化肥厂（现陕西兴化集团有限责任公司）改造成以天然气为原料，合成氨的年生产能力达到18万吨，硝酸铵的年生产能力达到33万吨；鲁南化肥厂在国内首次引入水煤浆气化技术，原料由焦炭改为烟煤，建成年产8万吨合成氨的德士古煤气化技术示范装置；黑龙江浩良河化肥厂将以重油为原料年产12万吨合成氨、20万吨尿素装置，改为以煤为原料的德士古水煤浆造气装置，使合成氨的年生产能力达到18万吨，尿素的年生产能力达到30万吨。2000年以后，以重油为原料的湖北化肥厂（中石化湖北分公司）、内蒙古化肥厂（中海油天野）改成以天然气为原料，以重油为原料的洞庭氮肥厂（中石化巴陵石化分公司）改成以煤为原料。

（5）非无烟煤替代无烟煤

“十五”初期，在市场利益的驱动下，尿素产能迅速扩张，国内氮肥产能过剩局面已经逐步开始，并快速发展，出口尿素不断增加，2004年尿素出口量已近400万吨。为保障国内肥料供应并抑制价格上涨，国家采取了尿素限价政策，同时出台了尿素开征暂定关税的政策。由于价格的限制以及产能过剩的影响，市场价格不断走低。与此同时，作为当时氮肥主要原料的无烟块煤由于需求旺盛，价格迅速上涨，成为影响氮肥生产成本的最大因素。面对生产成本攀升、市场价格低迷的双重压力，氮肥企业不得不进行原料结构调整。

“十五”和“十一五”时期，在国家的支持下，一批氮肥企业实施了原料路线技术改造及动力结构调整。原料路线改造的基本原则是原料煤本地化，即企业可以充分利用附近地区的煤炭为原料，就近取材，以降低生产成本。基于我国煤炭资源的现实情况，烟煤、褐煤是必然的选择。选用的主流气化技术分别有国际上具有较强竞争力的德士古水煤浆气化工艺、壳牌粉煤气化工艺，以及国内较为成熟的恩德粉煤气化工艺和灰熔聚粉煤气化工艺。

依托煤气化装置的先进性和大型化，氮肥行业的面貌发生了巨大的变化，原来的一批氮肥企业在生产规模、生产工艺、技术装备、能耗水平以及管理水平等方面有了显著提高，成长为颇具竞争力的大型氮肥生产企业。也正是在这一时期的一系列改造过程中，氮肥行业得以对德士古水煤浆气化、壳牌煤气化等引进技术消化、吸收、再创新，形成了以多喷嘴对置式水煤浆气化技术、HT-L航天煤气化技术以及水煤浆水冷壁加压气化技术为代表的多项具有自主知识产权的新型煤气化技术，相继应用于氮肥生产，从根本上改变了氮肥行业的原料结构，并为氮肥行业的国产化、大型化进程奠定了基础。

随着新型煤气化技术广泛应用于氮肥生产，另外国内天然气供应日趋紧张，气价居高不下限制了以天然气为原料的产能的发展，我国氮肥生产的原料结构发生改变。近十年，采用国产化新型煤气化技术的合成氨装置建设速度明显加快，我国氮肥原料结构调整成绩显著，以烟煤、褐煤为原料的产能占比不断提高，以无烟块煤和天然气为原料的产能占比逐步下降。2020年，以烟煤、褐煤为原料的合成氨产量达到2823.0万吨，占总产量的48.0%；以无烟块煤、天然气为原料的合成氨产量占比分别下降至28.2%和20.3%；以石油为原料的合成氨产量占比下降至0.4%；其他主要是以焦炉气及乙炔尾气为原料，占比为3.1%。

2.2.2 氮肥生产演变

2.2.2.1 产品结构演变

我国氮肥产品经历了从无到有，从低浓度到高浓度，从单质化到复合化、高效化的发展过程，具体分为以下几个阶段。

（1）艰难起步阶段

1932年，我国著名化工实业家吴蕴初在美国考察化学工业期间，了解到杜邦公司合成氨中试成功要另建大厂，因此要廉价转让在西雅图的一座合成氨中间试验厂，经过一系列筹备，1934年1月，天利氮气股份有限公司（简称天利氮气厂）在上海宣告成立。同年年底，各项设备陆续自美国、法国运抵上海，天利氮气厂立即着手安装。1935年9月，液氨试产成功，9月稀硝酸出货，10月浓硝酸问世。装置生产能力为年产浓硝酸32000担（1600吨），硝酸铵、硝酸钙等共10000担（500吨）。但仅2年后，工厂由于抗日战争被迫停工，全厂职工在炮火威胁下将重要机件拆迁到重庆。抗战胜利后，天利职工返沪修复工厂。可是当时的市场上充斥着大量美国产品，天利难以与之竞争，致使生产不能正常进行，出现了“开工一月，停车半年”的困难局面。

同一时期建设的另一家氮肥企业是由爱国实业家范旭东筹建的永利化学工业公司南京硫酸铵厂（简称永利铔厂或永利宁厂）[11]。1934年，范旭东为发展化肥工业，改组永利制碱公司为永利化学工业公司，并以借贷抵押方式集资1200万元（银元），在江苏省六合县卸甲甸（现南京市大厂镇）筹建永利铔厂。侯德榜负责该厂技术工作，引进美国氮气工程公司的先进技术，并亲自选购设备，监督施工。在范旭东、侯德榜和职工们夜以继日的努力下，仅用30个月，永利铔厂于1937年2月正式投产，生产规模为：日产合成氨39吨、硫酸120吨、硫酸铵150吨、硝酸10吨。永利铔厂所制产品供不应求，而且生产技术远超我国同期工业水平，是国内首屈一指的化工企业，也是东亚地区最大的化工厂，被时人誉为“远东第一”。1948年，永利铔厂生产合成氮4952吨、硫酸14242吨、硫酸铵17977吨。其间，因煤焦原料、电力供应不足及产品滞销，全年停产96天。同时，当时通货膨胀加剧，铔厂资金周转困难，经营状况十分窘迫，处于风雨飘摇之中。

新中国成立之初，我国氮肥工业基础非常薄弱，生产厂仅有天利氮气厂、永利铔厂、大连化学厂（原满洲化学工业株式会）以及鞍山和抚顺两个炼焦副产硫酸铵的车间，并且由于战争破坏、原材料供应短缺等困难，基本处于停产状态。全国化肥供应十分有限，农民只能使用传统的粪肥、草木灰等。从新中国成立至“一五”计划的八年时间里，中国氮肥工业一方面迅速组织力量恢复已有工厂的生产，另一方面积极着手新建更多的氮肥厂。

1951年6月，大连化学厂举行了隆重的开工典礼，全面恢复了合成氨、硫酸、硫酸铵等产品的生产，首战告捷[4]。到1957年，大连化学厂硫酸和硫酸铵产量均达到16余万吨。

（2）在苏联的帮助下建设中型硝酸铵工厂

1953年，全国开始实施第一个五年计划，即“一五”计划，在重工业部化工局提出的第一个五年计划化学工业的主要任务中重点提到要首先发展氮素工业，以奠定配合国防工业和发展农业的基础。“一五”期间，我国重点建设了苏联帮助设计的156个大型项目，其中包括多个氮肥项目，如兰州氮肥厂、吉林肥料厂、太原化肥厂，生产规模为年产 5 万吨合成氨配套 9 万吨硝铵。

（3）自力更生建设小型碳铵厂

1958 年，我国首套采用“碳化法流程合成氨制碳酸氢铵工艺”的年产 2000 吨合成氨的县级示范厂在上海化工研究院试车投产。随后，化工部定点建设了 13 个年产 2000 吨碳铵的小型氮肥厂，地方定点建设了 4 个年产 2000 吨碳铵的小型氮肥厂。

20 世纪 70 年代初，符合我国国情的投资少、建设快的小型氮肥厂如雨后春笋般发展起来。1996 年，全国碳铵（以纯氮计）产量达 1013.8 万吨，占氮肥总产量的 47.7%。

（4）引进、自建大、中型尿素装置

1963 年，国家批准引进的第一套以天然气为原料的尿素生产装置在四川泸州天然气化工厂开工建设。合成氨装置从英国引进，采用天然气加压蒸汽转化法制合成氨原料气，年产氨 10 万吨；尿素装置从荷兰引进，采用水溶液全循环法，年产尿素 16 万吨。1966 年成功建成投产 [10]。

1965 年，在永利宁厂日产 10 吨高效半循环法尿素中试成功的基础上，衢化和吴泾两厂建成年产 4 万吨尿素生产装置。1966 年，水溶液全循环法生产技术在石家庄化肥厂扩建工程中首次采用，并在当时新建的年产 6 万吨合成氨厂和部分老企业扩建中广泛应用。到 1983 年，全国 56 个中型氮肥厂中，有 30 个厂建设了尿素生产装置。

1973 年至 2000 年，我国分三次引进了 30 套尿素装置，合计尿素产能 1780 万吨。这批大型尿素装置在当时具有国际先进水平，这些利用国家外汇引进的大型装置迅速提高了我国氮肥工业的技术水平和高浓度尿素的比例，对提高我国氮肥工业的生产技术水平和管理水平发挥了重要作用。

（5）小型碳铵厂改产尿素

随着我国农业的不断发展，农民对化肥品种的要求也不断提高。小型氮肥企业的主要氮肥产品是碳酸氢铵，与尿素相比，碳酸氢铵含氮量低、吸湿性强、易结块、易挥发，市场需求不断被尿素挤压。尽管我国引进了多套大型合成氨尿素装置，但尿素供应依然不足，每年需支付大量外汇进口部分尿素以满足农业生产的需要。1986 年，国务院同意了化工部“关于‘七五’期间小化肥技术改造方案”，拉开了全国小型氮肥企业产品结构调整“碳铵改尿素”的序幕。同年，我国第一套以煤为原料的碳铵改尿素装置在山东邹县化肥厂试车成功，为后续其他企业的改造提供了非常宝贵的试生产经验。“七五”“八五”期间，中央先后安排“65 亿”“95 亿”专项资金支持中小化肥产品结构调整，共建设小型尿素装置 141 套，增加尿素生产能力 585 万吨，总投资 91.83 亿元；“四改六”（年产 4 万吨尿素装置增加到年产 6 万吨）60 套，“六改十”17 套，增加尿素生产能力 220.5 万吨，总投资 23.8 亿元。综合核算，取得了投资少、见效快的切实效果。1999 年，小型氮肥企业生产尿素 987 万吨，占全国尿素产量的 33.6%。随着小型碳铵厂陆续改造成尿素厂，到 1997 年，尿素成为第一大氮肥品种，之后碳铵逐渐被尿素取代。到 2020 年，尿素（以纯氮计）的产量达到 2603.3 万吨，占氮肥的比重为 64.6%；碳铵（以纯氮计）产量只有 76.2 万吨，占氮肥产量的比重降到 1.9%。

（6）氯化铵、硫酸铵等副产氮肥的发展

随着我国经济快速发展，我国纯碱、己内酰胺、焦炭等产品需求大幅增加，产业规模和产品产量明显提高，其副产的氯化铵和硫酸铵产量也逐年增长。据统计，2020年，我国硫酸铵（以纯氮计）的产量有222.4万吨，其中约40%由己内酰胺行业副产，约45%来自炼焦及电厂副产，约15%来自丙烯腈、氰尿酸及煤化工等行业尾气治理副产。硫酸铵主要用于肥料行业，国内市场主要利用氮的价值，硫的价格往往被忽略，一般肥料需求客户对其定义为：单养分氮价格，氯化铵<硫酸铵<尿素。由于硫酸铵的价格与主产品相比较低，作为化工副产品或环保副产品，供应厂家并未对其给予重视，最低要求为不堵库、不影响主产品运行即可。同时，在国内肥料领域的应用少，大多靠低价出口进入国际市场，部分作为复合肥的原料或经过二次造粒作为颗粒氮肥销售。

2020年，氯化铵（以纯氮计）产量为222.4万吨，占氮肥产量的比重为8.5%，主要来自纯碱工业。氯化铵的产量受纯碱生产主导。氯化铵由于单养分价格较低，大量用于生产低浓度复合肥或脲铵氮肥，部分出口到东南亚等地区。

（7）硝酸铵的防爆改性及硝基肥的发展

硝酸铵产量在2002年以前一直保持稳定增长。自2002年起，由于硝酸铵被纳入民爆产品管理，不能直接用作农用氮肥，短期内产量出现下降。直到2004年，随着国内基础设施建设加快，民用爆破器材需求旺盛，硝酸铵产量进入快速增长期。2015年达到顶峰后进入结构调整期，产量有所下降。近年来，以硝酸铵为原料的复合肥产品发展较快，硝酸铵产量又有所增长。到2020年，硝酸铵（以纯氮计）产量达到196.1万吨，占氮肥比重为4.9%。在农业领域，硝酸铵主要通过硝酸铵基复合肥、硝酸铵钙、尿素硝酸铵溶液等产品形态进入市场。

（8）我国氮肥产品的高效化和复合化

为了解决氮肥利用率低的问题，我国氮肥产业不断努力发展高效氮肥品种。已经大面积实现产业化的高效氮肥产品类型主要有增值尿素、缓控释尿素、稳定性尿素等。增值尿素利用微量高效载体增效制肥技术与尿素生产装置结合一体化生产，避免二次加工，突破了高效肥料产品普遍存在的产能低、成本高等技术短板。目前，心连心公司、中海化学、云天化、瑞星集团、晋煤集团等国内众多大型尿素企业具备了增值尿素的生产能力。据中国氮肥协会统计，现有36家尿素企业具备生产增值尿素的能力，合计产能3772万吨，占全国尿素产能的56.6%，每年产销量200万～300万吨，占农用尿素的6%～8%，形成了锌腐酸、禾谷素、聚氨锌、黑力旺、大嘿牛、碳豹、东平湖、天野、富岛、金沙江、同心美等增值尿素知名品牌。缓控释尿素主要是通过优化化肥养分的释放和供应模式来改善肥效。控制养分释放的包膜材料主要有树脂、硫黄、枸溶性肥料和有机质材料等，包膜的核心肥料通常为速溶性大颗粒尿素，例如，利用包膜材料不同制备的缓控释尿素包括树脂包膜尿素、硫包衣尿素、肥料包裹型尿素以及有机质包膜尿素等。

我国从20世纪60年代开始重视研究稳定性肥料。如中国科学院沈阳应用生态研究所研发的长效碳铵。2020年全国已有50余家化肥企业从事稳定性肥料生产和推广[12]，年产量达到190万吨。国际上，生产稳定性肥料的企业以德国巴斯夫、康朴，欧洲化学，比利时索尔维，美国科迪华（前身陶氏）、科氏为代表。国内主要有新洋丰、金正大、川金象、云天化、泸天化、鲁西、华鲁恒升、华锦、施可丰、天脊等。由于尿素生产具有装置规模大、设备昂贵、反应温度高等特点，生产过程中在尿素中添加抑制剂的难度大。稳定性肥料大多为复合肥，在我国发展相对缓慢。

2000年以来，随着国家提倡科学施肥、平衡施肥和测土配方施肥，复合肥市场需求逐年增加，部分企业依托自身的合成氨、尿素装置建设了复合肥装置，利用合成氨、尿素生产的二元复合肥（磷酸一铵、磷酸二铵、硝酸磷肥）、三元复合肥的产量也呈增长趋势。

2.2.2.2 产能、产量变化

（1）合成氨产能和产量变化

2000～2020年是我国氮肥工业发展最快的时期，也是结构调整最剧烈的时期。据中国氮肥工业协会统计，2015年全国合成氨产能达到7532万吨，比2002年增长73.1%。由于产能增速明显高于需求增速，在2010～2019年这十年间产能明显过剩，市场供大于求，氮肥企业间竞争激烈，行业盈利水平偏低。在激烈的市场竞争洗礼下，部分落后产能逐渐被淘汰，我国氮肥产能过剩问题逐渐解决，氮肥供需逐渐趋于平衡。

（2）尿素产能和产量变化

尿素作为产量最大的氮肥品种，其产能发展走势和合成氨基本一致，如表2-10所示。2013～2015年尿素产能均达到8000万吨以上，几乎在2002年的基础上翻了一倍，产能明显过剩，产能利用率维持在80%左右。之后的几年，国外新增产能陆续投产，国内优惠政策取消，我国氮肥在国际市场上没有竞争优势，而且国内提出化肥零增长行动，需求持续疲软，市场竞争异常激烈，价格持续低迷。几年间，部分竞争力弱的产能逐渐被淘汰，过剩产能不断下降，供需关系逐渐趋于平衡。到2020年，全国尿素产能下降至6634万吨，加上天然气原材料供应紧张、秋冬季重污染天气限产等因素也限制产能的发挥，国内的氮肥供应与需求逐渐趋于平衡。表2-10数据显示，2020年尿素产量下降至5622万吨，比2015年最高峰时下降1437万吨，降幅达20.4%，2020年尿素产能利用率恢复到84.7%。

表2-10 1980～2020年我国尿素产能和产量

年份	产能/万吨	产量/万吨	产能利用率/%
1980	696	651	93.5
1990	1191	1062	89.2
2000	3600	3027	84.1
2005	4600	4147	90.2
2010	6605	5197	78.7
2015	8070	7059	87.5
2020	6634	5622	84.7

（3）各氮肥产品产量

经历了70多年的发展，我国已经从一穷二白的氮肥进口国发展成为产量自给有余、产品线丰富的氮肥大国。到2020年，尿素的产量达到2603.3万吨，占氮肥的比重为64.7%；

碳铵产量只有 76.2 万吨，占氮肥产量的比重降到 1.9%。氯化铵来自联碱副产，随着联碱产能扩张而增加，到 2020 年产量为 342.4 万吨，占氮肥产量的比重为 8.5%。硫酸铵主要是己内酰胺、丙烯腈、氰尿酸等化工产品和焦化、钢铁、电力、煤化工等行业尾气治理的副产品，2015 年以来增长速度很快，到 2020 年，硫酸铵产量达 222.4 万吨，占氮肥产量的比重为 5.5%。自 2002 年起，由于硝酸铵被纳入民爆产品管理，不能直接用作农用氮肥，短期内产量出现下降。此前硝酸铵产量一直保持稳定增长。近年来，以硝酸铵为原料的复合肥产品发展较快，硝酸铵产量又有所增长，到 2020 年，硝酸铵产量达到 196.1 万吨，占氮肥产量的比重为 4.9%[13]。

2.2.3　产量区域分布

我国氮肥产能的分布是在煤炭、天然气资源丰富的地区和氮肥消费量大的区域。2015 ～ 2020 年，山西、内蒙古新增产能增长较快，而山东、河南等消费大省产能有所减少，产能进一步向煤炭资源产地集中。2020 年，山西省合成氨产量 637.2 万吨，内蒙古尿素产量 801.0 万吨，山东省合成氨产量 622.1 万吨、尿素产量 680.5 万吨，河南省尿素产量 599.1 万吨。

2.3　产业集中度及盈利

2.3.1　企业数量

近 10 年来，随着新建大型氮肥生产装置的投产和中小型生产装置的退出，我国氮肥生产装置大型化、生产集约化水平进一步提升。尤其是“十三五”以来，我国建成多套世界级规模的氮肥装置，单套年产 60 万吨合成氨装置、单套百万吨级尿素装置成功投运。到 2020 年，产能 30 万吨以上规模的合成氨企业有 104 家，产能占比达 78.9%，相比 2015 年提高 14.3 个百分点；50 万吨以上规模的尿素企业有 64 家，产能占比达 82.1%，相比 2015 年提高 11.8 个百分点。氮肥行业形成了一批大型企业集团，合成氨和尿素产能达百万吨的企业数分别达到 20 家和 24 家 [13]。

2.3.2　各类产品主要生产企业

2020 年中国氮肥企业各产品主要生产企业见表 2-11。合成氨、尿素、硝酸铵、碳酸氢铵、氯化铵产品前十名企业产量在总产量中的占比分别为 26.8%、38.6%、56.6%、70.6%、64.9%[13]。

表2-11　2020年各氮肥产品（以实物计）产量前10名企业　　单位：万吨

合成氨	企业名称（按集团）	产量
1	云南云天化股份有限公司	231.9
2	中国石油天然气股份有限公司	183.2
3	湖北宜化集团有限责任公司	167.0
4	中国中煤能源集团有限公司	159.0
5	中海石油化学股份有限公司	153.9
6	山西天泽煤化工集团股份公司	152.4
7	河南心连心化学工业集团股份有限公司	151.7
8	河南晋开化工投资控股集团有限责任公司	127.1
9	山东华鲁恒升化工股份有限公司	126.8
10	中国石油化工集团有限公司	126.4
小计		1579.4
尿素	企业名称（按集团）	产量
1	中海石油化学股份有限公司	262.1
2	山西天泽煤化工集团股份公司	246.6
3	中国石油天然气股份有限公司	228.5
4	河南心连心化学工业集团股份有限公司	223.7
5	云南云天化股份有限公司	220.9
6	中国中煤能源集团有限公司	214.9
7	山东华鲁恒升化工股份有限公司	205.0
8	瑞星集团股份有限公司	204.2
9	山西阳煤丰喜肥业（集团）有限责任公司	182.3
10	灵谷化工集团有限公司	180.9
小计		2169.1
硝酸铵	企业名称（按集团）	产量
1	河南晋开化工投资控股集团有限责任公司	80.3
2	四川金象赛瑞化工股份有限公司	65.8
3	中国中煤能源集团有限公司	48.7
4	陕西延长石油（集团）有限责任公司	44.8
5	山西天脊煤化工集团有限公司	36.7

续表

硝酸铵	企业名称（按集团）	产量
6	合力泰科技股份有限公司	31.8
7	云南解化清洁能源开发有限公司解化化工分公司	24.1
8	湖北凯龙化工集团股份有限公司	22.8
9	湖北新洋丰肥业股份有限公司	20.7
10	贵州磷化（集团）有限责任公司	19.7
小计		395.4
碳酸氢铵	企业名称（按集团）	产量
1	山东华鲁恒升化工股份有限公司	49.4
2	山东省舜天化工集团有限公司	48.9
3	山西阳煤丰喜肥业（集团）有限责任公司	32.6
4	山东金沂蒙集团有限公司	26.8
5	河北晋煤金石化工投资集团有限公司	24.3
6	成都玉龙化工有限公司	22.3
7	安徽华尔泰化工股份有限公司	19.4
8	四川兰天化工科技有限公司	19.0
9	安徽金禾实业股份有限公司	18.6
10	浙江凤登环保股份有限公司	17.9
小计		279.2
氯化铵	企业名称（按集团）	产量
1	河南金山化工集团	334.4
2	四川和邦生物科技股份有限公司	114.9
3	湖北宜化集团有限责任公司	105.2
4	实联化工（江苏）有限公司	103.4
5	江苏华昌化工股份有限公司	91.1
6	中盐昆山有限公司	77.0
7	重庆湘渝盐化有限责任公司	76.1
8	应城市新都化工有限责任公司	67.7
9	天津渤化永利化工股份有限公司	63.4
10	河南昊华骏化集团有限公司	63.0
小计		1096.2

2.3.3 市场价格

2.3.3.1 化肥价格市场化改革不断深化

按照化肥流通体制改革和化肥市场化改革进程，中国氮肥价格变化大致经历四个阶段：第一阶段为完全计划经济阶段（1949 ～ 1985 年）。在这一时期，我国的氮肥消费完全依赖于进口，因此，在这一时期，氮肥价格显著高于国际市场。但是，国家为促进氮肥生产和施用，实行无利润统购统销政策。《中国物价 50 年》统计数据表明，尿素价格从 1957 年的 660 元 /t 降低到 1985 年的 510 元 /t。这一阶段的显著特点就是化肥价格波动平缓。第二阶段为计划内与计划外双轨制价格时期（1985 ～ 1998 年）。随着改革开放的不断深化，尤其是 1992 年以后，国家开始对氮肥价格管理实行计划内和计划外双轨制价格政策，氮肥价格迅速上涨，1996 年尿素价格达到 20 世纪历史最高点 2190 元 /t。第三阶段为不完全市场化阶段（1998 ～ 2015 年）。1998 年，国务院下发了《国务院关于深化化肥流通体制改革的通知》（国发〔1998〕39 号）来促进化肥流通体制改革，实行市场定价和政府指导价相结合的方式，政府对大中型企业出厂价和市场流通批零差率进行管理，其显著特征是市场搞活。在这一时期，国际化肥市场价格的变化对国内价格的影响也逐渐明显，价格波动较大，2011 年尿素的价格达到 2258 元 /t。第四阶段为新时代中国特色市场经济阶段（2013 年至今）。党的十八届三中全会上，中国特色社会主义市场经济体制又有重大理论突破，提出要处理好政府和市场的关系，使市场在资源配置中起决定性作用，更好地发挥政府的作用。2013 ～ 2016 年，国家陆续取消了化肥行业享受的优惠电价、优惠气价，氮肥产品的价格和生产要素价格（电价、气价、煤价等）主要由市场决定，恢复对氮肥产品征收增值税，出口关税全面取消，氮肥基本回归一般商品属性。但是考虑到氮肥是关乎国计民生的产品，政府在必要的时候对市场进行调控。国家发展改革委每年春耕期间会联合工信、农业、财政、商务等部门发文部署化肥供需衔接、生产、调运、淡季储备，并提供化肥铁路运输免收铁路建设基金、淡储贴息等财政支持，在必要的时候利用进出口政策调控国内市场。

2.3.3.2 生产要素价格是氮肥价格变动的主要因素

2004 年以来，氮肥的全年平均价格一直在成本线上下波动，随着煤炭、天然气和电等生产要素价格的变化，氮肥生产成本也发生变化，价格也随之上涨或者下跌（图 2-2）。以尿素为例，大部分年份出厂价维持在 1500 ～ 2000 元 /t 之间，批发价维持在 1600 ～ 2100 元 /t，零售价维持在 1700 ～ 2300 元 /t 之间。由于中国氮肥生产主要以煤为原料，煤炭成本占尿素生产成本的比重达 50% ～ 65%，因此尿素价格受煤价的影响最大，相关性最高。电价、气价对氮肥价格也有影响，但是影响程度相对较弱。表 2-12 数据显示 [13]，2012 年无烟煤价格达到 1308 元 /t，尿素平均出厂价、批发价和零售价分别达到 2117 元 /t、2219 元 /t 和 2264 元 /t。2016 年无烟煤价格跌到 704 元 /t，尿素平均出厂价、批发价和零售价也降至历史最低，分别为 1261 元 /t、1440 元 /t、1536 元 /t。从月度价格看，2011 ～ 2016 年，由于产能过剩，市场竞争激烈，尿素价格的淡旺季规律不明显。

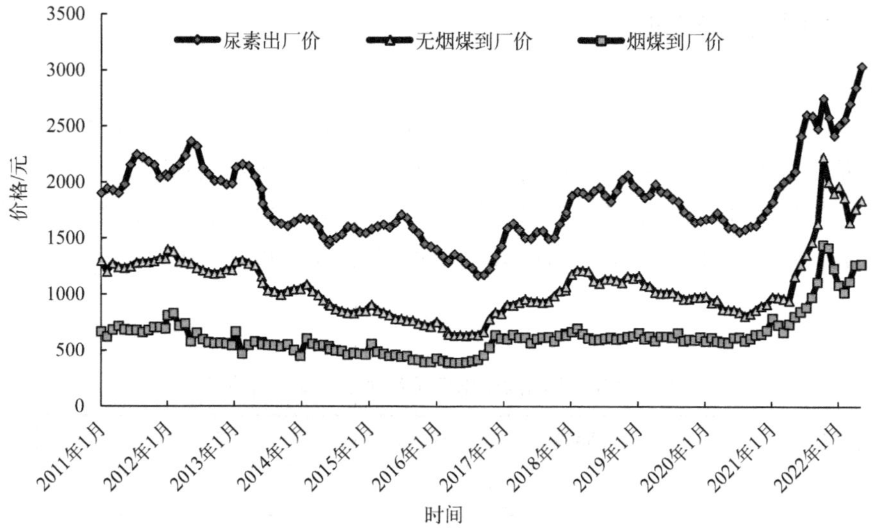

图 2-2　尿素出厂价与煤炭价格走势图

数据来源：中国氮肥工业协会

表2-12　氮肥企业主要生产要素价格表[13]

年份	无烟块煤到厂价 /（元/t）	烟煤到厂价 /（元/t）	天然气价格 /[元/m^3（标）]	电价 /[元/（kW·h）]
2005	654	—	—	0.299
2006	699	—	0.885	0.316
2007	716	400	0.897	0.336
2008	998	514	0.88	0.343
2009	951	520	0.943	0.354
2010	1050	630	1.079	0.396
2011	1263	699	1.322	0.415
2012	1308	643	1.472	0.462
2013	1090	538	1.596	0.469
2014	903	501	1.729	0.474
2015	824	450	1.535	0.556
2016	704	422	1.603	0.593
2017	974	626	1.609	0.599
2018	1149	635	1.667	0.6
2019	994	631	1.763	0.589
2020	895	626	1.632	0.57

注：均为当年平均价格。

2.3.3.3 国内外价格互相影响

从国际市场因素看，2004 年以来，由于我国需要通过出口消化国内过剩产能，国际市场价格也是影响国内市场价格的重要因素。如 2011 ～ 2012 年，黑海尿素价格为 399 美元 /t，国内出厂价则分别达到 2060 元 /t 和 2117 元 /t（表 2-13）。当然，国内市场和国际市场是互相影响的，有时国内是主导因素，有时国外是主导因素，这取决于中国氮肥出口占全世界贸易量的份额。另外，国家进出口关税政策、人民币汇率也直接或间接影响国内和国际市场价格走势。

表2-13　中国尿素出厂价和黑海尿素价格关系

年份	中国尿素出厂价 /（元 /t）	黑海尿素价格 /（美元 /t）
2004	1512	175
2005	1624	217
2006	1564	222
2007	1599	307
2008	1724	515
2009	1639	251
2010	1685	289
2011	2060	399
2012	2117	399
2013	1833	340
2014	1524	308
2015	1563	278
2016	1261	194
2017	1571	214
2018	1930	249
2019	1830	245
2020	1649	229

注：数据来源于中国氮肥信息、世界银行。

2.3.4 经济效益

2011 ～ 2020 年这十年间氮肥行业经历了供需平衡、产能过剩、化解产能过剩三个阶段。如表 2-14 所示，2011 ～ 2012 年，国内氮肥供需基本平衡，氮肥行业盈利水平尚可，2011 年、2012 年氮肥行业主营业务收入利润率分别达 4.7% 和 5.1%。2013 ～ 2017 年，随着大量新建产能建成投产，氮肥产能过剩压力增大，市场竞争激烈，氮肥行业盈利水平大幅下降。2014～2016年连续三年亏损，主营业务收入利润率分别为−2.3%、−1.1%和−5.0%。“十三五”以来，氮肥行业加速淘汰落后产能，化解产能过剩工作取得显著成效，2016～2020年累计退出合成氨产能1979万吨、尿素产能1787万吨，产能过剩矛盾有效缓解，加上化工行业景气度回升，氮肥行业盈利水平有所改善。2018年主营业务收入利润率达到6.6%，2019～2020年由于世界经济疲软和新型冠状病毒疫情对经济的冲击，氮肥行业盈利水平又下降至2.0%左右的水平[13]。

表2-14 2011～2020年中国氮肥行业主营业务收入及利润[13]

年份	氮肥行业		
	主营业务收入/亿元	利润总额/亿元	主营业务收入利润率/%
2011	2914.9	135.6	4.7
2012	2834.8	144.2	5.1
2013	2790.5	59.2	2.1
2014	2623.9	-61.1	−2.3
2015	2540.0	-28.9	−1.1
2016	1973.6	-98.0	−5.0
2017	1867.2	18.5	1.0
2018	2368.4	155.2	6.6
2019	1928.3	40.4	2.1
2020	1745.3	34.6	2.0

2.4 市场与需求

2.4.1 国内氮肥市场需求

我国氮肥应用领域较广，包括种植业、人造板工业、三聚氰胺、脱硫脱硝、柴油车尾气处理、民用爆破器材、林业、渔业、畜牧业、草地和设施园艺等领域，可以大致分为农业和非农业两个领域。

广义的化肥消费是指一国所拥有的化肥资源通过市场进入终端消费者手中，产生的化肥消费量称为表观消费量，表观消费量＝生产量＋进口量－出口量。运用氮肥行业生产数据和海关进出口数据计算表观消费量具有较高的可靠度，因为一方面工业部门经营者相对集中，全国氮肥生产企业不过几百家，远远小于上亿的农户，数据采集相对容易；另一方面全国主要氮肥企业一直执行上报制度，氮肥协会在生产统计方面也有着优良的传统。而化肥一直是我国重要的一种贸易产品，国家海关对化肥贸易有相关的监测和上报系统，而且贸易数据可以和国际很多机构进行校验，其准确度更高[14-16]。

从表2-15中可以看出，过去40年间，我国氮肥表观消费量整体呈增长趋势，到2013年，我国氮肥（以纯氮计，下同）表观消费量达4055万吨，是迄今为止的最高值。从农业用量看，在“十二五”中期达到阶段性峰值，2013年国内农用氮肥消费量约为3430万吨。在“十三五”期间，农用氮肥消费量开始下降，而非农业领域的消费仍然保持增长。需要注意的是，这几年氮肥生产量和出口量、非农业领域消费量、社会库存波动较大，这种情况下利用单一年份的表观消费量反推农业消费量存在一定误差，为了减小误差，可以比较连续五年的平均值。从五年平均值来看，“十三五”期间五年平均氮肥表观消费量比“十二五”期间下降了590万吨。中华供销合作总社（以下简称供销社）统计数据显示，“十三五”期间供销社系统流通企业氮肥和尿素库存水平（五年月度平均值）比“十二五”期间库存水平下降较大。这主要是物流效率提高和流通企业为规避风险主动降低流通环节周转库存量等原因造成的。如果考虑周转库存变化因素，我国氮肥表观消费量减少量既包括实际消费量的减少量，又包括了周转库存的减少量。换个角度说，就是每年消耗的氮肥除了来自当年的表观消费量外，还有一部分来自之前几年积累的社会库存。

表2-15 1981～2020年中国氮肥（以N计）生产量、进出口及表观消费量　单位：万吨

年份	生产量	进口量	出口量	表观消费量	非农业领域消费量	农业领域消费量
1981	986	143		1129	12	1129
1990	1464	460		1924	30	1923
2000	2398	107	52	2453	85	2272
2010	3710	26	462	3274	376	2898
2020	4032	24	631	3425	997	2406

注：氮肥产量、非农业领域氮肥消费量数据来自中国氮肥工业协会，氮肥进出口数据来自中国海关。

从非农业领域看，近年来氮肥（以纯氮计）消费量呈现快速增长的趋势（表2-16），从2015年的771万吨增加到2020年的998万吨。2020年受新型冠状病毒疫情影响，有关行业的生产受到影响，对氮肥的需求出现了短期回调。从几个主要非农业领域氮肥消费的变化趋势看，脲醛树脂、三聚氰胺、车用尿素对尿素的需求近几年增长很快。用于生产人造板用脲醛树脂的尿素消费量从2015年的385万吨增长到2019年的512万吨，增长127万吨，增幅33.0%。用于生产三聚氰胺的尿素消费量从2015年的121万吨增长到2019年的188万吨，同比增长55.4%；用于生产车用尿素溶液（柴油车尾气处理剂）的尿素消费量从2015年的8万吨增长到2020年的63万吨，增加55万吨，增幅687.5%。ADC发泡剂、氰脲酸近几年对尿素的需求基本保持稳定。用于民用爆破器材制造的硝酸铵的尿素需求量近年来维持在年产155万～201万吨的水平[13]。

表2-16　国内非农业领域氮肥（以纯氮计）消费量　　单位：万吨

年份	非农业领域氮肥消费量	脲醛树脂	三聚氰胺	车用尿素	ADP 发泡剂	氰脲酸	硝酸铵	其他
2015	771	385	121	8	22	24	169	42
2016	789	385	136	18	25	26	155	44
2017	894	454	146	22	25	25	176	46
2018	1020	502	188	28	25	25	198	54
2019	1054	512	188	48	25	25	201	55
2020	998	461	183	63	25	25	185	56

2.4.2　国际氮肥市场发展及对我国的影响

2.4.2.1　世界氮肥生产概况

据国际肥料工业协会（IFA）统计，全世界共有 85 个国家有合成氨和氮肥产能。据 IFA 统计，2020 年全球合成氨（以 N 计）产能达到年产 18180 万吨，其中有 71% 的合成氨产能以天然气为原料，有 29% 的合成氨产能以煤、石油、石油焦、焦炉气为原料。合成氨又加工成各种氮肥及化工产品，据 IFA 统计，2020 年全球合成氨（以 N 计）产量达 15285 万吨。据 IFA 统计，2020 年全球尿素（以实物计）产能达到 21020 万吨，产量达到 18150 万吨，分别占全世界的 52.8% 和 53.1%[17]。

随着经济全球化的发展，氮肥产能向天然气资源丰富的地区及化肥消费密集的地区集中。东亚是氮肥产能最大的地区，其次分别是南亚、西亚、东欧和中亚、北美、非洲（见表 2-17）。2016 ～ 2020 年间，全球尿素（以 N 计）产能总量变化不大，从 2016 年的 9641 万吨增加至 2020 年的 9671 万吨。各区域有增有减。东亚地区产能逐年下降，从 2016 年的 4193 万吨下降至 2020 年的 3738 万吨，减少了 455 万吨，北美、东欧和中亚、南亚等地区产能增长较快，分别增加尿素产能 201 万吨、153 万吨、116 万吨 [17]。

表2-17　全球尿素产能分布表[17]　　单位：万吨

地区	2016 年	2017 年	2018 年	2019 年	2020 年
西欧	315	315	319	323	323
中欧	229	229	196	192	194
东欧和中亚	740	765	837	864	893
北美	576	732	745	764	768
拉丁美洲	333	365	355	355	308
非洲	579	579	579	579	602

续表

地区	2016年	2017年	2018年	2019年	2020年
西亚	1115	1164	1164	1118	1168
南亚	1535	1593	1593	1652	1651
东亚	4193	4066	3933	3786	3738
大洋洲	26	26	26	26	26
全球	9641	9834	9747	9659	9671

据IFA统计，2020年尿素（以实物计）产能排名前15的国家分别是中国、印度、美国、俄罗斯、印度尼西亚、伊朗、巴基斯坦、埃及、卡塔尔、沙特阿拉伯、加拿大、乌克兰、阿尔及利亚、孟加拉国、阿曼，具体每个国家的产能和产量数据见表2-18[17]。从这些国家的产能利用率数据来看，埃及、卡塔尔、沙特阿拉伯、加拿大、阿尔及利亚、阿曼等国的产能利用率都达到了100%以上（包括100%），产能发挥非常稳定。而中国、孟加拉国、印度尼西亚产能利用率偏低，这主要受原材料供应、生产装置故障、政策调控、市场形势、转产其他合成氨下游产品等因素影响。

表2-18　主要尿素生产国产能和产量表[17]

国家	2020年尿素产能/万吨	2020年尿素产量/万吨	产能利用率/%
中国	6630	5620	84.8
印度	2600	2540	97.7
美国	1260	1120	88.9
俄罗斯	1000	970	97.0
印度尼西亚	940	790	84.0
伊朗	780	620	79.5
巴基斯坦	690	610	88.4
埃及	640	670	104.7
卡塔尔	560	580	103.6
沙特阿拉伯	440	480	109.1
加拿大	410	430	104.9
乌克兰	350	320	91.4
阿尔及利亚	340	340	100.0
孟加拉国	340	150	44.1
阿曼	280	340	121.4

2.4.2.2　世界氮肥消费概况

据国际肥料协会调查，2020 年全世界氮肥消费约 1.468 亿吨，其中农业领域氮肥需求量为 1.109 亿吨，占 75.5%；非农业领域氮肥需求量为 0.389 亿吨，占 24.5%；2010 ～ 2020 年间农业领域氮肥需求量和非农业领域氮肥需求量均保持增长，其中 2020 年农业领域氮肥需求量比 2010 年增长 6.7%，非农业领域氮肥需求量比 2010 年增长 69.1%。

据国际肥料协会统计，2020 年全球尿素表观消费量 1.815 亿吨[17]。世界尿素消费主要分布在东亚、南亚、北美、拉丁美洲等地区，分别占到世界总消费量的 35.6%、24.6%、10.7%、8.3%。

2020 年世界前十五大尿素消费国分别为：中国、印度、美国、巴西、巴基斯坦、印度尼西亚、加拿大、伊朗、土耳其、澳大利亚、俄罗斯、阿根廷、孟加拉国、泰国和德国（表 2-19）。2020 年前十五名国家尿素消费量占世界总消费量的比例为 80.5%。

表2-19　前十五大尿素消费国尿素表观消费量表[17]　　单位：万吨

国家	2016 年	2017 年	2018 年	2019 年	2020 年
中国	5215	4929	5085	5040	5078
印度	3185	2992	3148	3469	3584
美国	1428	1385	1538	1491	1491
巴西	630	627	632	613	706
巴基斯坦	603	505	576	627	615
印度尼西亚	585	624	629.5	607	562
加拿大	363	363	407	398	447
伊朗	187	200	216	403	420
土耳其	256	324	267	258	294
澳大利亚	255	239	200	212	257
俄罗斯	210	246	238	281	244
阿根廷	150	160	158	180	233
孟加拉国	219	251	233	248	233
泰国	231	259	265	223	232
德国	260	252	226	222	217

2.4.2.3　氮肥国际贸易格局

2011 ～ 2021 年间，全球氮肥贸易呈增长趋势。据国际肥料工业协会统计（表 2-20），2020 年全球尿素国际贸易量合计 5203 万吨，比 2010 年增长了 28.6%。虽然 2020 年全球范围内发生新型冠状病毒疫情，给国际贸易物流增加了不少困难，但是由于各国都非常重视化肥供应，因此 2020 年的化肥国际贸易量不仅没有下降，反而保持明显增长。2020 年全球尿素国际贸易量比2019年同比增长了6.7%[17]。

表2-20　2009～2020年全球尿素国际贸易量　　单位：万吨

年份	国际贸易量
2009	3612
2010	4046
2011	3925
2012	4307
2013	4487
2014	4752
2015	4973
2016	5024
2017	4813
2018	4841
2019	4876
2020	5203

全球尿素贸易主要的输出地是西亚、东欧和中亚、亚太地区、非洲，2020年这四个地区的尿素出口量分别是1810万吨、1020万吨、970万吨、850万吨；全球尿素贸易主要的输入地是亚太地区、西欧和中欧、北美，2020年这三个区域的尿素进口量分别是2040万吨、660万吨和550万吨。亚太地区是全球尿素贸易最活跃的地区，也是最大的净流入区域，2020年净流入尿素1070万吨。

2010～2020年间，中国在2012～2016年连续5年尿素出口量排全世界第一位。自2017年开始，中国尿素出口量大幅下降，俄罗斯成为全世界尿素出口量最大的国家。2020年，尿素出口量排名前十位的国家分别是俄罗斯、卡塔尔、中国、埃及、沙特阿拉伯、阿曼、阿尔及利亚、印度尼西亚、伊朗和阿拉伯联合酋长国（简称阿联酋）（表2-21）。2020年，前十大尿素出口国合计尿素出口量4041万吨，占全球贸易量的77.6%。

表2-21　十大尿素出口国出口量　　单位：万吨

国家	2010年	2015年	2020年
俄罗斯	459	499	724
卡塔尔	285	539	570
中国	703	1375	545
埃及	319	62	473
沙特阿拉伯	331	373	453

续表

国家	2010年	2015年	2020年
阿曼	342	344	334
阿尔及利亚	0	148	330
印度尼西亚	88	83	231
伊朗	139	264	198
阿联酋	0	187	183

2010～2020年间，印度一直是全世界尿素进口量最大的国家。2020年，尿素进口量排名前十位的国家分别是印度、巴西、美国、土耳其、澳大利亚、泰国、墨西哥、阿根廷、菲律宾和法国。2020年，前十大进口国合计尿素进口量3412万吨，占全球贸易量的65.6%。

2.4.3 我国氮肥进口情况

随着国内氮肥产能的增长，我国逐渐摆脱了对进口氮肥的依赖。进入21世纪以来，我国氮肥（以纯N计）年进口量下降至100万吨以下，近10年一直维持在20万～30万吨的水平（表2-22）。从品种看，我国氮肥已经自给有余，基本不需要进口，但部分品牌好、质量有优势的复合肥每年仍有一定数量的进口，从而带进部分氮肥。

表2-22 中国含氮肥料进口量变化[13] 单位：万吨

年份	尿素	硫酸铵	硝酸铵	硝酸铵钙	磷酸一铵	磷酸二铵	复合肥	硝酸钾	N、P二元复合肥	纯养分合计
1981	259.9	34.6	8.6			50.8	62.3			143.1
1990	813.5	16.4	33.2				114.0			464.8
2000					0.7	360.0	198.5	4.8	8.8	97.5
2010	1.3			0.2	3.3	42.3	108.8	4.3	1.1	26.4
2020	0.2	0.0		1.6	1.3	6.3	140.2		4.9	24.0

注：磷酸一铵即磷酸二氢铵，磷酸二铵即磷酸氢二铵，下同。

2.4.4 我国氮肥出口情况

自2003年起我国成为氮肥净出口国以来，随着我国氮肥产能的增加，出口量呈逐年增长趋势，到2015年达到顶峰，之后出现下降。据中国海关统计（表2-23），2015年我国氮肥（以纯N计，下同）出口量达996.3万吨，尿素（以实物计，下同）出口量达1374.8万吨，一举成为世界上第一尿素出口大国，尿素出口量占国际贸易量的27.6%。自2016年开始，随着国内优惠政策取消，氮肥生产成本升高，国际竞争力不断被削弱，同时国外新增产能陆续投产，国际市场竞争激烈，我国氮肥出口难度增大，出口量逐年下降。到2018年氮肥出口量降至470.5万吨，尿素出口量降至244.3万吨。2019年、2020年，由于国际市场需求增加，国外落后产能退出，国内原材料价格下降，中国氮肥竞争力回升，氮肥出口量又有所恢复。

表2-23 中国含氮肥料出口量变化[13] 单位：万吨

年份	尿素	硫酸铵	硝酸铵	硝酸铵钙	氯化铵	磷酸一铵	磷酸二铵	复合肥	硝酸磷肥	硝酸钾	N、P二元复合肥	纯养分合计
1990		0	1.7					0.1				0.7
2000	96.1	1.5	3	0	8.3	9.2	20.4	13.2	0	0.6	0.2	51.2
2010	702.6	121.4	25.7	5.4	31.6	93.5	398.8	3.5	0.1	4.8	74.8	462
2015	1374.8	528.4	32.4	30.7	97.7	274.2	801.9	6.7	6.2	0.1	85.6	996.3
2020	545.1	865.9	10.2	60.2	110.5	253.0	573.2	114.5	0.4	10.1	103.3	630.7

注：数据来源于中国海关统计数据。

近20年来，我国的化肥出口关税和出口退税政策调整比较频繁，是影响氮肥出口的重要因素。2004年以前，为了鼓励中国氮肥产业参与国际竞争，国家鼓励氮肥出口，对氮肥出口实行退税政策。2004年，为了保证国内化肥供应，不再鼓励出口，暂停尿素、磷铵出口退税政策。2005年开始对尿素征收出口关税260元/t。

由于2008年国际市场波动剧烈，化肥价格创历史高位，为保证国内化肥供应，中国通过对化肥征收高额出口关税限制出口。以尿素为例，2008年先后多次提高出口关税，2008年9月对尿素征收的出口关税为出口价格的185%。2009年以后，美国次贷危机引发全球性金融危机，大宗商品价格跳水，国际市场供需关系也发生变化，我国每年根据当年的供需形势对化肥出口关税及出口退税率进行调整，一直到2019年才取消所有化肥品种的出口关税。

2.5 氮肥产业发展突破展望

（1）推进产能结构升级，提升行业供给质量

一是继续控制产能总量。严格控制氮肥新增产能，新建项目应符合国家和区域产业政策，满足能耗“双控”目标、污染物排放总量控制、碳排放达峰目标等相关要求。尿素（含配套合成氨）新建项目遵循产能等量或减量置换原则，鼓励跨地区置换，引导新增产能向优势企业和更具比较优势的地区集中。严格落实安全、环保、能耗、水耗、碳排放等相关要求，强化行业监管。坚决淘汰不具备安全环保条件、不符合产业政策的落后产能。二是着力优化存量产能。持续推动城镇人口密集区企业搬迁改造，鼓励运用先进适用技术改造提升现有产业。采用“退出一批、改造一批、置换一批”原则，加快固定层间歇式煤气化企业改造升级。鼓励原料煤就地转化，通过实施清洁生产技术对现有产能进行优化升级改造[18]。

（2）加快产品结构升级，开创新经济增长点

一是聚力发展绿色高效肥料。落实化肥减量增效和农业绿色发展的要求，努力提升氮肥利用效率，实现肥料产品性能和功能升级，重点发展增值氮肥、硝基复合肥、硝酸磷肥、硝酸铵钙、硝基钙镁肥、液体肥、水溶肥、缓控释肥、稳定性肥、中微量元素肥、生物肥等肥料，腐植酸、海藻酸、氨基酸等肥料增效载体，硝化抑制剂、脲酶抑制剂等肥料添加剂。二是全力做好补链和强链工作。依托现有资源和产业优势，开发合成气下游产品及煤基多联产的高端化工产品，发展化工新材料、特种专用化学品等产业。通过发展新兴行业推动产业向专业化、高品质和价值链高端化延伸。三是拓展合成氨、尿素在非农业领域的应用。扩大火电、水泥、钢铁、煤化工等行业脱硫脱硝应用，以及脲醛树脂、己内酰胺、丙烯腈、乙醇胺、己二酸、MDI（二苯基甲烷二异氰酸酯）/TDI（甲苯二异氰酸酯）、车用尿素、三聚氰胺泡沫海绵和纤维等下游产品应用。

（3）全面推进科技创新，增强发展新动能

一是有针对性地攻克一批制约产业升级的关键核心技术和装备。重点有：清洁高效超大型煤气化技术，适用于本地煤、低质煤、高硫煤的煤气化技术，百万吨级大型高效低压氨合成技术，高效催化剂及净化剂，大型压缩机，尿素高压系统专用材料，关键仪表泵阀的国产化技术等。

二是提高行业科技创新能力。强化企业创新主体的地位，引导企业增加技术创新投入；聚焦基础和应用研究，实现原创成果重大突破；加强多领域跨界融合，推动创新链、产业链、资金链精准对接；注重创新人才培养，尊重和保护知识产权，积极推进科技成果转化。

三是积极开发数字化应用。运用5G和大数据技术，推动工业互联网、大数据、人工智能和产业深度融合。通过工艺装置APC（先进过程控制）应用、数字营销、智能仓储、机器人过程自动化、重大危险源在线监控自动报警等多场景数字化、智能化应用，从研发、生产、销售、安全管理等方面实现行业数字化应用和生产效率提升。

（4）着力推动绿色低碳发展，提高安全环保水平

一是努力树立行业绿色发展形象。加大对化肥和化工科普知识的宣传，提高民众认知水平；强化企业社会责任感和行业自律精神，自觉、主动、高标准地做好安全、环保、节能工作。二是完善行业标准体系。做好“合成氨、尿素单位产品能源消耗限额”“行业清洁生产分级标准”制定与修订工作，推进团体标准建设，构建满足行业高质量发展需要的新型标准体系。三是开发和推广低碳环保先进技术。采用先进技术进行大型机组节能改造、系统余热余压综合利用、能量综合利用；开发和推广先进的环保治理技术，包括废水零排放技术、中水回用技术、造粒尾气脱氨脱尘技术、挥发性有机物处理技术、高浓度盐废水分质盐回收技术等。探索与低碳能源耦合发展，采用可再生能源氢实现生产过程“碳-氢-氧”平衡。四是提升行业本质安全水平。建立智能化控制中心和重大危险源监控室，实行“一企一策”精准治理，加强液氨、液态气体、硝酸铵等危化品储存、运输和监管工作。五是积极推动行业低碳发展。尽快摸清行业碳排放底数，制定行业碳达峰行动方案。组织研讨和宣贯“碳达峰碳中和”基本理念和实现路径，构建碳排放管理标准体系。加快开展CO_2资源化利用，努力降低行业碳排放强度；积极参与全国碳市场建设，做好碳市场培训和碳资产管理工作，加快硝酸行业氧化亚氮减排催化剂研发和示范企业建设。

（5）构建全过程服务链条，提升农化服务水平

一是创建农化服务新模式。利用“互联网＋农资”等模式开展营销和推广服务，促进行业

发展；建立种植大户档案，开展示范推广，做好农技知识培训。二是建设全过程农化服务体系。整合企业农化服务队伍，构建集测土配方施肥、套餐肥配送、科学施肥技术指导及信息化服务于一体的农化服务体系。三是加强农化服务硬件设施建设。推广智能化施肥装备、水肥一体化设施、精准配肥站、液体肥施肥机等，通过智能化设施的推广和应用加强对农户的指导和服务。

（6）做好两个“体系”建设，创新行业服务新模式

一是推进化肥产品追溯体系建设。在完善追溯标准体系、信息服务体系及试点应用的基础上，全面推进化肥产品追溯体系建设，加快企业自建追溯系统与全国化肥电子防伪追溯平台的对接工作，建成全行业协同运作的追溯管理体系，为政府和企业打假防窜、产品流向追踪等提供服务。二是做好行业信用体系建设。行业诚信建设在资质认定和信贷融资等方面具有正向激励作用，要按照《氮肥行业信用体系建设行动方案》要求，继续做好企业信用等级评价工作，完善失信主体信用修复机制，建立行业统一的信用信息征集、查询和共享制度，共同营造诚实守信的市场环境。

（7）加快“走出去”步伐，构建“双循环”发展新格局

一是拓宽国际合作领域。充分利用国内国际“两种资源、两个市场”，在资源能源、技术装备、产品创新、投资融资、节能环保、下游应用等方面开展更加广泛的交流与合作。二是提高出口竞争力。增加复合肥料、新型肥料、硝基肥等高附加值产品出口；对标国际产品标准，加强出口质量管理。三是进一步扩大国际市场范围。紧密结合东南亚市场、欧洲市场、南美洲市场、非洲市场，开拓市场新需求；加强国际交流与合作，有条件的企业到目标市场设立办事机构或投资并购相关下游企业。

参考文献

[1] 王文善．氮肥工艺技术百年来的演变和发展简史 [J]．中氮肥，2017,5:1-5.

[2] 王文善．从尿素工业发展的历史看现有全循环法流程技术改造的必要性 [J]．化肥工业，2001,2.

[3] 奚振邦，黄培钊，段继贤．现代化学肥料学 [M]．北京：中国农业出版社，2013.

[4] 郭然，吕丙航，王新梅．硝酸铵钙产品生产技术及市场前景分析 [J]．氮肥技术，2020,41(4):29-32.

[5] 毛知耘，李家康，何光安，等．中国含氯化肥 [M]．北京：中国农业出版社，2001.

[6] 沈文生．石灰氮在油菜根肿病上的应用效果研究 [J]．现代农业科技，2021(19):118-119.

[7] 刘辰，孙奇泽，高波，等．石灰氮对连作花生生理特性及产量的影响 [J]．花生学报，2015,44(2):24-29.

[8] 刘高峰，张明宇，黄光辉，等．石灰氮与生物菌剂配施对烟草根际微生物群落及防控青枯病的影响 [J]．河南农业大学学报，2020, 54(5):748-754.

[9] 顾宗勤．拼搏六十载成就辉煌．奋进新时代前景光明 [R]．在纪念中国氮肥工业发展 60 年大会上的讲话．

[10] 李寿生，等．铿锵脚步：新中国成立 70 周年石油和化学工业发展纪实 [M]．北京：化学工业出版社，2019.

[11] 李沛霖．民国时期“远东第一”——南京永利铔厂 [J]．文史博览（理论），2010,8:4-6.

[12] 赵秉强，等．增值肥料概论 [M]．北京：中国农业科学技术出版社，2020.

[13] 中国氮肥工业协会．历年氮肥行业经济运行报告 [R]. 2021.

[14] 国家统计局数据库 [DB]．https://data.stats.gov.cn/easyquery.htm?cn=C01.

[15] 张卫峰，张福锁，等．中国肥料产业发展研究报告 2012[R]．北京：中国农业大学出版社，2013.

[16] 张卫峰，易俊杰，等．中国肥料产业发展研究报告 2016[R]．北京：中国农业大学出版社，2017.

[17] IFASTAT. 2021.

[18] 中国氮肥工业协会．氮肥行业“十四五”发展规划指南 [R]. 2020.

中国肥料研究与应用全书

Books of Fertilizer Research and Application in China

FERTILIZER

第3章

中国磷肥产业发展

3.1 磷肥定义、分类、标准

3.2 磷肥产业发展历程

3.3 原料与资源

3.4 产能与产量

3.5 产业集中度

3.6 经济效益

3.7 市场与需求

3.8 三废及治理

3.9 国际竞争力

3.10 行业存在的问题

3.11 行业发展趋势

磷肥全称磷素肥料，是以磷为主要养分的肥料。我国磷复肥工业的发展脉络基本与世界磷复肥工业相同，产品上从低浓度磷肥到高浓度磷复肥；养分上从单一（单质）到复合（多元）转变；规模上从小型磷肥厂到大型磷复肥企业集团；布局上从邻近用户市场分散布局到邻近磷矿原料产地或港口，或农业大省；工艺上从酸法、热法并举的产品加工路线到以酸法为主的改变；技术和装置上从自主研发到自主研发和引进技术、装置并举，再到以创新突破为主线的技术发展转变。

从新中国成立之初发展至今，中国磷肥工业经历了从无到有、从小到大、从弱到强的发展历程，完成了由进口大国向制造大国再到出口大国的历史性跨越，成为全球产量第一、出口量第一的磷肥工业大国，产能和产量在 2015 ～ 2016 年达到顶峰。2015 年以后，国内磷肥行业享有的多项优惠政策相继取消，叠加环保政策趋严、原料价格波动、下游需求萎缩等因素，磷肥生产逐年减少，磷酸二铵产量下降后趋于稳定，磷酸一铵在下游需求增多和产品种类增加的驱动下产量不断上升。

磷肥行业的标准随着产品的发展而演变，从最初的产品标准发展到污染控制技术规范及污染物排放等系列标准。产品标准的发展过程体现了磷肥产品由低浓度向高浓度到新型磷肥产品的演变过程，磷肥的标准体系随着产品的发展过程日臻完善。

磷矿是磷肥生产的主要原料，磷资源是中国重要的战略资源，在国家粮食生产安全中占有极其重要的地位。然而，中国作为全球最大的磷矿石消费国，面临着开发强度过大，资源相对集中，以及使用浪费和环境污染等问题。因此，保护和高效利用磷矿资源，提高磷的利用率，实现其可持续供应，关系中国的粮食安全。

我国磷肥发展进入深度调整期，将来以适应农业发展变化，满足国内粮食生产需求和农产品品质提升为主要目标，向着绿色低碳、利用率提升、资源可持续等趋势发展。优化资产结构、原料结构和产品结构，实现磷肥行业运行提质增效；研究开发新型肥料产品，随着科学施肥及其施肥技术的发展，最大限度地使肥料养分的释放与土壤作物的养分需求和施肥技术相吻合，提高产品肥效和肥料利用率，实现磷肥产品提质增效。

3.1 磷肥定义、分类、标准

3.1.1 磷肥定义

磷肥全称磷素肥料，是以磷为主要养分的肥料。1669 年，德国商人 Henning · Brand 首先发现了磷。磷作为植物生长发育不可缺少的营养元素之一，在自然界主要以磷酸盐的形式存在于矿石中。磷既是植物体内许多重要有机化合物的组分，同时又以多种方式参与植物体内的各种代谢过程。植物体内含磷量相差很大，为干物质中的 0.2% ～ 1.1%，大多数作物的含量在 0.3% ～ 0.4%，其中大部分是有机态磷，约占全磷量的 85%，主要以核酸磷脂和植素等形态存在。磷肥肥效的大小（显著程度）和快慢取决于磷肥中有效磷的含量、土壤性质（基础地力）、施肥方法、作物种类等。

3.1.2　磷肥分类

现代磷肥工业生产的磷肥品种可分为酸法磷肥、热法磷肥和其他磷肥（表 3-1）。酸法磷肥是指利用硫酸、磷酸、硝酸、盐酸等无机酸分解磷矿，使其中的不溶性磷转化为能被作物吸收的有效磷，这类产品的主要品种有磷酸二铵、磷酸一铵、重过磷酸钙、富过磷酸钙、过磷酸钙和硝酸磷肥。热法磷肥是指利用电热或燃料燃烧热所形成的高温（1250 ～ 1600℃），这类产品的主要品种有钙镁磷肥和脱氟磷肥。其他磷肥的主要品种有含磷的复合肥料，掺混肥料，缓（控）释肥料和水溶性肥料等，均是对酸法磷肥和热法磷肥进行进一步（二次）加工，或对生产酸法磷肥和热法磷肥的方法进行改进而制得的。

生产磷肥的过程，实质是将磷矿中不被作物吸收的磷转化成可被作物吸收的磷的过程。按照溶解性可分为水溶磷、枸溶磷和不（难）溶磷。水溶磷顾名思义即溶于水的磷，适用于各种土壤，施肥后见效较快；枸溶磷不溶于水，但可溶于 2% 的柠檬酸溶液，或者中性或微碱性柠檬酸铵溶液，适宜在酸性和中性土壤上使用；不（难）溶磷通常为磷肥中含有的少量未转化的磷矿，不易被作物吸收。按照磷肥产品中有效磷及氮或钾质量分数的高低，习惯将磷酸二铵、磷酸一铵、重过磷酸钙、硝酸磷肥、磷酸二氢钾等称为高浓度磷肥，将过磷酸钙和钙镁磷肥称为低浓度磷肥。因磷酸二铵、磷酸一铵和硝酸磷肥中含有“肥料三要素”中氮、磷两种元素，并主要以化学键的方式相结合，也将它们归为化成二元复合肥。磷肥的分类如表 3-1 所示。

表3-1　磷肥的主要品种与分类

名称		主要有效成分	有效 P_2O_5 质量分数 /%	备注
中文	英文缩写			
一、酸法磷肥				
（一）过磷酸钙				
1．过磷酸钙	SSP	$Ca(H_2PO_4)_2\cdot H_2O$	12.0 ～ 18.0	低浓度、水溶性磷肥
2．富过磷酸钙	DSP	$Ca(H_2PO_4)_2\cdot H_2O$	22.0 ～ 32.0	中浓度、水溶性磷肥
3．重过磷酸钙	TSP	$Ca(H_2PO_4)_2\cdot H_2O$	40.0 ～ 44.0	高浓度、水溶性磷肥
（二）磷酸铵类				
1．磷酸一铵	MAP	$NH_4H_2PO_4$	42.0 ～ 62.0	高浓度、水溶性磷肥
2．磷酸二铵	DAP	$(NH_4)_2HPO_4$	31.0 ～ 46.0	高浓度、水溶性磷肥
（三）硝酸磷肥	NP	$NH_4H_2PO_4$、$(NH_4)_2HPO_4$、$CaHPO_4\cdot 2H_2O$	10 ～ 13.5	中浓度、水溶 / 枸溶磷肥
（四）磷酸二氢钾	MKP	KH_2PO_4	47	
二、热法磷肥				

续表

<table>
<tr><th colspan="2">名称</th><th rowspan="2">主要有效成分</th><th rowspan="2">有效 P_2O_5 质量分数 /%</th><th rowspan="2">备注</th></tr>
<tr><th>中文</th><th>英文缩写</th></tr>
<tr><td>1．钙镁磷肥</td><td>FMP</td><td>$Ca_3(PO_4)_2$、$Mg_3(PO_4)_2$</td><td>12.0 ～ 18.0</td><td>中浓度、枸溶性磷肥</td></tr>
<tr><td>2．脱氟磷肥</td><td>DFP</td><td>$Ca_3(PO_4)_2$</td><td>28 ～ 41</td><td>中高浓度、枸溶性磷肥</td></tr>
<tr><td>三、其他磷肥</td><td></td><td></td><td></td><td></td></tr>
<tr><td>1．复合肥料</td><td></td><td>$Ca(H_2PO_4)_2 \cdot H_2O$/ $NH_4H_2PO_4$/ $Ca_3(PO_4)_2$</td><td>≥ 4.0</td><td>各种浓度、水溶 / 枸溶</td></tr>
<tr><td>2．掺混肥料</td><td>BB</td><td>$Ca(H_2PO_4)_2 \cdot H_2O$、$NH_4H_2PO_4$、$(NH_4)_2HPO_4$</td><td>≥ 4.0</td><td>各种浓度、水溶 / 枸溶</td></tr>
<tr><td>3．水溶性滴灌肥料</td><td></td><td>$NH_4H_2PO_4$、$(NH_4)_2HPO_4$、KH_2PO_4</td><td></td><td>水不溶物质量分数 ≤ 5.0%</td></tr>
</table>

3.1.3 磷肥标准

肥料产品标准是约束产品质量的重要方式，主要包括国家标准（含强制性标准）、行业标准、团体标准和企业标准四类。磷肥产品按照国家标准体系，目前有磷酸一铵、磷酸二铵、过磷酸钙、重过磷酸钙、钙镁磷肥、硝酸磷肥、工业磷酸氢二铵、工业磷酸二氢铵、水溶性磷酸一铵，同时现在发展的新型磷铵包括含腐植酸磷铵、含海藻酸磷铵、黄腐酸钾磷酸一铵、锌腐酸磷铵、聚磷酸铵、硫磷酸铵。其中国家标准有 6 个，行业标准有 6 个，企业标准有 2 个。《植物营养学》磷肥分类中提及的富过磷酸钙、沉淀磷肥、脱氟磷肥目前无相关产品标准，如表 3-2 所示。

表3-2　磷肥产品标准体系

产品	标准
磷酸一铵	GB/T 10205—2009
磷酸二铵	GB/T 10205—2009
过磷酸钙	GB/T 20413—2017
重过磷酸钙	GB /T 21634—2020
工业磷酸氢二铵	HG/T 4132—2021
工业磷酸二氢铵	HG/T 4133—2021
水溶性磷酸一铵	HG/T 5048—2016
钙镁磷肥	GB/T 20412—2021
硝酸磷肥、硝酸磷钾肥	GB/T 10510—2023
含腐植酸磷铵	HG/T 5514—2019
含海藻酸磷铵	HG/T 5515—2019

续表

产品	标准
锌腐酸磷铵	Q/ASHZH 03—2019
聚磷酸铵	HG/T 5939—2021
硫磷酸铵	Q/YTH 26—2019

随着产品标准的逐渐完善，其他配套标准也在随之发展和完善，目前磷肥相关的标准体系涉及污染控制技术规范、环境卫生、劳动卫生、放射卫生防护、工业污染物排放标准、有毒害固体废弃物控制标准、工业废水、污染物分析方法等。

技术规范相关标准主要有：《磷酸（湿法）生产技术规范》（GB/T 29338—2012），《磷石膏库安全技术规程》（AQ 2059—2016），《磷石膏的处理处置规范》（GB/T 32124—2024），《硫酸、磷肥生产污水处理设计规范》（GB 50963—2014），《磷肥工业废水治理工程技术规范》（HJ 2054—2018）等。

污染控制相关标准主要有：《磷肥工业水污染物排放标准》（GB 15580—2011），《排污单位自行监测技术指南 磷肥、钾肥、复混肥料、有机肥料和微生物肥料》（HJ 1088—2020），《湿法磷酸及磷肥生产中氟硅酸废液处理处置方法》（GB/T 38102—2019），《一般工业固体废物贮存和填埋污染控制标准》（GB 18599—2020），《大气污染物综合排放标准》（GB 16297—1996），《工业炉窑大气污染物排放标准》（GB 9078—1996）等。

产品质量分析方法相关标准主要有：《磷酸一铵、磷酸二铵的测定方法 第1部分：总氮含量》（GB/T 10209.1—2008），《磷酸一铵、磷酸二铵的测定方法 第2部分：磷含量》（GB/T 10209.2—2010），《磷酸一铵、磷酸二铵的测定方法 第3部分：水分》（GB/T 10209.3—2010），《磷酸一铵、磷酸二铵的测定方法 第4部分：粒度》（GB/T 10209.4—2010）等。

能耗相关标准主要有：《化肥行业单位产品能源消耗限额》（GB 21344—2023），《工业磷酸单位产品能源消耗限额及计算方法》（HG/T 5008—2016），《复混肥料（复合肥料）单位产品能源消耗限额及计算方法》（HG/T 5047—2016）等。

劳动卫生、放射卫生防护相关标准主要有：《大气有害物质无组织排放卫生防护距离推导技术导则》（GB/T 39499—2020），《磷肥及其复合肥中226镭限量卫生标准》（GB 8921—2011）等。

3.2 磷肥产业发展历程

3.2.1 1942～1949年：起步阶段

我国施用化肥是从1909年开始。1910年，河北保定直隶农事试验场率先开始进行化学肥料试验。此后北京、吉林、广东、上海、华北、四川、陕西等地先后进行了各种作物的氮、磷、钾三要素肥料试验。试验发现氮肥效果最好，磷肥次之或甚微，钾肥更次之甚至无效。这一系列的肥效试验结果直接决定了当时的施肥结构为：以氮肥为主，加少量磷肥。据统计，新中国成立前磷肥的最高使用量在 1937 年前后，约为 4187t，均为进口产品。

正是受这种施肥结构的影响，相比氮肥工业，我国磷肥工业起步相对较晚，直到 1942 年裕滇磷肥厂在云南省昆明市建成。该厂日产 1t 过磷酸钙，原料采用昆明磷矿石（含 P_2O_5 37.9%），产品含有效 P_2O_5 17%，主要供应云南草坝蚕业新村公司种植桑树，后因销量不畅，开工半年即宣告停产。

3.2.2 1949 ~ 1959 年：磷肥行业在探索中发展

新中国成立之后，化肥市场的需求增长，尤其是一系列的肥效试验，推动了我国磷肥工业发展。“一五”期间（1953 ～ 1957 年），我国磷肥行业发展的基本方针为：一方面优先发展磷矿粉肥，以替代供不应求的骨粉；另一方面加大过磷酸钙进口量，其中 1953 年进口量达 5.5 万吨。

1952 年，我国重工业部化工局（后来的化学工业部）开始着手利用国内磷矿开展磷肥技术研究，并开发和建设工业装置。

1953 年 9 月，在北京召开了具有深远意义的磷肥工业座谈会。会上讨论了我国磷肥生产发展方针，以及磷矿资源开发问题。由此确立了我国早期磷复肥工业发展方向：鉴于我国磷矿以杂质含量较高的胶磷矿为主，同时含硫资源不足，我国磷肥加工路线确定为酸法、热法并举，过磷酸钙、钙镁磷肥作为发展重点进行技术研究和产业化建设。

1953 年，重工业部化工局安排化工实验所杭州分所（后并入现上海化工研究院）开展了以江苏连云港锦屏磷矿精选磷矿粉为原料试制过磷酸钙技术研究工作，为扩大生产规模、建设大型企业提供设计数据。

1955 年，首先在上海制酸厂（上海化工研究院第一试验厂）建成了年产 1 万吨过磷酸钙的中间实验厂。

1952 ～ 1957 年间，在我国南北方相继布局建设了黑龙江哈尔滨、辽宁辽阳、山东济南、湖南衡阳等 4 家年产 2 万～ 6 万吨过磷酸钙的小型磷肥厂。

1958 年，我国在华东磷肥厂（后改名南京化学工业公司磷肥厂）和山西磷肥厂（后改名太原化学工业公司磷肥厂）建成了采用立式搅拌、回转化成工艺，产能分别为 20 万吨和 40 万吨的粉状过磷酸钙工业装置。

钙镁磷肥是同时期另一个重要的低浓度磷肥品种。

我国钙镁磷肥生产始于台湾肥料公司（台肥）罗东厂，1951 年该厂试制含 P_2O_5 质量分数 18% ～ 20% 的熔融钙镁磷肥。从 1953 年起，我国四川、云南、江西、浙江、北京等地的研究和设计单位相继开展了钙镁磷肥研制工作，并在四川乐山（峨眉高桥）磷肥厂、北京化工实验厂、江西樟树磷肥厂、浙江兰溪化肥厂等建设生产装置。

1956 年，第一套平炉法工业生产装置在四川乐山（峨眉高桥）磷肥厂建成。

1958 年，在北京化工实验厂建成 1 座 ϕ1.2m、高 2.8m 的水冷夹套炉体高炉，产量为 30 ～ 40t/d，标志着高炉法钙镁磷肥工艺在我国正式出现。

1959 年，在浙江兰溪化肥厂采用冷风直筒型高炉生产出钙镁磷肥。

1959 年 11 月，化工部在浙江兰溪召开了第一次全国钙镁磷肥生产经验交流会，肯定了钙镁磷肥品种，推荐采用高炉法钙镁磷肥生产技术，并指出钙镁磷肥生产还存在炉龄短、消耗高、成品未磨细等问题。

3.2.3 1960 ~ 1978 年：磷肥行业提速发展

这一时期，在国家的大力支持和磷肥行业的共同努力下，我国磷肥工业在生产技术和产品产量上有了显著提高，磷肥（以 P_2O_5 计）产量从 1960 年的 19.3 万吨增长到 1978 年的 178 万吨，但受磷矿资源品位和生产技术的限制，以及经济和政策等方面的制约，我国磷肥工业基础还非常薄弱，仍以中小型过磷酸钙和钙镁磷肥生产装置为主，其中过磷酸钙占比近 70%，同时生产少量的高浓度肥料——磷铵。

（1）“浓酸矿浆法”的推广使用，推动过磷酸钙行业发展

此前，我国过磷酸钙主要采取“稀酸矿粉法”生产工艺，这种工艺的弊端是干法磨矿造成粉尘污染，同时还存在建设磷矿原料仓库投资大、磷矿固体粉料输送困难等问题，因此推动了“浓酸矿浆法”技术的推广应用。

“浓酸矿浆法”是我国四川、福建、江苏等省磷肥生产企业的技术人员经过长期探索，自主创新开发的过磷酸钙生产工艺，具体是将浓硫酸的稀释配酸用水转移到磷矿的湿磨当中，直接以质量分数 92.5% ～ 98% 的浓硫酸与经过加水湿磨的磷矿浆进行混合，再经化成、熟化工序制成粉状过磷酸钙。

1960 年底，广州氮肥厂采用“浓酸矿浆法”工艺，建设了年产 5 万吨小型过磷酸钙工业装置。1963 年和 1965 年，广东湛江化工厂和湖南株洲磷肥厂分别建成了采用皮带化成工艺的年产 20 万吨过磷酸钙装置。20 世纪 80 年代，甘肃金昌建成了年产 40 万吨过磷酸钙装置。

（2）钙镁磷肥从“电炉法”到“高炉法”

1961 年以后，在浙江、湖南、广西、福建、贵州、江西等地，借助当地水电资源丰富的优势，相继建设了 30 多台 400 ～ 2800kV · A 电炉法装置，单套年生产能力为 0.25 万～ 2 万吨钙镁磷肥，电耗高（直接电耗 900kW · h/t）导致成本过高，经济效益差，到 1992 年装置全部关闭。

1963 年 6 月和 1964 年 2 月，江西东乡磷肥厂将“大炼钢铁”后闲置的 1 座 ϕ1.3m、容积 13m^3 和另 1 座 ϕ2m、容积 40m^3 的炼铁高炉，分别改造成年产 3 万吨和年产 6 万吨熔融钙镁磷肥的高炉，从此开创了我国高炉生产钙镁磷肥的新篇章。

1966 年，绍兴钢铁厂将 82m^3 炼铁高炉改建成年产 10 万吨钙镁磷肥的装置。

1976 年，郑州工学院（现郑州大学）创立“钙镁磷肥玻璃结构因子配料方法”，使钙镁磷肥生产配料从“经验模数”提升为理论指导下的数理解析。20 世纪 80 年代，先后在云南光明磷矿厂、江西东乡磷肥厂、湖北刘家场磷肥厂及河南信阳磷肥厂进行了工业验证，证明其有效性，使得全国大多钙镁磷肥厂能使用含 P_2O_5 16% ～ 24% 的低品位磷矿生产出含有效 P_2O_5 12% ～ 18% 的钙镁磷肥。

1980 年，广西鹿寨化肥厂采用精料、大风、高温的生产方法，使产量提高一倍，焦耗降低 40%，实现了高产、优质、低耗。

高炉法钙镁磷肥生产技术的开发和推广在我国早期磷肥工业发展史上意义重大，为直接利用低品位磷矿开辟了一条新路。该生产技术不仅为我国独创，而且我国在高炉法钙镁磷肥的研究、生产方面形成许多成熟经验，在生产配料、工艺和能耗上均处于世界先进水平，能耗一般低于电炉法和平炉法，先进企业能耗降至 5.6×10^9J/t，具有相对较强的竞争优势。20 世纪 60 年代初，我国输出高炉法钙镁磷肥生产技术和装置援助越南（文典磷肥厂）与朝鲜。

（3）高浓度磷复肥探索

20 世纪 50 年代初，全球高浓度磷复肥及各种磷资源加工工艺产业化处于起步阶段，我国利用自有磷矿资源进行湿法磷酸、热法磷酸、重过磷酸钙、磷酸铵、硝酸磷肥、脱氟磷肥等生产技术开发和中间试验工作。

上海化工研究院在 20 世纪 50 年代中期先后进行多种硝酸磷肥生产方法的研究，1964 年与南京化学工业公司磷肥厂（简称南化公司磷肥厂）、南京化学工业公司设计院合作完成了年产 3000 吨碳化法硝酸磷肥中间试验，生产出含 N 18%、P_2O_5 12% 的硝酸磷肥产品；1968 年，南化公司磷肥厂采用混酸（硝酸和硫酸）法进行了氮、磷、钾三元复合肥料的试验和生产；1978 年，南化公司磷肥厂采用间接冷冻法进行硝酸磷肥的中间试验，产品含 N 27%、P_2O_5 13.5%，水溶率大于 65%。

1966 年，南化公司磷肥厂采用单槽多桨、空气冷却工艺建成了我国第一套 50t/d P_2O_5 的磷酸装置，采用多槽中和、喷浆造粒工艺建成了我国第一套年产 3 万吨磷酸二铵（DAP）装置。

3.2.4 1978 ~ 2000 年：大力发展高浓度磷复肥

1978 年 4 月，化工部在沧州主持了“矿山、磷肥发展规划会议”，确定了大打矿山之仗，实行“精料政策”；磷肥加工部门要根据国情，寻找能降低对原料要求的工艺。1978 年 8 月，化工部组织化学矿考察团前往美国、瑞典、西班牙，对磷、硫、钾矿和复合肥进行专题调研和考察，确定了我国矿山和磷肥工业要引进国外先进技术和装备，加快发展的方针。

自 1980 年开始，国家和地方先后投入资金，大力发展高浓度磷复肥和配套建设磷、硫、钾矿且从国外引进技术和装备建设 15 家大中型高浓度磷复肥厂，使我国高浓度磷复肥产能、产量和技术装备水平大幅提高，迅速缩小了与国外先进水平的差距。

磷酸是生产磷酸盐的重要原料，也是生产高浓度磷复肥的中间产品，其来源有热法磷酸和湿法磷酸。究竟是选择热法磷酸工艺还是湿法磷酸工艺发展高浓度磷复肥，通过探索、实践，对热法和湿法两种磷酸生产工艺进行比较。热法磷酸所消耗的热能约为湿法磷酸的 3.4 倍，电能消耗约高 13.4 倍。湿法磷酸净化后制得的磷酸盐成本较低，磷资源利用率高于热法磷酸。每生产 1 吨磷酸（以 P_2O_5 计，下同），热法磷酸多耗磷矿约 20%。湿法磷酸通过净化代替热法磷酸，质量上能适应不同要求，成本较低。在湿法磷酸净化过程中，可回收其中的氟化物制成副产品，既提高过程效益，又提高资源利用率。最终，我国确定了以湿法磷酸为基础的高浓度磷复肥生产工艺路线。

3.2.4.1 重过磷酸钙（简称重钙）

我国从 20 世纪 60 年代开始开发重钙生产，主要采用化成法工艺。我国重钙装置采取的是引进和自主开发并举的发展方针。

1982 年，依托国内开发的技术和设备，在云南建成我国第一套湿法重钙装置（日产 110 吨磷酸，年产 10 万吨重钙），年生产能力已达 20 万吨。

1997 年，依托引进技术在湖北荆襄磷化工公司建成了 670t/d 磷酸、56×10^4t/a 化成造粒法重钙装置，总投资约 28 亿元。

1999 年，贵州瓮福磷肥厂建成投产了 1000t/d 磷酸和 80×10^4t/a 料浆造粒法重钙装置，总投资 37 亿元。

重钙在我国并未得到较大的发展，主要原因有：虽然与磷铵生产相比重钙可节省硫酸 25% ～ 30%，但由于生产重钙采用的磷酸为中强酸，其分解磷矿的能力弱于强酸硫酸，因此要求原料磷矿（即俗称的二次磷矿）品位高、活性好、粒度细，而且必须单设干矿磨粉系统。而在我国磷资源条件下，绝大部分地区磷矿难以满足其生产技术要求，加之重钙仅含有磷素养分，用于生产氮磷复合肥时，与尿素混合发生加成反应，使结晶水变成游离水，导致肥料物性变坏。因此，目前重钙仅在磷矿品位高、活性好的云南、贵州生产，产品多出口东南亚地区，新疆农垦区域也有施用。部分引进的大装置也纷纷改产，如“八五”期间引进的 3 套大型装置除了云南磷肥工业有限公司（大黄磷）外，有 2 套先后改产磷酸二铵或复合肥。湖北荆襄大峪口 56 万吨 / 年重钙装置改产 50 万吨 / 年二铵（复合肥）和 15 万吨 / 年磷酸一铵，贵州瓮福两套共 80 万吨 / 年重钙装置改产 120 万吨 / 年磷酸二铵。

3.2.4.2　磷酸铵

磷酸铵是农民特别喜欢施用的一种高浓度磷肥，主要品种有磷酸一铵和磷酸二铵。我国磷酸铵产品的研制和中间试验工作始于 20 世纪 50 年代。1966 年，南京化学工业公司采用国内开发的技术和设备，建成我国第一套 50t/d 磷酸和 3 万吨 / 年磷酸二铵生产装置，揭开了我国磷酸铵生产的历史。

（1）引进大中型磷铵装置及技术的消化吸收

“八五”及“九五”期间，我国引进了多套生产工艺为磷酸浓缩法（即用二水物湿法磷酸浓缩到 50% ～ 54%P_2O_5 后通氨中和）的大中型高浓度磷复肥装置。

1987 年 12 月，采用 Iprochim 技术的 12 万吨 / 年磷酸二铵装置在安徽铜陵落成；1989 年和 1990 年，采用 Davy/TVA 技术的 24 万吨 / 年磷酸二铵装置和 21.6 万吨 / 年复合肥装置分别在南化磷肥厂和大（连）化磷铵厂落成；1990 年 12 月，采用 AZF 技术的 48 万吨 / 年磷酸二铵、60 万吨 / 年复合肥装置在秦皇岛中阿化肥公司建成；1992 年，建成云南云峰 24 万吨 / 年磷酸二铵、20 万吨 / 年复合肥装置（Davy/TVA 技术）；1996 年，湖北黄麦岭建成 18 万吨 / 年磷酸一铵装置（Jacobs 技术）；1997 年，甘肃金昌建成 12 万吨 / 年磷酸二铵装置（AZF 技术）；1999 年，广西鹿寨 24 万吨 / 年磷酸二铵装置（Espindesa 技术）逐步建成投产。

随着高浓度磷复肥装置的陆续引进，多项磷酸铵和复合肥技术落地中国，如美国 DAVY-McKEE 管式反应-转鼓氨化造粒技术、法国 AZF 双管反应器生产技术、西班牙 ERT-ESPIND 单管反应一次氨化技术等。这些项目和技术的建成使用，使得我国磷复肥生产和技术水平与国外同行基本保持一致。

大型引进装置在运行过程中，生产工艺得到不断完善，例如中阿公司独特的单管式反应器新工艺流程（即单管式反应器-转鼓氨化粒化流程），是在传统预中和槽-转鼓氨化粒化机流程及 AZF 双管式反应器工艺流程基础上的一种改进，是当时磷复肥生产工艺中最先进的工艺之一，生产稳妥可靠，产品 P_2O_5 水溶率高、外观好，质量容易控制，尤其在原料的适应性、产品转换灵活和操作简单等方面具备非常大的优势，复合肥的产能比原设计提高约 50%，1999 年获得国家科技进步奖二等奖。

在引进技术的基础上，通过消化-吸收-创新，我国磷酸铵逐步实现了“大型化、国产化、自主化”。1991 年 10 月，在江西贵溪化肥厂建成第一套采用预中和、料浆造粒工艺技术的大型自主化 24 万吨 / 年磷酸二铵装置。“十五”期间，我国又分别在云南三环嘉吉（60 万吨 / 年磷酸二铵）、贵州开磷（24 万吨 / 年磷酸二铵）、重庆涪陵化工（24 万吨 / 年磷酸二铵）、云南富瑞公司（60 万吨 / 年磷酸二铵）建成 4 套大型磷铵装置。

（2）“料浆浓缩法”——适应中国国情的磷铵生产工艺

由于“磷酸浓缩法”传统工艺要求采用品质较高的磷矿原料，而我国磷矿资源 90% 以上为难选的中低品位胶磷矿，原料来源严重制约了我国高浓度磷复肥的发展。

我国自 20 世纪 80 年代开始对“料浆浓缩法”磷酸铵工艺进行研究。成都科技大学（现四川大学）与四川银山磷肥厂合作，针对四川金河磷矿品位低（27% P_2O_5）、杂质含量高（3% MgO、5.8% R_2O_3）的特点，采用氨中和稀磷酸、双效浓缩料浆工艺，成功开发了具有自主知识产权的“料浆浓缩法”工艺，产品规格 11-42-0，P_2O_5 水溶率 70%，该成果于 1988 年获得了国家科技进步奖一等奖，被列为“六五”以来我国科技战线八大成果之一。该技术的成功开发，推广运用意义重大，结束了国产中品位磷矿不能生产磷铵的历史，改变了全国高浓度磷复肥长期依赖进口的被动局面。1988 年，银山磷肥厂 3 万吨磷铵工业性试验装置通过了国家验收，“七五”“八五”期间，国家分别安排了“20 亿”“45 亿”两个专项，在全国 21 个省（自治区、直辖市）共建成 3 万吨 / 年磷铵装置 80 多套，6 万 / 年磷铵装置 2 套。在随后的 30 多年中，“料浆浓缩法”磷铵单系列生产能力由 3 万吨 / 年扩大到 10 万吨 / 年，成为我国高浓度磷复肥生产至今为止的主要技术路线之一。

为了解决磷石膏的出路，1990 年，山东鲁北化工自主开发了磷石膏制硫酸联产水泥的技术，率先建成了年产 3 万吨磷铵、4 万吨硫酸、6 万吨水泥联产装置（即“3、4、6 工程”）。该技术在四川什邡、河北遵化、青岛东方等厂进行了推广，但因经济问题而先后停产。后来，鲁北又放大建成了 15 万吨磷铵、20 万吨硫酸、30 万吨水泥装置，一直开车正常。

（3）复混肥料（复合肥料）——适应农业需要的新品种

提高肥料的复合化率，因地制宜，针对农作物的营养需求和土壤的供肥能力开发复合肥料，是科学合理施肥，提高肥料利用率的有效途径。我国复混肥料（复合肥料）工业的发展始于 20 世纪 80 年代初，80 年代以来，国家对复混肥的生产和使用技术进行了系统研究，为其发展打下了坚实的基础。

1980 ～ 1983 年，由中国农业科学院土壤肥料所主持的全国化肥试验网对复混肥料肥效和施用技术进行了研究。1982 年 3 月，在北京召开了“复合肥（掺混肥）发展问题研讨会”，研讨会建议学习国外先进经验，发展我国的复合肥产业。

1983 ～ 1986 年，国家科学技术委员会组织了“高浓度复（混）合肥料品种、应用技术和二次加工技术的研究”攻关项目，对复合肥与单质配肥肥效、不同养分形态的复合肥品种、粉状和粒状复肥肥效、复（混）合肥施用技术等进行了系统研究。

20世纪80年代，复（混）合肥料生产工艺以团粒法为主，生产规模一般为年产1万～5万吨。90年代建设了多家年产10万吨装置。90年代之后，我国复合肥发展迅速，一方面是由于技术、人才储备趋于成熟；另一方面是响应国家农资政策调整，国有大型磷复肥企业改变思路，大规模进军复合肥生产领域。

低温转化法生产硫基复合肥工艺的应用和推广，极大地推动了我国高浓度磷复肥行业的发展。1993年，山东红日有限公司（前身为山东省临沂市化工总厂）发明了氯化钾低温转化法生产三元复合肥的技术，将3万吨/年料浆法磷铵装置改造成10万吨/年氮磷钾复合肥装置。这项技术获得了国家发明金奖，被列为国家“九五”期间重点推广技术。该生产技术的特点是利用料浆法磷铵装置，将磷酸、氯化钾转化、复合肥料三道工序整合，生产出硫酸钾型复合肥，不仅取消了磷酸料浆的浓缩，降低了生产硫酸钾时物料对设备的腐蚀，而且可分别减少单独生产磷铵、硫酸钾、复合肥的一些重复工序（如造粒、干燥、冷却和包装），节约了大量能耗。其使用的原料磷矿中P_2O_5含量一般在27%～28%，杂质含量高于磷酸铵的用矿，其工艺条件的“非苛刻”“原料磷矿质量要求不高”是促使该工艺在我国迅速发展并形成实力的基本保证。

（4）硝酸磷肥的建设，丰富了我国磷复肥产品

硝酸磷肥是用硝酸分解磷矿制得的氮、磷二元肥料，产品组成包含水溶性和枸溶性磷酸盐，以及肥效持久的铵态氮和速效的硝态氮。硝酸磷肥可以生产二元或三元复合肥，可以调整产品中P_2O_5的水溶率，是一个好的肥料品种。

由于我国硫资源不足，同时硝酸磷肥生产不产生磷石膏，氟排出少，对环境影响小，20世纪50年代初我国开始着手硝酸磷肥的研制和中间试验工作。

1984年，开封化肥厂（现晋开集团）采用磷酸、硫酸混酸法建设了年产13万吨硝酸磷肥和3.5万吨复合肥的装置。济南化肥厂采用间接冷冻法建设了15万吨硝酸磷肥装置，但均由于技术和经济问题不过关而停产。1987年，山西化肥厂（现天脊集团）引进挪威Norsk-Hydro公司的间接冷冻法工艺，以煤为原料建设了年产54万吨硝酸和90万吨硝酸磷肥装置，是当时世界上最大的硝酸磷肥生产装置。但由于部分设备选型不当，酸不溶物分离效果差，直到2000年才达到设计能力。由于硝酸磷肥在工艺上对磷矿质量要求较高，工艺流程长，设备要求采用不锈钢制作以防腐蚀，基建投资太高，限制了该品种的发展。

（5）低浓度磷肥受多重因素影响呈现萎缩状态

尽管低浓度磷肥具有可使用低品位磷矿制备、含有中微量元素以及售价低廉，适应于农民购买能力弱等特点，但其生产装置规模偏小，磷素有效成分低，受运输成本限制大，以及施用方式粗放等。与此同时，随着我国磷肥生产技术的快速提高，农业种植结构不断调整以及耕种方式的改变，磷肥产品结构调整步伐更加快速，高浓度磷复肥产能、产量迅猛增长，各种专用复合肥以及以缓控释肥料、水溶性肥料等为代表的新型肥料发展迅猛，低浓度磷肥产量及占比持续下降。近年来，由于我国土壤中微量元素的缺乏日益严重，特别是钙、镁缺乏明显，土壤酸化和盐碱化严重，低浓度的普钙和钙镁磷肥理论上全部为有效养分，含有丰富的钙、镁及部分微量元素。钙镁磷肥和普钙还是很好的土壤调理剂，钙镁磷肥调节酸性土

壤，普钙对盐碱地有很好的缓冲作用。

“十三五”以来，我国磷肥行业以供给侧结构性改革为引领，通过优化与调整，全面推动转型与升级，磷肥工业得到长足发展，紧紧围绕“提质增效”的发展目标，着力提升自主创新能力，以绿色低碳环保和安全生产为抓手，加快供给侧结构性改革步伐，实现行业结构调整、转型升级。中国磷复肥行业经济正在向形态更高级、分工更复杂、结构更合理的阶段演化，发展方式正从规模速度粗放型向质量效率集约型转变，产业结构正从增量扩能向调整存量、做优增量深度调整，经济发展动力正从传统增长点转向新的增长点。

3.3 原料与资源

3.3.1 磷矿资源

3.3.1.1 资源赋存特点

工业磷矿床主要是沉积型磷块岩矿床、内生型磷灰石矿床和变质型磷灰岩矿床三种类型。沉积型磷块岩绝大多数是含硅、钙、镁的胶磷矿型矿石，选矿技术难度大；内生型磷灰石为易选型矿石；变质型磷灰岩的选矿难度仅次于内生型磷灰石，为较易选型矿石。磷矿床以海相沉积型磷块岩矿床最为重要，是目前开发利用的主要类型。我国磷矿以中低品位居多，品位大于30%的富矿少；磷矿体以中厚度-缓倾斜层状为主，开采难度较大。我国磷矿分布集中，南方多，北方少，主要分布在湖北、云南、贵州和四川，四省查明资源总量占全国的78.0%。

3.3.1.2 主要勘查成果

2015～2018年间，磷矿区数由2015年的581个增加到2018年的613个，增加32个；查明资源储量由2015年的231.07亿吨增加到2018年的252.82亿吨，增长9.41%。2015～2018年全国磷矿资源储量变化如表3-3所示。

表3-3　2015～2018年全国磷矿资源储量变化表

序号	产地	矿区数/个	基础储量/亿吨	资源量/亿吨	查明资源量/亿吨	储量/亿吨
1	2015年全国	581	33.08	9.98	198	231.07
	湖北省	127	10.39	0	52.97	63.36
	云南省	95	6.28	2.12	39.92	46.2
	贵州省	66	6.66	4.46	31.01	37.68
	四川省	93	4.83	1.17	22.8	27.63

续表

序号	产地	矿区数 / 个	基础储量 / 亿吨	资源量 / 亿吨	查明资源量 / 亿吨	储量 / 亿吨
2	2016 年全国	598	32.41	9.83	211.67	244.08
	湖北省	135	10.03	0	59.71	69.74
	云南省	96	6.27	2.13	40.75	47.01
	贵州省	69	6.44	4.31	37.02	63.46
	四川省	98	4.85	1.17	23.04	27.89
3	2017 年全国	608	34.39	9.56	218.45	252.84
	湖北省	138	10.28	0	64.59	74.87
	云南省	100	6.17	2.13	43.3	49.47
	贵州省	69	6.12	4.14	36.3	42.51
	四川省	102	6.92	1.08	23.44	30.36
4	2018 年全国	613	32.15	9.46	220.68	252.82
	湖北省	138	9.44	0	65.52	74.96
	云南省	102	6.17	2.12	43.44	49.61
	贵州省	69	6.04	4.05	36.09	42.13
	四川省	103	5.69	1.08	24.77	30.46

注：1．基础储量，是查明矿产资源的一部分。它能满足现行采矿和生产所需的指标要求（包括品位、质量等），是经详查、勘探所获控制的、探明的，并通过可行性研究、预可行性研究，认为属于经济的、边际经济的部分，用未扣除设计、采矿损失的数量表达。

2．资源量：所有查明与潜在的矿产资源中，具有一定可行性研究程度，但经济意义仍不确定的或属次边际经济的原地矿产资源量。

3．储量：基础储量中的经济可采部分，用扣除了设计、采矿损失的实际开采数量表述。

3.3.1.3 矿产资源开发

磷矿是我国化工行业规模最大的开发矿种，共有 39 家绿色矿山企业。磷矿开采对象为固相，开采方式划分为露天开采和地下开采。磷矿露天开采约占行业产量的 40%，以山坡露天为主，大型企业为多数。露天矿山具有两大特点：一是采场占有大量土地；二是与周边社区联系紧密。磷矿地下开采约占开采总产量的 60%，其采矿方法主要有房柱法、崩落法和充填法，以房柱法和崩落法为主，少数大型矿山采用充填法，数量以小型矿山为主，产量以大中型矿山为主。地下矿山具有三大特点：一是形成占用土地的废石场；二是采空区产生下沉和塌陷；三是生产过程产生大量矿井水。

据自然资源部统计，截止到 2018 年底，磷矿石（以标矿计，P_2O_5 30%，下同）开采规模 12152 万吨 / 年，持证开采矿山总数为 302 个，实际生产矿山数为 141 个；选矿规模 4007 万吨 / 年。已相继形成了一批大型骨干原料生产基地，如云南昆阳，贵州开阳、瓮福，湖北荆襄、宜昌和保康，四川马边、雷波等八大磷矿生产基地，建成一批支撑行业发展的大中型骨干企业。生产的磷矿石约 80% 用于生产磷肥，其余用于生产黄磷、饲料钙和出口，另有极少量用于生产工业磷酸。2018 年，按照下游产业国内消耗折标统计总量为 8189.0 万吨。其中，国内生产磷肥消耗 6450.0 万吨，生产黄磷消耗 820 万吨，生产饲料级磷酸盐消耗 876.0 万吨，另外出口磷矿石 43 万吨。

目前磷矿资源开发主要表现如下特点：一是磷矿资源开发集中在外部条件相对发达的区域。目前云南滇中地区、贵州开阳和瓮福地区、湖北宜昌和胡集地区是我国磷矿石的主产区，同时这些区域也是我国磷肥特别是高浓度磷复肥的主产区。二是磷矿生产以满足国内下游需求为主。磷矿主要用来加工磷肥，另外，还用作生产黄磷和饲料磷酸盐的原料，少量出口。近年来，磷肥产业发展进入平稳期，化肥对磷矿的需求量基本平稳。需要关注的是，近年来随着新能源发展的需求，磷酸铁锂的产能日益加大，生产量从 2018 年的 18.12 万吨到 2022 年预计的 300 万吨，年增长率惊人。三是磷复肥工业结构的变化影响了磷矿产业结构。高浓度磷复肥生产需要用大量优质磷矿石。矿石供应体系，在满足总量需求的同时，出现了配套矿山规模化、大型化和一体化的情况。四是外部环境变化对磷矿产业影响较大。磷矿是不可再生资源，基于对战略性矿产资源的保护性开采以及环保政策限制力度的逐年加大，近年来熊猫保护区、滇池水源保护区以及三峡保护区内的矿区限采，“三磷（磷矿、磷化工、磷石膏库）整治”严格管控，四川、云南、湖北的一些磷矿停采封闭或限采减产，对磷矿产业发展的影响较大。

3.3.2 硫资源

硫的形式包括元素硫（硫黄）、硫铁矿、有色金属冶炼烟气和其他四种。

3.3.2.1 硫铁矿

硫铁矿矿床主要是在内生作用下形成的。此外，煤硫沉积形成的黄硫矿矿床也值得利用。地球深处尚未凝固的岩浆中含有大量硫，当岩浆侵入地壳时，由于压力减小了，因此岩浆内所含的硫就分离出来。这些硫与各种金属化合生成了不同的硫化矿物。当岩浆中含有大量硫，而且氧也很充足时，就生成硫铁矿；否则，就生成磁黄铁矿。

以硫铁矿为原料经焙烧制取硫酸，其矿渣可用来炼铁、炼钢。若炉渣含硫量较高，含铁量不高时，可以用作水泥的附属原料——混合料。另外，硫铁矿又常与铜、铅、锌、钼等硫化矿床共生，并含有金、钴、钼及稀有元素硒等，能综合回收利用。

（1）我国硫铁矿储量和资源量

截止到 2021 年底，我国共有硫铁矿矿产地 817 处，资源量 722645.18 万吨，其中，储量 131870.73 万吨。共有伴生硫铁矿矿产地 975 处，资源量 54620.26 万吨，其中，储量 7113.96 万吨。

（2）我国硫铁矿、自然硫矿资源特点

一是我国硫铁矿分布广泛且相对集中。硫铁矿保有资源分布于 28 个省（自治区、直辖市），保有查明资源储量较大的省（自治区、直辖市）是四川、安徽、内蒙古、贵州、云南、广东等，主要集中在西南、华东、中南地区，约占全国总量的70%。伴生硫铁矿保有资源分布于26个省份，保有查明资源储量较大的有江西、青海、陕西、吉林、甘肃、安徽等，主要集中在华东、西北、中南地区，约占全国总量的76.7%。

二是硫铁矿是我国的重要硫资源。我国硫资源结构与国外不同，国外硫资源主要来自石油天然气回收硫，其次是有色金属回收硫，黄铁矿硫仅占17.5%。而我国硫铁矿比较丰富，另外煤系中伴生的硫资源也是以硫铁矿形式存在的。

三是我国硫铁矿贫矿多、富矿少。以中低品位为主，全国硫铁矿平均品位17.91%，含硫>35%的富矿10932.12万吨，富矿仅占总量的2%，主要分布在广东、安徽等省。伴生硫资源矿石品位较低，全国平均品位9.2%，伴生硫随有色金属主矿种的开采综合回收利用。

四是我国硫铁矿矿床类型主要有煤系沉积型、沉积变质型、沉积改造型、火山岩型、热液型和矽卡岩型，其中以煤系沉积型为主，占总储量的40%以上。目前开发利用的对象主要是沉积变质型、热液型等。煤系沉积型因矿层薄、品位低，难以大规模开发利用。伴生硫一般赋存于铜、铅、锌、钼、镍等有色金属矿床中，矿床类型多，一般与有色金属主矿种矿床类型一致。

五是开采形式多样化。我国硫铁矿矿山主要采用地下、露天、露天-联合开采方式。硫铁矿选矿以浮选为主，但四川省的煤系沉积型硫铁矿采用重选，只有一家选厂采用磁选法。

据中国硫酸工业协会结合统计局数据测算，2021年全国硫铁矿产量1441.7万吨（折含S 35%，下同），同比上升16.7%；消费量为1726.7万吨，同比上升17.9%。2021年全国硫酸总产量1.09亿吨，同比上升5.8%，其中，硫铁矿制酸产量1851万吨，占硫酸总量的16.9%，同比上升17.9%。在全世界以硫铁矿为原料生产的硫酸产量中，中国的产量最大，约占全球总量的89%。

3.3.2.2 其他硫资源

中国硫资源相对短缺，多年来一直依赖进口硫黄支撑，硫黄进口超过世界贸易量的30%，硫资源对外依存度超过50%。中国硫资源结构也不尽合理，除了硫铁矿以外，其他硫资源主要是石油天然气炼化回收、有色金属冶炼回收。

中国石油多数为低硫油，油气中硫资源含量有限，油气精炼回收硫黄受油气生产的制约较大。据中国硫酸工业协会统计资料显示，2021年我国硫资源表观消费量3649.2万吨，国产硫黄总产量873.4万吨，虽同比上升10.4%，但仅占硫资源总消费量的23.93%。其中，石油炼化副产硫黄571万吨，同比上升2.1%，在国产硫黄总产量中占比65.4%；天然气炼化副产硫黄273.9万吨，同比上升30.8%，在国产硫黄总产量中占比31.4%；煤化工副产硫黄24.6万吨，同比上升33.3%，在国产硫黄总产量中占比2.8%。

同样，有色金属冶炼回收利用硫资源也和有色金属冶炼生产情况成正相关，近年来冶炼烟气制酸产量在逐年增长。我国冶炼酸分布较为分散，绝大部分省份都有冶炼酸生产装置，冶炼酸产量在100万吨以上的省（自治区、直辖市）有13个，产量在300万吨以上的有7个，分别是内蒙古、云南、河南、广西、安徽、甘肃、山东。我国有色金属冶炼制硫酸产量 2020 年为 3859 万吨，占全国总产量的 39.1%；2021 年为 4100 万吨，占全国总产量的 37.49%，同比上升 1.7%。

3.4 产能与产量

3.4.1 产能

1958 年大型普通过磷酸钙（简称普钙，现称过磷酸钙）装置在南京磷肥厂、太原磷肥厂投产，60 年代初又相继建成投产了湛江化工厂、铜官山磷肥厂和株洲磷肥厂等，普钙成为我国主要的磷肥品种。钙镁磷肥是 50 年代初开始研制的，但直到 1963 ～ 1964 年东乡磷肥厂连续生产成功后，钙镁磷肥才成为我国另一个主要磷肥品种。

“七五”“八五”期间，结合世界磷肥工业的发展态势，我国磷肥工业的发展以产品结构调整为主，倡导大力发展高浓度磷复肥产品。一方面，利用外资引进国外先进的高浓度磷复肥生产技术和设备，建设了十多套大中型高浓度磷复肥生产装置；另一方面，利用国内自主开发的“料浆法磷铵”和“硫基复合肥”生产工艺技术建设了 80 多套小型磷铵复合肥生产装置和多套硫基复合肥生产装置，使磷肥产品的结构得到了初步调整。

我国磷复肥产能情况见图 3-1 所示。20 世纪 90 年代磷肥仍是以过磷酸钙和钙镁磷肥为主导品种，2000 年磷肥（以 P_2O_5 计，下同）产能达到 830 万吨 P_2O_5，其中磷酸铵肥产能占 25%。2000 年以后，随着磷酸铵等高浓度磷肥的发展，低浓度磷肥逐渐萎缩。磷肥产能在 2016 年达到峰值 2470 万吨，但由于国内市场需求有限，产能明显过剩，行业转型升级、关停部分低效产能、淘汰落后装置成为行业的主要任务，2020 年降至 2170 万吨，磷铵产能占磷肥产能 80%，“十三五”期间磷肥产能年均递减 3.2%。2020 年，我国磷肥产能占全球的 31%，磷铵产能占全球产能的 35%[1]。

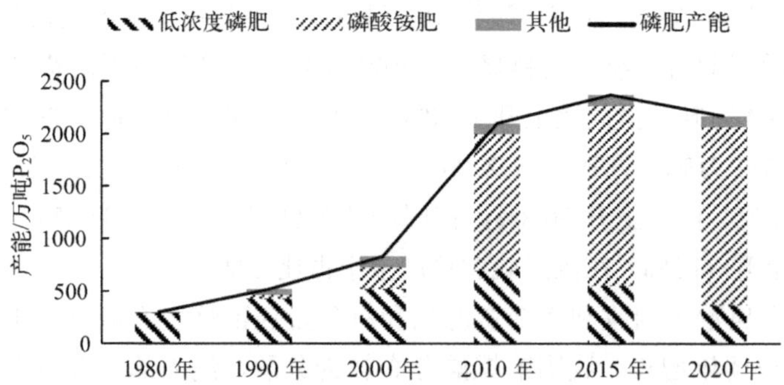

图 3-1 中国磷复肥产能情况

在保障农业生产和粮食安全的前提下，“十四五”将继续推进供给侧结构性改革，控制总体产能规模。据中国磷复肥工业协会发布的《“十四五”发展思路》，2025 年，磷肥产能将控制在 2000 万吨 P_2O_5 以下，全行业产能利用率达到 80%。其中磷铵产能不超过 1500 万吨 P_2O_5。

3.4.2 产量

中国磷肥产量变化见图 3-2。我国从 1955 年开始有磷肥生产，当年磷肥（以 P_2O_5 计，下同）产量仅为 0.1 万吨 P_2O_5。20 世纪 60 年代到 1978 年改革开放前夕这一时期，在国家大力支持和磷肥行业共同努力下，我国磷肥工业在生产技术和产品产量上有了显著提高，磷肥产量从 1960 年的 19.3 万吨增长到 1978 年的 178 万吨，增长了 8.22 倍，但受磷矿资源品位和生产技术的限制，以及经济和政策等方面的制约，我国磷肥工业仍以中小型过磷酸钙和钙镁磷肥为主，同时生产少量的高浓度肥料磷铵，磷肥工业基础还非常薄弱。

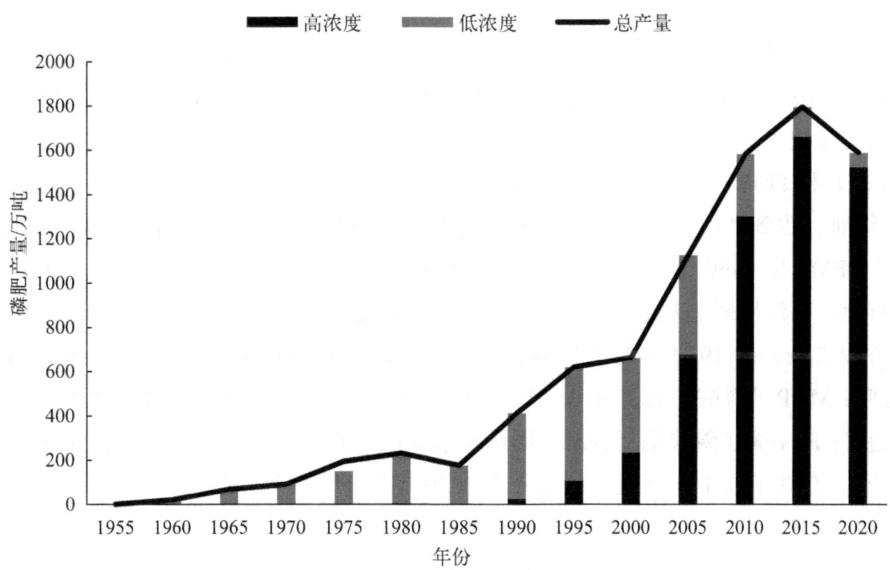

图 3-2 1955 ~ 2020 年中国磷肥产量变化

20 世纪 90 年代开始，为解决农业生产对高浓度磷肥产品的需求，降低对外依存度，丰富磷肥品种，我国通过引进和自有并存的方式建设了近百套磷铵装置，项目投产后极大地改善了磷肥工业的产品结构和规模结构。到 1995 年，全国磷肥产量迅速增长到 619 万吨，十年净增 443 万吨。这一阶段过磷酸钙和钙镁磷肥虽然还占据主导地位，但与之前相比，占比下降明显。从 1994 年起，我国磷复肥主要品种已经完全涵盖世界磷肥行业所有品种，包括磷酸二铵、磷酸一铵、重钙、硝酸磷肥、复混肥、过磷酸钙、钙镁磷肥等。2000 年以后，随着云南、贵州、湖北等地大型磷铵装置的集中建成投产，我国磷肥产量完成了从初具规模到“世界第一”的跨越，以磷铵为主要产品的大中型高浓度磷复肥生产技术工艺与世界水平同台共舞，奠定了我国磷肥工业的国际地位。2005 年我国磷肥产量超过美国，成为世界第一大磷肥生产国。至2015年，我国磷肥产量达到历史峰值1795.1万吨，为2000年磷肥产量的三倍之多。随着行业调结构、转方式等政策的深入实施，从2016年开始，产量呈现下降走势，2020年产量降至十年前的水平，达到1589.1万吨，产量约占世界磷肥产量的35%，仍保持世界第一大磷肥生产国的地位。

从具体品种来看，1955～1970年，主要生产过磷酸钙和钙镁磷肥等低浓度磷肥，其间产量仅为544万吨。1980年高浓度磷肥产品（主要为磷酸铵肥）产量仅为4.6万吨，占当年国内磷肥产量的2.0%。此后，中国高浓度磷复肥产品开启了发展新篇章。1995年中国磷肥产量达到619万吨，超过1955～1970年累计磷肥产量之和，高浓度磷肥产量达106.8万吨。2004年至今，磷肥年产量均保持在1000万吨以上，高浓度磷肥产量也由2000年的235万吨迅速增长至2020年的1524万吨，增长幅度高达549%，而同期低浓度磷肥产品由428万吨跌至65万吨，磷肥总产量增加的同时伴随着产品由低浓度向高浓度的结构调整。

3.4.3 产品及结构

中国磷肥产品结构持续调整，经历了低浓度磷肥、高浓度磷肥和新型磷肥的发展历程。近十年高浓度磷肥产量逐步提升，低浓度磷肥产量逐年下降，含腐植酸、海藻酸等新型增效磷肥占比逐步提升至20%左右。从主要磷肥产品比例历史变化来看，低浓度磷肥产量SSP（过磷酸钙）和FMP（钙镁磷肥）从1955年开始均呈现先上升后下降的趋势。其中，SSP在2005年前后达到产量峰值397万吨（以P_2O_5计，下同），随后迅速下降，降至2020年的52.6万吨；FMP由1960年的5.3万吨增长至1995年的120.4万吨，随后逐渐下降至2020年的12.5万吨。高浓度磷肥从20世纪90年代开始大力发展以来，呈现迅速上升的趋势。其中，DAP（磷酸二铵）由1980年的1.3万吨增长至2015年的800万吨，随后下降至2020年的667.7万吨；MAP（磷酸一铵）由1985年的0.3万吨增长至2020年的689.8万吨，一直呈上升的趋势；P-NPK（磷酸基复合肥，即磷矿或磷酸直接生产的复合肥）产量由1990年的3万吨增长至2010年的155万吨，最后降至2020年的113万吨；TSP（重过磷酸钙）由1990年的5.4万吨增长至2010年的78万吨后降到2020年的48.2万吨。1980年是高浓度磷肥与低浓度磷肥产品结构调整的重要节点，具体表现为低浓度SSP、FMP磷肥占比逐渐下降，从1955年到1975年低浓度磷肥占比均为100%，到2020年低浓度磷肥占比仅为4.5%；以DAP、MAP为主的高浓度磷肥产品迅速发展，占比达95.5%，尤其是DAP、MAP在2020年磷肥总产量中的占比分别高达42%、43.4%，如表3-4所示。

表3-4 中国主要磷肥产品产量及比例变化

年份	SSP		FMP		DAP		MAP		P-NPK		TSP	
	产量/万吨	占比/%	产量/万吨	占比/%	产量/万吨	占比/%	产量/万吨	占比/%	产量/万吨	占比/%	产量/万吨	占比/%
1990	290.6	72.7	97.5	24.4	5.6	1.4	7.2	1.8	3	0.7	5.4	1.3
1995	391.3	62.7	120.4	19.3	23.1	3.7	30.6	5	22	3.6	9.9	1.6

续表

年份	SSP		FMP		DAP		MAP		P-NPK		TSP	
	产量/万吨	占比/%	产量/万吨	占比/%	产量/万吨	占比/%	产量/万吨	占比/%	产量/万吨	占比/%	产量/万吨	占比/%
2000	364	54.8	63.7	9.6	69.1	10.4	78.9	11.9	58.9	8.9	18.9	2.9
2005	397	35.3	50	4.4	232.6	20.7	255.1	22.7	134.8	12	48.2	4.3
2010	260.5	16.5	25	1.6	537.3	34	525.7	33.2	155	9.8	78	4.9
2015	119	6.6	14	0.8	800	44.6	683.4	38.1	126.6	7.1	47.5	2.6
2020	52.6	3.3	12.5	0.8	667.7	42	689.8	43.4	113	7.1	48.2	3

3.4.4 流通和贸易方式

我国化肥流通体系经过 50 多年的建设与发展，发生了翻天覆地的变化。化肥流通事业与我国化肥资源变化、农业生产的发展有着密切的联系。20 世纪 50 年代，由于化肥资源和品种都相当匮乏，化肥的使用范围有限，农业生产主要是用传统的农家肥。经过供销社系统大力宣传和推广，农民认识到化肥肥效快、施用方便、省时、省力，从此逐步认识并接受了化肥。从 1956 年起，全国普遍推广使用化肥，继而供不应求，一直持续到 90 年代中期，在这个时期内，化肥成为工农产品交换的一种手段。1995 年以后，随着化肥工业的迅速发展，化肥由原来的供不应求转变为供求基本平衡，有的品种还出现剩余。20 世纪 70 ～ 90 年代，我国化肥销售实行统一计划、统一分配和分级管理。1992 ～ 1997 年实现计划供应为主、市场调节为辅的销售方式。一方面，随着我国化肥产能的快速发展，化肥供应快速增长；另一方面，为实现社会主义计划经济体制向社会主义市场经济体制的转变，1998 年国务院 39 号文件出台，化肥经营在国家宏观调控下实行主要由市场配置资源的化肥流通体制，取消国产化肥统配计划，进一步放开化肥经营领域，促进化肥生产和流通的健康发展。

当今，我国磷肥的定价模式是企业根据自身情况，并结合成本、市场等各方面因素，采取自由定价的模式，但在极端的情况下，国家也会采取限价措施。如在 2007 年第四季度之后及 2008 年，化肥价格持续走高，国家出台了一系列措施保障化肥生产和供应，稳定化肥价格，抑制化肥价格过快上涨，督促化肥生产、流通企业严格执行国家化肥价格政策；2021 年对化肥出口实施法定检验等。

我国磷铵的贸易方向主要是出口和内销两部分。磷酸二铵的国内销售分为多种方式，如直接销售给县级以上农资公司，再由其批发零售；或直接销售给小的批发商、农场、种田大户等；或采取直销或者电子商务 B2C 模式，生产企业直接与基层点对接，面对农户销售。磷酸一铵的销售大部分为生产企业与复混肥生产企业直接对接，小部分为中化、中农批发或由大型复混肥生产企业统一采购后再批发给小型复混肥生产企业。

我国磷酸二铵的生产集中在磷资源丰富的大省如云南、贵州、四川、湖北，使用主要集中在三北地区，即东北、华北、西北，而有着磷资源优势的西南地区则磷需求不大，特殊的资源分布和消费特征决定了我国磷资源基本呈现“自南向北”的流向。我国磷酸一铵的市场主要集中在云南、贵州、湖北等省，其中产量最大的是湖北省，而用量最大的主要是山东和河南的复合肥企业。磷酸一铵基本呈现由华中向华东运输的流向。

通常情况下，磷铵产品的出口通过船运的方式进行。省内近距离运输靠汽运，而跨省的远距离运输以铁路运输为主，也有部分靠近港口的地区采用船运方式。

3.5 产业集中度

3.5.1 企业数量

中国磷肥工业经历了从分散到集中的发展过程。发展初中期，根据当时的工业水平采取“一县一厂”的建设方针普遍“开花”，有效地满足了农业用肥需要，摆脱了运输半径限制，产品以过磷酸钙、钙镁磷肥为主，产业集中度非常低。随着世界性的磷肥产品结构调整由低浓度转向高浓度、生产规模由小型化转向大型化、磷硫资源配套的矿肥一体化，中国磷肥工业的产业布局也在悄然改变。

“七五”期间，全国有磷肥企业630余家，其中80%以上是年产能在3万吨以下的小型企业，企业主要布局在缺少资源、靠近农业需求市场、经济较发达的东部地区。“八五”期间，依据原料产地建厂、粮食主产区建厂的原则，云南、贵州和湖北等地建设了一大批大型高浓度磷复肥装置。但这些装置很多是利用外资建设的，加上贷款利率、汇率和通货膨胀的增加，项目资金急剧膨胀，企业被迫背上了沉重的债务负担，导致项目投产之日就是亏损之时。“九五”期间，为了缓解企业背负的沉重压力，国家对磷复肥企业给予了政策上的大力扶持，实施了优惠电价和运价、免征增值税、免收进口关税等一系列优惠政策，在一定程度上缓解了当时磷复肥企业的压力。至2000年，我国磷复肥企业达到1020家，其中，磷肥企业554家，企业亏损面高达37.1%。随后产业结构进一步优化，行业集中度提高。生产企业数量由2010年的372家降至2020年的141家，减少62.1%，主要是由于低浓度磷肥企业的退出和企业间的兼并重组，布局结构调整成果显著，行业布局更加合理，基础磷肥产能集聚于磷、硫原料产地。

2020年，中国磷肥（以P_2O_5计，下同）产量排名前十的企业产量总计达1126.2万吨，占总产量的70.9%，比2010年提升24.9个百分点；云、贵、鄂、川四大磷资源省份的合计产量占全国产量的比例也由2010年的66.2%提升至84.6%。行业涌现出如云天化、贵州磷化等大型综合性企业，2020年云天化和贵州磷化的产量分别达到319.4万吨和238.4万吨，占全国总产量的比重分别达到20.1%、15.0%。2010年，有磷酸二铵产量的企业达到25家，前十家企业产量总和占总产量的80%，2020年前十家企业的产量总和占比进一步提升到96%；2010年，有磷酸一铵产量的企业达到59家，前十家产量总和占总产量的60%，2020年前十家企业的产量总和占比提升至68.2%。磷酸一铵行业集中度的提升速度明显弱于磷酸二铵行业，如表3-5所示。

表3-5　2010年与2020年中国磷肥企业产量排名前十的企业及产量占比情况

排名	2020 年			2010 年		
	企业名称	产量 / 万吨	占比 /%	企业名称	产量 / 万吨	占比 /%
	全行业总计	1589.2	100.0	全行业总计	1582.3	100.0
	前十名企业小计	1126.2	70.9	前十名企业小计	728.2	46.0
1	云南云天化	319.4	20.1	云天化	210.5	13.3
2	贵州磷化	238.4	15.0	贵州开磷	99.2	6.3
3	湖北祥云	107.4	6.8	湖北新洋丰	85.7	5.4
4	湖北宜化	98.7	6.2	瓮福集团	80.2	5.1
5	湖北新洋丰	93.8	5.9	湖北宜化	59.2	3.7
6	云南祥丰	81.6	5.1	铜陵化学	55.3	3.5
7	四川龙蟒	50.0	3.1	重庆涪陵	47.8	3.0
8	铜陵化学	46.8	2.9	江苏绿陵	31.3	2.0
9	湖北三宁	46.0	2.9	山东鲁北	29.5	1.9
10	湖北鄂中	44.1	2.8	广东湛化	29.5	1.9
11	其他	463.0	29.1	其他	854.1	54.0

注：数据来源于中国磷复肥工业协会。

3.5.2 区域分布

企业集中度提高与区域集中度提高也是相向而行的。以降低生产成本为先导，大型高浓度磷复肥生产装置建设向原料配套条件较好的磷矿资源产地集中，最终导致我国“七五”“八五”期间建设的大中型高浓度磷复肥装置基本分布在云南、贵州、湖北、安徽等省，实现了产磷大省的新时代工业布局。三元复合肥和二次加工肥料生产向市场所在地转移，满足了农业发展需求。

2000 年，磷肥产量排名前五的省份为云南、湖北、贵州、山东、四川，其产量之和占全国总产量的 47.61%。“十三五”期间，磷肥产能连续下降，再加上大型企业间的兼并重组，国内磷肥产量向资源地集中的趋势更加明显。2020 年，云南、贵州、湖北和四川四省磷肥产量之和为 1343.8 万吨，占全国总产量的 84.6%，相比 2010 年出现了质的变化。湖北省由于具有丰富的生产原料和明显的交通运输优势，以及大型企业产销良好，产量稳居中国第一，达到 612.6 万吨，占中国总产量的 38.5%。贵州全面实施磷石膏“以用定产”，加上大型企业“肥化并举”的战略不断推进，磷肥产量继续下降，在 2019 年同比下降 10.0% 的基础上，2020 年继续下降 11.8%。四川也在加快推进磷石膏的整治和综合利用，但磷肥总体产量影响不大，同比增长 0.6%。随着蓝天保卫战、水污染治理等要求的出台，安徽地区磷复肥企业在部分时段实行错峰生产，产量小幅下滑，2020 年产量降至 70.1 万吨，同比下降 0.2%，如表 3-6 所示。

表3-6　磷肥分省（折纯）产量　　单位：万吨

排名	2005年		2010年		2020年	
	地区	产量	地区	产量	地区	产量
	总计	1124.9	总计	1582.3	总计	1589.2
1	云南	215.4	湖北	381.8	湖北	612.6
2	湖北	160.5	云南	361.4	云南	405.1
3	贵州	136.7	贵州	205.7	贵州	207.5
4	四川	113.8	四川	98.9	四川	118.6
5	山东	89.4	山东	92.4	安徽	70.1
6	江苏	51.4	安徽	82.3	内蒙古	37.8
7	安徽	48.9	重庆	70.9	河南	24.3
8	甘肃	35.5	江苏	55.0	甘肃	24.1
9	广西	33.8	广东	35.5	河北	20.2
10	广东	31.5	广西	26.4	山东	16.5

注：数据来源于中国磷复肥工业协会。

2010～2020年间，随着企业的兼并重组以及新旧产能转换，磷酸二铵生产省（自治区、直辖市）由17个集中到11个，重庆、广东、江西和广西已经不再生产磷酸二铵产品，而甘肃、四川和福建这三个省的磷酸二铵装置在这期间陆续建成。云南省一直保持磷酸二铵生产第一大省的地位，湖北省和内蒙古自治区是产量增长较多的地区。至2020年，云南、湖北和贵州的磷酸二铵产量分别占总产量的33.7%、31.0%和18.5%。

2010～2020年期间，有磷酸一铵产量的省（自治区、直辖市）由15个减少至11个，重庆、江苏、广西、陕西和青海的磷酸一铵装置不再生产，辽宁地区有磷酸一铵装置建成。湖北仍是第一大磷酸一铵生产省份，其产量占比由2010年的40.4%提升至47.2%；云南、四川和贵州的磷酸一铵产量也有所增长，2020年云、贵、川、鄂四省的磷酸一铵产量之和占总产量的85.5%。

3.6　经济效益

“七五”“八五”期间，为解决工业建设资金不足的问题，磷肥工业大量利用外资，导致许多利用引进技术设备建成的具有国际水平的装置投资高、经济效益差。新中国成立以来，我国磷复肥行业引进湿法磷酸、热法磷酸、磷铵、硫酸、氟化铝等40多套设备，国外引进的设备的费用一般是国产设备的2倍到数倍，大量利用外资，导致这些技术水平高、规模大的装置通过降低有限的能耗和提高装备水平带来的效益远不足以弥补折旧和还本付息，体现不出先进技术和大规模的优势与经济效益。而化肥项目本身效益不好，导致项目投产后无还本付息的能力，高额的还贷负担最终都转移至国家，后期大多通过“债转股”才得以解困。近年来，随着产业结构调整不断推进，低端落后产能退出，以及企业经营策略改善，行业盈利能力有所好转，但整体盈利水平仍然不高。

统计局统计数据显示，2020 年与 2015 年相比，尽管行业产量下降导致整体营收减少，但行业利润有所增加，亏损企业亏损额呈现下降走势，如图3-3所示。2020年行业主营业务收入、利润和亏损企业亏损额分别为 683.8 亿元、28.9 亿元和 5.1 亿元，与 2015 年相比分别同比下降 37.4%、增长 23.0% 和下降 20.3%，得益于下游需求的提升，以及企业成本的把控，行业整体收益有所改善。2020 年亏损企业个数也降至 30 家，比 2015 年减少了 16 家；行业利润率提升至 4.2%，比 2015 年提升 2 个百分点；2019 年磷肥利润率降至周期内最低，仅有 0.4%。

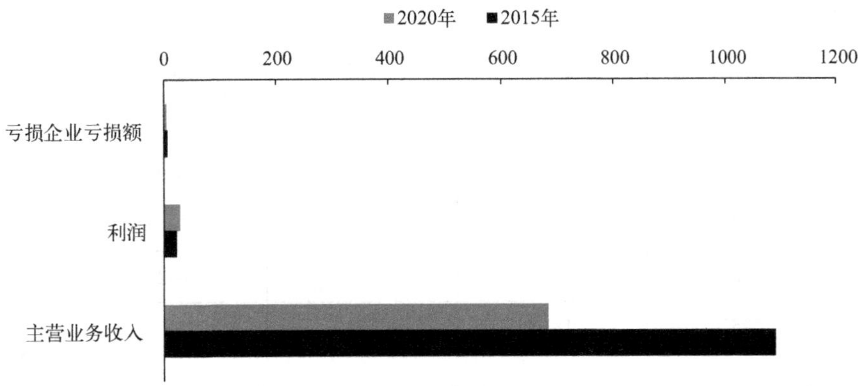

图 3-3　2015 年和 2020 年磷肥行业效益情况（单位：亿元）

磷肥行业长期处于微利或保本运行状态，近五年行业平均营收利润率为 1.9%，最低年份仅为 0.4%。对标国外龙头企业 OCP（磷酸盐集团），其五年平均利润率为 7.8%，盈利能力仍低于国际平均水平。未来随着行业整治工作的推进，竞争力弱的产能不断被淘汰，供需格局有望继续改善。多个国内龙头磷肥企业资产负债率超过 80%，而国际主要竞争对手的资产负债率在 30% ～ 60% 之间。

3.7　市场与需求

3.7.1　国内市场与需求

3.7.1.1　农业化肥消费量

对中国化肥用量数据进行官方统计的机构主要有中国国家统计局（NBS）、联合国粮农组织（FAO）和国际肥料工业协会（IFA），他们每年都会定期发布有关中国肥料用量的数据。这三个途径的数据常被国内外的研究学者和政策制定者所引用。然而，各个渠道对数据库的设计、对统计指标的定义以及统计的方法均不相同，从而导致数据存在着一定的差异。客观来看，不同渠道各有其优缺点。中国国家统计局的化肥消费量分两部分（表 3-7），即单质肥和复合肥，计算氮肥、磷肥、钾肥消费总量时需要拆分复合肥中的氮、磷、钾养分量，国内学者常按照氮、磷、钾比例 15∶15∶15 来计算。

表3-7　国家统计局公布的中国化肥消费量　单位：万吨养分

年份	化肥总消费量	单质氮肥消费量	单质磷肥消费量	单质钾肥消费量	复合肥消费量
1985	1776	1205	311	80	180
1990	2590	1638	462	148	342
1995	3594	2022	632	269	671
2000	4147	2162	690	377	918
2005	4765	2229	744	489	1303
2010	5545	2354	806	586	1799
2015	6023	2362	843	642	2176
2020	5251	1834	654	542	2221

中国化肥实际消费量的不确定性给决策和科研发展带来了不便。为了消除这些不确定性，我们对化肥消费需要有更明确的概念，统一统计渠道的口径。明确化肥的概念之后，我们需要对化肥每个层面的消费进行分析，比如，先通过生产量、进口量和出口量，界定一个广义的消费量，即表观消费量；同时收集工业中化肥用量，进而根据差减法计算农业用肥量。除此之外，我们还应该深入不同作物、不同地区、不同农户尺度，去界定农业化肥消费的变异，从而能够将中国化肥用量的不确定性降低，这样才能说清中国化肥消费到底处于何种水平。

尽管化肥在促进农业生产中发挥了不可替代的作用，但化肥也存在过量施用、盲目施用等问题。2015 年，中国化肥施用量达到顶峰 6023 万吨，如表 3-7 所示。为解决过量施肥带来的成本增加和环境污染问题，改进施肥方式，提高肥料利用率，减少不合理的投入，保障粮食等主要农产品的有效供给，促进农业的可持续发展，2015 年农业部制定了《到 2020 年化肥使用量零增长行动方案》。至此，中国化肥施用量逐年回落。2017 年农业部宣布，经科学测算，2017 年中国水稻、玉米、小麦三大粮食作物化肥利用率为 37.8%，比 2015 年提高 2.6 个百分点；至 2017 年，化肥使用量已实现零增长，提前三年实现到 2020 年化肥、农药使用量零增长的目标。2020 年，中国水稻、小麦、玉米三大粮食作物化肥利用率为 40.2%，比 2015 年提高 5 个百分点。

磷肥由于其自身在土壤中有累积的特点，流失损失少，累积利用率可达到 80% 以上，2012 年施用量就达到了顶峰，先于化肥施用量出现拐点。从粗放到精准，磷肥不断减量增效，由追求数量向高质量发展不断转型，告别拼资源、拼消耗的传统老路，助力农业迈向绿色发展之路。

3.7.1.2　磷肥消费量

中国磷肥（以 P_2O_5 计，下同）消费量40年来呈倒U形变化，从20世纪80年代初至2021年呈持续上涨态势，2012年达到峰值随后下降。“十五”期间比“九五”增长134万吨，“十一五”比“十五”增长225万吨，增速提高。但“十二五”比“十一五”增长125万吨，增速降低。磷肥表观消费量从“九五”期间的881万吨增加至“十二五”期间的1194万吨。“十三五”开始磷肥的表观消费量开始下降，“十三五”比“十二五”减少了170万吨。从具体年份来看，2012年磷肥表观消费量达到峰值1459万吨，随后总体呈波动下行走势。中国磷肥生产量、进口量、出口量和农业消费量均日趋稳定，年际间变异度逐渐减小，“十三五”期间在1287万～1127万吨之间波动，如表3-8所示。

表3-8　中国磷肥生产量、进口量、出口量及消费量　　单位：万吨

年份	生产量	进口量	出口量	表观消费量	工业消费量	农业消费量
1985	206	95	1	300	0	300
1990	411	167	1	577	0	577
1995	602	294	11	885	0	885
2000	676	219	29	866	0	866
2005	1112	109	80	1141	0	1141
2010	1583	41	265	1359	0	1359
2015	1795	26	560	1261	0	1261
2020	1589	24	477	1136	0	1136

注：农业消费量＝表观消费量－工业消费量，此处农业消费量包含种植业和林牧渔业消费量。

3.7.1.3　磷肥消费分布

中国肥料主要应用在种植业、工业、林业、渔业、畜牧业、草地和设施园艺领域。其中，磷肥主要应用在种植业、林业、渔业、畜牧业、草地和设施园艺等领域。

农业产业结构调整是农业磷肥消费量变化的重要原因。近20年来，中国农业产业结构不断调整，粮食作物种植面积比较稳定，但是比例不断降低，经济作物种植面积比例不断扩大。中国粮食作物总播种面积相对稳定，玉米播种面积有明显的增加，而豆类和薯类的播种面积有显著的下降。其他经济作物面积有增有减，如油料、棉花、烟叶等作物，而蔬菜和果园种植面积大幅增加。蔬菜和果园种植面积增加是2006年以来农业化肥消费量增加的主要原因。另外，中国其他领域的结构调整也是中国化肥用量不断增加的驱动因素之一，如中国渔业产量（人工淡水养殖水产品产量）不断增加，人工林地、草地、设施园艺、花卉的种植面积不断增加，如表3-9所示。

表3-9 近20年中国主要用肥领域的播种面积变化

项目	1996～2000	2001～2005	2006～2010	2011～2015	2016～2020
稻谷播种面积 / 万公顷	3113	2815	2932	3021	3029
小麦播种面积 / 万公顷	2899	2300	2390	2417	2410
玉米播种面积 / 万公顷	2449	2496	3030	3603	4225
豆类播种面积 / 万公顷	1145	1288	1185	953	1044
薯类播种面积 / 万公顷	1010	975	835	891	719
油料播种面积 / 万公顷	1343	1463	1268	1398	1307
棉花播种面积 / 万公顷	429	497	546	442	325
糖料播种面积 / 万公顷	178	166	183	192	158
烟叶播种面积 / 万公顷	168	131	128	149	109
蔬菜播种面积 / 万公顷	1253	1740	1785	2086	2046
茶园面积 / 万公顷	109	122	172	246	298
果园面积 / 万公顷	867	948	1080	1246	1177
人工林面积 / 万公顷	—	5365	5992	6933	—
人工淡水养殖水产品产量 / 万吨	1168	1547	2092	2783	2969

注：数据来源于国家统计局。

磷肥主要用在农业方面，种植结构对化肥用量的影响可以通过粮食作物与主要经济作物（如蔬菜和水果）化肥用量比例的变化得出。过去20多年来，粮食作物对磷肥用量的比例在36%～40%之间波动，而蔬菜和水果对磷肥用量的比例在逐步增长，从25.8%增长至45.4%。

3.7.1.4 重点区域

近20年来，中国不同肥料在不同省份的消费趋势变化差异较大。对比“十一五”和“十二五”期间（2006～2015年）与“九五”和“十五”期间（1996～2005年），可以发现：对于单质磷肥，总共有21个省份用量在下降，10个省份用量在上升，下降的主要省份依次是安徽、上海、浙江、北京、宁夏、吉林、辽宁等，上升的省份主要是河南、新疆、黑龙江和内蒙古等；对于复合肥，除北京外，中国其他省份用量均在增加。

中国磷肥主要包括磷酸一铵、磷酸二铵、重钙、过磷酸钙、硝酸磷肥和钙镁磷肥等。国内使用的磷酸一铵一般为粉状产品，作为生产复合肥的主要原料，不直接施用，进入复合肥生产企业经二次加工制成复合肥料进行销售；磷酸二铵一般为粒状产品，可直接施用，国内各地均有销售，主要销售市场为“三北”地区，南方地区销售量较少，其中东北地区磷酸二铵市场销量约占35%，西北、华北地区各约占30%，南方地区约占5%；重钙目前国内只有新疆在施用，绝大多数出口至东南亚国家；过磷酸钙的主要销售市场在南方，贵州、云南、湖南、广西、湖北等地仍有施用习惯，北方用量较小，河南、山东、陕西、甘肃、宁夏等地还有少量的消费市场；硝酸磷肥除新疆外，其他地区均有销售；钙镁磷肥目前只有湖北、云南两地还有生产，但因其产品价值较低，仅在产地周边及附近省份进行销售，市场覆盖面小。

3.7.1.5　进、出口情况

中国磷肥经历了依靠进口，供需平衡，到成为世界第一大出口国的发展历程。20 世纪 90 年代，我国磷肥对外依存度高达 40%，进口产品以高浓度磷酸二铵和复合肥为主，其中磷酸二铵产品的对外依存度一度超过了 85%。随着行业“以产顶进”政策的实施，国产高浓度磷复肥产量迅速增加。2007 年是我国磷肥行业发展的里程碑。从这一年开始，中国磷肥行业扭转了以往净进口国的局面，成为净出口国，在国际磷肥贸易市场中扮演着越来越重要的角色。2010 年以后，我国磷肥（以 P_2O_5 计，下同）进口量基本稳定在 20 万～ 30 万吨；“十三五”期间，我国磷肥出口量在 450 万～ 550 万吨之间波动，2018 年出口量达到历史峰值 545 万吨，如图 3-4 所示。当今，我国磷肥基本形成了 1/3 出口、2/3 国内市场消化的销售格局，出口量约占全球贸易量的 1/3，在国际磷肥市场中发挥着举足轻重的作用。2020 年，磷酸二铵仍然是我国出口量最大的磷肥品种，其次为磷酸一铵、重过磷酸钙和氮磷二元肥等。

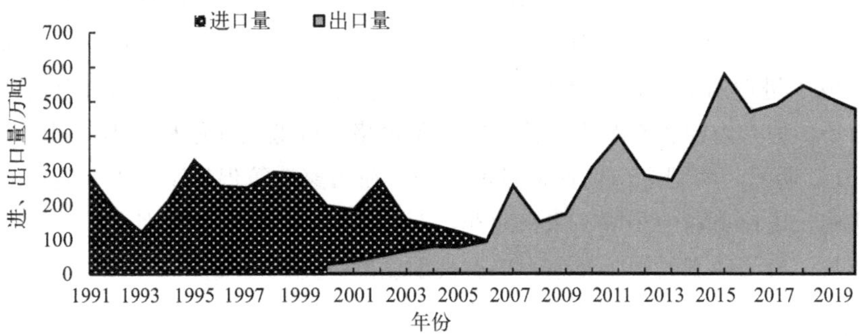

图 3-4　1999 ～ 2020 年磷肥行业进出口情况

在全球贸易中，磷酸二铵是最重要的磷肥品种，占全球磷肥贸易量的 60% 左右，也是我国参与国际贸易的主要品种。多年来，我国磷酸二铵进口采用配额制。2010 ～ 2020 年，我国磷酸二铵进口关税配额量保持为 690 万吨。其中，国营贸易配额数量为 352 万吨，国营贸易企业中国中化集团有限公司、中国农业生产资料集团有限公司在国营贸易总量内申请配额；非国营贸易配额数量为 338 万吨，非国营贸易企业中国化工建设总公司、华垦国际贸易有限公司在非国营贸易总量内申请配额。其他企业根据实际进口需要选择申请国营贸易关税配额或非国营贸易关税配额，由国营贸易企业或非国营贸易企业代理进口。

2000 年之前，我国进口的磷肥以磷酸二铵和三元复合肥为主，随着国内产量的增加，磷酸二铵的进口量逐年下降，近年来除了部分“国别贸易”进口少量磷酸二铵外，正常贸易基本不进口磷酸二铵。但由于进口三元复合肥在产品品质和施用效果上仍有优势，2006 年至今，我国每年三元复合肥的进口量仍超过100万吨（2008年除外），如表3-10所示。

表3-10　中国磷肥（以P_2O_5计）进、出口量　单位：万吨

年份	磷肥出口量	磷肥进口量	磷酸二铵出口量	磷酸一铵出口量
1980		5.9		
1990	3.6	26.4		
2000	31	199		
2010	264.9	40.7	399	94
2020	476.9	23.9	573	253

尽管摩洛哥和沙特阿拉伯等国家从2010年以后不断有新的磷肥装置投产，但我国磷酸二铵出口量仍占国际市场贸易量的1/3以上，至2020年国内产量的40%需要通过国际市场消化，国际市场成为调节国内产业供需的重要途径之一。印度是我国磷酸二铵出口的最大目标国，我国出口的磷酸二铵产品中曾有60%以上出口到印度市场。近年来，随着国际产能的提升，我国出口到印度市场的磷酸二铵减少，孟加拉国、巴基斯坦等国成为其他的主要出口市场。

在全球化的背景下，国际化经营是行业发展的必然趋势。产品出口是国际化经营的基础，有利于提高企业的国际竞争力。因此，在不影响国内供应的前提下，适当的出口更符合国际化的发展趋势，更利于行业的健康发展，也是缓解国内产能过剩的有效途径之一。另外，生产磷肥的主要原料硫黄，50%以上需要从国际市场采购，磷肥企业为了降低物流成本，已经形成了进口硫黄、出口磷肥的对流贸易方式。出口磷肥一方面可以将硫黄成本转嫁到国际市场，另一方面也有利于平抑国际硫黄价格，降低企业原料成本，进而减轻农民负担。“十四五”期间，磷肥进口仍保持目前水平，在国家政策倡导下，以及随着企业转型升级策略的实施，出口量稳中小降。未来北非、西亚等地仍有新建产能计划，全球磷肥贸易格局仍存在变数，我国磷肥的国际竞争力仍有被削弱的可能。

3.7.1.6　供需平衡

1994年以来，我国陆续对化肥生产流通环节实施优惠政策，包括免征增值税、优惠运价、优惠电价、优惠气价等措施。在政策利好下，各磷肥企业认真完成“以产顶进”任务，高浓度磷复肥得以更快地发展，磷肥产品实现由低浓度向高浓度的结构调整，也实现了由依赖进口到可以出口的转型。2007年之前，我国磷肥需要依赖国际市场才能满足国内需求。2007年实现自给有余，并开始适当出口，2019年自给率达到峰值143%。从具体品种来看，磷酸二铵的自给率最高，随着国内需求量的小幅下降并趋于平稳，“十三五”期间，我国磷酸二铵的自给率最高时超过了170%。

磷肥产业链较长，涉及矿山、合成氨、硫黄、硫酸和磷肥制造等过程，而生产原料硫黄的自给率最高也只能达到50%；由于政策利好驱使，行业产能过剩情况逐渐显现，特别是2015年开始，国家逐步取消了对化肥行业的优惠政策，并制定了《到2020年化肥使用量零增长行动方案》，为磷肥国内需求设置了“天花板”。综上，为了维持装置的基础开工率，

解决在国内市场需求淡季时现金流的问题，同时将进口原料成本转嫁出去，磷肥行业形成了2/3 在国内消费，1/3 出口到国际市场的供需格局。

3.7.2 国际磷肥市场发展对我国的影响

3.7.2.1 国际磷肥生产现状

近几年来，国际上磷酸二铵、磷酸一铵的产能和产量均呈现稳步增长的趋势，2017～2020年间，磷酸二铵产能、产量的年均增长率分别为2.0%和−0.2%，磷酸一铵产能、产量的年均增长率分别为 0.7% 和 3.0%。

据国际肥料工业协会（IFA）和中国磷复肥工业协会数据，2020 年全球磷肥（以 P_2O_5 计，下同）产能约为 6000 万吨，主要集中在中国、美国、俄罗斯、沙特阿拉伯、摩洛哥等五个国家，这五个国家的产能之和占全球磷肥总产能的 75%，我国产能占全球总产能的 36%，如表 3-11 和表 3-12 所示[2]。其中我国磷铵（磷酸二铵和磷酸一铵）产能占全球总产能的 41.2%，磷酸二铵占全球总产能的 30.9%，重过磷酸钙占 19.4%。2020 年，我国磷肥产量占全球总产量的 36%，其中磷铵产量占全球总产量的 43.8%，磷酸二铵产量占全球总产量的 41.2%，重过磷酸钙占 21.6%。

表3-11　2017～2020年全球磷酸二铵生产状况　单位：万吨

年份	产能	产量
2017	5980	3622
2018	6400	3385
2019	6350	3511
2020	6350	3556

表3-12　2017～2020年全球磷酸一铵生产状况　单位：万吨

年份	产能	产量
2017	2750	2973
2018	2800	3049
2019	2850	3085
2020	2810	3247

注：由于部分装置为磷酸一铵和磷酸二铵多功能切换装置，因此部分磷酸一铵是用磷酸二铵装置生产的。

国际磷肥的主要出口地区为中国、美国、俄罗斯和中东国家。主要的磷肥进口地区为印度、东南亚和巴西等南美洲地区。全球磷肥生产地区中，中东地区由于占据了地理和资源优势，生产的肥料就近运输。印度是农业大国，本国肥料的生产量很少，大部分要靠进口。美国既是磷肥进口国又是出口国，近年来，随着在印度的份额逐渐减少，美国逐渐转向国内市场。同时，美国也是拉丁美洲的主要出口国，磷酸一铵和磷酸二铵的出口量在近几年稳步增长。根据IFA报告，2020年全球磷酸二铵的贸易量为1800万吨，全球大部分地区的进口量相对稳定。国际间的磷肥贸易采取自由贸易、自由定价的模式。

3.7.2.2 国际磷肥消费现状

自2008年全球肥料需求下降，随后2009～2010年反弹以来，全球化肥需求增速明显放缓。据IFA统计，2001～2007年全球肥料需求年均复合增速为2.6%，而2011～2017年间年均复合增速为1.2%。增速放缓与农产品价格走低密切相关，其他影响因素还包括主要消费国的政策和天气因素。2018～2019年全球化肥使用量下降了0.7%，2020年则回升了0.9%，这一下降和随后的回升主要是由于美国化肥使用量由于天气恶劣而大幅下降，随后又理性回升。全球化肥需求的下降和回升也主要是由磷肥消费的波动引起的。

2018年下半年以来，由于政策和贸易环境的不确定，全球经济增长速度呈现下滑趋势。美国和中国之间的贸易关系持续紧张，以及欧盟和英国之间的脱欧谈判，仍然对生产者和消费者信心以及总体宏观经济环境产生重大影响。全球粮食库存经过四年的大幅增长之后，2017年谷物消费量与产量持平，2018年、2019年谷物消费量高于产量，导致库存连续下跌。小麦和稻米供应依然充足，但粗粮面临逐渐紧张的局面。玉米、小麦、水稻和大豆的化肥用量占全球化肥总用量的一半左右，粮食库存高低水平将直接影响粮食价格。近年来粮食价格一直在较低水平，影响了农民的收入，同时导致农民投入减少。另外，政策和天气等原因也使得化肥需求放缓。中国执行2020年化肥零增长目标，使化肥用量在2015～2017年下降10%以上，在全球化肥消费中的份额从2015年的29%降至2017年的24%。印度2012年、2014年和2015年经历了干旱，2016年和2017年的降雨量低于平均水平，此外，从2010年开始政府对P_2O_5和K_2O产品的补贴方式发生变化，影响了这些产品的消费。印度在全球化肥消费中的份额从2011年的16%下降到2017年的14%。

2011～2017年间，尽管印度尼西亚、马来西亚、越南和缅甸等国家消费增加，但受中国肥料需求减少的影响，东亚在全球化肥消费中的份额从37%降至34%，南亚的份额从19%降至18%。印度肥料需求的增长与全球保持同步。非洲、东欧、中亚以及拉丁美洲在这七年中化肥消费的增长速度快于世界平均水平，其消费份额已从2011年的18%增长到2017年的21%。拉丁美洲成为2011～2017年间全球化肥消费增量最大的地区。

2016～2020年间，全球磷肥需求年均增长率0.6%。东亚仍是最大的磷肥消费市场，2020年消费量占全球总消费量的33.3%；其次是南亚，其消费量占全球总消费量的19.6%；再次是拉丁美洲，其消费量占全球总消费量的17.0%，如表3-13所示。

表3-13　2016～2020年全球磷肥（以P_2O_5计）各地区消费状况　　单位：万吨

地区	2016年	2017年	2018年	2019年	2020年
西欧和中欧	278	280	272	273	274
东欧和中亚	154	177	177	184	194
北美	504	538	494	542	536

续表

地区	2016 年	2017 年	2018 年	2019 年	2020 年
拉丁美洲	737	755	767	773	789
非洲	158	164	163	162	169
西亚	106	120	101	108	111
南亚	868	887	876	892	910
东亚	1615	1592	1566	1590	1550
大洋洲	121	116	113	111	116
合计	4541	4629	4529	4635	4649

3.8 “三废”及治理

3.8.1 行业“三废”产生及治理情况

3.8.1.1 废气产生及治理

磷肥生产过程中产生的尾气中的污染因子主要有氟化物、颗粒物、氨、二氧化硫、氮氧化物等。近年来，企业为了降低污染，提高资源回收率，降低消耗，始终将废气净化及废气中有害组分的回收利用作为工艺改进的一个方向。根据污染物特性和工况，一般采用旋风、布袋、文丘里、喷淋塔、湿电等组合技术，经酸洗、水洗后达标排放，吸收液返回生产工序使用。废气处理技术不断完善，净化设备逐步以高效、节能设备替代低效吸收设备，使排入环境的污染物大大减少。但随着环保要求的逐渐严格，今后大气污染物排放标准会有所降低，对污染因子排放处理技术的难度要求加大。

3.8.1.2 废水产生及治理

磷肥生产废水中的污染因子有化学需氧量、悬浮物、氟化物、总磷、总氮、氨氮、总砷。各装置根据产生废水的水质情况和需补水环节的水质要求采取分级利用的措施，多余部分集中到污水处理站集中处理，处理后的水再返回循环利用。装置区内做到“清污分流”，设备故障或停车清洗水、前期雨水、生活污水等收集后集中处理。

国内所有的大中型磷肥企业和部分小型磷肥企业均已经建设了污水处理工程装置，治理设施覆盖率较高。近几年来我国磷肥工业污水排放总量下降很快，排放污水中污染物的浓度也大幅度下降，为环境保护做出了较大的贡献。

3.8.1.3 固废产生及治理

磷肥生产过程中产生的固体废物有磷石膏、碳酸钙、镍铁。磷石膏是硫酸萃取磷酸过程中的副产物，经过多年的不懈努力，我国磷石膏的综合利用取得举世瞩目的成绩，处置方式已由“堆存为主”发展到“堆用并举”。利用途径逐渐拓宽，利用水平和利用率逐年提高，2020年利用率达到45.3%。磷石膏综合利用装置如制水泥缓凝剂、建筑石膏、纸面石膏板、石膏砌块、石膏模盒等产能不断扩大，开车率不断提高；化学法处理磷石膏装置的运行和新技术的研发取得新进展；无害化预处理技术、制备高强石膏技术的研发为促进磷石膏资源化、高质化利用打下了坚实基础。硝酸磷肥生产中副产的碳酸钙主要用于生产水泥。钙镁磷肥生产中副产的镍铁附加值较高，一般收集后外售[3]。

3.8.2 主要产品“三废”产生及治理

磷肥生产过程中排放的废气和废水分别执行《大气污染物综合排放标准》(GB 16297—1996）和《磷肥工业水污染物排放标准》(GB 15580—2011)。到“十三五”末期，主要磷肥企业污染物排放量普遍达到现有技术先进值，企业装置区用水实现分级循环利用，磷铵生产装置区实现污水“零排放”，视觉污染消除技术逐步推广。

过磷酸钙生产废弃物主要包括废气、废水。过磷酸钙生产中的废气为混合、化成、熟化过程中的含氟气体。混合、化成产生的废气集中回收至氟回收塔，在氟吸收塔用工艺水对含氟废气进行洗涤回收，生成氟硅酸，氟硅酸输送至综合加工工序，进一步加工成氟硅酸钠等氟化工产品。过磷酸钙生产中还产生少量污水，其中含有少量硫酸、磷酸根、氟和硅胶，需加石灰进行中和处理，达标后排放或回用到装置内再利用。

钙镁磷肥生产过程中含氟及粉尘的高炉煤气，经脱氟、燃烧回收热能（采用热风炉预热入炉空气）达标后排放；干燥、球磨过程中产生的粉尘，通过除尘后达标排放。生产中产生的水萃水，经过处理后封闭循环。产生的镍铁附加值高，可回收外售。

重过磷酸钙生产过程中，由磷酸和磷矿带入的氟，部分以四氟化硅或氟化氢气体逸出，需加以处理和回收利用。造粒干燥产生的尾气有两部分：一部分是由破碎、筛分、冷却等设备产生的气体，含氟少，含水分也少，却含大量的重过磷酸钙粉尘，通常采用干法除尘，即采用旋风除尘器组，加布袋除尘器净化气体，并回收其中的粉尘。另一部分是由造粒、干燥等过程产生的气体，含氟、含水分高，还含有粉尘，通常采用干湿结合的方式除尘，即先用旋风除尘器组净化回收其中的粉尘，再进入氟洗涤系统；采用二级氟洗涤塔用水吸收洗涤，达标后排空。洗涤吸收过程得到的氟硅酸，除含硅胶外，其余杂质很少，可用于生产氟硅酸钠等产品。

磷铵产品产生的尾气由两部分组成：一部分是磷酸生产过程中萃取、浓缩等工序产生的含氟气体；另一部分是磷铵生产过程中氨化、造粒、干燥等工序产生的含有颗粒物、氨、二氧化硫、氮氧化物等污染因子的气体。这两部分的尾气分别采取不同的工艺处理后达标排放。

冷冻法硝酸磷肥尾气排污节点，从酸解、中和、造粒、干燥、筛分破碎、冷却各工序排出的废气分别经过干法除尘和用稀硝酸或水进行洗涤后排放。

3.9 国际竞争力

3.9.1 资源竞争力

3.9.1.1 磷资源

磷矿是不可再生资源之一，是磷肥、磷化工及其他相关工业的主要矿物原料，具有基础原材料工业和支农工业的双重属性，在国民经济中占据重要的地位。世界磷矿资源分布比较集中，据美国地质调查局统计，截止到 2020 年底全球磷矿石储量为 710 亿吨，分布在非洲、亚洲、美洲等 60 多个国家和地区，其中非洲磷矿资源约占 80%，如表 3-14 所示。全球磷矿资源主要为海相沉积磷矿，大型沉积矿床主要分布在北非、中国、中东和美国。巴西、加拿大、芬兰、俄罗斯和南非发现有大量的火成岩类型。近年来，在大西洋和太平洋大陆架与海底山脉发现了大量的磷酸盐资源，预计世界磷矿资源将超过 3000 亿吨，按照目前的开采速度计，可用数百年。亚洲磷矿储量仅占全球的 11.2%，中国磷矿石储量为 32 亿吨，居世界第二。

表3-14　2020年全球主要国家和地区磷矿产量和储量　　单位：万吨

国家和地区	产量		储量
	2019	2020①	2020
美国	2330	2400	100000
安哥拉	130	130	220000
澳大利亚	270	270	110000
巴西	470	550	160000
中国②	9500	9000	320000
埃及	500	500	280000
芬兰	100	100	100000
印度	148	150	4600
以色列	281	280	5700
约旦	922	920	80000
哈萨克斯坦	150	150	26000
墨西哥	56	60	3000
摩洛哥和西撒哈拉	3550	3700	5000000
秘鲁	400	400	21000
俄罗斯	1310	1300	60000

续表

国家和地区	产量		储量
	2019	2020[①]	2020
沙特阿拉伯	650	650	140000
塞内加尔	342	350	5000
南非	210	210	140000
叙利亚	200	36	180000
多哥	80	80	3000
突尼斯	411	400	10000
乌兹别克斯坦	90	90	10000
越南	485	470	3000
其他国家	114	110	84000
全球合计	22699	22306	7065300

① 表示估计值。

② 中国磷矿开采量只包括大型的磷矿。

注：数据来源于美国地质调查局（USGS），2020。

近年来，随着整体市场结构改善，我国磷矿石产量自 2017 年以来持续下降，到 2020 年产量只有 9000 万吨左右。2021 年以来，全球新型冠状病毒疫情反复导致全球粮价上涨，磷肥产业景气度上升，行业需求回升，磷矿石产量开始回升。资料显示，2021 年我国磷矿石产量达 10289.9 万吨，同比增长 15.7%。

3.9.1.2 硫资源

硫以自然硫、硫化氢、金属硫化物、硫铁矿、硫酸盐等多种形式存在，赋存于沉积岩和火山岩矿床中，与天然气、石油、油砂共伴生，加上金属硫化物，全球硫资源总量约 50 亿吨。煤炭、油气以及富含有机质的页岩中，约含有 6000 亿吨的硫，但需要低成本的提取方法。世界上硫资源主要是从石油天然气中回收的硫以及与金属硫化物矿床共伴生的硫。全世界以硫铁矿为原料生产的硫酸产量中，我国约占 89%。

我国是硫黄消费大国，也是全球硫黄进口大国。我国硫资源相对短缺，硫黄进口量超过世界贸易量的 30%，硫资源对外依存度超过 50%。据中国硫酸工业协会统计，2021 年我国硫黄表观消费量总计 1726.9 万吨，同比上升 5%。其中，国产硫黄 873.4 万吨，进口 852.4 万吨。我国硫资源结构不甚合理，硫资源消费结构主要由硫黄、硫铁矿、有色金属附带硫组成，三者分别占硫资源的 44%、16.9%、37.5%。自 2010 年以来，我国硫黄自给率虽逐年有所提高，但进口依存度仍居高不下。2021 年硫黄自给率为 50.6%，同比上升 2.5 个百分点，首次超过 50%。2021 年全国硫酸总产量 1.09 亿吨，同比上升 5.8%，再创历史新高。其中，硫黄制酸产量 4807 万吨，同比上升 4.9%，占比 44%；冶炼酸产量 4100 万吨，同比上升 1.7%，近 20 年保持连续增长走势，占比 37.5%；硫铁矿制酸产量 1851 万吨，同比上升

17.9%，占比 16.9%；其他制酸产量 179 万吨，同比上升 20.7%。

3.9.2 产业竞争力

全球磷肥产能相对集中，主要分布在东亚、东欧、西北非、北美、西亚五大产区，美国、俄罗斯、沙特、摩洛哥和中国是全球前五大磷酸盐生产国，如表 3-15 所示。2020 年全球加工磷酸盐（以实物计）产能 1 亿吨，我国产能占全球的 40%。2023 年，全球磷肥计划产能增加，其主要来自非洲、中亚、东欧、中东地区。摩洛哥、沙特、突尼斯等国因其天然禀赋，具有得天独厚的资源优势，这些国家都有新建磷肥产能的计划。未来，其生产的产品将直接面向主要需磷国，挤占我国传统的出口市场。同时，印度等我国传统磷肥出口国自给能力不断增强，竞争更趋激烈。随着各经济体间贸易摩擦变化，全球磷肥产品的供应、需求及产品海陆运输等方面都受到较大影响，不确定因素增多，国际市场的形势相当复杂。2020 年，我国 DAP、MAP 产能分别占全球的 41.2%、46.8%；TSP 产能稳定在 200 万吨，年产量 100 万～ 140 万吨，产能和产量均占全球 20%。

我国产品出口市场存在许多不确定因素。随着国际市场竞争加剧，国内不具备成本优势的磷肥企业将被市场逐渐淘汰，我国产能在全球的占比未来有下降趋势。

表3-15　全球加工磷酸盐实物产能　　单位：万吨

年份	DAP 产能（实物）				MAP 产能（实物）				TSP 产能（实物）		
	全球	美国	沙特	摩洛哥	全球	美国	摩洛哥	俄罗斯	全球	美国	摩洛哥
2016	5707	1112	339	659	2712	223	35	464	949	13	13
2017	5984	1112	339	876	2768	264	35	480	949	13	13
2018	6398	1112	665	985	2798	264	35	502	949	13	13
2019	6346	905	665	985	2852	304	35	521	1029	13	13
2020	6346	905	665	985	2808	304	35	550	1033	13	13

注：数据来源于 IFA。

世界磷肥（以 P_2O_5 计，下同）生产从 1961 年的 1081.36 万吨增长至 2019 年的 4711.81 万吨，2020 ～ 2022 年连续三年呈现下降的趋势，下降主要是由中国产量降低引起的，中国减产的贡献率达 50.1%。随着我国肥料产业的快速发展，近些年来我国在世界肥料产业发展中扮演着重要角色，化肥生产总量已稳居世界第一位，占世界生产总量的 24%。据世界肥料工业协会（IFA）统计数据，2000 ～ 2019 年我国磷肥产量增加对世界总产量增加的贡献率为 68.5%，磷肥产量在 2005 年首次超过美国跃居第一，此后产量一直保持在第一位的水平，2019 年占世界磷肥生产总量的 35.2%。

3.9.3 出口竞争力

我国磷肥工业经过几十年的发展，磷肥贸易从进口大国转变为出口强国。1988 年，我国磷肥（以 P_2O_5 计，下同）产量仅为 360.7 万吨，进口量高达 146.0 万吨。我国磷肥进口量最高峰为 1998 年，磷肥为净进口，进口量高达 294 万吨，磷肥出口量为零。从 2000 年开始，我国磷肥贸易开始有少量出口，当年出口量仅为 27.9 万吨。我国磷肥出口最高峰为 2015 年，当年出口量为 578.0 万吨。

2016 ～ 2020 年间，我国磷肥出口量一直在 450 万～ 550 万吨之间波动，出口量约占国内产量的 30%，主要出口产品为磷酸二铵和磷酸一铵，还有部分重钙、氮磷二元肥和少量过磷酸钙。2020 年，我国磷肥进口量为 23.9 万吨，仅占全球磷肥进口总量的 1%，然而磷肥出口量已达 476.9 万吨，占全球磷肥出口总量的 22%。2021 年，我国磷肥出口量价双增，全年进口各种磷复肥 20.1 万吨，同比下降 15.9%；共计出口各种磷复肥 571.4 万吨，较上年提高 19.8%，仅次于 2015 年的出口量，是近五年来新高；出口量占磷肥总产量的 33.9%，同比提高 3.9 个百分点，约占全球贸易量的 32%。

3.9.4 技术水平

目前，全球磷肥产品以高浓度磷肥尤其是以磷酸铵为主导，高浓度磷肥中重过磷酸钙产品消费地主要在东南亚及南美地区，而且消费量小。而北美、非洲、东西亚等地区以磷酸-磷铵系加工路线为主，年产量已占全球磷肥需求量的 70% 以上，在产量、工厂数及整个发展上，磷酸-磷铵系磷肥已成为世界磷肥发展的主体。

我国磷肥行业进入 20 世纪之后，在行业创新驱动发展战略的推动下，技术上快速发展，行业中一批关键共性技术取得较大进展，特别是半水-二水法及二水-半水法磷酸生产产业化、大型化取得显著进展；硝酸分解磷矿生产技术有了较大提高，磷矿中氟、碘的回收规模进一步扩大；湿法磷酸深度净化技术取得积极进展，磷酸 MER（有害杂质系数）值均小于 0.08，最低达到 0.04，不仅满足了磷酸梯级利用的要求，而且提高了氟的回收率；聚磷酸与聚磷酸铵工艺研究有了新的突破，为磷的高效利用提供了更多的途径。

我国磷矿以中厚缓倾斜赋存的胶磷矿为主，采选难度大，近年来，采选技术不断提高，特别是部分企业的地下采矿回收率已达到世界领先水平（云南磷化露天开采回采率 96%，贵州开磷充填采矿回采率 92%）。针对我国磷矿贫矿多、富矿少的特点，现已研发出多种选矿工艺和高性能选矿药剂，攻克了胶磷矿正浮选、反浮选和重介质选矿等技术，形成了梯次选矿基础工程系统，不仅使磷矿入选品位大幅降低，磷精矿综合回收率显著提升，而且促进了中低品位磷矿的高效利用，资源利用水平得到了较大提高。

近几年找矿勘探热情不减，如湖北宜昌和保康、贵州开阳和瓮福以及云南镇雄等地区均有新的磷矿发现。

同时，由于基本解决了湿法磷酸净化技术，矿肥、矿化结合更加紧密，磷化工产品供应将大幅增加，新一轮资源型企业加工的延伸进一步形成较大产能。我国由于基本解决采、选、肥、加四方面的技术问题，推动了磷矿产能的增加，其主要动力有四方面：一是云南、贵州和湖北磷矿开发成熟区产能继续增加；二是四川、湖南和北方资源新增区经济发展需要的刺激；三是中低品位资源增加选矿加工后形成的新产能；四是精细磷化工在沿海和沿江形成产能，拉动磷资源的需求。

近年来，有关磷石膏的基础研究不断深入，磷石膏利用技术不断提高、利用途径不断增宽。磷石膏免成球制备水泥缓凝剂技术、制备β建筑石膏以及生产纸面石膏板、石膏砌块、石膏条板、石膏模盒、石膏砂浆等较为成熟的石膏制品生产技术更加精细化；磷石膏制备成混合相建筑石膏投入市场后深受欢迎；采用第三代分解烧成技术磷石膏制硫酸联产低碳钙基材料生产装置已建成投入正常生产；一批先进适用技术得到了广泛的推广应用，对拓宽磷石膏的利用途径、扩大磷石膏的利用量发挥了积极的促进作用。此外，高效环保的磷石膏无害化预处理技术、磷石膏制备Ⅱ型无水石膏、用于矿坑边坡生态修复材料技术以及用于公路路基材料技术等消耗磷石膏量大、利用途径广的新技术的研发力度在加大，创新技术引领作用不断发挥[4]。

3.9.5　装备水平

目前我国磷复肥行业技术和装备水平已经达到了世界先进水平，我国磷复肥实现了从“技术引进”到“技术输出”的根本转变。

年产80万吨硫酸、30万吨磷酸、60万吨磷铵的生产装置和装备已全部实现大型化、国产化；半水法、半水-二水法、二水-半水法等不同工艺中耐高温、耐磨、耐腐蚀的装备和材料得以攻关；高效、低能耗、大功率的各类搅拌桨、风机、泵研制成功，不仅替代进口，而且还出口到其他国家。

贵州磷化集团“中低品位磷矿高效综合利用系列技术及装备的研发与集成应用”达到世界先进水平，在2007年击败欧美及中东地区多个国际工程公司，成功中标Sabic选矿EPC项目。

我国五环工程公司凭借其独特的二水法、半水-二水法湿法磷酸生产技术和装备，早在2000年就成功中标巴基斯坦ENGRO化工有限公司NPK项目；随后在突尼斯、印尼磷酸项目中中标并已投产运行。

江苏新宏大公司近年来积极开拓国际市场并取得了国外总承包工程资质，各类搅拌桨、过滤/压滤机、浓密机等优质产品远销美国、法国、英国、巴西、刚果、突尼斯、伊朗等50多个国家和地区。

3.10　行业存在的问题

3.10.1　供需矛盾依然突出

我国磷肥工业经过几十年的快速发展，产能、产量实现了大幅的增长，近年来一直稳居世界产量和出口量第一的地位。然而，快速发展的同时也带来了供需失衡的严重问题。

“十三五”以来，随着我国种植结构的调整，肥效与肥料利用水平的提高，耕地轮作休耕制度的施行，加之有机肥部分替代化肥，磷肥表观消费量持续下降，市场供大于求态势进一步凸显。

虽然 2016 年以来我国磷肥产能逐年下降，但国内消费量也在持续下降，导致行业产能过剩问题仍然没有得到有效缓解，长期以来，行业主要靠大量的出口来释放过剩产能，缓解产能过剩带来的压力，每年出口各种磷肥产品的产量占国内总产量的 30% 左右，对国际市场的依赖度较高。据 IFA 统计，2021 年在肥料行业景气度明显提升的背景下，磷肥行业产能利用率为 78.7%，与国际同行业水平相当，若扣除出口产品部分，磷肥产能利用率仅为 50% 多一点[5]。

虽然近年来，磷肥行业以“双碳”为主线，积极推进转型升级和结构调整，加快落后装置、落后产能出清，优势企业的产能利用率不断提高，肥化并举的战略方针在业内越来越得到重视，行业产业结构调整初现成效，供需关系稍有改善，但供需矛盾依然突出，产能利用率仍未实现预期值。

3.10.2 外部环境依然紧张

近年来，磷肥行业在结构调整、节能减排，实现清洁生产过程中做了大量工作，取得阶段性成绩。但也清醒地看到，行业中发展不平衡、不协调、不可持续的问题仍然突出，资源与环境约束加重，多种生态环境问题与行业健康持续发展的矛盾交织，行业发展的外部环境依然紧张。突出表现在以下三个方面：一是 2019 年，磷铵已被列入《产业结构调整指导目录》中限制发展的产品中，2021 年又被列入“高耗能”行业；2022 年 2 月，国家发展改革委《磷铵行业节能降碳改造升级实施指南》提出，到 2025 年，磷铵行业能效标杆水平以上产能比例达到 30%，能效基准水平以下产能低于 30%，未来产业升级改造面临“能耗双控”的巨大压力。二是环保政策不断趋严，对行业提出更高要求，“长江大保护”“三磷治理”以及《中华人民共和国长江保护法》等政策的落地和实施，对磷矿、磷肥、磷石膏库集中的长江干支流实施更加严格的总磷排放管控；随着生态环境质量要求不断提高，废气、污水排放控制标准将不断更新，各类污染物因子排放指标将会大幅度地降低，必将对行业的升级改造带来更大的压力[6]。三是农业发展政策的变化、农作物种植结构的调整、农业耕种方式的更新、农作物生长需求的变化以及能源产业结构的巨变，将对行业发展以及磷肥产品的性能、效能、外形提出新的要求。

3.10.3 结构调整仍需深入

我国磷肥工业发展迅猛，但是发展质量不高。目前国内传统基础磷肥产品仍占据绝大部分市场份额，多数磷肥企业生产的产品大致雷同，同质化严重，造成市场恶性竞争，而新型的、高附加值的、满足农业个性化需求的产品占比较少，虽然近年来企业提高了认知，意识到了问题的存在，逐渐对产品创新、农作物、土壤的特性、需求等展开了研究，从而催生出了许多各种各样的新型肥料、特种肥料、功能性肥料等，但是从产品结构调整上看，步伐还是跟不上形势发展的需要。同时，产品的转型升级依然起色不大，高附加值的工业级和食品级磷化工产品的产量占比不高，国内生产企业为数不多，产品结构调整还存在一定空间。

另外，我国磷肥产业集中度不高。虽然近年来我国磷肥产业整合步伐不断加快，但是我国磷肥企业分布仍较分散，各地多以中小型企业为主，无法形成规模效应，导致资源、产能的浪费以及装置、成本得不到合理优化，抗风险能力较差。目前，国内仅有云天化、贵州磷化等为数不多的大型企业集团，行业产业结构调整任重而道远。

3.10.4　科技创新能力有待加强

我国磷肥工业发展至今，在科技创新方面取得了许多重大突破和成就，行业一些关键共性技术和难题得以攻克，技术和装备水平处于世界领先地位，自主研发能力不断增强。但是客观来讲，近年来由于行业整体盈利水平偏低，科技创新支撑能力较弱，革命性的新工艺、新产品、新技术的研发没有得到突破。在技术路线方面，提高磷回收率以及降低磷石膏产生量的湿法磷酸生产技术，中低品位磷矿选矿及伴生资源利用技术，初级磷酸高效除杂技术和装备，磷石膏净化及高质化、高值化利用技术等仍然困扰行业高质化发展。在产品结构调整方面，亟须大力发展高效、生态、节水的新型肥料，开发聚磷酸铵、增效磷铵（腐植酸磷铵、海藻酸磷铵等）、液体 APP（聚磷酸铵）、水溶性肥料、硝基复合肥等新品种，以推进肥料产品绿色化发展。在开发和延伸磷化工、氟化工产业链方面，加大对磷酸深度净化、氟（硅）资源利用技术等化工新材料、精细化工产品的研发力度，构建磷化工、氟化工多联产板块，增强企业抗风险能力。

科技创新是企业长远发展的内生动力，而科技创新需要企业长期和大量的人力、物力投入。我国磷肥企业的经营状况长期处于微利甚至亏损的境地，维持正常的生产经营秩序成为企业的重中之重，如此现状导致企业的研发投入微乎其微，多数企业的研发投入在营收中的占比不到 1%，远低于创新型企业科研投入水平，企业科技创新动力不足[7]。在磷肥产业发展进入成熟期，要实现绿色低碳、高质高效等高质量发展目标，更需要下大气力，采取各项有效措施，尽快提高自主创新能力和水平。

3.10.5　国际竞争力亟待提升

近年来，国际市场的结构重塑对我国出口市场造成严重挤压。随着沙特、摩洛哥等大量磷肥产能的释放以及美国磷肥的减产，加上印度等传统进口国家产能不断增加，国际市场的格局正在发生改变，全球磷肥进入新一轮大规模的扩产周期，导致全球同业竞争愈演愈烈。

成本优势永远是竞争中的关键因素。沙特、摩洛哥等因其具有得天独厚的资源优势，成本优势和后发优势非常明显，而且本国对磷肥产品的需求较少，大部分用于出口，出口产品直指主要需磷国，对我国传统的出口市场造成严重冲击。虽然我国磷肥产能大、出口量位居世界第一，出口企业为数不少，但单打独斗的局面无法形成合力，在国际市场缺乏话语权，而且我国磷肥企业成本居于全球的中游水平，导致在国际市场的竞争中处于劣势，有时甚至是赔本赚吆喝。在国际磷肥产能持续增加、国际市场竞争日趋激烈的背景下，较高的成本压力将抑制国内企业出口份额的保持和增加，我国出口地位受到严重冲击，国际竞争力亟待提升。

3.10.6 磷矿石持续供应偏紧

近年来，我国磷矿产业发生了较大变化，一方面由于环保等多方面因素限制，磷矿开采量和供应量呈逐年下降的态势；另一方面因新型储能材料磷酸铁锂产业快速发展，磷资源需求量大，供给格局愈发紧张，带动上游磷矿石价格上涨、供应紧张。磷矿价格的提升将成为磷肥成本持续上涨的有力支撑。

从供应端方面看，磷矿产量、供应量逐年下降。基于对战略性矿产资源的保护性开采以及环保政策限制力度的逐年加大，突出表现在以下三个方面：一是我国磷矿基础储量与开采量十分不均衡，中长期下去将导致磷矿资源快速消耗殆尽，2016 年磷矿石首次列入战略性保护矿产资源中；二是 2017 年确定的《大熊猫国家公园体制试点方案》迫使四川省大部分磷矿叫停，云南滇池水源保护区和长江三峡保护区的划定使得云南、湖北一些磷矿停产限产；三是我国磷矿大多集中在长江流域，为控制长江部分断面总磷严重超标问题，环保部门开展的“三磷整治”让一些管理粗放、小型化分散开采的磷矿关闭。

新能源产业的快速发展，更加拉动了磷矿的市场需求。近年来，由于动力电池和储能等新能源领域的发展，磷酸铁锂产能也从 2018 年底的 18.12 万吨增加至 2021 年底的 89.8 万吨，年复合增长率 70.5%，2021 年同比增速更是高达 167.9%。2022 年，磷酸铁锂产能扩张速度更快，当前可利用产能已高达 103.4 万吨。每生产 1 吨磷酸铁锂需磷矿（折纯）0.5 ～ 0.65 吨，据预测到 2025 年，我国磷酸铁锂需求量或将达到 191.4 万吨，对应约需 111 万吨磷（折纯）、约 370 万吨磷矿石（30% P_2O_5），约占我国磷矿石需求总量的 4.2%。磷酸铁锂需求的高速增长将沿产业链向上游同向传导，在未来会对磷矿石产生强劲的需求拉动。

3.10.7 磷石膏利用仍是制约行业健康持续发展的瓶颈

磷石膏是硫酸分解磷矿萃取磷酸生产中的副产物，每生产 1 吨磷酸产品（以 100% P_2O_5 计）约产生 5 吨磷石膏，具有产生量大、杂质成分复杂、难以直接利用的特点，磷石膏的综合利用一直以来是世界难题。我国经过多年的努力，磷石膏的利用率虽已超过 40%，处于世界领先水平，但是磷石膏的处置问题始终存在，只有想办法有效降低磷石膏堆存风险，加大磷石膏利用力度，行业发展才可健康持续。

多年来，尽管磷肥行业和企业在磷石膏利用方面花费了大量的精力和财力，下了很大力气，建成一批综合利用装置，利用量和利用率逐年提高，利用途径不断增加，但与形势发展变化和要求相比，压力更大，形势更加严峻。贵州、四川、湖北等地相继实行磷石膏“以用定产”“控制增量、消化存量、逐步平衡”等政策，国家发展改革委发布的《关于“十四五”大宗固体废物综合利用的指导意见》明确指出，到 2025 年需要将磷石膏等大宗固废的综合利用能力显著提升，新增大宗固废综合利用率达到 60%[8]。特别是生态环境部 2019 年 12 月 31 日发布的《关于做好“三磷”建设项目环境影响评价与排污许可管理工作的通知》中规定，磷肥建设项目应实行“以用定产”，以磷石膏综合利用量决定湿法磷酸产量。同步落实磷石膏综合利用途径，综合利用不畅的可利用现有磷石膏库堆存，不得新建、扩建磷石膏库（暂存场除外）。这就从终端上断绝了磷石膏建库堆存的后路。因此，磷石膏利用问题仍是制约磷肥行业健康持续发展的主要瓶颈。

3.11　行业发展趋势

我国磷肥发展进入深度调整期，以产能、产量扩张为主要特征的外延式发展阶段已经过去，将来以适应农业发展变化，满足国内粮食生产需求和农产品品质提升为主要目标，向着绿色低碳、利用率提升、资源可持续等趋势发展。优化资产结构、原料结构和产品结构，实现磷肥行业运行提质增效；研究开发新型肥料产品，随着科学施肥及施肥技术的发展，最大限度地使肥料养分的释放与土壤作物的养分需求和施肥技术相吻合，提高产品肥效和肥料利用率，实现磷肥产品提质增效；加强“减磷增效”技术研究，科学合理地施用磷肥产品，实现磷素利用的有效提升等，是磷肥产业高质高效发展的主要方向。

3.11.1　产能产量趋势

近些年来，在国家供给侧结构性改革的持续推动下，磷肥产业产能不断压缩，产能利用率不断提升，磷肥产业产能过剩问题得到了很大的改善。伴随着粮食价格的大幅上涨，以及其他多方原因给国际市场粮食贸易带来的冲击，粮食安全的战略地位越发重要，预计未来3～5年粮食安全将处于极其重要的地位，粮食价格易涨难降，农民种粮热情大涨，提高了磷肥使用的积极性。与此同时，随着磷肥价格的快速上涨，在化肥减量增效、有机肥替代化肥行动等政策引导下，磷肥的科学使用将深入人心，人们更加注重肥料的减量增效，“十四五”期间，我国磷肥国内需求呈稳中有降态势，国内需求随着科学施肥、有机无机结合措施的开展将进一步下降。在环保政策的持续高压态势下，磷肥产业产能将进一步被压缩，“十四五”期间，我国磷肥（以 P_2O_5 计）产能维持在2000万吨，产量维持在1600万吨左右，中小规模产业产能加速合并及重组转型，以满足农业绿色发展的时代需求。

3.11.2　产业与产品结构趋势

在产业结构优化方面，一是继续深化推进矿肥结合、酸肥结合、肥化结合，以资本为纽带、产业为主线，跨行业、跨地区甚至跨国界整合重组，组建大型综合性企业集团等，延伸丰富产业链、优化资产结构，强化技术改造、提升技术装备水平，淘汰落后产能、提高资产效益、提升磷肥效用，优化资产结构；二是继续加大中低品位磷矿的科学利用，提高磷石膏制硫酸的技术经济水平，合理利用冶炼尾气、煤化工尾气等硫资源，开发利用磷矿尾矿、污水中磷的回收技术，加强磷矿和硫铁矿资源保护及高效利用，包括在有氮资源优势的区域发展硝酸磷肥、开发利用富余盐酸制取磷肥等，拓展原料渠道，优化原料结构；三是在具有磷、硫等资源优势的一定区域范围内，发展肥效好、磷的利用率高的中低浓度磷肥产品，在稳定提高基础肥料磷肥产品质量的同时发展与土壤作物养分需求相匹配的专用化、高效化、功能化和环保型的磷肥产品，提升磷肥效用，优化产品结构。

在磷肥产品创新方面，在全面提升磷酸一铵、磷酸二铵、硝酸磷肥、重钙、过磷酸钙和钙镁磷肥等产品的肥效和肥料利用率的同时，一是研究开发成本低、全水溶性的磷肥产品，包括全水溶性的工业级磷酸一铵、磷酸脲和硝酸磷肥等具有速效性特征的产品，以及同时含有部分缓效性、提高营养功效和增加产品功能的产品，实现作物营养需求与肥料养分的精准供给智能化，满足设施农业及无人机施肥技术等的发展需求；二是研究开发成本低，具有缓释、控释肥料养分的磷肥产品，包括聚磷酸铵等具有缓效性特征的磷肥产品，以及同时含有部分速效性、提高营养功效和增加产品功能的产品，提高肥料利用率、减少养分损失，满足减少施肥次数并均匀供应作物全生长期养分的需求；三是因地制宜，添加或使用含有中微量元素和有机物质等植物营养的原（辅）料，有针对性地研究开发“锌腐酸磷酸二铵”“海藻酸二铵”等含有特定营养功效的中微量元素和有机物质的以提高产品营养功效为主要性能特征的磷肥产品，以及同时含有部分速效性、缓效性和增加产品功能的产品，提高产品营养功效，满足农作物增产和品质提升的养分平衡需求；四是添加含有生物刺激剂、植物保护剂、植物生长调节剂、改良土壤等改善植物生长环境的功能性物质或微生物，开发以增加产品功能为主要性能特征的磷肥产品，以及同时含有部分速效性、缓效性和提高营养功效的产品，增加产品功能，以低成本、高技术实现肥料产品的全面提质增效[9]。

工信部、发展改革委等部委发布的系列文件表明，国家将持续推进行业转型发展与结构调整。目前，国内单一基础肥料占比较高，新型磷肥、工业级与食品级高附加值磷化工产品占比依然较低。磷肥产业结构调整仍需进一步深化，产业结构调整任重道远。

在国家宏观政策的继续支持和引导下，磷肥行业组织结构仍有很大的调整空间。“十三五”期间，云南、贵州两省已相继成立具有国际竞争优势的大型、综合性磷化工企业集团，国内仍有部分地区存在多个中等规模企业并存的局面，资源、产能、产量、成本优化配置与高水平研发优势未得到充分发挥，组织结构调整仍有提升空间。

3.11.3 磷肥科学施用技术发展趋势

在磷肥施用科学化方面，一是因地制宜，利用好磷矿资源、有机物资源与作物的生物学潜力，研究开发“减磷增效”技术，包括针对磷肥施用的土壤特性，在磷肥产品中或施用时添加微量有机生物活性增效载体（如腐植酸、氨基酸、海藻酸等）的技术、减少磷肥中的有效 P_2O_5 使用到土壤中被固定的技术、针对某些作物具有利用非水溶性磷的特殊能力提供具有较高枸溶性磷产品的技术、提高磷肥养分移动性的技术（采用滴灌等水肥一体化施肥技术、聚合态磷）、改变土壤或肥料颗粒周边土壤 pH 的技术、调节土著解磷微生物功能的“激发碳”技术、根据土壤中磷盈余情况将施磷量控制在适宜范围内的施肥技术等；二是通过快速检测等技术手段，了解掌握土壤中磷养分的盈余情况，根据种植的农作物对磷养分的需求规律，结合施肥方式和技术选择施用与土壤类型、作物体系相匹配的肥料产品，在不断开展土壤养分及其养分供应、肥料养分及其养分供应条件和规律研究的基础上，不断创新发展科学施肥技术，包括快速测土、控量施肥、水肥一体化等技术，以及种肥同播（同步）、机械化施肥和精准变量施肥技术等，不断创新发展与土壤作物养分需求相匹配的肥料产品并实现科学合理施用[10]。

3.11.4 磷肥产业技术研发趋势

新技术方面开发硝酸法工业磷酸一铵技术，从而避免传统法产生的磷石膏问题，拓展硝酸法磷矿加工产品结构范围。开发硝酸磷肥联产净化磷酸技术，从而节约硫资源，不产生磷石膏，提高磷矿的利用率。

新材料等方面开发磷石膏制备无水Ⅱ型石膏的技术，将磷石膏制成无水型石膏，拓宽磷石膏在建筑材料领域的应用。利用中低品位磷矿生产农用聚磷酸铵及其复合肥料，从而降低原料要求，提高磷的利用率，实现磷资源高效利用。开发尾矿和渣酸综合利用技术，制备聚磷酸钙镁、聚磷酸铵钙镁等产品，充分利用磷矿石中营养元素。将磷肥工艺和废弃生物质资源化利用技术耦合，创制新型有机磷铵产品，从而协同实现生物质、磷化工和农业多个行业的碳中和目标。利用低品位磷矿酸解制备有机-无机复合肥料，从而解决低品位磷资源、农业废弃物资源、各类废弃物和难利用资源直接利用的问题。

3.11.5 资源利用趋势

在化肥产业供给侧结构性改革的背景下，磷肥产业资源利用要以农业发展需求为导向，以绿色可持续作为磷肥产业资源利用的总基调，推动磷肥全产业链绿色低碳发展。

我国磷肥产业的发展必须满足国家实现“碳达峰”和“碳中和”的目标要求，必须满足现代农业的绿色发展要求。磷肥工业的绿色低碳发展，包括磷资源的开采和综合利用、磷肥生产的节能降耗减排，以及磷石膏和尾矿的综合利用等主要方面。

在磷资源的开采和综合利用方面，目前我国以贵州磷化集团、云天化（集团）公司为代表的中低品位磷矿选矿技术和设备，已达到世界领先水平。贵州磷化集团自主开发的WF-01浮选剂，使磷矿入选品位（以P_2O_5计）由设计时的30.72%降低到25%以下，最低可达20%，磷矿资源回收率超过90%，精矿回收率超过95%，延长了矿山服务年限。强化磷矿资源的管理、规范，有序开采磷矿资源，提高磷矿开采回采率；加大中低品位磷矿选矿技术的开发应用，提高氟、硅、钙、镁等磷矿共伴生植物营养资源和稀有金属元素的综合利用水平，是磷资源开采和综合利用的主要发展趋势与方向。

在生产过程的节能降耗减排方面，一是优化现有各种磷肥产品的生产工艺、提高技术装备水平，减少粉尘和含氟尾气等污染物的排放；二是进一步研究半水-二水法、二水-半水法湿法磷酸等绿色磷酸工艺，提高适应性，扩大产业化推广应用；三是不断开发磷肥生产新工艺，包括进一步研发副产盐酸分解中低品位磷矿技术、硫酸脲分解中低品位磷矿生产磷肥技术、低品位磷矿生产钙镁磷钾肥技术，以及非酸化活化磷矿中的P_2O_5生产磷肥技术等，并实现工业化和产业化应用；四是研究开发磷肥生产过程中高含磷污水等磷循环利用的技术，研究开发提高磷肥生产过程中氟的回收利用和减少产品含氟量的技术，全面实现磷肥生产过程的节能降耗减排，实现绿色产品、绿色工艺和绿色工厂目标，是磷肥生产过程绿色低碳发展的主要发展趋势和方向。

在磷石膏和尾矿的综合利用方面，目前我国磷石膏综合利用已达到一定的水平，综合利用主要用于水泥缓凝剂、用于建筑材料、用于筑路材料、用于土壤调理剂和用于生态修复等。我国磷矿尾矿的综合利用技术，目前还处在研发阶段。研究开发减少磷石膏产生和无磷石膏产生的磷肥产品及工艺技术；研究开发磷石膏高效实用预处理技术以及规模化、高质化综合利用的新技术和新产品，降低能耗和综合利用成本，提高综合利用水平；研究开发减少磷矿尾矿的技术，研究开发利用尾矿的新技术和新产品，不断提高磷石膏和磷矿尾矿的综合利用水平，是磷肥产业绿色低碳发展的主要趋势和方向。

参考文献

[1] 王莹，方俊文，李博，等. 2021 年我国磷复肥行业运行情况及发展趋势 [J]. 磷肥与复肥，2022,37(8):1-8.
[2] 王莹，方俊文，李博. 2020 年我国磷复肥行业运行情况及发展趋势 [J]. 磷肥与复肥，2021,36(7):1-8.
[3] 崔荣政，白海丹，高永峰，等. 磷石膏综合利用现状及“十四五”发展趋势 [J]. 无机盐工业，2022,54(4):1-4.
[4] 修学峰. 守正出新 行稳致远 磷复肥行业迈上高质量发展新征程 [J]. 磷肥与复肥，2022,37(6):1-6.
[5] 李博，修学峰，郑秀兴，等. 我国磷复肥产品质量安全风险分析 [J]. 磷肥与复肥，2020,35(11):11-13.
[6] 修学峰. “后疫情时代”磷复肥行业任重道远 [J]. 磷肥与复肥，2022,37(1):4.
[7] 高永峰. 我国磷化工行业创新发展思路探讨 [J]. 磷肥与复肥，2020,35(2):1-7.
[8] 中国磷复肥工业协会. 磷肥行业“十四五”发展思路 [R]. 北京：CPFIA,2020.
[9] 张福锁，申建波，危常州，等. 绿色智能肥料：从原理创新到产业化实现 [J]. 土壤学报，2022,59(4):873-887.
[10] 崔继荣，高永峰. 我国磷化工发展现状及措施建议 [J]. 肥料与健康，2020,47(4):1-4.

中国肥料研究与应用全书

Books of Fertilizer Research and Application in China

FERTILIZER

第4章

中国钾肥产业发展

4.1 概述

世界钾盐资源供应和消费呈双向集中格局，资源主要集中在加拿大、俄罗斯和白俄罗斯等少数国家，消费主要集中在巴西、美国、中国和印度等国。由于资源高度集中，钾肥的供应与产能分布也都呈现同样的特点。据联合国粮农组织统计，钾肥的前五大消费地区为东亚、南美洲、北美洲、东南亚和南亚，合计消费量占世界总消费量约83.93%。据美国地质调查局预测，受人口增长、世界经济持续增长、饮食需求多样化、世界耕地面积减少、化肥应用平衡等多重因素影响，未来几年世界化肥需求仍将持续增长。其中亚洲地区农业水平的不断发展将成为钾肥需求的重要驱动力，预计世界钾肥需求量未来5年年均增长率为3%，其中亚洲市场的年均增长率将达到4%～5%。

钾盐的合理开采和利用直接关系到农业可持续发展和国家粮食安全，因而一直十分受重视。钾盐在我国是一种战略性资源，国土资源部（现自然资源部）将其列为“走出去”被鼓励开发的七种紧缺战略矿产之一。当前可供开发利用的主要是可溶性钾盐资源，当前我国可溶性钾盐（以KCl计）经济可采储量为2.8亿吨。

我国钾盐钾肥行业走过了70多年的光辉历程，实现了跨越式发展，已经形成了较为完整的产业体系，从资源勘探到开发、从生产到流通、从国内到境外，由无到有、由小渐大、由弱变强[1]。中国已成为世界上第四大钾肥生产国，生产技术和单套生产能力均达到或接近国际先进水平。目前拥有资源型钾肥生产企业25家，年产百万吨级大企业有3家。近5年来自给率稳定在50%以上，在国际上拥有了一定的话语权，为我国农业发展和粮食安全提供了重要的保障。

70多年来，钾肥产能、产量逐渐提高，实物年产能达千万吨。1989年，我国资源型钾肥（以实物计，下同）产能约20万吨，之后生产能力及产量持续增长。2002年，“青海100万吨钾肥项目”开工建设，2004年完成氯化钾产量109万吨，年产量首次突破了100万吨。2005年，青海中信国安科技发展有限公司硫酸钾镁肥工程开工建设，2009年工程全面建成投产，形成年产30万吨硫酸钾镁肥生产能力。2006年，我国第二个百万吨级钾肥工程——国投新疆罗布泊钾盐有限责任公司年产120万吨硫酸钾工程开工建设，2008年建成，2011年全面达产，2016年产能扩充至180万吨，实现了硫酸钾单体生产规模世界最大、产品质量世界最好的目标。2013年，格尔木藏格钾肥有限公司在整合青海13家小厂资源后，将其氯化钾产能扩大至200万吨。从此，以青海、新疆为主的我国钾肥工业布局基本展开[2]。截至2020年底，我国资源型钾肥生产企业有25家，钾肥总产能1227万吨，折K_2O量约689万吨。

70多年来，我国开创了独特的钾肥生产工艺。青海盐湖工业股份有限公司自主研发了光卤石水采船、反浮选冷结晶、固体溶解转化等颠覆性技术，形成500万吨氯化钾、50万吨氢氧化钾、40万吨硝酸钾、7.2万吨碳酸钾年产能，建成中国最大的钾肥生产基地，并创立了钾盐资源“固液转化、驱动开采、贫富兼采、循环回收”的独特开发模式。国投新疆罗布泊钾盐有限责任公司研发了含钾硫酸镁亚型卤水制取硫酸钾工艺，在罗布泊盐湖建成年产

160 万吨硫酸钾成套装置，使中国拥有了世界领先的利用硫酸盐型卤水制取硫酸钾的大型装置。

4.2　概念、分类及种类

钾肥是以钾为主要养分的肥料。自 1865 年 Lucanus 及 1866 年 Bimer 和 Lucanus 最先提出钾是高等植物生长发育所必需的营养元素之后，钾素研究取得了很大进展[3]。钾是农作物种植中所必需的养分，植物体内含钾量一般占干物质重的 0.2% ～ 4.1%，仅次于氮。钾在植物生长发育过程中参与 60 种以上酶系统的活化、光合作用、同化产物的运输、碳水化合物的代谢和蛋白质的合成等过程。钾肥施用适量时，能使作物茎秆长得强壮，防止倒伏，增强抗旱、抗寒、抗病虫害的能力。肥效的大小取决于其氧化钾含量。

钾肥属于强碱某酸盐，其命名看和其对应的是什么酸根，和硝酸根对应的叫硝酸钾，和硫酸根对应的叫硫酸钾，和盐酸根（也叫氢氯酸）对应的叫氯化钾，和碳酸根对应的叫碳酸钾，和磷酸根对应的叫磷酸钾（磷酸一钾、磷酸二钾、磷酸三钾、聚磷酸钾、多聚磷酸钾等），和有机酸根对应的叫有机钾（甲酸钾、醋酸钾、柠檬酸钾等），和硅酸根对应的叫硅酸钾。

4.2.1　钾肥分类

钾肥的种类虽然很多，常见的有氯化钾、硫酸钾、硝酸钾、磷酸钾（磷酸一钾、磷酸二氢钾、聚磷酸钾、多聚磷酸钾）、有机钾、草木灰，还有硫酸钾镁肥、硅钙肥、腐植酸肥等，但实际市场上被大家广泛认可，国内外有进出口贸易并规模化生产的主要是氯化钾、硫酸钾、硫酸钾镁、硝酸钾、磷酸二氢钾等 5 种钾肥，这 5 种钾肥的应用比较广泛。其他品种的钾肥大多没有得到广泛认可，只在特定土壤或作物中试验应用。因此，钾肥有多种分类方式（表 4-1）：根据成分组合差异，可分为单质钾肥、二元复合钾肥和三元复合钾肥；根据化学组成不同，可分为含氯钾肥和不含氯钾肥。

表4-1　钾肥分类及主要品种

序号	分类依据	分类	主要品种
1	成分组合	单质钾肥	氯化钾、硫酸钾、碳酸钾等
		二元复合钾肥	硝酸钾、磷酸二氢钾、（多）聚磷酸钾等
		三元复合钾肥	氮磷钾三元复合肥等
2	化学组成	含氯钾肥	氯化钾
		不含氯钾肥	硫酸钾、硫酸钾镁肥、硝酸钾、碳酸钾、磷酸二氢钾等

注：资料来源于中国无机盐工业协会钾盐钾肥行业分会。

4.2.2 主要钾肥品种及特性

4.2.2.1 氯化钾

氯化钾主要以光卤石、钾石盐为原料制成，易溶于水，20℃时溶解度为34.7%，100℃时为55.7%，是速效性肥料，可供植物直接吸收。肥呈酸性，具有价格低、含钾量高、物理性质良好的优势，常用于大田作物上。

世界各国的氯化钾由于资源禀赋、生产工艺及用途不同，产品中的各项指标也不同。例如，以钾石盐作原料的氯化钾，钙、镁含量低，而氯化钠含量则偏高；由光卤石作原料的氯化钾，钙、镁含量高，而氯化钠含量则偏低。浮选工艺生产的氯化钾，其含量一般比溶解结晶法低。试剂、照相等用途的产品要求氯化钾的含量高、杂质含量低，而用于加工其他化工原料的氯化钾，各项指标要求低些。工业用的主含量一般要求较高，杂质含量有一定的限制；农业用的除对主含量和水分有要求外，其他杂质一般不限。

国家市场监督管理总局（国家标准化管理委员会）批准了《肥料级氯化钾》（GB/T 37918—2019），并宣布于2020年3月1日正式实施。标准首次出台钠离子、水不溶物这类“杂质”的含量限定指标，将氧化钾含量指标从55%～60%提升至57%～62%，水分含量缩减为原来的1/3左右。

GB/T 37918—2019标准并未按GB/T 6549—2011标准将农业氯化钾分为优等品、一等品、合格品三大类，而是将氯化钾肥料分为粉末结晶状、颗粒状两大类型，对应有Ⅰ型、Ⅱ型、Ⅲ型三档，而且技术指标大幅提升（表4-2）。新标准规定，颗粒钾与粉末晶体钾Ⅰ型、Ⅱ型、Ⅲ型氧化钾含量分别为≥62%、≥60%、≥57%，这三档指标均高出农用氯化钾优等品（≥60%）、一等品（≥57%）、合格品（≥55%）2～3个百分点，有利于提升氯化钾品位与质量，避免低品位氯化钾充斥市场，维护行业稳定健康发展。

表4-2 农用氯化钾国家标准指标对比

项目	指标								
	《肥料级氯化钾》（GB/T 37918—2019）						《氯化钾》（GB/T 6549—2011）		
	粉末结晶状			颗粒状			优等品	一等品	合格品
	Ⅰ型	Ⅱ型	Ⅲ型	Ⅰ型	Ⅱ型	Ⅲ型			
氯化钾（以 K_2O 计）质量分数 /% ≥	62.0	60.0	57.0	62.0	60.0	57.0	60.0	57.0	55.0
水分（H_2O）质量分数 /% ≤	1.0	2.0	3.0	0.3	0.5	1.0	2.0	4.0	6.0
氯化钠（NaCl）质量分数 /% ≤	1.0	3.0	4.0	1.0	3.0	4.0	—	—	—
水不溶物质量分数 /% ≤	0.5	0.5	1.5	0.5	0.5	1.5	—	—	—
粒度 /% 1.00～4.75mm ≥	—			90			—		
粒度 /% 2.00～4.00mm ≥	—			70			—		
颗粒平均抗压碎力 /N ≥	—			25.0			—		

注：资料来源于国家标准化管理委员会。

4.2.2.2　硫酸钾

硫酸钾是最主要的非氯基钾肥，含钾 48% ～ 52%，含硫 18%，浅灰或微黄色，易溶于水，为高浓度速效性钾肥，肥呈酸性，具有价格低、含钾含硫不含氯的特点，适用于各种作物和土壤，特别适用于对氯敏感和喜硫作物，如薯芋类、葱蒜类等。长期使用或者在钙含量较多的土壤上使用硫酸钾，容易造成土壤板结酸化。此外，硫酸钾在水生作物上使用时需要控制数量，如水稻使用硫酸钾过多时，就容易发生硫化氢中毒。

2017 年 12 月 29 日，国家公布了最新的硫酸钾国家标准 GB/T 20406—2017，于 2018 年 7 月 1 日正式施行。与 GB/T 20406—2006 相比（表 4-3），新标准对硫的质量分数做了明确的标注，而且取消了 50% 含量颗粒一等品的标准，同时将颗粒合格品的氧化钾质量分数提高至 45%；粉末结晶状优等品改为 52% 含量，但其中对游离酸的标准并未放宽，游离酸的质量分数同样要求小于等于 1.0%。粉末结晶状合格品的水分质量分数由原来的 3% 变为 2%，颗粒状合格品的水分质量分数由原来的 3% 变为 2.5%。

表4-3　农业用硫酸钾国家标准指标对比

项目	指标										
	GB/T 20406—2017					GB/T 20406—2006					
	粉末结晶状			颗粒状		粉末结晶状			颗粒状		
	优等品	一等品	合格品	优等品	合格品	优等品	一等品	合格品	优等品	一等品	合格品
水溶性氧化钾（K_2O）质量分数 /%　≥	52	50	45	50	45	50.0	50.0	45.0	50.0	50.0	40.0
硫（S）的质量分数 /%　≥	17.0	16.0	15.0	16.0	15.0	—	—	—	—	—	—
氯离子（Cl^-）质量分 /%　≤	1.5	2.0	2.0	1.5	2.0	1.0	1.5	2.0	1.0	1.5	2.0
水分（H_2O）的质量分数 /%　≤	1.0	1.5	2.0	1.5	2.5	0.5	1.5	3.0	0.5	1.5	3.0
游离酸（以 H_2SO_4 计）的质量分数 /%　≤	1.0	1.5	2.0	2.0	2.0	1.0	1.5	2.0	1.0	1.5	2.0
粒度（粒径 1.00 ～ 4.75mm 或 3.35 ～ 5.60mm）/%　≥	—	—	—	90	90	—	—	—	90	90	90

注：资料来源于国家标准化管理委员会。

4.2.2.3　硝酸钾

硝酸钾属于无氯含钾含氮钾肥，属于二元复合肥，含硝态氮 13.5%，含钾 46%，肥性为中性。具有无残留、含钾量高、速溶性强、见效快的特点，既能补钾还能补氮，比较适用于经济作物作追肥使用，而且长期使用不容易酸化土壤，在烟草、瓜果、蔬菜等经济作物上使用得比较多。在作物需氮量大的发育期，可以使用硝酸钾；另外在作物正常生长期和果实膨大期，也可以使用硝酸钾。因含有硝态氮，不建议着色后期使用，容易造成贪青晚熟。硝酸钾在土壤中易移动，适合作作物的追肥，尤其是中晚期追肥。

农业用硝酸钾现执行的标准 GB/T 20784—2018 于 2018 年 5 月 14 日发布，2018 年 12 月 1 日实施，代替 GB/T 20784—2013。与 GB/T 20784—2013 相比（表 4-4），新标准对水不溶物、砷及其化合物、铬及其化合物、铅及其化合物、镉及其化合物以及汞及其化合物的质量分数做了明确的标注；规定了不同等级硝酸钾产品的总氮（N）质量分数；合格品水分质量分数由原来的 2% 变为 1.5%，一等品水分质量分数由原来的 1.2% 变为 1.0%。

表4-4　农业用硝酸钾国家标准指标对比

项目			GB/T 20784—2018			GB/T 20784—2013		
			等级			等级		
			优等品	一等品	合格品	优等品	一等品	合格品
氧化钾（K_2O）的质量分数 /%		≥	46.0	44.5	44.0	46.0	44.5	44.0
总氮（N）的质量分数 /%		≥	13.5	13.5	13.0	13.5		
氯离子（Cl^-）的质量分数 /%		≤	0.2	1.2	1.5	0.2	1.2	1.5
水分（H_2O）的质量分数 /%		≤	0.5	1.0	1.5	0.5	1.2	2.0
水不溶物的质量分数 /%		≤	0.10	0.20	0.30	—	—	—
粒度 *d*/%	1.00 ～ 4.75mm	≥	90			90		
	1.00mm 以下	≤	3			3		
砷及其化合物的质量分数（以 As 计）/%		≤	0.0050			—	—	—
铬及其化合物的质量分数（以 Cr 计）/%		≤	0.0010			—	—	—
铅及其化合物的质量分数（以 Pb 计）/%		≤	0.0200			—	—	—
镉及其化合物的质量分数（以 Cd 计）/%		≤	0.0500			—	—	—
汞及其化合物的质量分数（以 Hg 计）/%		≤	0.0005			—	—	—

注：资料来源于国家标准化管理委员会。

4.2.2.4　硫酸钾镁

硫酸钾镁肥是指从盐湖卤水或固体钾镁盐矿中仅经物理方法提取或直接除去杂质制成的一种含镁、硫等中量元素的化合态钾肥。硫酸钾镁肥是一种无氯肥料，它能同时向作物提供钾、镁、硫三种营养元素，是一种优质的天然化肥品种。除含钾、硫、镁外，硫酸钾镁肥还含有钙、硅、硼、铁、锌等元素，呈弱碱性，特别适合酸性土壤施用，广泛施用于粮食和经济作物，一般作基肥，也可作追肥，能给作物的生长提供长期稳定的肥效，并能提高作物的品质，增强作物的抗旱、抗寒、抗药害能力，增产效果十分明显。适用于水稻、玉米、甘蔗、花生、烟草、马铃薯、甜菜、水果、蔬菜、苜蓿等农作物。与等钾（K_2O）量的单质钾肥氯化钾、硫酸钾相比，农用硫酸钾镁肥的施用效果优于氯化钾，略优于硫酸钾。

硫酸钾镁肥是多元素硫酸钾的系列产品之一，是一种非常重要的肥料，不仅能给植物提供镁及硫元素，而且能疏松土壤，促进植物的叶、枝及根系的生长发育，使植物根系庞大，同时能促使植物加快吸收土壤中氮、磷等元素，增加植物抵抗疾病的能力，它被称为“植物生长和高产的营养剂”。植物缺镁不能正常生长，因此要提高生产率和农业产量必须及时补充镁。镁元素是叶绿素的重要成分，对于光合作用是不可缺少的，是许多酶的活化剂，能促进碳水化合物的新陈代谢、核酸的合成、磷酸盐的转化等。

硫酸钾镁肥现执行的标准 GB/T 20937—2018 于 2018 年 12 月 1 日实施，代替 GB/T 20937—2007。与 GB/T 20937—2007 相比（表 4-5），新标准对钠离子、砷及其化合物、铬及其化合物、铅及其化合物、镉及其化合物以及汞及其化合物的质量分数做了明确的标注；统一了不同等级硫酸钾镁产品的粒度大小；调整了一等品与合格品的游离水分和水不溶物的质量分数。

表4-5　硫酸钾镁肥国家标准指标对比

项目		GB/T 20937—2018			GB/T 20937—2007		
		优等品	一等品	合格品	优等品	一等品	合格品
氧化钾（K_2O）的质量分数 /%	≥	30.0	24.0	21.0	30.0	24.0	21.0
镁（Mg）的质量分数 /%	≥	7.0	6.0	5.0	7.0	6.0	5.0
硫（S）的质量分数 /%	≥	18.0	16.0	14.0	18.0	16.0	14.0
氯离子（Cl^-）的质量分数 /%	≤	2.0	2.5	3.0	2.0	3.0	3.0
钠离子（Na^+）的质量分数 /%	≤	0.5	1.0	1.5	—	—	—
游离水（H_2O）的质量分数 /%	≤	1.0	1.5	1.5	1.5	4.0	4.0
水不溶物的质量分数 /%	≤	1.0	1.0	1.5	1.0	2.0	2.0
pH 值		7.0 ～ 9.0			7.0 ～ 9.0		
粒度（1.00 ～ 4.75mm）/%	≥	90			90	80	80
砷及其化合物（以 As 计）的质量分数 /%	≤	0.0050			—	—	—
铬及其化合物（以 Cr 计）的质量分数 /%	≤	0.0010			—	—	—
铅及其化合物（以 Pb 计）的质量分数 /%	≤	0.0200			—	—	—
镉及其化合物（以 Cd 计）的质量分数 /%	≤	0.0500			—	—	—
汞及其化合物（以 Hg 计）的质量分数 /%	≤	0.0005			—	—	—

注：资料来源于国家标准化管理委员会。

4.2.2.5　磷酸二氢钾

磷酸二氢钾含磷 52%，含钾约 34%，是化学中性、生理中性肥料。具有养分含量高、纯度高、全水溶、见效快、适用范围广、安全系数高等特点，广泛适用于大田作物、经济作物、果蔬类等各种作物的不同生育时期。

我国最早的磷酸二氢钾产品标准是国家标准总局（现国家标准化管理委员会）发布的GB 1963—80《磷酸二氢钾》，包含农业用和工业用两种产品。后经国家技术监督局（现国家市场监督管理总局）同意化学工业部（现已撤销）于1992年6月1日批准发布化工行业标准HG 2321—92《磷酸二氢钾》，自1992年9月1日起替代GB 1963—80施行。该标准适用于工业用（医药、缓冲剂、培养剂等）和农业肥料用两种磷酸二氢钾产品，以强制性标准发布实施。2001年为了适应加入世界贸易组织（WTO）的需要，2002年4月8日，国家经济贸易委员会（现商务部）公开发布2002年第18号公告，将509项强制性行业标准调整为推荐性行业标准。HG 2321—1992《磷酸二氢钾》（1994年标准代号已经从2位升至4位）列示于这份公告的附件中。自此，磷酸二氢钾产品标准应依法标注为HG/T 2321—1992。

2013年10月17日，工业和信息化部以第52号公告发布了811项工业行业标准，编号为HG/T 4511—2013的《工业磷酸二氢钾》化工行业标准被批准自2014年3月1日起实施。2014年1月，工业和信息化部就包括HG/T 2321—1992在内的255项行业标准的制定或修订公开征求意见。肥料级磷酸二氢钾产品标准于2017年开始至今执行HG/T 2321—2016标准，详见表4-6。

表4-6 肥料级磷酸二氢钾的要求

项目		等级		
		优等品	一等品	合格品
磷酸二氢钾（KH_2PO_4）的质量分数/%	≥	98.0	96.0	94.0
水溶性五氧化二磷（P_2O_5）的质量分数/%	≥	51.0	50.0	49.0
氧化钾（K_2O）的质量分数/%	≥	33.8	33.2	30.5
水分含量/%	≤	0.5	1.0	1.5
氯化物（以Cl^-计）的质量分数/%	≤	1.0	1.5	3.0
水不溶物的质量分数/%	≤	0.3		
pH值		4.3～4.9		
砷及其化合物（以As计）的质量分数/%	≤	0.0050		
镉及其化合物（以Cd计）的质量分数/%	≤	0.0010		
铅及其化合物（以Pb计）的质量分数/%	≤	0.0200		
铬及其化合物（以Cr计）的质量分数/%	≤	0.0500		
汞及其化合物（以Hg计）的质量分数/%	≤	0.0005		

注：资料来源于工业和信息化部。

4.2.2.6 碳酸钾

碳酸钾是重要的无机化工产品之一，为白色结晶粉末，是钾盐中主要用于化工、医药、轻工和食品等行业的基本原料之一，主要应用于食品和医药、化肥和农药、石油和天然气、建材（特种水泥）、电子和玻璃、橡胶和钢铁冶炼等生产中。目前，国内碳酸钾的规格分为轻质碳酸钾和重质碳酸钾两类。重质碳酸钾主要利用氢氧化钾碳化生产工艺，主要应用于玻璃、陶瓷、助剂等行业；轻质碳酸钾主要通过离子交换法进行生产，在医药、农药、食品及高端应用领域的应用中具有独特的优点。

碳酸钾产品过去主要用于工业生产，极少用于农业。然而，随着我国水溶性肥料的快速发展，同时钾肥的施用越来越受到我国农民的重视和青睐，碳酸钾作为高端水溶性碱性气泡肥，以其独特的物理和化学性质，可以作为优质水溶性肥料的原料。一方面，碳酸钾可以提供植物必需的钾元素养分；另一方面，可以通过反应释放二氧化碳，增加土壤或大棚里的二氧化碳释放量。目前，在许多农业发达国家，碳酸钾已经被用作优质化肥的原料。

碳酸钾现执行的标准 GB/T 1587—2016 属于工业标准（表 4-7），目前没有制定专门的肥料用国标。该标准于 2017 年 7 月 1 日实施，代替 GB/T 1587—2000。根据规定，碳酸钾产品需符合如表 4-7 所列的技术要求。除 GB/T 1587—2016 外，HG/T 2522—2009 对重质碳酸钾产品的技术指标进行了要求；GB 25588—2010 还对电解法和离子交换法制得的食品级碳酸钾的感官要求和理化指标做出了规定。

表4-7　工业级碳酸钾技术指标

项目		指标				
		Ⅰ型			Ⅱ型	
		优等品	一等品	合格品	优等品	一等品
碳酸钾（K_2CO_3）的质量分数 /%	≥	99	98.5	96	99	98.5
氯化物（以 KCl 计）的质量分数 /%	≤	0.01	0.10	0.20	0.02	0.05
铁及其化合物(以Fe计)的质量分数/%	≤	0.001	0.003	0.010	0.001	0.003
水不溶物的质量分数 /%	≤	0.02	0.05	0.10	0.02	0.05
灼烧失量的质量分数 /%	≤	0.6	1	1	0.60	1.00

注：1. 灼烧失量指标仅适用于产品包装时检验用。

2. 资料来源于国家标准化管理委员会。

4.2.2.7　腐植酸钾

腐植酸钾是缓效性有机固态钾肥的一种，呈生理碱性，因为含有生物活性强的腐植酸，所以具有十分强的吸附、络合、螯合性，可以提高作物对钾的吸收利用率，对活化土壤、促进作物长势和提高抗性等都具有较好的效果。复合性的腐植酸钾还能为作物提供氮、磷、钾、有机质和中微量元素等多种营养成分，能广泛用作各种作物的基肥、追肥和叶面喷肥。

2017 年 5 月 31 日，国家质检总局、国家标准委发布了自 2017 年 12 月 1 日起实施的农用腐植酸钾的国家标准，本标准规定了农业用腐植酸钾的要求、试验方法、检验规则、标识包装、运输和贮存等指标内容，适用于以矿物源腐植酸为原料，在一定条件下与氢氧化钾反应制成的腐植酸钾。农用腐植酸钾国标 GB/T 33804—2017 的质量标准详见表 4-8。

表4-8 农业用腐植酸钾的技术指标

项目		指标		
		优等品	一等品	合格品
可溶性腐植酸含量 /%	≥	60	50	40
氧化钾（K_2O）含量 /%	≥	12	10	8
水不溶物含量 /%	≤	5	10	20
钠（Na^+）含量 /%	≤	2.0		
pH（1∶100 倍稀释）		7 ～ 12		
水分含量（H_2O）/%	≤	15		

注：资料来源于国家标准化管理委员会。

4.2.2.8 草木灰

草木灰是速效碱性钾肥，主要含钾、磷、钙、镁、硫、硅及各种微量元素。含量最多的是钾元素，一般达 4% ～ 12%，其中 90% 以上是水溶性，以碳酸盐形式存在；其次是磷，一般含 1.5% ～ 3%。贮存时应避免雨淋水泡，不宜与铵态氮肥、水溶性磷肥和充分腐熟的有机肥（如人畜尿）同时混用。富含钙质，不能与过磷酸钙混存、混用。适用于除盐碱土以外的各种土壤，尤其适用于酸性土壤。

草木灰是一种来源广泛、成本低廉、养分齐全、肥效明显的农家肥，一般实行各公司的企业标准，主要针对产品钾含量、养分总量和单一元素最低值做出规定。

4.2.2.9 窑灰钾肥

窑灰钾肥是水泥工业的副产品，为灰黄色或灰褐色粉末。吸水后会发热，很容易烧坏种子。所含的钾中 90% 是作物能直接吸收利用的水溶性钾，主要是硫酸钾、碳酸钾等；1% ～ 5% 是能溶于 2% 柠檬酸的钾，主要是铝酸钾和硅铝酸钾；还含少量未分解的钾长石、黑云母等含钾矿物。

窑灰钾肥是强碱性肥料，最适于在酸性土壤上施用，或施在需钙较多的作物上。按照有效氧化钾的含量，共分为四级，一级～四级有效氧化钾含量要求分别是 >20%、>15% ～ 20%、>10% ～ 15%、5% ～ 10%。窑灰钾肥除含有效氧化钾外，还含有 50% 左右的枸溶性氧化钙、氧化镁、氧化硅等有效养分，但不作为评定产品质量的依据。

4.2.2.10 硫酸钾钙镁

现阶段用杂卤石生产的肥料名称为硫酸钾钙镁，包含硫、钾、镁和钙四种养分（48%

SO_3，14% K_2O，6% MgO 和 17% CaO）。其中，钾、钙和镁均为速效养分，在土壤中的释放率均为 100%；硫在土壤中的释放率为 86% 左右，部分为缓效或无效硫。随着时间的延长，土壤中各养分均处于稳定状态，说明部分速效养分被土壤胶体或晶格交换，或固定转化为交换态。此外，硫酸钾钙镁可以降低土壤 pH 值，提高土壤电导率，而且在 K_2O 含量相同时，硫酸钾钙镁中盐基离子含量远大于氯化钾和硫酸钾，说明硫酸钾钙镁是一种含盐基离子较多的酸性肥料，施用于碱性土壤中可以降低土壤 pH 值，但大量盐基离子的施入可能加快土壤盐碱化的速度；硫酸钾钙镁中的钙与酸性土壤中的铝相拮抗，可以抑制铝毒害。

作为一种天然的矿物质，硫酸钾钙镁养分丰富，便于平衡施肥，而且养分释放缓慢，肥效期长，可大大减少淋失，提高肥料利用率。由于国内还没有量产硫酸钾钙镁，因此还没有国家标准。一般实行各公司的企业标准，主要针对产品钾、镁、钙、硫和水分的质量分数作出规定。2018 年，以色列 ICL 公司在英国建立了肥料生产厂，生产的硫酸钾钙镁肥料产品在我国的销售量超 10 万吨。目前市售的硫酸钾钙镁产品的主要技术指标如表 4-9 所示。

表4-9　硫酸钾钙镁的技术指标

化学分析	标准值	保证值
溶解性钾（K_2O）	14%	13%
溶解性硫（S）	19.2%	18%
溶解性镁（MgO）	6%	5.5%
溶解性钙（CaO）	17%	16%
H_2O	0.5%	<1.0%
理化特性	数值	
容重	$1.6t/m^3$	
pH 值	7.2 ～ 7.3，弱碱性	

注：资料来源于 ICL 企业标准。

4.3　钾盐资源

钾资源广义上分为可溶性钾盐矿和不溶性的含钾铝硅酸盐矿。可溶性钾盐矿又可分为易溶性钾盐矿和难溶性钾盐矿。易溶性钾盐矿包括含钾水体经过蒸发浓缩、沉积形成的可溶性固体钾盐矿床（如钾石盐、光卤石等）和含钾卤水；难溶性钾盐矿主要包括杂卤石等钾盐矿物。不溶性钾资源常指含钾硅酸盐或铝硅酸盐或其他含钾的岩石或矿物，如钾长石、明矾石、霞石、富钾砂页岩、富钾泥灰岩等。世界范围内开发利用的主要对象是可溶性钾盐资源，现有储量可保障世界钾肥供应130年以上。本节主要介绍的是可溶性固体钾盐矿床和含钾卤水的勘探历程及资源概况。

4.3.1 钾盐矿勘探历程

新中国成立初期，我国农业严重缺钾，为打破“中国钾盐资源赤贫”“钾盐无资源可寻”的论断，开始了艰苦而漫长的找钾工作。按照我国经济社会发展阶段，我国钾盐矿资源勘查可以分为三个时期：计划经济时期（1949 ～ 1978 年）、改革开放时期（1979 ～ 2000 年）和新时期（2001 年至今）。

4.3.1.1 计划经济时期（1949～1978年）

新中国成立之前，我国钾矿资源的勘探开发几乎是一片空白。为了满足农业生产对钾肥的急切需要，在老一辈盐矿及钾盐专家主导下，全国开展了以找钾、硼为主的盐矿地质勘探和科学研究。1957 年，中国科学院成立了由柳大纲院士为队长的“中国科学院盐湖科学调查队”，挺进荒无人烟的“生命禁区”青海柴达木盆地。经过 3 个月大规模、系统、多学科的科学考察，科考队在察尔汗盐湖首次发现了光卤石矿，同时发现盐湖卤水含钾较高，提供了现代盐湖可能形成钾盐矿床的重要信息。调查队员郑绵平撰写了新中国成立以来第一份钾盐调查报告，初步估算氯化钾卤水资源量 1.508 亿吨。1965 ～ 1966 年，青海省地质局第一地质队对察尔汗盐湖的地下晶间卤水进行了详细勘探，于 1967 年 3 月提交了察尔汗盐湖氯化钾资源储量勘探报告。至此，经过老一辈科技工作者呕心沥血地考察和研究，青海察尔汗地区以卤水为主的大型钾盐矿床的发现，为中国钾盐钾肥史翻开崭新的一页，为我国钾肥工业的发展奠定了坚实的资源基础。

我国固体钾盐找矿工作开始于 20 世纪 60 年代初。1962 年 3 月在云南勐野井发现了第一个固体钾盐矿以后，对云南兰坪-思茅盆地白垩系-古近系，新疆库车、莎车盆地古近系和新近系，四川盆地三叠系，河西走廊石炭系，滇东北、贵州震旦-寒武系等地区相继开展了海相地层钾盐找矿工作，但找矿效果不太理想。截止到1978年底，全国共有钾盐产地13处，保有钾盐（KCl）储量 2.15 亿吨。

4.3.1.2 改革开放时期（1979～2000年）

在改革开放时期，地质部门加大了固体钾盐找矿力度，重点在柴达木盆地（第四系）、四川盆地（三叠系）、兰坪-思茅盆地（白垩系-古近系）、新疆库车和莎车盆地（古近系）、江苏洪泽（古近系）、山东大汶口（古近系）、湖北江汉（古近系）等中新生代盆地开展新一轮以找钾为目标的资源远景调查。化工部门配合地质部在江苏省淮安、山东省渔台、河南省午阳、陕西省左溪等白垩系-新近系盆地也开展了找钾工作，施工找钾钻孔 5 个。

地质矿产部（现自然资源部）、中国科学院等多家单位在新中国成立后至 1994 年间，曾对罗布泊进行了地质勘探、物探调查与科学考察研究，在罗布泊干盐湖发现地表盐壳钾离子含量较高、近地表浅部探坑中钾盐矿化（点）等。1995 年 10 月，中国地质科学院王弭力研究员组建多单位合作的钾盐调查研究团队，负责地质矿产部定向基金“罗布泊成钾远景区调查”项目，首次在罗北凹地实施钻探工程，发现了埋藏于地下第四系盐层中的卤水钾矿，取得找钾的重大突破。该成果实现了中国几代钾盐地质科学家们的夙愿。1996 年，罗布泊找钾列入“九五”国家科技攻关项目和国家计委勘查项目，勘查研究获得 2.5 亿吨钾盐资源（储量），这是我国相隔 40 年之后找到的第二大钾盐成矿聚集区，成果荣获 2004 年国家科技进步奖一等奖。截至2000年底，全国共有钾盐矿产地36处，保有钾盐（KCl）储量45519万吨，其中工业储量 14402 万吨。

4.3.1.3　新时期（2001年至今）

新时期钾盐地质勘查工作，根据对以往我国钾盐成矿预测成果的综合分析，开展了“我国西部钾盐资源成矿预测”“新疆莎车-罗布泊地区钾盐资源评价”和“内蒙古腾格里地区第四系潜在钾资源评价”等地质大调查工作，重点勘查评价了新疆罗布泊罗北凹地钾盐矿床，青海茫崖大浪滩矿田梁中矿段大型卤水钾盐矿床，青海柴达木东、西台吉乃尔盐湖钾锂盐矿床和昆特依大盐滩液体卤水钾盐矿床。

2004 ～ 2009 年，青海盐湖工业股份有限公司在省科委支持下开展了察尔汗盐湖固体钾盐溶解转化实验及工业化研究，成功研究开发了低品位固体钾矿固液型转化利用技术。固体钾矿溶解转化率达 80% ～ 85%，固体钾矿边界品位由原来的 2% 降低为 0.5%，可利用资源储量增加 1.1 亿吨，为青海盐湖集团扩大生产提供了资源基础。

2013 ～ 2015 年，青海省柴达木综合地质矿产勘查院在柴达木盆地大浪滩-黑北凹地、察汗斯拉图、昆特依、马海地区深部地层发现厚度巨大的深层卤水矿层，成为新的钾盐资源——深部孔隙卤水矿勘查基地，新提交氯化钾资源储量累计达到 2.51 亿吨。

4.3.2　资源概况

世界钾盐资源丰富，但分布很不均衡，绝大部分在北半球，大型著名钾盐矿床都在北纬 40°～ 60°之间 [4]。据美国地质调查局统计，2020 年世界探明钾盐储量（可采矿石折 K_2O 量，下同）大于 37 亿吨，其中加拿大 11 亿吨，白俄罗斯和俄罗斯分别为 7.5 亿吨和 6 亿吨，三者合计约占世界总储量的 66%；中国自然资源部 2019 年的统计量为 3 亿吨，占统计储量的 8%，居第四位。世界钾盐资源供应保障程度高。2012 年美国地质调查局公布的世界探明钾盐储量近 100 亿吨，可保证世界 200 年以上的供应。

世界钾矿绝大部分为固体钾盐，加拿大、俄罗斯、白俄罗斯等国家的优质固体钾矿，氯化钾品位高达 20% ～ 30%，采选稳定、容易，生产成本逐年下降。加拿大（泥盆纪的萨斯卡通盆地，埋深 1000m 以上，以钾石盐为主）、俄罗斯（二叠纪的乌拉尔边缘的上卡姆盆地，光卤石较多，埋深 250 ～ 450m）和白俄罗斯（泥盆纪的东西伯利亚涅帕盆地呵斯塔罗宾矿，以钾石盐为主）三国具有高度垄断性。我国钾盐资源以含钾卤水为主，这与以开采地下固体钾盐的加拿大、俄罗斯、白俄罗斯等钾肥生产大国明显不同，而且在生产规模、经济效益等方面也有较大差距。

1964 年，我国钾盐资源的储量开始列入全国矿产资源储量通报，当年我国钾盐（以

KCl 计）的基础储量为 8603.1 万吨，资源量 10219.9 万吨，查明资源量 18823 万吨。一直到 2000 年，我国的钾盐资源基础储量一直维持在 1.4 亿吨左右。自 2001 年以来，中国钾盐基础储量总体呈上升趋势，2019 年比 2001 年共计增加 3.07 亿吨，青海省与新疆维吾尔自治区两地的增加尤为明显。青海省钾盐基础储量 2001 年仅为 1.81 亿吨，2019 年增至 3.69 亿吨，而新疆维吾尔自治区则由 0.00334 亿吨增长到 1.22 亿吨，增幅显著。

自然资源部在 2020 年将储量统计调整，据《2020 年全国矿产资源储量统计表》，截至 2020 年底，我国钾盐矿经济可采储量为 28059.54 万吨，主要分布在青海省柴达木盆地、新疆维吾尔自治区罗布泊盐湖和西藏自治区藏北盐湖区等地。青海省储量全国第一，占 93.54%，其次是新疆维吾尔自治区，占 4.45%，二者合计占全国的 97.99%。西藏自治区也有一些资源，仅占约 2.01%，其他省区钾盐资源储量极少。

我国钾盐资源以卤水矿为主，固体矿少。钾盐资源 98% 以上为卤水矿，固体钾盐只占 2% 左右。矿床以第四纪现代盐湖型为主，第四纪前的古代钾盐矿床较少。我国周边国家分布有多个大型固体钾盐矿床，而我国目前一直未发现与之相比的大型固体钾盐矿床。按成矿时代、矿床成因及矿床特征，我国钾盐矿床可划分为现代盐湖型、地下卤水型和化学沉积型，以现代盐湖钾盐为主，资源储量占全国总查明资源储量的 98%，青海省柴达木盆地和新疆维吾尔自治区、西藏自治区等省区的钾盐矿床均属此类型。

4.3.2.1 矿产地分布

我国发现钾盐矿产地（矿床、矿点）和矿化点共计 120 个，其中钾盐矿产地共计 93 处（矿床 44 处，矿点 49 处），矿化点 27 处，分布于青海、新疆、西藏、云南等地，具体分布见表 4-10。

表4-10 中国各地小型以上钾盐矿产地一览表

地区	规模	数量	矿床名称
青海省	超大型	1	海西州格尔木市察尔汗盐湖钾镁盐矿床
	大型	5	海西州茫崖镇大浪滩盐湖钾盐矿床、海西州茫崖镇大浪滩东北部深层卤水钾盐矿床、海西州冷湖镇昆特依盐湖钾盐矿床、海西州茫崖镇南翼山富钾卤水矿床、海西州茫崖镇尕斯库勒盐湖钾盐矿床
	中型	4	海西州大柴旦镇西台吉乃尔盐湖锂钾矿床，海西州大柴旦镇东台吉乃尔盐湖锂、硼、钾矿床，海西州冷湖镇昆特依深层卤水钾盐矿床，海西州大柴旦镇巴仑马海钾盐矿床
	小型	4	海西州大柴旦镇大柴旦湖钾盐矿床，海西州冷湖镇察汗斯拉图钾盐、碱矿床，海西州茫崖镇黑北凹地深层卤水钾盐矿床，海西州大柴旦镇南里滩钾盐矿床
新疆维吾尔自治区	大型	2	若羌县罗布泊罗北凹地钾盐矿床、若羌县罗南钾盐矿床
	中型	2	若羌县罗布泊腾龙钾盐矿床、若羌县罗布泊新庆钾盐矿床
	小型	4	若羌县米兰钾盐矿床、若羌县龟背山南盐湖钾盐矿床、吐鲁番乌勇布拉克硝酸钾矿床、和布克塞尔县玛纳斯盐湖钾盐矿床

续表

地区	规模	数量	矿床名称
西藏自治区	中型	7	尼玛县多格措仁盐湖锂、硼、钾卤水矿床，仲巴县扎布耶茶卡盐湖锂、硼、钾卤水矿床，日土县龙木措盐湖锂、硼、钾卤水矿床，双湖县鄂雅措盐湖锂、硼、钾卤水矿床，尼玛县当雄措盐湖锂、硼、钾卤水矿床，改则县拉果措盐湖锂、硼、钾卤水矿床，改则县麻米措（仓木措）盐湖锂、硼、钾卤水矿床
	小型	11	革吉县捌千措钾盐矿床，尼玛县玛尔果茶卡盐湖硼、锂、钾卤水矿床，改则县才玛尔措盐湖卤水型钾盐矿床，尼玛县朋彦措盐湖硼、锂、钾卤水矿床，班戈县班戈措盐湖硼、锂、钾卤水矿床，改则县查波措盐湖硼、锂、钾卤水矿床，尼玛县拖把湖-映天湖盐湖硼、锂、钾卤水矿床，尼玛县永波措卤水矿床，革吉县扎仓茶卡盐湖硼、锂、钾卤水矿床，尼玛县康如茶卡卤水矿床，尼玛县孔孔茶卡卤水矿床
云南省	大型	1	江城县勐野井钾盐矿床
四川省	中型	1	渠县农乐杂卤石矿床
	小型	1	邛崃市平落坝构造富钾卤水矿床
甘肃省	小型	1	阿克塞县苏干湖钾盐矿床

注：资料来源于《中国矿产地质志·钾盐矿卷》。

4.3.2.2　资源特点

（1）查明资源量少，分布不均

我国钾盐资源相对较少，钾盐已成为短缺的重要战略资源，远不能满足我国农业发展和粮食安全的需要。我国目前查明钾盐（KCl）资源储量2.8亿吨，仅占世界总储量的4.8%，而且98%以上资源储量集中分布于青海省柴达木盆地和新疆维吾尔自治区罗布泊盐湖，其他省区查明资源储量极少。

（2）矿床类型以盐湖型卤水钾盐矿为主，固体钾盐较少

我国矿床类型划分为盐湖型、深藏地下卤水型和化学沉积型，以盐湖型卤水钾盐矿为主，占全国钾盐资源储量的98.9%，如察尔汗盐湖钾盐矿床与罗布泊的钾盐矿床。与世界钾盐资源情况截然相反，我国化学沉积型钾盐矿床分布少、规模小，主要分布在云南省江城勐野井地区。

（3）固液相钾盐矿品位低

我国钾盐矿品位一般相对较低，共伴生组分多。卤水钾盐矿一般含氯化钾10～20g/L，最高K^+含量达53.27g/L；前第四纪固体钾盐含氯化钾5%～12%。

（4）现代盐湖型钾盐共伴生组分多，可综合开发利用

我国的钾盐资源伴生组分较多，如卤水钾盐矿中共伴生的元素种类较多，常富含NaCl、镁盐、B、Li、I、Br、Rb、Cs等有用矿产，可进行综合开发利用，如青海省察尔汗盐湖含钾卤水矿床、共生的固体钾盐矿。固体钾盐一般与钠盐共生，共生石盐、芒硝等矿产。钾盐

矿层层数多、厚度小，KCl 含量一般低于 2% ～ 7%，低于工业指标。固相溶解转化技术已成功应用于此类型矿床，大大增加了各矿山的可采资源储量，有效延长了服务年限。除此之外，钾肥生产过程中形成的老卤可作为固体钾盐矿溶解转化技术的溶剂配制原料，有利于资源循环利用以及推进绿色矿山建设，降低对外部环境的负面影响。

此外，盐湖中发育大量有重要经济和科技价值的稀有生物，如嗜盐杜氏藻、螺旋藻、卤虫、轮虫、嗜盐菌和嗜碱菌等，可供人类提取蛋白质、天然食用色素和新材料等。如山西运城盐湖，年产卤虫卵量约 40t；青海省尕海和小柴旦 1989 年开始开发，年产卵量分别为 40t 和 20t；盐藻制品已在吉兰泰和天津生产；褶皱臂尾轮虫和内蒙古裸腹蚤开发也有 30 余年历史；西藏自治区拟藻培植也作了一些试验。

盐湖区的特殊风光、盐湖泥疗的美容与保健功能、卤水漂浮浴的特殊功能（促进脑垂体分泌、消除疲劳等）都有益于盐湖旅游业的发展。此外，原生沉积石盐（粗盐）和母卤沉积石盐、光卤石等，往往含微量元素较高，可作为浴盐，这也是近年来开发出来的盐类矿物的一种新用途。如运城盐湖既开发了盐湖漂浮、盐浴等游泳项目，也研究了一系列的护肤品业务。

4.3.3 资源效率

钾盐资源合理开发利用效率（“三率”）是指钾盐矿开采回采（盐田采收）率、选矿回收率和综合利用率等三项指标，是评价钾盐企业开发利用矿产资源效果的主要指标。提高“三率”水平，对合理利用钾资源、延长钾盐矿的服务年限、缓解钾资源短缺局面具有十分重要的意义[5]。“三率”最低指标要求如下：

① 开采回采（盐田采收）率。固体钾石盐矿开采回采（地下开采）率不低于 61%；氯化物型卤水的盐湖钾盐矿盐田采收率不低于 70%；硫酸盐型卤水的盐湖钾盐矿盐田采收率不低于 63%。

② 选矿回收率。固体钾石盐矿不低于 63%；氯化物型卤水的盐湖钾盐矿不低于 55%；硫酸盐型卤水的盐湖钾盐矿不低于 43%。

③ 综合利用率。矿山企业必须重视对共伴生资源的综合利用，新建或改扩建矿山要在开发利用方案中明确共伴生资源综合利用的具体途径，科学规划共伴生资源综合利用方案。固体钾盐矿选矿尾矿利用率不低于 30%；对于氯化物型卤水的盐湖钾盐矿，其选矿尾液利用率不低于 90%；对于硫酸盐型卤水的盐湖钾盐矿，其选矿尾液利用率不低于 75%。

察尔汗盐湖是大型综合性钾镁盐矿床，也是我国最大的钾肥生产基地。该矿床固、液并存，在 2008 年“固转液”技术应用之前，主要开采含钾原始晶间卤水，随着采卤的持续进行，水位埋深逐年下降，降落漏斗面积逐年扩大。通过采用固液转化技术将矿区内不能直接开采利用的固体低品位钾转化为可利用的液体钾，大大提升了钾盐矿的资源利用率和盐湖资源综合利用水平[6]；应用冷分解结晶技术，以结晶器取代原来的分解槽，优化光卤石原料矿冷分解结晶过程的工艺条件，提高氯化钾结晶粒度，改善浮选工序中钾钠分离效果，提升浮选得到的粗钾品位，减少洗涤淡水用量，提高选矿回收率；采用兑卤工艺将浮选车间排放的尾液和盐田晒制光卤石后排出的老卤作为原料生产氯化钾，进一步提高钾的回收利用率；

应用布袋除尘器将原来的二级除尘改为一级除尘，除尘效率由75%提高到99%以上，减少了粉尘排放量，提高了环境质量和钾的回收率，同时减少了设备故障点，保证生产的正常运行。

基于青海盐湖钾盐资源特点和技术经济水平，如以全部资源储量为基准，其全部资源利用率测算达到75%，其综合回收率不再是单一的采矿、选矿回收率，还要增加驱动开采的持水度部分以及尾液、尾固综合回收利用部分，测定采矿、盐田、加工综合回收率可达到73.88%[7]。新疆罗布泊地区盐湖卤水水化学类型主要为硫酸盐型，目前其综合回收率为40%左右。

4.3.4　环保

我国钾盐矿床类型以现代盐湖型为主，98%以上分布于青海省柴达木盆地和新疆维吾尔自治区罗布泊盐湖。该区域深居亚欧大陆腹地，太阳辐射强、多风沙、少降水、蒸发量大，属于典型的干旱半干旱气候，是形成钾盐盐湖矿床的良好场所。同时，受气候和含盐母质影响，盐湖区地表被一层质地坚硬、厚几十厘米的盐壳覆盖，几乎寸草不生，土壤生物作用极其微弱，区域范围内无农牧业，生态环境极其脆弱。

在钾盐矿床开发制取钾肥产品的过程中，存在着许多问题，严重影响了盐湖钾资源矿床的可持续开发，同时大大加剧了盐湖区域的生态环境风险。主要问题如下。

① 粗放式无序开采，采富弃贫，回收率低，造成盐湖钾资源浪费。

② 缺乏统一规划和科学论证，采输卤布局严重不合理、争抢浪费资源等现象极为严重，导致卤水位锐降，局部卤水位下降10～15m，甚至部分沟槽卤水干枯，影响盐湖钾资源的可持续开发。

③ 钾资源赋存的晶间卤水为富钾、镁氯化物型或硫酸镁亚型饱和水体，在提取KCl时，每生产1t KCl，同时副产8～10t $MgCl_2$老卤。早期生产时，$MgCl_2$老卤多就地排放，造成企业周边老卤泛滥，威胁钾盐生产，导致严重的“镁害”。

④ 盐湖钾肥加工生产中的化学物影响。中国钾肥产品仍以KCl为主，采用浮选法进行制取，得到的产品呈粉末或小颗粒结晶状。同时，浮选采用的脂肪胺捕收剂具有毒性，难以被生物降解，随其排放量增加，该污染物可能逐渐累积。随着钾盐产品的农田施用，该污染物日积月累，将影响人民群众的健康。

⑤ 盐湖周边城镇废水排放造成盐湖矿体污染。盐湖是汇水盆地的最终排泄区，由于有些靠近盐湖的城镇往往对生活污水、工业废水和垃圾缺乏严密管理，这些已开发的盐湖受到不同程度的污染。

⑥ 受世界气候变暖的影响，冰川融水增多，洪水频发，我国钾盐矿床所处的盐湖区逐渐向暖湿转型过渡，出现湖泊泛滥、盐湖淡化等情况，致使晶间卤水的水化学性质发生极大的改变，钾含量浓度降低、钠含量浓度增高，并部分溶蚀固体盐类矿物，继而发生重结晶作用，导致盐层孔隙率降低，影响采卤区的整体供水能力。

⑦ 工业和城镇发展用水量的增加，挤占盐湖周边生态用水，对湖泊湿地、绿洲生态的安全保护产生比较显著的影响。

为保障盐湖钾资源持续、稳定开发，同时维持盐湖及周边生态环境安全，总结提出以下优化开发和环境保护对策。

（1）建立、健全矿产资源管理及环境保护法律、法规体系，并监督执行

先后制定《中华人民共和国矿产资源法》及相关省、市级地方性法规（《青海省矿产资源管理条例》《海西蒙古族藏族自治州矿产资源管理条例》《新疆维吾尔自治区矿产资源管理条例》等），完善矿产资源管理机制。制定《中华人民共和国环境保护法》《青海省盐湖资源开发与保护条例》《青海省地质环境保护办法》等环境保护法律法规，完善矿产资源生态补偿机制立法，从政策上控制生态风险，本着“在开发中保护，在保护中开发”的原则，保障矿产资源持续开发过程中周边生态环境的安全。钾资源的开发与利用进入有法可依的发展阶段。

提升执法人员业务能力和素质水平，完善执法配套设施，加大环境执法力度，严厉打击各种违法行为。完善自然资源部门、生态环境部门等之间的合作机制，构建行政、执法多部门衔接平台，相互合作、信息共享，提高行政执法效率，并合力监督。

（2）坚持统筹规划、科学布局的方针，可持续开发钾资源

根据中国钾资源分布特征及开发利用情况，制定近、中、远期钾资源开发利用规划，划定钾资源开发利用红线，控制钾资源开发利用强度，不断提高钾盐收率，开发利用低品位钾盐矿，加强包括地下卤水在内的钾资源勘探。

（3）加强盐湖多种资源综合开发利用，发展循环经济

充分利用盐湖多种矿物资源的共生特征，打造以钾、锂、硼等为基础的盐湖资源综合开发利用基地。同时，衔接周边煤、石油、天然气等其他丰富的资源，发展聚氯乙烯（PVC）、金属镁等相关产业，减少污染物排放及污染物处理成本，延伸产业链，提高产品附加值，构建以盐湖资源开发利用为核心的资源节约型、环境友好型循环经济产业技术体系。积极发展能耗和水耗低、污染和排放少、产品纯度和附加值高的绿色产品和技术，研究建立国家盐湖产业清洁生产标准体系。

此外，盐湖中发育大量有重要经济和科技价值的稀有生物，如嗜盐杜氏藻、螺旋藻、卤虫、轮虫、嗜盐菌和嗜碱菌等，可供人类提取蛋白质、天然食用色素和新材料等。盐湖区的特殊风光、盐湖泥疗的美容与保健功能、卤水漂浮浴的特殊功能（促进脑垂体分泌、消除疲劳等）也将有利于盐湖旅游业的发展。

（4）开发利用低品位固体钾资源矿床

我国固体钾盐矿层层数多、厚度小，KCl 含量低于工业指标，不易直接进行开采应用。采用溶浸转化技术将固体钾资源转移至液相卤水中，低品位固体钾资源矿床得到开发，大大增加了钾资源的可采资源储量，有效延长了服务年限。同时，钾肥生产过程中形成的 $MgCl_2$ 老卤可作为固体钾盐矿溶浸转化技术的溶剂配制原料，有利于资源循环利用以及推进绿色矿山建设，降低“镁害”对外部环境的负面影响。

（5）改进钾肥生产工艺，研发中高端钾盐产品

我国钾肥产品以初级产品为主，产品呈粉末或小颗粒结晶状，在国际市场上的竞争力不强，仍需每年从国外引进大颗粒钾肥等高端产品。创新、改进钾肥生产工艺技术，如反浮选-冷结晶、兑卤低钠光卤石、兑卤-冷结晶、热溶结晶、造粒等技术，有利于改善国产钾肥产品的品质，发展中高端钾肥产品，提高国产钾肥的市场竞争力。

（6）观察、监测盐湖资源与环境变化

盐湖是一种与周围气候环境变化密切相关的动态资源，不断积累盐湖区自然变化基础资料，加深对盐湖变化的认识，有利于掌握其变化规律，达到合理开发利用和保护盐湖资源与环境的目的。因此，建立盐湖资源与环境变化科学观察及监测系统是非常有必要的。目前，我国已相继在察尔汗、扎布耶、罗布泊、西台吉乃尔等盐湖建立了系统的盐湖科学观察系统，并利用 ETM 遥感数据对我国一些主要盐湖变化作了研究，并筹划进行“中国盐湖动态变化监测与长观网站系统”研究，除了进行我国重点盐湖水文和气象监测外，还充分应用遥感动态监测环境变化。该项目的实施将为合理开发和保护盐湖提供重要科学依据。

（7）淡水资源的保护及科学分配

淡水在干旱半干旱区域是一种极其宝贵的资源，必须对其进行最大化的保护及利用。建设水利工程设施，控制冰川融水形成的洪水对钾资源矿床的溶蚀及淡化；并积蓄水资源，作为生活、工业用水。

① 实施盐湖资源重点开发区域水资源保护优先战略。研究建立盐湖资源重点开发区域涉及流域的水资源管理红线，研究盐湖产业的用水总量分配和用水效率要求等指标，加强监测和管理。

② 实施生态保护优先战略。深入研究重要河湖湿地和盐化草甸植被的生态用水需求及生态流域过程，优先保障重要河湖湿地和盐化草甸植被的生态需水，维护绿洲和河湖湿地安全，避免盐湖矿床周边区域生态退化。建设“水草茂密、鱼类集聚、鸟类成群、蓝天碧水”共存的生态盐湖，提升盐湖自然和工业旅游价值。

（8）生活及工业污水处理

加强生活及工业污水的工艺处理，最大化回收利用水资源，减少污水的排放；并尽可能避免向盐湖矿床资源区域排放，造成盐湖资源的污染。

4.4　产能与产量

4.4.1　钾肥工业发展历程

早在 20 世纪 30 年代，我国就曾开展钾肥提取的试验研究工作，当时的黄海化学工业社利用氨碱法加工明矾石制取钾肥和氧化铝。但是，真正开展中国钾肥工业的发展史，要从青海盐湖的创业史说起。1958 年，我国在海拔 2800m 的青海察尔汗盐湖戈壁滩无人区利用氯化物型盐湖卤水生产出第一袋氯化钾样品，就此拉开了我国自主生产钾肥的历史序幕[8]。而利用氯化钾转化法生产硫酸钾、硝酸钾及钾镁肥等钾肥产品是 20 世纪 90 年代之后的事情。因此，中国钾肥工业发展可大致分为四个阶段：1949 ～ 1977 年为第一阶段，1978 ～ 1999 年为第二阶段，2000 ～ 2009 年为第三阶段，2010 年后为第四阶段。

4.4.1.1 第一阶段是新中国钾肥工业的起步

1958年初，经国家化学工业部批准，青海省委开始以省盐务局为基础，筹建察尔汗钾肥厂，并利用原生光卤石矿土法生产出了中国第一批钾肥，并在建厂当年就实现了生产953t氯化钾含量约50%的钾肥的壮举。

1969年，察尔汗钾肥厂首次引进了浮选法生产氯化钾工艺，开始向大型生产企业发展，钾肥生产向机械化作业生产方向迈进。1975年，察尔汗钾肥厂生产突破了2万吨大关，生产又走上了一个新台阶。纵观中国钾肥事业的第一阶段，我国钾肥实现了零的突破，但是主要的生产工艺还是落后的土法，远远满足不了农业需求。因此，在1978～1999年，我国开始了第二阶段找钾和生产钾肥的艰难历程。

4.4.1.2 第二阶段是中国钾肥工业规模化生产的转折期

1977年后，青海柴达木盆地钾盐勘查工作获得重大突破，找到并探明了液体和固体共生的大型钾盐矿床，为柴达木盆地的大规模开发打下了坚实的基础，为盐湖设计开发提供了资源保障。1982年4月，青海钾肥厂成立。其中建成冷分解浮选法4万吨装置，一举成为当时中国钾肥工业的里程碑。

1983年，青海钾肥厂利用“冷分解—浮选—洗涤法”建造的一期工程初步设计完成。

1989年5月，钾肥一期工程全面开工建设并提前一年建成转入试车、试生产，7月底，青海钾肥厂一期工程实现了“打通工艺、考核设备、积累经验、锻炼队伍”的首次试车成功。1992年10月，青海钾肥厂一期工程通过国家竣工验收并交付使用，全年氯化钾产量达到19万吨。

在一期工程大干快上的同时，青海钾肥厂二期工程于1987年也开始筹建。1994年，青海钾肥厂完成了《中以合资青海钾肥二期工程可行性研究报告》评估论证。二期工程拟引进以色列冷结晶技术开发察尔汗盐湖资源。按照该计划，1996年12月24日，青海钾肥厂二期工程筹建处在格尔木市挂牌运作，按照二期基本建设程序，完成了所有二期前期工作。

1996年7月31日，在青海钾肥厂基础上，整体改组成立了青海盐湖工业（集团）有限公司（简称盐湖集团），并于1997年成功上市。

我国硫酸钾生产起步较晚，从钾肥工业发展的第二阶段后期1992年开始。1992年，在化工部召开全国硫酸钾交流大会之前，国内仅温州化工总厂利用明矾石生产少量硫酸钾，总产量不到0.4万吨，其他地区则一片空白。但随着农业经济结构全方位的调整，种植结构的优化加大了无氯钾肥的需求。在这一宏观背景下，云南磷肥厂引进了日本日产公司曼海姆技术和设备，于1992年9月建成我国第一家曼海姆法万吨级生产装置。从此，通过引进技术、引进资金、自主开发的形式，我国的加工型硫酸钾工业迅速发展壮大起来。继天津青上公司之后，在1992～2011年近20年间，青上在大陆自北向南，陆续在盘锦、莒南、临沂、上海、厦门、广州、惠州、佛山、枝江、成都、株洲等地，以独资、合资及输出技术和设备等形式，共投资兴建了19家硫酸钾工厂，总装置能力83万吨，总投资超过2亿美元，固定资产总额超过4亿美元，成为世界上最大的加工型硫酸钾生产企业，装置的稳定运行水平和产品质量双双达到了国际先进水平。曼海姆工艺也成为我国最成熟、应用最多的硫酸钾生产工艺之一。

我国硝酸钾生产历史十分悠久，但农用硝酸钾的市场是从 20 世纪 80 年代末 90 年代初起步的。为了提高烟草品质，我国在云南等烟区的烟草专用肥中使用硝酸钾。当时我国的硝酸钾企业主要是生产工业级硝酸钾，而且规模分散，产品成本高。我国农用硝酸钾的生产装置是 2002 年以后才发展起来的，所以农用硝酸钾的生产应该属于我国钾肥产业第三阶段的产物。

新中国成立后不久，我国开始采用硝酸钠与氯化钾复分解法生产硝酸钾，副产氯化钠。但因硝酸钾货紧价高，至 20 世纪 80 年代初期，这些硝酸钾只是广泛用于烟花爆竹等工业部门。随着农业“补钾工程”的启动，为适应中国硝酸钾市场的需求，原生产工业硝酸钾的部分企业利用既有优势，进行农用钾技术改造。20 世纪 80 年代初期，我国开始采用以硝酸铵与氯化钾为原料的离子交换法生产硝酸钾。由于原料硝酸铵廉价易得，生产规模可大可小，投资少，经过多年的开发完善，该法现已成为我国生产农用硝酸钾的主要方法之一，加快了我农用硝酸钾产品的生产和施用。20 世纪 80 年代中期，我国开始采用硝酸铵与氯化钾复分解循环法生产硝酸钾与氯化铵，因其工艺简单、消耗低、无污染，受到国内普遍重视，目前已发展成我国主要的硝酸钾生产方法之一。

我国于 20 世纪 70 年代开始研制磷酸二氢钾的工业化生产工艺，比较成熟的是中和法工艺路线，国内仅几家生产。武汉无机盐化工厂与浙江省化学工业研究所等单位起草了磷酸二氢钾国家标准 GB 1963—80。1980 年，湖北省化学研究所武汉无机盐化工厂合作建成了年产 2000t 的国内第一套离子交换法工业化生产装置。这一时期，以武汉无机盐化工厂为代表的几家生产企业，配合化工部、农业部、生产建设兵团等，开始在全国范围内无偿推广磷酸二氢钾在农业上的农田示范使用。在 20 世纪 80 年代，我国开始研制磷酸二氢钾的生产工艺，在武汉、徐州、连云港等地都有工厂用复分解法生产。20 世纪 80 年代后期，上海化工研究院研制了湿法磷酸制取磷酸钾及磷酸氢钾铵的直接法生产工艺，并在武汉无机盐化工厂进行了年产 3600t 的中试。20 世纪 90 年代初，天津化工研究院研制了氯化钾与磷酸二氢钠的复分解法工艺。1992 年，由上海化工院负责起草了磷酸二氢钾的化工行业标准 HG 2321—92。

4.4.1.3 第三阶段，进入21世纪，中国钾肥工业的发展正式进入大工业化生产阶段

2000 年，国家吹响了西部大开发的号角[9]，“青海 100 万吨钾肥项目”被列为国家西部大开发的首批十大项目之一。盐湖集团审时度势，紧紧抓住国家西部大开发的大好发展机遇，充分依靠国家的优惠政策，依托企业自身的优势，确立了“西部大开发，盐湖大发展”的集团发展思路，以做大做强钾肥产业为目标，积极规划了“打造国内最大钾肥生产基地”的蓝图。2002 年 6 月 30 日，国家西部大开发首批十大标志性工程之一的“青海 100 万吨钾肥项目”开工建设，2003 年 10 月项目建成，在短短的一年多时间里建成试车，2004 年全面建成投产，当年试生产完成 55 万吨。青海盐湖二期 100 万吨工程的建成生产，将盐湖集团氯化钾年产能提高到了 150 万吨，2004 年盐湖集团完成氯化钾产量 109 万吨，年产量首次突破 100 万吨。2000 ～ 2005 年，盐湖集团利用光卤石生产氯化钾的反浮选冷结晶法技术，建成国家西部大开发重点工程盐湖集团年产 100 万吨钾肥项目，钾肥生产规模达到 150 万吨 /

年，实现技术升级。2006～2007年，青海盐湖二期百万吨项目连续两年生产突破100万吨，产能和产量几乎每年都上升一个新台阶。两套百万吨级钾肥生产装置的建成使盐湖集团成为国内唯一拥有生产百万吨级氯化钾装置的企业。2008年5月，国家发展改革委组织对“青海100万吨钾肥项目”按达产达标验收，并授予“四个典范”工程称号，当年，盐湖集团钾肥产量再次突破200万吨，生产氯化钾216.95万吨。此时，盐湖集团钾肥生产能力达到200万吨，世界排名升至第五位，实现了集团发展的第二次飞跃。

随着找钾工作在新疆罗布泊获得了重大发现，新疆的钾资源被连续开发，为中国钾盐注入新鲜的血液。1996年在罗布泊地区发现的钾盐资源，初步探明储量为2.5亿吨。据专家测算，罗布泊钾盐的潜在经济价值达8000亿～10000亿元以上，可开发30年以上。

2000年9月，在新疆维吾尔自治区政府的协调下，新疆罗布泊钾盐科技开发有限责任公司（以下简称罗钾公司）成立，并高薪聘请国内著名的钾盐化工专家担任钾盐项目总负责人，罗布泊钾盐开发项目得以顺利开展。2001年3月，在罗北试验基地进行了利用罗布泊含钾硫酸镁亚型卤水制取硫酸钾工艺的中间试验，研制出高浓度低镁卤水分解光卤石的方法，攻克了代替淡水生产硫酸钾的关键性技术，又找到了用药剂浮选法代替美国水洗法制取软钾镁矾的新方法，这两项技术的应用不仅比西方技术的回收率提高30%，而且创造了每吨硫酸钾仅需用10t水的奇迹，用水量仅为传统工艺的1/3。2001年10月25日，具有深远意义的罗布泊钾肥基地一期21.6平方公里盐田工程在“生命禁区”的罗布泊腹地——罗中正式开工建设。2002年9月，年产2万吨硫酸钾工业试验厂项目在罗中破土动工。经过近9个月的鏖战，2003年7月，罗钾“2万吨/年硫酸钾工业试验项目”一次试车成功。2003年8月26日，“新疆罗布泊钾肥基地2万吨/年硫酸钾工业试验厂正式试车剪彩仪式”在罗布泊举行。2004年2月，2万吨工业试验厂进行“2扩4”扩能改造，并于当年7月投料试车。当年产量3.8万吨，首次扭亏为盈，实现净利润246万元。5年的时间，罗布泊钾盐项目先后投入资金约1.2亿元，进行了前期的勘探、环评、项目报批、工业小试、中试和投产等工作，公司攻破了全世界尚未解决的钾盐生产缺水导致的技术难关和盐田建设的技术难题，拥有了核心技术以及多项知识产权。

2004年6月，公司取得了新疆维吾尔自治区经贸委对《新疆罗布泊钾肥基地4万吨/年硫酸钾扩产为8万吨/年硫酸钾技术改造项目可行性研究报告》的立项批复。2004年12月，成立了国投新疆罗布泊钾盐有限责任公司（简称国投罗钾）。国家开发投资公司全面介入后，为罗布泊钾盐资源开发注入强有力的动力和血液，罗钾公司由一家民营企业转型为中央直属国有企业。通过进行“2扩4”项目改造，2004年国投罗钾产能达到5万吨，同年11月又进行“4扩8”项目技改，2005年硫酸钾年产能达到10万吨。从2005年到2010年，国投罗钾的硫酸钾产量从6万吨增加到82万吨。

2006年2月，国家发展改革委正式核准新疆罗布泊钾肥基地120万吨硫酸钾项目，并列入国家“十一五”重点建设项目。2006年4月25日，“国投罗钾年产120万吨钾肥项目”举行开工典礼，世界上最大的硫酸钾“航母”开始在罗布泊建造。年产120万吨钾肥项目总投资48亿元，包括采输卤、盐田、矿石采输、加工厂区、热电站、外部供水、哈密铁路专用线等9个主项工程。项目历经两年半的建设期，于2008年11月18日投料试车成功。国投罗钾依靠科技赋能，丰富和完善了中国钾盐工业的产业结构，重构了中国钾盐工业格局。

国投罗钾不仅开启了中国资源型硫酸钾事业的先河，而且借助技术实力推动硫酸钾工业不断适应现代农业的发展。国投罗钾的创新尝试，体现了以其创新制造技术优势开拓新产品的市场目标，并不断满足多元化的中国农业需求。

2003 年，硝酸钾大、小生产企业有 20 多家。至 2006 年，随着无氯钾肥市场的活跃，年产 1 万～7 万吨规模的农业级硝酸钾生产装置又增建许多，生产方法主要是复分解循环法，硝酸钾的总生产能力约年产 30 万吨 / 年。但这些复分解法企业抵御市场风险的能力不高，受复分解技术水平及设备的限制，难以形成大规模生产，产业集中度没有形成规模效应。

20 世纪 90 年代中期，经大量科学研究，文通集团成功地研制出了硝酸钾造粒技术，研制和采用喷浆法硝酸钾造粒新工艺，并用于实际生产中，填补了我国硝酸钾生产的一项空白，打破了世界上少数发达国家对这一技术的垄断。此后，又在熔融造粒的基础上进行改进，成功研究出喷浆造粒新工艺，使我国硝酸钾技术达到了世界先进水平。21 世纪初，浙江联大化工有限公司研究开发了硝酸钾并联产氯化铵和硝酸铵的新工艺，将一定量的硝酸与含氧化钾的锌灰中和过滤后，加高锰酸钾除铁得到高纯度的硝酸锌溶液，再加入氯化钾加热反应得硝酸钾溶液，在 10 ～ 30℃的工况条件下使硝酸钾结晶析出，母液另行处理，循环利用，这一工艺又一次创新了我国硝酸钾生产方法，使硝酸钾的生产成本进一步降低，对我国农业硝酸钾广泛应用起到推动作用。

4.4.1.4　第四阶段是2010年至今，钾肥企业进一步挖潜增产，行业步入发展成熟期

2011 年 4 月 29 日，青海盐湖钾肥股份有限公司更名为青海盐湖工业股份有限公司（简称盐湖股份）。盐湖股份计划投资 25 亿元，再建一个百万吨生产装置，届时公司氯化钾产量将达到 300 万吨以上。2013 年 9 月 14 日，历时两年，承担着国家产业振兴项目的青海盐湖工业股份公司新百万吨钾肥生产装置建成投产，一次投料试车成功，从此中国钾肥工业再添一套现代化百万吨级钾肥生产装置。从 2014 年起，盐湖股份打破常规，首次实行冬季不停产、全天候生产的制度，实现上、下年钾肥生产不停机无缝对接。2014 年 6 月，公司开始启动 500 万吨钾肥挖潜扩能工程，进一步巩固了中国钾肥的龙头地位。盐湖股份突破了低品位固体钾矿的溶解转化开采技术，开发高钠低钾贫矿冷结晶浮选法技术以及尾矿溶解转化热溶结晶法技术，实现了低品位固体钾、盐田贫杂矿、加工厂尾盐钾资源的高效利用，建成了低品位溶解转化反浮选冷结晶法年产 200 万吨钾肥装置、贫杂矿冷结晶浮选法年产 40 万吨钾肥装置以及尾盐溶解转化热溶结晶法年产 10 万吨钾肥装置，钾肥生产规模达到年产 500 万吨。2015 年，盐湖股份氯化钾产量首次突破 500 万吨，达到 521 万吨，成为世界十大钾肥企业之一。近 6 年销量保持在 500 万吨以上，在我国氯化钾总产量中一直占绝对优势，达到 50% 以上，占国内氯化钾消费市场的 30% 以上。

格尔木藏格钾肥有限公司（简称藏格钾肥）在 2013 年 5 月收购了瀚海集团，之后陆续整合了 13 家小钾肥生产企业，保留了年产 12 万吨氯化钾的生产车间，新建一套年产 48 万吨氯化钾的生产装置，实现了跨越式发展。经过近几年的开发，藏格钾肥现已拥有盐湖开采面积 724.35 平方公里，氯化钾产能扩大至 200 万吨，成为国内第二大钾肥生产企业。2016 年 1 月，藏格钾肥成功上市。2017 年 12 月，藏格钾肥通过公开拍卖成功拍得“青海省茫崖行委大浪滩黑北钾盐矿详查探矿权”。在顺利取得大浪滩黑北钾盐矿采矿权后，藏格钾肥开

采矿区面积将达到1216.91平方公里，进一步扩大了资源储备，为藏格钾肥的后续发展提供了资源保障。

2006年，国家发展改革委批准将“新疆罗布泊钾肥基地年产120万吨钾肥项目”列为国家“十一五”重点建设项目。2011年11月，国投罗钾120万吨硫酸钾生产线满负荷生产，各项经营指标达到或超过设计能力，当年累计生产硫酸钾成品132.5万吨，销售110.94万吨。2012年5月底，通过国家发展改革委的竣工验收，项目规模达到设计能力，产品质量达到和超过行业优等品标准。至此，国投罗钾加上年产10万吨硫酸钾试验装置，硫酸钾产量达到年产130万吨的能力，实现了单厂生产规模世界最大，产品质量世界第一，标志着我国迈入世界硫酸钾生产大国行列。

在几家百万吨级钾肥生产企业发展的同时，柴达木盆地上还活跃着一支中坚力量。冷湖滨地钾肥有限责任公司在柴达木盆地冷湖盐湖建设的年产30万吨钾肥（20万吨钾镁肥，10万吨氯化钾）的一期工程于2008年建成投产，二期年产48万吨硫酸钾工程也于2014年建成投产。青海中信国安科技发展有限公司在柴达木盆地西台吉乃尔盐湖建设了年产45万吨硫酸钾镁肥的生产线，后期扩建为可生产氯化钾、硫酸钾的50万吨装置。近10年来，青海中航资源有限公司（原海西中航三钾硅业有限公司）先后两期在柴达木盆地的马海盐湖建设了年产40万吨氯化钾的生产线；青海锦泰铵肥有限公司于2013年和2014年在马海盐湖建成了年产10万吨氯化钾和10万吨硫酸钾两条生产线。2007年成立的青海联宇钾肥有限公司，主要从事柴达木盆地东台吉乃尔盐湖中钾盐资源的综合开发，已形成了年产20万吨硫酸钾镁肥、10万吨氯化钾和8万吨硫酸钾的能力。

青海中信国安科技发展有限公司拥有青海西台吉乃尔盐湖120平方公里的独家开采权。2005年7月28日，青海中信国安一期年产30万吨硫酸钾镁肥生产装置投产成功。一度提到青海中信国安的发展，人们就会联想到硫酸钾镁肥料的市场价值。截至2011年，青海中信国安在东台、西台盐湖资源综合开发项目中建成了80平方公里的盐田，以及年产45万吨硫酸钾镁肥、20万吨氯化钾、1万吨碳酸锂、6万吨粗硼酸、10万吨氧化镁的生产装置及发电、生活等配套设施。2011年后，青海中信国安通过业务调整将其硫酸钾镁肥业务剥离，转入青海联宇钾肥有限公司，原计划用8～10年时间实现100万吨硫酸钾镁肥生产的项目搁浅。2015年起，公司年生产钾肥40万吨以上，经济效益快速提升。目前，资源型硫酸钾产量居全国第二位。未来几年，青海中信国安公司将以市场为导向，充分利用现有资源，实现盐湖资源开发业务的横向扩展和纵向延伸，不断调整和优化产品结构，注重技术创新，注重环境保护，实现经济效益、社会效益、生态效益相统一，持续提高盐湖综合开发利用水平。

4.4.2 世界钾肥产能、产量

世界钾肥产业起步于19世纪中叶，以1861年德国利用光卤石矿生产氯化钾为标志，20世纪初期（1900～1910年）德国的钾肥产业进入迅速发展时期；加拿大从1952年开始发展钾肥产业，发展速度最快，迄今已成为世界上最大的钾肥产业基地[10]。经过一个多世纪的发展，世界上目前已有17个国家拥有钾肥生产企业，产品以氯化钾、硫酸钾、硝酸钾和硫酸钾镁肥为主。

世界上的钾肥生产相当集中，主要钾肥生产国有 15 个，如加拿大、俄罗斯、白俄罗斯、中国、德国、以色列、约旦、智利、西班牙、美国、英国和巴西等[11,12]，其中，加拿大、俄罗斯、白俄罗斯分别位于第一位、第二位、第三位。前 11 个国家的产能占到世界总产能的 99%，前三个国家的产量占到世界总产量的 60%，产品以氯化钾为主。据 IFA 数据，2011 ～ 2020 年，世界钾肥（以 K_2O 计）产能由 2011 年的 4290 万吨逐渐增加到 2020 年的 6260 万吨。2011 年，世界钾肥（以 K_2O 计）总产量 3540 万吨，2020 年达到 4210 万吨。2011 年至 2020 年世界钾肥产量总体上呈缓慢增长趋势。

除现有产能外，世界上钾肥的产能仍在不断增长，至少有 40 多个钾盐开发项目正在推进之中，但绝大多数处于初期发展阶段，仅有个别项目已经达到了预生产阶段。现阶段主要生产企业产能（以实物计）见图 4-1。

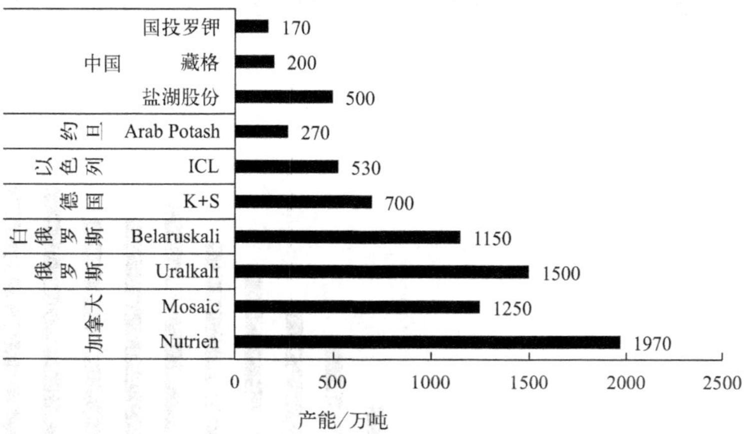

图 4-1　现阶段世界上主要钾肥生产企业产能

来源：Potashcorp

4.4.3　我国产能与产量

4.4.3.1　我国钾肥产能总量

我国资源型钾肥项目始建于 1958 年，直到 1966 年才建成年产 1 万吨的生产车间，开始形成实际产能[13,14]。据国家统计局数据，1980 年，中国的钾肥产量是 2.6 万吨，生产企业只有青海钾肥厂一家；1988 年之前，年产能只有 4 万吨；1989 ～ 1995 年，建成一套年产能 20 万吨的生产装置，产能维持在 20 万吨；2000 年后，青海地区通过不断扩产，钾肥（以 K_2O 计，下同）产能达到近 50 万吨；2004 年起，青海盐湖工业股份有限公司 100 万吨反浮选-冷结晶工艺氯化钾生产线的投产，才使得中国的钾肥产量跃上了百万吨级平台；2005 年为 121 万吨；2010 年为 353 万吨；2015 年为 645 万吨。“十三五”后，钾肥行业进入产品结构不断调整的阶段，企业兼并重组，行业发展逐步进入成熟期，产能基本保持稳定的状态。中国目前是世界上钾肥品种最丰富的国家之一。

在经历了资源整合后，青海察尔汗和新疆罗布泊两大钾肥生产基地相继建成，我国资源型钾肥产能、产量达到了一个新的高度。截止到2020年，我国共有资源型钾肥企业25家，加工型钾肥企业约200多家，成为世界第四大钾肥生产国。生产规模大于100万吨的大型企业有3家，占资源型总产能的71%；行业集中度不断提高，初步形成以大中型企业为主的格局。到2021年底，我国资源型钾肥总产能684万吨，与2010年相比增长了94%，见图4-2。其中，青海盐湖工业股份有限公司氯化钾产能达到500万吨，藏格控股股份有限公司氯化钾产能200万吨，国投新疆罗布泊钾盐有限责任公司硫酸钾产能160万吨。我国钾肥已形成科研、设计、设备制造、施工安装、生产、销售、农化服务等一套完整的工业体系，市场竞争力不断增强。国产钾肥的自给能力有了大幅度提高，可满足国内50%左右的钾肥需求，长期依赖进口的局面有了结构性的转变。国内钾肥市场产销、供需的结构性变化推动我国钾肥行业逐步形成了“供应稳定、竞争有序、理性发展”的“新常态”[15]。

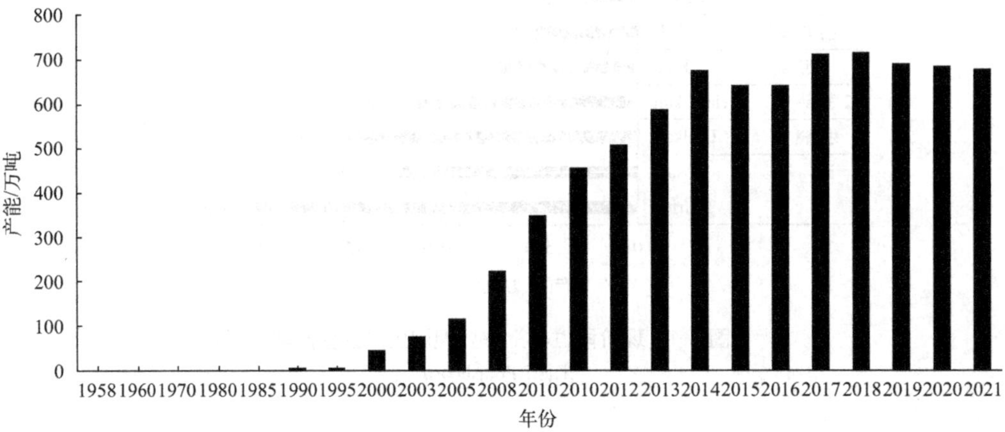

图4-2 1958 ~ 2021年国产钾肥产能变化

来源：中国无机盐工业协会钾盐钾肥行业分会

4.4.3.2 我国钾肥产量变化

自1981年以来，受国内钾肥需求增长及国际市场的刺激，我国钾肥产量增势明显。1981年我国钾肥（以K_2O计，下同）产量仅为2.44万吨，1991年首次突破10万吨，2005年首次突破100万吨，2016年产量突破了578.3万吨。2016 ～ 2021年，我国钾肥行业通过钾肥资源和生产能力的挖潜，钾肥产能、产量排名均为世界第四，生产技术和单套装置生产能力均达到或接近国际先进水平[16]。2019 ～ 2021年国内钾肥产量基本保持稳定，略有小幅下降，2021年产量为525万吨，国产钾肥的自给率近9年维持在50%以上[17]（图4-3）。

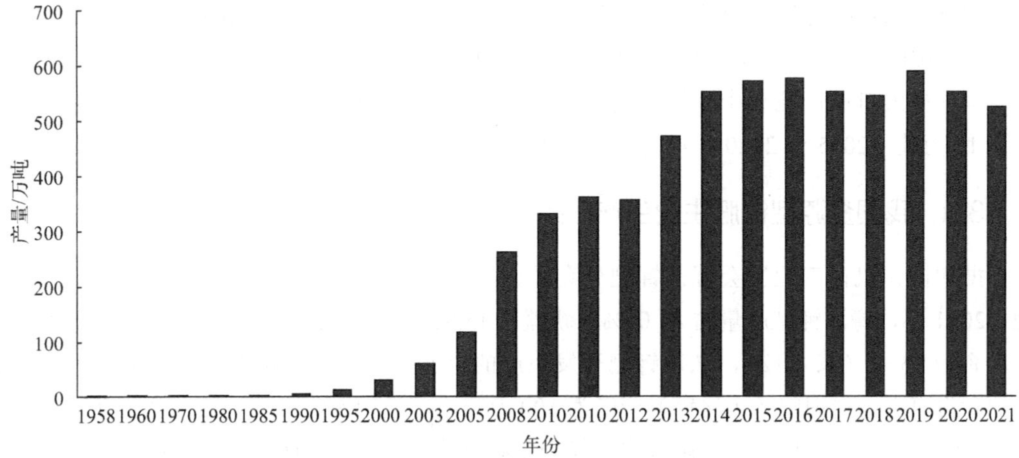

图 4-3　1958 ~ 2021 年国产钾肥产量变化

来源：中国无机盐工业协会钾盐钾肥行业分会

除资源型钾肥产品外，行业加强了钾肥再加工产品的应用开发，产品品种更加丰富，产品调整柔性增强，重点发展了硝酸钾、磷酸二氢钾等不同规格、不同品质的高效钾肥品种，优化了品种结构。同时，还发展了熔盐级硝酸钾、全水溶钾肥、食品级氯化钾、高纯级氯化钾等钾盐产品，实现了产业优化升级。各品种钾肥（以实物计，下同）产能、产量详细情况见表 4-11。

表4-11　2015 ~ 2020年期间我国各品种钾肥产能、产量具体情况　　单位：万吨

钾肥品种	2015		2016		2017		2018		2019		2020	
	产能	产量	产能	产量	产能	产量	产能	产量	产能	产量	产能	产量
氯化钾	803	778	803	752	862	716	877	703	877	775	862	729
资源型硫酸钾	287	196	287	239	301	238	315	243	315	244	325	220
硫酸钾镁	84	29	84	29	84	19	84	9	84	13	84	15
加工型硫酸钾	402	244	445	227	460	198	400	189	430	180	422	224
硝酸钾	131	71	140	78	160	80	160	80	160	85	160	82
磷酸二氢钾	64	28	72	36	87	43	82	40	82	32	90	65

注：资料来源于中国无机盐工业协会钾盐钾肥行业分会。

目前我国加工型硫酸钾产能约 422 万吨，在氯化钾原料供应价格增高、硫酸钾市场价格下降、副产盐酸销售不畅、环保要求严格等诸因素的影响下，加工型硫酸钾产量呈现先降后升的趋势。2020 年我国加工型硫酸钾产量 224 万吨，2015 ～ 2020 年年均减少 1.7%。

我国硝酸钾生产企业有 30 家以上，已成为世界上最主要的硝酸钾生产国。2020 年硝酸钾产能 160 万吨，产量 82 万吨，2015 ～ 2020 年产量年均增长 2.9%。

我国已成为世界上主要的磷酸二氢钾生产国和出口国。2020年产量65万吨，2015～2020年年均增长18.3%。2020年出口量16万吨，占总产量的24.6%。

国内碳酸钾的产业集中度逐渐提高，产能、产量基本保持稳定，2020年产能24万吨，产量19万吨，2015～2020年年均增长6.3%。

4.4.3.3 我国资源型钾肥主要生产厂家

据中国无机盐工业协会钾盐钾肥分会统计，资源型钾肥产量全部集中在青海和新疆两地。2021年，青海钾肥产量占84.05%，新疆占15.82%。经过整合重组，现拥有资源型钾肥生产企业25家（表4-12），从事钾肥开发生产的企业生产规模差距很大。其中，青海盐湖工业股份有限公司钾肥（氯化钾）产能为500万吨，产量为502万吨，约占全国钾肥总产量的57.5%；格尔木藏格钾肥有限公司产能为200万吨，产量为108万吨，约占全国总产量的12.3%；国投新疆罗布泊钾盐有限责任公司钾肥（硫酸钾）产能为160万吨，产量（实物量）为170万吨，占15.8%。

表4-12 2021年我国资源型钾肥生产企业统计

序号	企业名称	年产能（以实物计）/万吨
1	青海盐湖工业股份有限公司	500
2	格尔木藏格钾肥有限公司	200
3	国投新疆罗布泊钾盐有限责任公司	170
4	青海滨地钾肥股份有限公司	48
5	茫崖兴元钾肥有限公司	40
6	青海中信国安科技发展有限公司	40
7	青海锦泰钾肥有限公司	35
8	五矿盐湖有限公司	30
9	青海联宇钾肥有限公司	20
10	青海中航资源有限公司	20
11	青海省茫崖康泰钾肥开发有限责任公司	15
12	茫崖晶鑫华隆钾肥有限公司	15
13	青海柴达木盐湖化工有限公司	10
14	青海柴达木地矿化工有限公司	10
15	新疆新雅泰化工有限公司	10
16	地矿集团格尔木盐湖资源开发有限公司	8
17	海西地原钾肥有限公司	7
18	青海高端盐湖科技有限公司	5

续表

序号	企业名称	年产能（以实物计）/ 万吨
19	青海黄河实业集团建安有限公司钾肥厂	5
20	青海京柯盐化有限公司	5
21	北京昆龙伟业格尔木有限公司	5
22	青海香江盐湖开发有限公司	5
23	大柴旦大华化工有限公司	5
24	青海晶达科技股份有限公司	4
25	山东海化股份有限公司硫酸钾厂	2
合计		1214

注：资料来源于中国无机盐工业协会钾盐钾肥行业分会。

4.4.4　产品及结构

4.4.4.1　氯化钾

氯化钾是钾肥最主要的品种，我国氯化钾生产始于1958年。2010～2021年间，我国氯化钾产能和产量从快速增长变为缓慢增长（图4-4和表4-13）。2021年，国产氯化钾基本满足国内约47.5%的需求。在大量元素肥料中，我国钾元素肥料施肥比例长期低于发达国家水平，预计未来钾肥的施用量将维持稳定[18]。受到在农业、制备其他无机钾盐方面的应用的驱动，预计未来氯化钾的需求会保持温和增长。

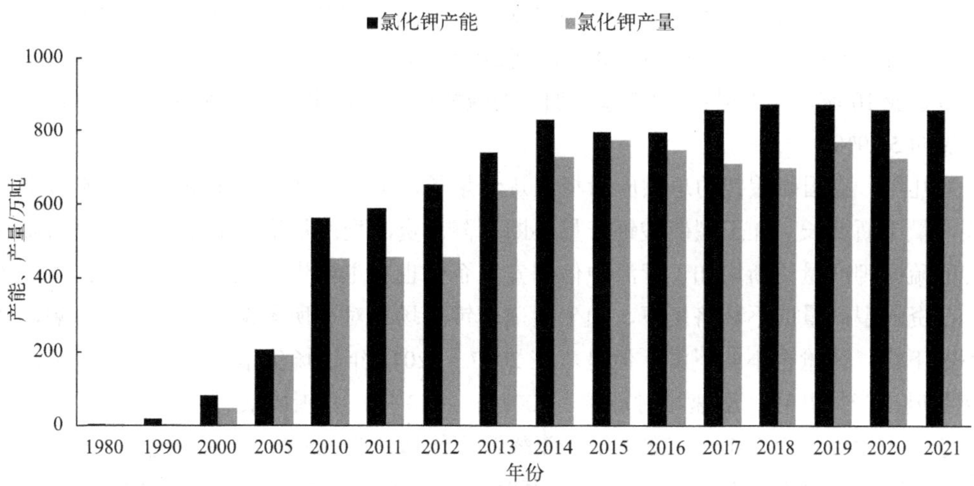

图4-4　1980～2021年我国氯化钾产能、产量（以实物计）发展状况

来源：中国无机盐工业协会钾盐钾肥行业分会

表4-13 我国氯化钾产能、产量（以KCl计）统计

年份	产能 / 万吨	产量 / 万吨	产能利用率 /%
2010	567	458	80.8
2011	594	461	77.6
2012	658	462.3	70.3
2013	745	641	86.0
2014	835	733	87.8
2015	803	778.1	96.9
2016	803	752.1	93.7
2017	862	716.2	83.1
2018	877	702.7	80.1
2019	877	775.1	88.4
2020	862	730.3	84.7
2021	859	684.2	79.4

注：资料来源于中国无机盐工业协会钾盐钾肥行业分会。

4.4.4.2 硫酸钾

我国硫酸钾规模化生产始于 20 世纪 90 年代。国投新疆罗布泊钾盐有限责任公司投产之前，我国硫酸钾工业以曼海姆法加工型硫酸钾为主。

2012 年之后，国投罗钾 120 万吨项目投产，加工型硫酸钾市场竞争日趋激烈，其产能、产量随价格经历数次波动。截止到 2020 年，我国资源型硫酸钾实物产能达到 315 万吨，曼海姆法、硫铵法等加工型有效产能为 391 万吨，合计年产能已达 706 万吨。2014 年前后，我国共有各类硫酸钾生产企业约 100 家，到 2021 年，硫酸钾生产企业总数是 105 家，其中资源型企业 10 家，加工型企业 95 家，加工型硫酸钾生产企业数约占 90%，加工型产能约占总产能的 55.9%。

近几年，我国硫酸钾的总供应量依旧逐步增长，但实际产量随市场需求不断波动，资源型产量不断增长，加工型硫酸钾产量不断下降。资源型产量增长的主要原因是新疆国投罗钾的硫酸钾产量不断增加，青海中信国安等企业也从主要生产硫酸钾镁肥转为生产硫酸钾。在资源型产量的不断挤压下，加工型硫酸钾市场相对有所萎缩，加上环保影响，开工率不断下降，产量也不断下滑。但是，在 2017 ～ 2018 年市场价格的新一轮刺激下，新增产能和退出产能并存，增速相对放缓。2001 ～ 2010 年，我国硫酸钾产能增速近 15%，产量增速为 10.2%；而 2011 ～ 2021 年，硫酸钾产能增速为 6.3%，产量增速为 5.6%。但是，2016 ～ 2021 年硫酸钾增速明显放缓，尤其是产量在 2016 ～ 2021 年间基本保持稳定，增长率为 0.9%（表 4-14）。

表4-14　2010～2021年我国硫酸钾产能、产量具体情况

年份	产能/万吨			产量/万吨			产能利用率/%
	资源型	加工型	合计	资源型	加工型	合计	
2010	170.6	176	346.6	98.6	93.9	192.5	55.54
2011	174	214	388	146	119	265	68.30
2012	198	190	388	148	78	226	58.25
2013	249	152	401	159	104	263	65.59
2014	316	332	648	201	198	399	61.57
2015	287	402	689	196	244	440	63.86
2016	287	445	732	239.4	227	466.4	63.72
2017	301	480	781	238	198	436	55.83
2018	315	400	715	242.8	189	431.8	60.39
2019	315	430	745	244	180	424	56.91
2020	315	422	737	220	224	444	60.24
2021	310	426	736	215	237	452	61.41

注：资料来源于中国无机盐工业协会钾盐钾肥行业分会。

从近几年资源型产能的比较来看，我国硫酸钾产能基本保持平稳，短期内新增绿地项目产能基本没有，甚至经历进一步整合后，产能还会略有减少，因此预计未来几年国内资源型硫酸钾产能基本维持在300万吨左右。加工型硫酸钾产能在2014年大幅增长后，近几年一直保持在400万吨以上的水平。由于环保和市场的双重压力，实际开工率远低于产能增长速率。另外，部分复合肥企业为降低生产成本，自建硫酸钾装置自己使用，产品不外售，这也在一定程度上挤压了现有加工型硫酸钾企业的生产情况。由于国内仍有在建大型加工型硫酸钾项目，因此产能近期还会增长，因此预计未来几年，加工型硫酸钾的产能将会达到470万吨以上，实际有效产能在420万吨左右。

4.4.4.3　硫酸钾镁

目前我国硫酸钾镁肥的生产厂家不多，主要集中在青海和新疆，并于2005年开始实现产业化生产。国内硫酸钾镁肥的生产厂家最高时有7家以上，生产能力最高达183万吨左右。但硫酸钾镁的钾含量较低，价格也比氯化钾和硫酸钾低，而且生产工艺可直接互相转换，硫酸钾镁的市场推广量较小，加之青海运输成本很高，因此由于市场及一些客观原因，部分厂家停止生产硫酸钾镁肥转而生产更易于销售的硫酸钾和氯化钾品种，产能利用率相对较低，最低时厂家产能释放仅20%～30%。近两年，部分企业退出硫酸钾镁肥的生产，产能逐渐下降。目前，我国主要在产的硫酸钾镁肥生产厂家有5家，生产能力经整合后为45万吨，年产量在10万～30万吨之间。

4.4.4.4 硝酸钾

目前，世界上硝酸钾的年生产能力超过了 400 万吨，主要生产国有以色列、智利、中国、美国等。在世界硝酸钾市场上，约 70% 用于农业施肥，已有 60 多个国家将其作为化肥使用。我国在 20 世纪 90 年代初期，硝酸钾年产量不足 5 万吨，2010 年后我国硝酸钾生产能力已发展到近 120 万吨。到 2021 年，我国硝酸钾生产企业有 50 家以上，硝酸钾产能 260 万吨，产量 122 万吨，最大单套硝酸钾生产装置规模已达到年产 20 万吨。2016 ～ 2021 年产量年均增长率为 9.3%，已经成为世界上硝酸钾生产大国之一（图 4-5）。

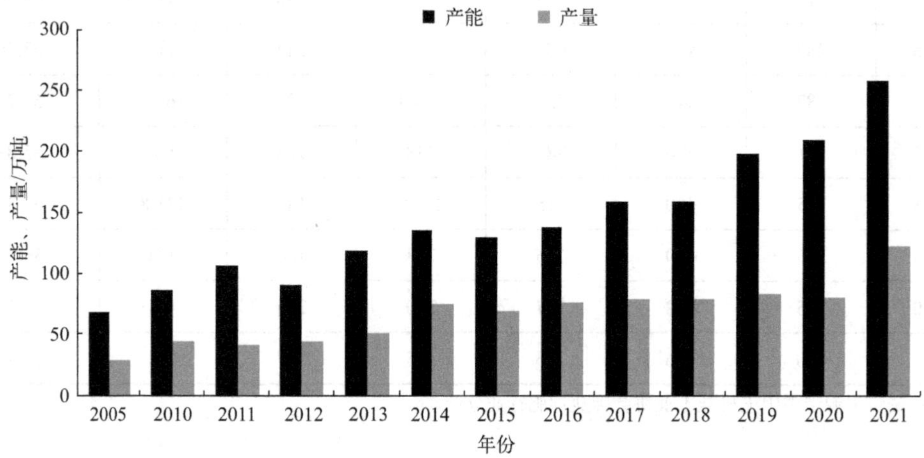

图 4-5 2005 ～ 2021 年我国硝酸钾（以实物计）产能、产量

来源：中国无机盐工业协会钾盐钾肥行业分会

随着农业级硝酸钾在经济作物种植上应用的逐步推广，硝酸钾的市场潜力巨大。因此，目前国内生产的硝酸钾产品中，60% 用于农用，尤其是水果、蔬菜等经济作物都在使用硝酸钾作为水溶肥料的主要配料。除了 60% 的硝酸钾用于农业化肥，约 5% 用于电视玻璃壳及特种玻璃制品中外，其余部分用于其他工业行业，主要是炸药烟花、食品防腐、医药药物、低温储能熔盐、光热储能等领域。随着高端触摸屏、光学玻璃、食品等行业的发展，其对硝酸钾的产品质量要求越来越高，未来中国在高端硝酸钾市场领域有较大的发展空间。

4.4.4.5 磷酸二氢钾

我国是世界上主要的磷酸二氢钾生产国和出口国。但我国单一进行磷酸二氢钾生产的企业较少，大多企业都是化工型综合性企业，从事多方面经营。磷酸二氢钾企业生产能力较大，产能过剩也较为突出。2021 年磷酸二氢钾总产量 75 万吨，2016 ～ 2021 年年均增长率为 15.8%。2021 年出口量 14.1 万吨，占总产量的 18.8%。

4.4.4.6 碳酸钾

我国碳酸钾产业在 2010 ～ 2012 年间，开工率基本都保持在 60% ～ 70%。2013 年随着盐湖股份 7.2 万吨装置上马，2014 年内蒙古瑞达泰丰装置上马，产能、产量逐步释放，在 2012 ～ 2014 年间整体开工率下降到 50.88% 左右。2015 年行业产能缩小了 6 万吨，但近两年随着部分企业的扩建，2021 年碳酸钾产能达到 26.7 万吨，产量 22.4 万吨，目前国内装置开工率达到 83.9% 左右（图 4-6）。近几年，轻质碳酸钾在农药、医药、食品等新的应用领域的快速增长，带动了整个中国碳酸钾产业的发展，尤其是农药领域需求快速增长，推动了轻质碳酸钾的需求，从而使国内开工率增加。

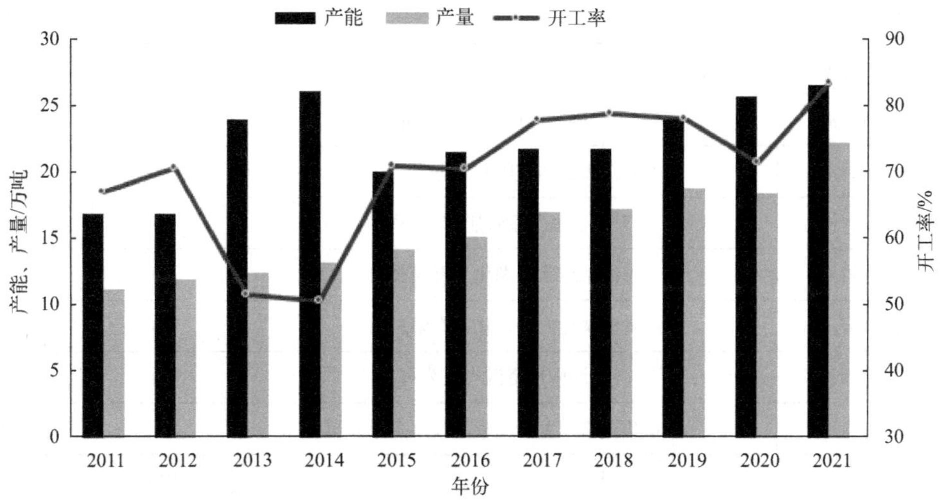

图 4-6　2011 ～ 2021 年我国碳酸钾（以实物计）产能、产量

来源：中国无机盐工业协会钾盐钾肥行业分会

碳酸钾是一种优异的水溶性肥料，在农业上的用途广泛，功效明显，能快速提高作物的生长速度和产量。碳酸钾在农业上能结合其他肥料综合使用，对作物和土壤更加有利。碳酸钾产品过去主要用于工业生产，并没有普遍用于农业。然而，随着我国水溶性肥料的快速发展，同时钾肥的施用越来越受到我国农民的重视和青睐，四川盐湖化工发现碳酸钾作为高端水溶性碱性气泡肥，以其独特的物理和化学性质，可以作为优质的水溶性肥料的原料。目前碳酸钾的农业应用占比相对较小。

4.5　行业盈利及产业集中度

4.5.1　企业数

全国现有钾肥企业 236 家，其中资源型钾肥生产企业（直接从事钾盐矿加工生产钾肥）25 家，加工型钾肥企业（主要利用氯化钾生产硫酸钾、硝酸钾、碳酸钾等钾肥品种）211 家。

4.5.1.1 氯化钾

2021 年有生产企业 19 家，氯化钾产能 859 万吨，详见表 4-15。

表4-15 我国氯化钾生产排名前十的企业名单

序号	省份	企业名称	产能 / 万吨	产能占比 /%
1	青海	青海盐湖工业股份有限公司	500	58.21
2	青海	格尔木藏格钾肥有限公司	200	23.28
3	青海	五矿盐湖有限公司	30	3.49
4	青海	茫崖兴元钾肥有限公司	15	1.75
5	青海	青海省茫崖康泰钾肥开发有限责任公司	15	1.75
6	青海	茫崖晶鑫华隆钾肥有限公司	15	1.75
7	青海	青海柴达木盐湖化工有限公司	10	1.16
8	青海	青海柴达木地矿化工有限公司	10	1.16
9	青海	青海中航资源有限公司	10	1.16
10	青海	地矿集团格尔木盐湖资源开发有限公司	8	0.93
合计			813	94.64

注：资料来源于中国无机盐工业协会钾盐钾肥行业分会。

4.5.1.2 硫酸钾

2021 年有资源型生产企业 10 家，硫酸钾产能 310 万吨，见表 4-16。加工型硫酸钾生产企业 95 家，硫酸钾产能 451.6 万吨。两者合计硫酸钾产能 781.6 万吨。

表4-16 我国资源型硫酸钾生产排名前十的企业名单

序号	企业名称	省（自治区、直辖市）	产能 / 万吨	工艺
1	国投新疆罗布泊钾盐有限责任公司	新疆	160	水盐体系
2	青海滨地钾肥股份有限公司	青海	48	水盐体系
3	青海中信国安科技发展有限公司	青海	40	水盐体系
4	青海锦泰钾肥有限公司	青海	20	水盐体系
5	青海联宇钾肥有限公司	青海	10	水盐体系
6	新疆新雅泰化工有限公司	新疆	10	水盐体系
7	青海中航资源有限公司	青海	5	水盐体系
8	茫崖兴元钾肥有限公司	青海	10	水盐体系

续表

序号	企业名称	省（自治区、直辖市）	产能 / 万吨	工艺
9	山东海化股份有限公司硫酸钾厂	山东	2	水盐体系
10	青海高端盐湖科技有限公司	青海	5	水盐体系
合计			310	

注：资料来源于中国无机盐工业协会钾盐钾肥行业分会。

4.5.1.3 硫酸钾镁

2021 年有生产企业 5 家，硫酸钾镁产能 45 万吨，详见表 4-17。

表4-17 我国硫酸钾镁生产企业名单

序号	企业名称	省（自治区、直辖市）	产能 / 万吨
1	国投新疆罗布泊钾盐有限责任公司	新疆	10
2	青海锦泰钾肥有限公司	青海	5
3	茫崖兴元钾肥有限公司	青海	20
4	青海中航资源有限公司	青海	5
5	青海联宇钾肥有限公司	青海	5
合计			45

注：资料来源于中国无机盐工业协会钾盐钾肥行业分会。

4.5.1.4 硝酸钾

2021 年有生产企业 53 家，硝酸钾产能 260.6 万吨，详见表 4-18。

表4-18 我国硝酸钾生产排名前十的企业名单

序号	企业名称	省（自治区、直辖市）	产能 / 万吨
1	金正大生态工程集团股份有限公司	山东	20
2	交城县并盛化工有限公司	山西	16
3	四川米高化肥有限公司	四川	12
4	潍坊昌盛硝盐有限公司	山东	12
5	山西文诚化工有限公司	山西	11
6	交城县三喜化工有限公司	山西	10
7	青海联大化工科技有限公司	青海	10
8	内蒙古通汇钾肥股份有限公司	内蒙古	10

续表

序号	企业名称	省（自治区、直辖市）	产能 / 万吨
9	江西金利达钾业有限责任公司	江西	10
10	澧县腾飞化工有限公司	湖南	8
合计			119

注：资料来源于中国无机盐工业协会钾盐钾肥行业分会。

4.5.1.5 磷酸二氢钾

2021 年有生产企业 57 家，磷酸二氢钾产能 149.1 万吨，详见表 4-19。

表4-19 我国磷酸二氢钾生产排名前十的企业名单

序号	企业	地区	产能 / 万吨
1	龙蟒大地农业有限公司	西南	12
2	瓮福达州化工有限责任公司	西南	10
3	武汉醒狮化学品有限公司	华中	7
4	四川蓝剑化工（集团）有限责任公司	西南	7
5	四川安达农森科技股份有限公司	西南	6.8
6	武汉联德化学品有限公司	华中	5
7	四川好时吉化工有限公司	西南	5
8	什邡市傲信化工有限公司	西南	5
9	四川荣宏科技发展有限公司	西南	5
10	四川胜丰磷化工有限责任公司	西南	5
合计			67.8

注：资料来源于中国无机盐工业协会钾盐钾肥行业分会。

4.5.1.6 碳酸钾

2021 年有生产企业 6 家，碳酸钾产能 26.7 万吨，详见表 4-20。

表4-20 我国碳酸钾生产企业统计

序号	公司	地区	产能 / 万吨
1	青海盐湖工业股份有限公司	西南	7.2
2	浙江大洋生物科技集团股份有限公司	华东	7.0
3	优利德（江苏）化工有限公司	华东	4.0
4	河北辛集化工集团有限责任公司	华北	3.0

续表

序号	公司	地区	产能 / 万吨
5	内蒙古瑞达泰丰化工有限责任公司	华北	2.0
6	文水县振兴化工有限公司	华北	3.5
合计			26.7

注：资料来源于中国无机盐工业协会钾盐钾肥行业分会。

4.5.2 集中度与区域分布

4.5.2.1 资源型钾肥生产区域分布

我国资源型钾肥生产集中分布在青海和新疆两地。其中，氯化钾生产全部集中在青海，区域占比 100%。最大的龙头企业是青海盐湖工业股份有限公司，产能达到 500 万吨，产能全国占比 58.21%；其次是格尔木藏格钾肥有限公司，产能 200 万吨，产能占比 23.28%；其他企业占比 18.51%。资源型硫酸钾生产主要集中在青海和新疆，共有企业 10，家总产能 310 万吨，其中，新疆产能占比 54%，青海占比 45.4%，山东占比 0.6%。硫酸钾镁肥的生产企业也全部集中在青海和新疆，其中新疆占比 22.2%，青海占比 77.8%。

4.5.2.2 加工型钾肥生产区域分布

加工型钾肥企业分布广泛，更靠近市场。

加工型硫酸钾企业数量较多，除部分自产自销企业使用硫铵法工艺外，市场销售的硫酸钾基本都是用曼海姆工艺生产的。根据中国无机盐工业协会统计，国内现有加工型硫酸钾生产企业 95 家，分布在除西藏、海南、浙江、江苏、北京、上海之外的各个省（自治区、直辖市）。产能占比中，河北、山东等省份企业数量较多，广东企业产能集中度最高，主要生产企业还是集中在东北、华北、华东一带。

硝酸钾主要分布在山东、青海、湖南、江西、山西等地，磷酸二氢钾主要分布在湖北、四川、云南、重庆等地。

4.5.2.3 钾肥集中度

（1）资源型钾肥

国内资源型钾肥集中度较高，在 25 家生产企业中，超过百万吨级的生产企业有 3 家，产能占比超 71.7%；产能在 30 万～100 万吨之间的企业有 5 家，产能占比为 15.9%；产能在 10 万～30 万吨的生产企业有 7 家，产能占比为 8.2%；其他 10 万吨以下的小型企业 10 家，产能占比 4.2%。

在所有生产企业中，青海盐湖工业股份有限公司钾肥产能为 500 万吨（KCl），2021 年产量为 502 万吨，占全国钾肥总产量约 57.5%；格尔木藏格钾肥有限公司产能为 200 万吨，2021 年产量 108 万吨，占全国总产量约 12.3%；国投新疆罗布泊钾盐有限责任公司产能 160 万吨（K_2SO_4），2021 年产量为 170 万吨（实物量），占 15.8%。三家大型企业的年产量占 2021 年总产量的 85.6%。

（2）加工型钾肥

加工型硫酸钾企业数量较多，除部分自产自销企业使用硫铵法工艺外，市场销售的硫酸钾基本都是用曼海姆工艺生产的。加工型硫酸钾的生产企业在河北、山东等省份数量较多，广东企业产能集中度最高，主要生产企业还是集中在东北、华北、华东一带。从区域分布来看，山东占比最高，达 14%；其次是河北，占 13%；湖北和广东分别占 10% 和 9%；黑龙江、辽宁和广西各占 6%。硝酸钾主要分布在华北、华东和西南区域，各占 36%、20% 和 20%。磷酸二氢钾以西南地区为主，占比达到总量的 79%，更靠近磷矿资源地区；其次是华中地区，占 11%。

4.5.3 生产成本

4.5.3.1 钾肥价格走势变化

（1）氯化钾

我国的钾肥产品以氯化钾为基准，资源型钾肥生产主要受资源禀赋及气候条件限制，加工型钾肥产品价格主要受到原材料氯化钾市场的制约和引导。

国内资源型硫酸钾产量与加工型硫酸钾产量几乎各占一半，市场价格走向互为参考，因此，国内硫酸钾价格主要随氯化钾价格变动和国内市场供求关系的变化而变化，基本与氯化钾价格保持同向波动。

2003 年以前，我国钾肥市场以进口钾肥为主，价格基本在 1500 元 /t 以下，2006 年后上涨至 2000 元 /t 左右。2008 年金融危机爆发，钾肥价格在 2007 ～ 2009 年经历了暴涨暴跌，最高价时市场售价达到 5000 元 /t。之后价格经历了两次起落，分别是 2011 ～ 2013 年和 2018 ～ 2020 年，氯化钾价格基本维持在 2000 ～ 3500 元 /t 之间。2021 年，受国际、国内市场需求向好，白俄罗斯钾肥制裁和国际海运费不断上涨等因素的影响，国内钾肥价格再次走出了 2008 年的市场格局。氯化钾于 2021 年底涨至 3620 元 /t，全年年均价为 2980 元 /t，同比上涨 47.5%。氯化钾具体价格走势见图 4-7。

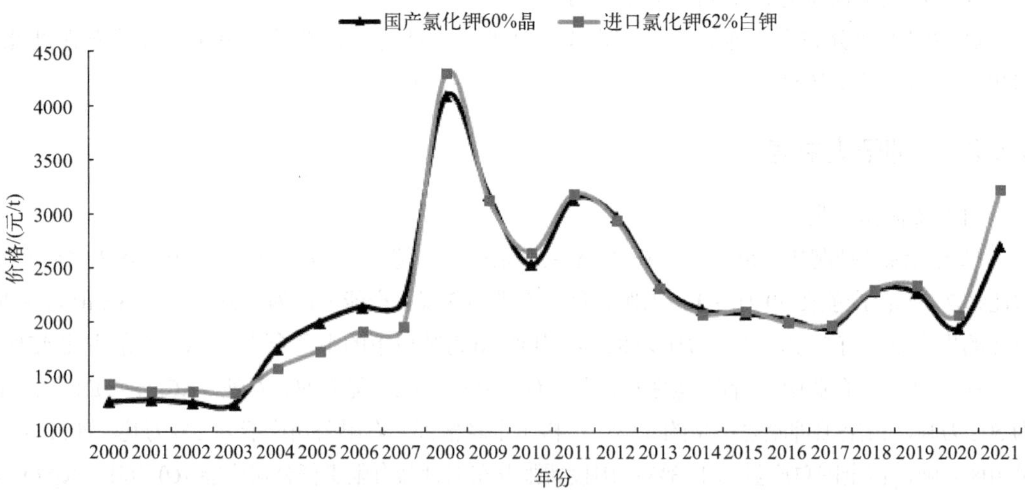

图 4-7 2000 ～ 2021 年氯化钾价格走势变化

（2）硫酸钾

硫酸钾与氯化钾一直保持着相对一致的走向，但市场价差相对平稳，价格也经历三起三落。2011 年市场最高价可达到 3800 元 /t。2013 ～ 2014 年，硫酸钾在供应紧张和硫基复合肥需求提高两重影响下，价格逆市上扬至 3750 元 /t，算是当时化肥行业的一个特例。此后国内新增硫酸钾装置大量上马，产能不断扩增与释放，企业利润不断被压缩，2016 年硫酸钾价格不断走低，报价在 2400 ～ 2600 元 /t 之间徘徊，市场的“滑铁卢”再次出现。随着新一轮氯化钾价格的不断升高，硫酸钾价格在 2018 年重回 3000 元 /t 以上，但副产盐酸价格倒贴严重，产品恶性竞价现象仍持续存在，加工型企业开工率在低位徘徊。2015 ～ 2020 年，国内硫酸钾价格变化主要随原料氯化钾价格变化而变化，价格在 2000 ～ 3000 元 /t 之间。2021 年，硫酸钾尤其是加工型硫酸钾被迫拉涨，同比上涨 54.7%，全年硫酸钾均价为 3425 元 /t，同比上涨 24.2%。硫酸钾具体价格走势见图 4-8。

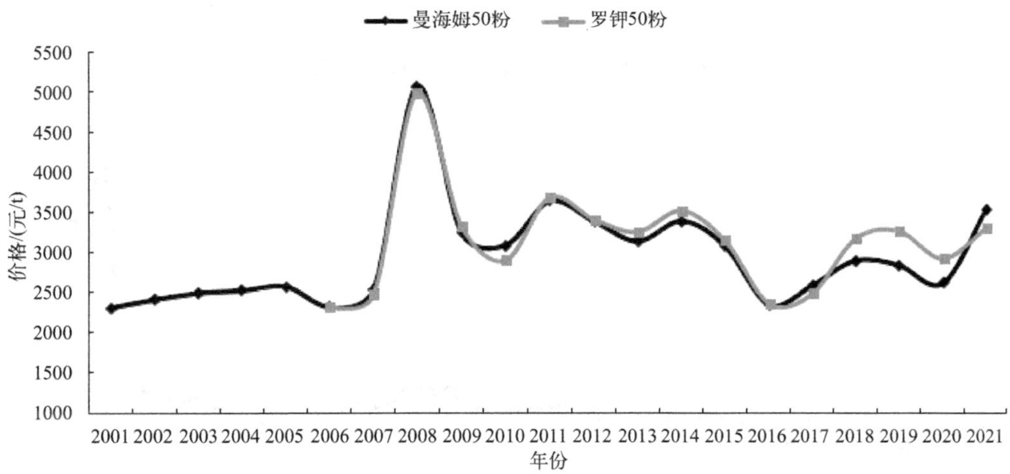

图 4-8　2001 ~ 2021 年硫酸钾价格走势变化

（3）硝酸钾

硝酸钾根据施肥方法不同，其价位也不同。一类是高端肥料，每吨上万元，这种硝酸钾以液施为主，例如用于喷施的叶面肥和用于滴灌的液态肥料，这些肥料要求能够完全溶于水，以避免对滴灌设施的堵塞，但这部分肥料在中国的销量较小；另一类是普通肥料，价格在 4000 ～ 6000 元 /t，以干施为主，这部分肥料销量稍大，其价格代表硝酸钾的主流价格。硝酸钾具体价格走势见图 4-9。

（4）磷酸二氢钾

磷酸二氢钾是一种高效速效磷钾复合肥，兼具磷肥和钾肥的双重作用，广泛用于瓜果、蔬菜、烟草等作物的喷施。磷酸二氢钾的上游原料主要为氯化钾和工业磷酸，价格也是受原料和供需的双重影响。磷酸二氢钾具体价格走势见图 4-10。

（5）碳酸钾

碳酸钾价格与氯化钾价格同比例波动，碳酸钾价格主要是受原料氯化钾价格和供需的影响。轻质食品级碳酸钾价格最高，其次是轻质医药级碳酸钾、重质碳酸钾，相对较低的是轻质农药级和肥料用碳酸钾。碳酸钾具体价格走势见图 4-11。

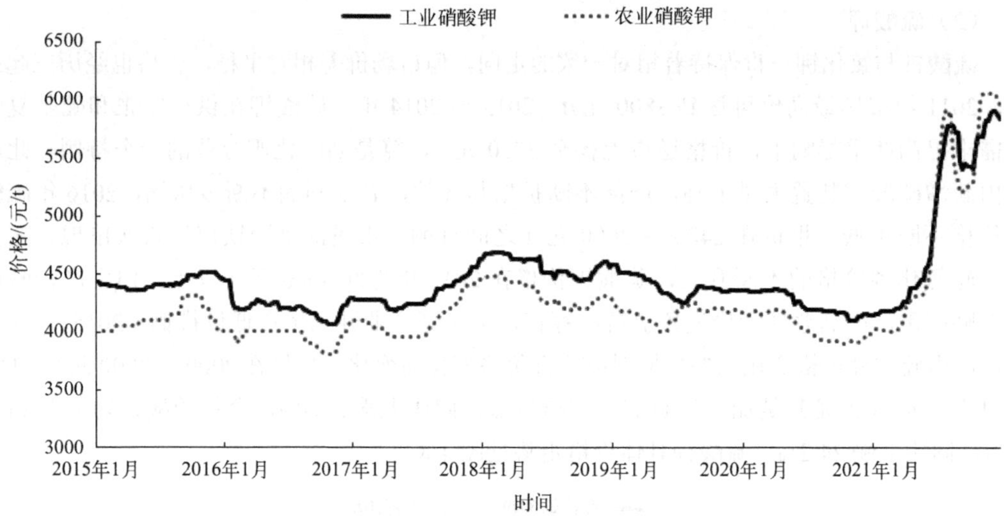

图 4-9　2015 ~ 2021 年硝酸钾价格走势变化

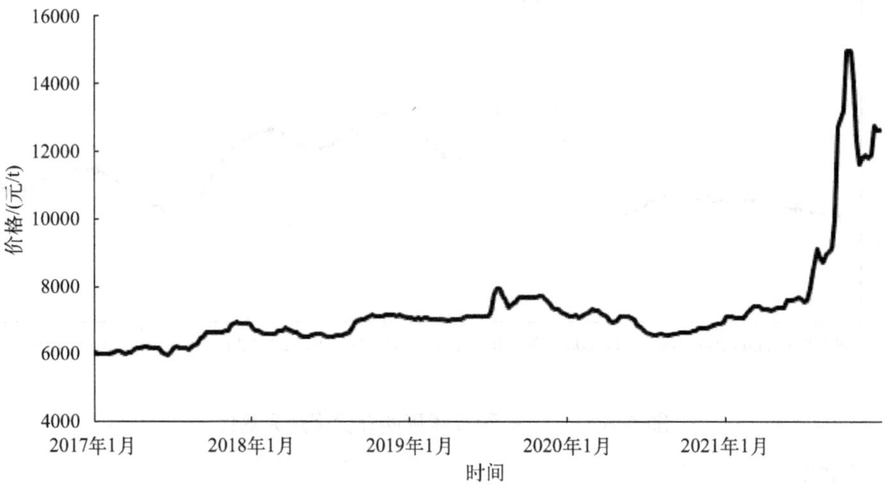

图 4-10　2017 ~ 2021 年磷酸二氢钾价格走势变化

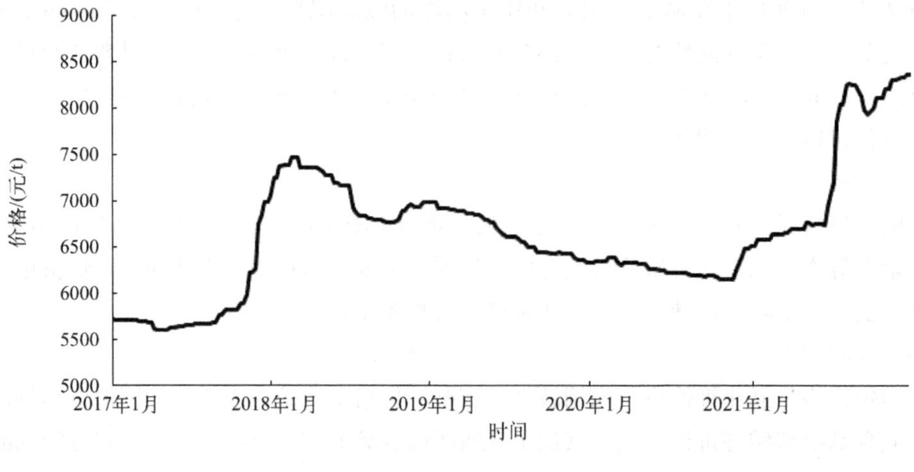

图 4-11　2017 ~ 2021 年碳酸钾价格走势变化

4.5.3.2 钾肥生产成本构成

（1）资源型钾肥生产成本构成

世界资源型钾肥的生产成本主要包括开采成本 + 选矿成本 + 销售及管理成本 + 开采税费等税项 + 持续经营维护费 + 本地运输成本。2013 年至今，世界钾肥行业各地区边际成本在 200 美元 /t。我国目前氯化钾和硫酸钾的生产成本主要包括光卤石开采、水、电、气、人工、折旧、税费等；资源型硫酸钾生产的最主要原料是钾盐矿，包括光卤石、钾混盐等，辅助原料主要是浮选剂，以及水、电、煤、气等公用工程消耗；除主要原材料和公用工程之外，还有人工费用、制造费用。所有成本中，原料成本占生产成本的 50% ～ 60%，是最主要的成本构成。

（2）加工型硫酸钾生产成本构成

曼海姆法生产 1 吨硫酸钾需消耗氯化钾 0.85t、硫酸 0.57t、电 60kW · h，还消耗燃料重油和石灰，副产盐酸 1.2t。在主要原料成本中，氯化钾占成本的 84% 左右，因此氯化钾的价格与硫酸钾的成本息息相关。

（3）硝酸钾生产成本

硝酸钾是以氯化钾为原料的二次加工产品。硝酸钾生产的主要原料是氯化钾和硝酸，其中氯化钾的成本占更主要的位置，氯化钾价格占硝酸钾成本的 50% 以上，因此氯化钾价格的涨跌直接影响硝酸钾的价格走势。其中复分解生产工艺的成本要比离子交换法的成本高。

（4）磷酸二氢钾生产成本

磷酸二氢钾生产的主要原料是磷酸（用黄磷生产）和氢氧化钾，黄磷价格占总成本的 70% 左右，因此成本受黄磷价格影响较大。磷酸的制备方法分湿法磷酸和热法磷酸，其中热法磷酸的生产成本略高于湿法磷酸。

4.5.4 经济效益

4.5.4.1 钾肥行业效益

资源型钾肥由于没有原材料成本的影响，因此行业效益与产品价格直接挂钩。尤其是氯化钾产品，产品产生的经济效益同产量呈现出正比关系。虽然产品生产成本受资源、燃料、人工等影响，每年都有所增长，但增长幅度不大，行业利润变化主要受价格的影响更大。

据国家统计局统计，2016 ～ 2020 年，行业主营业务收入振荡变化，钾肥行业主营业务收入在 230 亿～ 340 亿元之间，占化肥总营收的 5.5% 左右（表 4-21）。由于国内氯化钾价格在 2016 年和 2020 年大致相当，因此 2020 年收入与 2016 年基本持平。行业利润变化差距也比较大，在 15 亿～ 50 亿元之间，2021 年钾肥价格的大幅上涨进一步提高了行业的总体利润水平。钾肥行业的行业利润率较高，一般均超过 10%。在统计中的 60 多家钾肥企业中，约 30% 的企业亏损，亏损面最高时可达 37%。

表4-21 2015～2020年我国钾肥行业效益情况

项目	2015年	2016年	2017年	2018年	2019年	2020年
主营业务收入/亿元	306.92	309.11	338.96	231.47	315.8	309
收入同比上升或下降率/%	1.00	−2.20	9.66	−31.71	36.43	−2.15
利润/亿元	40.18	24.31	15.48	41.1	49.1	38.5
利润同比上升或下降率/%	−11.30	−39.50	−34.40	165.50	19.60	−21.60
行业利润率/%	13.09	7.86	4.57	17.80	15.50	12.50

注：资料来源于国家统计局。

4.5.4.2 钾肥生产利润分析

（1）氯化钾企业利润

由于氯化钾的生产成本相对比较固定，其市场利润的变化主要取决于钾肥的销售价格。除了自身的生产成本之外，从新疆、青海等地铁路运到内地的运输成本也较大。在2020年之前的5年中，净利润在300～900元/t之间，2021年净利润在1000元/t以上。

（2）硫酸钾企业利润

在2015年之前，硫酸钾市场售价在3000元/t之上，行业利润较高；2015年之后，随着化肥优惠政策的先后取消，硫酸钾的经营成本明显增加，利润空间有较大幅度的降低。2017～2019年，资源型硫酸钾产品的净利润在370～640元/t之间，资源型硫酸钾企业整体竞争力高于加工型企业。

加工型硫酸钾市场利润的主要变化取决于两个方面，一方面是主要原料氯化钾的价格波动，另一方面则是单纯硫酸钾的销售价格。从2015～2019年的硫酸钾利润变动来看，2015年前期硫酸钾的利润空间相对较高，但结合成本来看，2015年与2018年或2019年的成本基本持平，利润空间有较大幅度的降低。2018年后加工型硫酸钾继续不断新增产能，致使硫酸钾总体产能过剩严重，利润空间亦一度大幅压制，仅在200元/t左右。2019年硫酸钾利润先升后降，利润上涨是由于原料氯化钾价格的下跌，利润下降是由于自身价格的大幅度下滑。近5年，行业的利润在0～500元/t之间。2021年末，由于原材料氯化钾的价格上涨，如不考虑副产盐酸的销售，则硫酸钾的利润再次出现倒挂。

（3）硝酸钾企业利润

硝酸钾的主要用途之一是作为肥料，毛利润基本随原料氯化钾和硝酸铵的成本价格变化。2015～2020年，我国硝酸钾市场均价呈现波动性走势，但整体在4200～4600元/t范围内变化，利润也较为平稳。2021年硝酸钾市场货源紧缺，上游供应商供给量小于需求量，我国硝酸钾价格快速上涨，市场均价从2020年的4235元/t上涨至2021年的5013元/t，尤其是下半年，利润明显增长。

（4）磷酸二氢钾企业利润

磷酸二氢钾的生产工艺不同，生产的成本和利润也不同。湿法磷酸生产工艺消耗的磷酸较多，生产成本高于热法磷酸，利润多小于热法磷酸生产的磷酸二氢钾。2015 年到 2020 年，我国磷酸二氢钾市场价格基本在 6000 ～ 8000 元 /t 范围内变化，利润相对平稳。2021 年年中，黄磷的价格大幅上涨，导致磷酸二氢钾市场价格和成本倒挂，利润甚至跌至 −500 元 /t；10 月后黄磷价格下降，企业利润明显增长，全年波动较大。

4.5.4.3　重点企业经济效益分析

（1）青海盐湖工业股份有限公司

青海盐湖工业股份有限公司的钾肥产量常年保持高位，产能利用率基本达到 100% 以上，2018 ～ 2021 年分别达 97%、113%、110%、100%；钾肥运营成本常年维持低位，2018 年一度低至 446 元 /t，2020 年因执行新收入准则，运输与产品销售合并，2021 成本升高至 688 元 /t，但运费约 200 ～ 300 元 /t，总成本仍处于低位，带来了高额的毛利润，公司钾肥业务毛利率常年高达 55% 以上，2008 年一度高达 78%，2021 年毛利率预计在 60% 以上。

企业生产氯化钾产生的经济效益同产量呈正比关系，在 2010 年、2016 年和 2017 年的经济效益明显低于其他年份的经济效益，分析原因氯化钾生产加工成本未发生明显变化，主要是氯化钾销售价格低导致经济效益下降。

（2）格尔木藏格钾肥有限公司

格尔木藏格钾肥有限公司以青海省察尔汗盐湖为依托，拥有察尔汗盐湖开采面积 724.35 平方公里的采矿权证，年产氯化钾 100 万吨以上，已发展成国内氯化钾行业第二大生产企业。藏格钾肥隶属于藏格矿业股份有限公司，是控股公司的两个子公司之一，主要从事氯化钾的生产和销售，该业务为公司的核心业务；另一个子公司为格尔木藏格锂业有限公司，主要从事电池级碳酸锂的生产、销售和技术咨询。

氯化钾和碳酸锂为公司利润的主要来源。营业收入方面，2021 年公司氯化钾和碳酸锂业务分别占比 71.38% 和 28%。毛利润方面，2021 年公司的销售毛利润主要也来自氯化钾和碳酸锂，分别占比 78% 和 21%。2016 ～ 2020 年，公司销售毛利润分别为 18.65 亿元、23.18 亿元、18.32 亿元、11.75 亿元和 6.15 亿元。毛利率方面，2018 ～ 2020 年间，由于自然条件限制、氯化钾产能降低，同时氯化钾价格下降，公司毛利率呈现下降趋势。2016 ～ 2021 年，毛利率分别为 71.66%、73.05%、68.35%、58.19%、32.31% 和 46.79%，2021 年比 2020 年同比上涨 14.48 个百分点。

（3）国投新疆罗布泊钾盐有限责任公司

国投新疆罗布泊钾盐有限责任公司由国家开发投资公司控股，成立于 2000 年 9 月，主要经营业务为用罗布泊天然卤水制取硫酸钾、硫酸钾镁。2015 年之后，随着化肥优惠政策的先后取消，硫酸钾的经营成本明显增加，利润空间较大幅度降低。2016 ～ 2019 年，国投罗钾单位产品的净利润在 370 ～ 640 元 /t 之间，利润率在 11% ～ 30%。

4.6 市场与需求

4.6.1 国内钾肥市场综述

4.6.1.1 国内市场供需

随着我国农业对化肥施用零增长的政策要求，钾肥需求仍呈增长态势，2015 ～ 2020 年表观消费量（以 K_2O 计）基本稳定在 1000 万～ 1100 万吨，自给率稳定在 50% 以上，大大提升了我国在世界钾肥市场的话语权，保障了我国粮食生产安全。2015 ～ 2020 年钾肥供需情况详见表 4-22。

表4-22 2015 ~ 2020年钾肥供需情况表

项目	2015 年	2016 年	2017 年	2018 年	2019 年	2020 年
供应量 / 万吨	1246	1267	1257	1212	1321	1348
表观消费量 / 万吨	1112	968	1010	1004	1104	1037
自给率 /%	51.4	59.7	54.8	54.3	53.5	53.1
对外依存度 /%	48.6	40.3	45.2	45.7	46.5	46.9

注：供应量 = 产量 + 进口量 + 结转库存 – 出口量；表观消费量 = 产量 + 进口量 – 出口量。

4.6.1.2 我国钾肥进口

由于世界钾盐资源的分布极度不均匀，以及人口分布不均，不同地域对钾肥的需求和产量也不同，导致钾肥贸易量、出口量与进口量差异很大。中国钾肥资源相对短缺，但其地位却日趋重要，随着国产钾肥产量的增长，进口依赖度逐步下降 [19]。

我国一直是钾肥净进口国，进口钾肥以氯化钾为主，进口量总体呈阶梯型增长。根据我国海关统计数据，1981 年钾肥（以 K_2O 计，下同）进口量为 58.2 万吨，之后逐年快速增长。2003 ～ 2007 年是我国氯化钾进口量增长最快的时期，年平均增长率为 12.8%。2007 年，钾肥进口量达到历史最高值 577.1 万吨。2008 ～ 2009 年，由于受金融危机影响，钾肥价格大幅提高，我国钾肥进口量大幅下降，2009 年进口量最低，仅 138.5 万吨。2010 年后至 2015 年间逐渐恢复且再次快速增长，2015 年达到 560.6 万吨，2016 ～ 2018 年进口量小幅下降，2019 年钾肥进口量再次达到高值 547.8 万吨，之后连续两年进口量下降。我国钾肥进出口量价对比见图 4-12。

4.6.1.3 钾肥进口谈判

国产钾肥自给率从 2010 年起接近 50%，2013 年后一直保持在 50% 以上。目前，我国钾肥仍有 50% 左右需要进口，2021 年进口量为 456.5 万吨，80% 以上来自俄罗斯、白俄罗斯、加拿大。近 5 年，氯化钾进口量平均在 480 万吨，对外依存度维持在 42% ～ 50% 之间（图 4-13）。

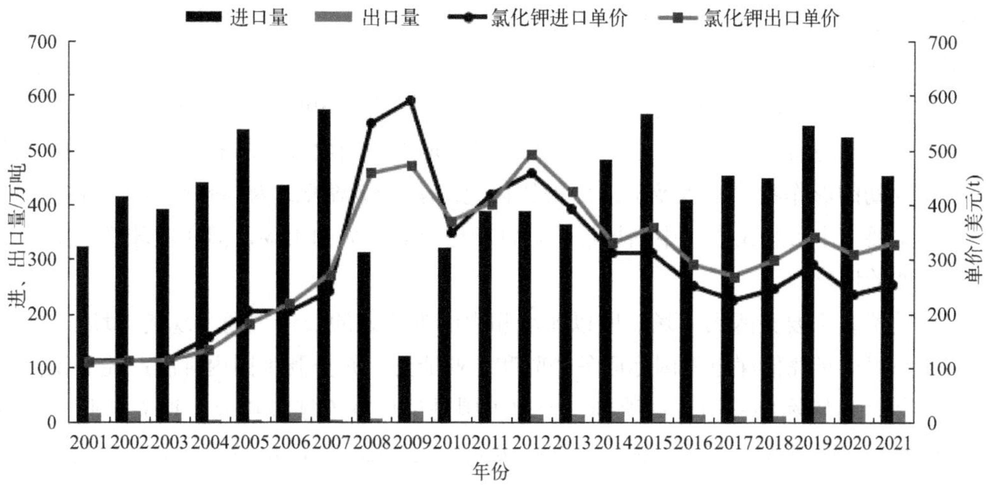

图 4-12　我国钾肥进出口量价对比

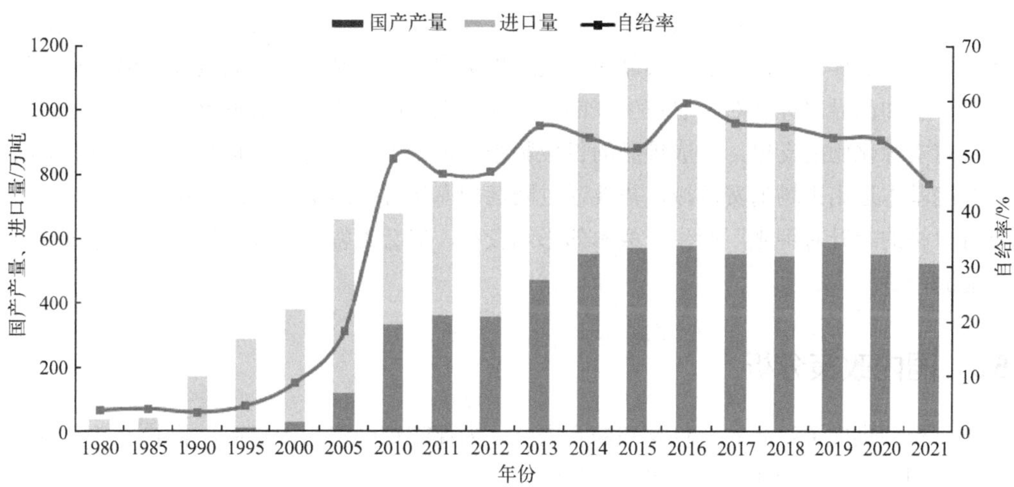

图 4-13　钾肥国产与进口比例

由于 2019 年我国钾肥进口量较大，国内的氯化钾港存量从 2019 年初就开始明显攀升，存量最高超过 300 万吨。受价格影响，2020 年下半年钾肥需求逐渐转好，9 月后港存逐渐下降，进口氯化钾港存量从 380 万吨下降至 286 万吨（含保税货源）。2021 年初随着国内春耕市场需求的不断增加，国内进口氯化钾港存量呈先降后升趋势。2021 年底港存量为 239 万吨，总体仍处于偏低水平。

4.6.2　国际钾肥市场情况及对中国供应的影响

全球每年有近 2 亿吨肥料参与国际贸易，其中，有 80 多个国家出口肥料，150 多个国家进口肥料。在 2020 年的化肥国际贸易中，钾肥的贸易量占总产量的 78%，磷肥的贸易量占总产量的38%～54%，氮肥的贸易量占总产量的11%～27%。全球钾肥需求与供给严重不对称，资源和产能分布集中于北美、东欧、中亚和西亚等地区，而需求集中在东亚、南亚、拉丁美洲等地区，因此钾肥国际贸易量大，近几年均在3000万吨以上。

全球人均土地面积下降，农作物单位产量必须增加，因此钾肥的利用率仍然有很大的上升空间。强劲的农作物价格以及随之而来的化肥需求持续增长成为钾肥价格上涨的推动力。与巴西等主要需求市场比较，中国虽然不是钾肥进口量最大的市场，但在全球钾肥市场上占据非常重要的地位。

钾肥的贸易主要分两大市场，即以印度和中国为代表的长协市场和现货市场。多年来，中方谈判小组成员凭借深厚的国际商务经验和专业能力，充分利用国内钾肥产能等议价条件掌握主动权，与国际供应商开展谈判，使得中国进口价格连续多年处于世界钾肥“价格洼地”。2021年，钾肥新的大合同价格为247美元，比2020年上涨27美元，其他条款不变。维持“价格洼地”的谈判成果来之不易，对降低农业生产成本和帮助农民增产增收具有重大意义。

钾肥的价格与世界大宗商品和粮食的价格也有着密不可分的联系。钾肥对农作物的重要作用，一方面体现在增加农作物产量，提高抵抗极端环境的能力，比如抗倒伏、抗病虫、抗寒等；另一方面体现在提高农产品品质，促进果实成熟。特别在各国高度关注粮食安全问题的当下，更加凸显出钾肥对于农业生产的不可或缺性。所以当粮食价格上涨时，强劲的农作物价格将支撑化肥的支出，造成钾肥的供应紧张，价格上涨。另外，世界主要钾肥供货商的生产基地基本远离市场消费区域，需要通过陆运加海运方式运输。因此，虽然石油、天然气等能源价格的飙升对钾肥厂商生产成本的影响较小，但会大幅增加其运输成本，进而推高国际钾肥到岸价。

4.6.3 国内政策分析

钾肥资源供应关系到农业稳定和粮食安全。为保障钾肥资源的供应，将其上升到国家战略高度，国家宏观政策的影响逐步加深[20]。

4.6.3.1 国家化肥商业储备管理办法

2020年4月，国家发展和改革委员会发布了《国家化肥商业储备管理办法（征求意见稿）》（以下简称《储备办法》），明确提出要“减少国内钾资源消耗，钾肥储备进口肥占比不低于80%，并实行全年储备”。这是国家首次将钾肥列入商业储备范围，是国家重视国内钾肥短缺资源保护以及疫情影响、地缘政治风险加剧与逆世界化浪潮泛起大形势下钾肥战略储备的体现。

钾矿在我国属于严重短缺资源。根据中国矿业联合会的报告：到2020年中国所需的45种主要矿产可以基本划分为可以保证（煤、钨等24种）、基本保证（钛、硫2种）、短缺（石油、铁等10种）、严重短缺四类（钾、钴等9种），其中严重短缺的9种矿产为钾、钴、铬、铜、锌、锶、硼、金刚石、铂族元素。此外，自然资源部经国务院批准发布的《全国矿产资源规划（2016—2020年）》中，也将钾盐列为24种战略性矿产资源之一。2019年我国钾盐储量统计标准5.01亿吨，占全世界可采储量的9%左右，按目前产能规模估算我国钾盐可采储量仅够开采20～30年，因此我国钾肥供给保障的问题相当严峻。

我国作为农业大国，用世界7%的耕地养活了世界20%的人口，化肥施用直接决定了粮食产量，但我国缺钾耕地面积占国内总耕地面积的55%以上。我国氮肥、磷肥都已实现自给自足，而钾肥每年约50%以上需进口。目前，我国每年钾肥（以K_2O计，下同）表观消费量已达到1100万吨左右，是世界上最大的钾肥消费国，约占世界消费量的25%以上，而自主年产量仅为500万吨左右，自给率仅仅维持在50%左右，严重依赖进口。因此，在世界钾矿资源被寡头垄断的情况下，中国钾肥如缺乏议价能力，一旦国际钾肥寡头保价限产，提高钾肥的出口价格，我国钾肥进口成本将大幅度提高，最终导致农产品的价格飙升，严重影响农业生产并引发粮食安全问题。

从国家战略布局考虑，为了减少国际钾盐寡头对我国进口的限制，解决我国钾盐资源匮乏的困境，保障国家农业和粮食安全，钾肥收储是一种行之有效的方法，可以有效调控钾肥资源的稳定供应，对保证中国农业的持续、稳定发展是很有必要的。

2020年《储备办法》的制定，是我国钾肥储备走出的第一步。

4.6.3.2　钾肥进口税收优惠政策

进、出口政策主要分关税和非关税措施，非关税措施一个是数量限制，另一个是经营权的限制。在数量管理上，加入WTO（世界贸易组织）以前，我国对化肥进口实施严格的数量管理，当时叫作进口配额，加入WTO后，进口配额放开。在关税方面，钾肥的进口关税逐渐下调，目前执行最惠国税率1%。

1985年3月，国务院发布的进出口关税条例中规定，钾肥（硝酸钾、氯化钾、硫酸钾）的进口普通税率为11%，最低税率为6%。1994年，《国务院办公厅关于进口粮棉油糖和化肥农药等商品政策问题的通知》规定，继续执行1994年税改前的进口化肥优惠政策。从1994年1月1日起，对钾肥、磷肥、尿素进口关税实行零税率，进口增值税征收后全部返还，如退税后价格低于国内市场价格，则酌情返还进口增值税。1996年4月，进口税收进行改革和调整，当时的税则新规定为硝酸钾进口关税4%，氯化钾和硫酸钾5%，增值税继续免征。

1999年和2001年，钾肥的进口关税再次下调，从1999年1月1日起，氯化钾、硫酸钾进口税则优惠税率5%，实际执行税率3%，进口普通税率仍按11%执行。2001年，税委会将氯化钾的海关编码（HS编码）分为31042010“纯氯化钾”和31042090“其他氯化钾”。两种氯化钾的进口普通税率仍为11%，优惠税率由5%下调至3%，继续免征进口环节增值税。

2006年11月，《国务院关税税则委员会关于调整部分商品进出口暂定税率的通知》（税委会〔2006〕30号），文件规定，对肥料用硝酸钾、氯化钾、硫酸钾、粗钾盐、硫酸钾镁等16项化肥类产品实施1%的进口最惠国暂定税率，此政策一直执行至今。但是，从2015年9月1日起，国内化肥企业恢复征收增值税，进口钾肥也一并恢复了13%的增值税税率，该税率2018年5月下调至10%，2019年4月下调至9%（表4-23）。

表4-23　中国钾肥进口关税税率变化

时间	进口关税	进口增值税
1985 年 3 月 10 日	普通税率 11%，最低税率 6%	
1994 年 1 月 1 日	零关税	随征随返
1996 年 4 月 1 日	硝酸钾 4%、氯化钾 5%、硫酸钾 5%	免征
1999 年 1 月 1 日	普通税率 11%，优惠税率 5%，实际 3%	免征
2001 年 1 月 1 日	普通税率 11%，优惠税率 3%	免征
2006 年 11 月 1 日	最惠国税率 1%	免征
2015 年 9 月 1 日	最惠国税率 1%	13%
2018 年 5 月 1 日	最惠国税率 1%	10%
2019 年 4 月 1 日	最惠国税率 1%	9%

4.6.3.3　钾肥出口税收优惠政策

2008 年，国际钾肥价格飞涨，为了保护国内钾肥的应用，限制出口，从 2008 年 4 月 1 日起，国务院开始征收钾肥的出口关税。其中钾肥（税号：28342110、31402090、31043000、31049010、31049090）品种征收 30% 的出口暂定关税。同时，自 2008 年 4 月 20 日至 11 月 30 日，还对 HS28342190 非肥料用硝酸钾在现有出口关税税率基础上，加征 100% 的特别关税。12 月 1 日，海关总署第 84 号公告调整了部分产品的出口关税，钾肥产品关税再加码。五种钾肥、钾盐、钾矿产品（税号：28342110、31402090、31043000、31049010、31049090）除征收 30% 的出口关税外，加征 75% 的特别关税。非肥料用硝酸钾也是加征 75% 的特别关税。

从 2009 年开始，钾肥的出口关税逐渐下调。7 月非肥料用硝酸钾不再征收 75% 的出口特别关税，只征收 10% 的出口关税；其他钾肥产品出口关税不变。2010 年 1 月 1 日起，非肥料用硝酸钾不再征收出口关税，肥料用硝酸钾出口关税调整至 7%。氯化钾、硫酸钾、硫酸钾镁和其他粗钾盐继续 30% 的出口关税和 75% 的特别关税，执行至 2012 年底。2013 年，氯化钾、硫酸钾出口关税调整至 2000 元 /t，其他不变。2014 年，肥料用硝酸钾出口关税下降至 5%，氯化钾、硫酸钾出口关税下降至 600 元 /t，其他仍为 30%，特别关税不再征收，此税率一直持续至 2018 年。同时，2014 年，分析纯氯化钾（HS31042010）改为纯氯化钾（HS31042020），不征收出口关税，海关验收氯化钾纯度是否≥ 99.5%，优级纯、分析纯、化学纯和食品级纯度达到 99.5% 的氯化钾均可按此税目归类报关。

2019 年，钾肥出口关税迎来重大利好，所有含钾肥料的出口关税均为零。从 2008 年征收 30% 的出口关税，到 2019 年彻底放开出口零关税，标志着我国钾肥逐步走向市场化，同时也为国内过剩的加工型钾肥产品提供了新的商机。出口关税税率变化见表 4-24。

表4-24 中国钾肥出口关税税率变化

时间	出口关税	特别关税
2008 年 4 月 1 日	氯化钾等 5 种 30%	无
2008 年 4 月 20 日	氯化钾等 5 种 30%，非肥料用硝酸钾收 100%	
2008 年 12 月 1 日	氯化钾等 5 种 30%，非肥料用硝酸钾只收 75%	加征 75%
2009 年 7 月 1 日	氯化钾等 5 种 30%，硝酸钾 10%，不收特别关税	加征 75%
2010 年 1 月 1 日	氯化钾等 5 种 30%，肥料用硝酸钾 7%，非肥料用硝酸钾零关税	加征 75%
2013 年 1 月 1 日	氯化钾 2000 元 /t，硫酸钾 2000 元 /t，肥料用硝酸钾 7%	加征 75%
2014 年 1 月 1 日	肥料用硝酸钾 5%，氯化钾 600 元 /t，硫酸钾 600 元 /t，其他 30%	无
2019 年 1 月 1 日	零关税	无

4.6.3.4 关于加工贸易政策

所谓加工贸易，是指经营企业进口全部或者部分原辅材料、零部件、元器件、包装物料（以下简称料件），经加工或装配后，将制成品复出口的经营活动，包括进料加工、来料加工。常见的加工贸易方式包括：进料加工、来料加工、装配业务和协作生产。

加工贸易是中国改革开放以来一项重要的对外经济贸易促进政策。加工贸易以保税方式进口原料、材料或零件，利用本国的生产能力和技术，加工成成品后再出口，从而获得以外汇体现的附加价值。

1999 年 4 月，国家经贸委、外经贸部、海关总署等部门按国家产业政策设立了加工贸易禁止类、加工贸易限制类、加工贸易允许类商品目录，列入禁止类目录的商品不得以加工贸易方式保税进口、保税复出口。20 多年来，加工贸易禁止类目录多次调整，机构改革后目录现由商务部和海关总署负责发布。

根据国家对加工贸易货物监管的相关规定，以加工贸易方式出口的货物所消耗的进口原材料可享受保税政策，即对应的这部分进口原材料免征进口环节增值税和进口关税；货物复出口时，保税原材料对应的货值按规定实行增值税免抵退政策。

化肥进口的加工贸易禁止政策始于 1999 年。1999 年 5 月 26 日，国家经贸委、外经贸部和海关总署发布《加工贸易禁止类、进口限制类商品目录（第一批）》，决定自 1999 年 6 月 1 日起禁止为种植出口农产品而以加工贸易方式进口所有化肥。

2007 年 4 月 26 日之前，与其他大多数货物一样，化肥属于允许以加工贸易方式出口的货物。磷肥企业用进口硫黄生产磷复肥再出口，复合肥企业用进口钾肥、磷肥生产复合肥再出口，氮肥企业用进口煤炭、天然气生产尿素再出口。用进口氯化钾生产加工型硫酸钾、硝酸钾及钾碱（钾盐）产品，均可以享受进口料件的保税政策。以磷酸二铵为例，2006 年全年中国共出口 78.6 万吨，其中以进料加工贸易方式报关出口量达 33.3 万吨，占比达 42.3%。

2007 年 4 月 26 日起，商务部、海关总署调整加工贸易禁止类商品目录，将 34 种海关编码的化肥货物出口列为禁止类。化肥属于出口增值税不予退税的货物，不允许以加工贸易方式出口化肥，生产这些化肥所消耗的进口料件无法再享受保税政策。

“十二五”以来，化肥行业享受的电气运税优惠政策陆续取消，农资补贴方式也已经转变，化肥基本恢复普通商品属性。中国化肥行业的能效水平、污染物排放控制标准、本质安全水平、资源综合利用率等指标均大幅提升，部分指标还达到国际领先水平。2019 年 1 月 1 日起，所有化肥不再征收出口关税，限制化肥出口的政策只剩下“禁止加工贸易出口”和“出口不退税”这两项。

近年来，行业协会多次呼吁恢复允许化肥加工贸易方式出口和出口全额退税政策。疫情发生后，氮肥、磷复肥、钾肥行业再次向国家有关部门反映行业诉求。商务部、海关总署发布《商务部　海关总署关于调整加工贸易禁止类商品目录的公告》（商务部　海关总署公告 2020 年第 54 号）。将商务部　海关总署公告 2014 年第 90 号《加工贸易禁止类商品目录》中符合国家产业政策，不属于高耗能、高污染的产品以及具有较高技术含量的产品剔除，共计剔除 199 个十位商品编码。同时，对部分商品禁止方式进行调整。调整后的《加工贸易禁止类商品目录》仍按商务部　海关总署公告 2014 年第 90 号有关规定执行。公告自 2020 年 12 月 1 日起执行。

主要化肥品种不再禁止加工贸易方式出口，恢复为允许以保税方式来料加工或进料加工。这为中国化肥行业利用淡季闲置产能、提高运行效率，更好地参与构建国内国际双循环提供了政策支持。此次商务部、海关总署在公告中明确从加工贸易禁止类目录中剔除的商品海关编码共 199 个（其中化肥商品的编码共 25 个），剔除的理由：这些商品是符合国家产业政策，不属于高耗能、高污染的产品，以及具有较高技术含量的产品。这也说明，在行业协会的指导下，中国化肥行业在节能、环保、安全生产、资源综合利用等方面取得的进展得到了社会的认可。

需要说明的是，允许以加工贸易方式出口化肥只是对那些进口料件占成本比例达到一定程度的品种形成实质的利好。与 2019 年初全面取消化肥出口关税一样，并不会导致中国肥料出口量的大幅增加。包括中国在内的 15 个成员国正式签署 RCEP 协定成为中国进一步扩大开放的“亮点”之作。在构建“双循环”的大背景下，中国对化肥出口恢复退税（甚至全额退税）政策也许很快会提上议事日程，让中国的氮肥、磷复肥、加工型钾肥（钾盐）行业合理利用好淡季产能，更好地服务于世界农业生产。

4.6.4 钾肥消费

4.6.4.1 世界钾肥消费

世界钾肥消费主要集中在东亚、拉丁美洲和北美三个地区。据国际肥料协会（IFA）数据，2000 年至 2020 年，世界钾肥（以 K_2O 计，下同）消费量由 2209.5 万吨增加到 4246.8 万吨，增长的贡献主要来自东亚、拉丁美洲、加勒比地区以及南亚。西欧和中欧钾肥消费则呈减少趋势，其他地区变化不大。据国际钾肥生产公司统计，2016 ～ 2020 年世界钾肥需求从 3600 万吨提升至 4140 万吨，年复合增长率为 2.83%。

2020 年，东亚消费 1522.9 万吨，占世界总消费量的 35.9%，居世界首位；拉丁美洲和加勒比地区消费量为 938.2 万吨，占 22.1% ；北美消费 628.3 万吨，占 14.8%。以上三个地区合计约占世界钾肥消费总量的 72.8%。中国、巴西、美国与印度是世界上主要的钾肥消费国，约占世界总消费量的 84%。2020 年中国的钾肥消费量约占世界总消费量的 25% 左右，位居世界第一。

4.6.4.2　我国钾肥消费

据中国无机盐工业协会钾盐钾肥行业分会统计，1981 年以来我国钾肥（以 K_2O 计，下同）表观消费量快速增加，2004 年突破 500 万吨，成为世界第一消费大国。2000 年至 2007 年我国钾肥表观消费量由 399.9 万吨增加到 778.6 万吨，年均增长率达 10%。2008 ～ 2009 年，由于受金融危机影响，钾肥价格大幅提高，我国钾肥消费量显现出明显的下降趋势，2009 年表观消费量最低，仅 419.3 万吨。随着经济好转，“十二五”期间钾肥表观消费量增速较快，2010 年我国钾肥表观消费量上升至 649.6 万吨，2015 年达到 1142 万吨，比 2010 年增长 69.7%。“十三五”期间，在化肥零增长的情况下，钾肥需求仍保持小幅增长态势。2014 年后表观消费量稳定在 950 万～ 1100 万吨之间，钾肥农用施用量在 2015 年达到峰值。2016 ～ 2020 年受化肥施用零增长倡议的影响，农业用量逐年下降，总需求基本保持稳定（图 4-14）。

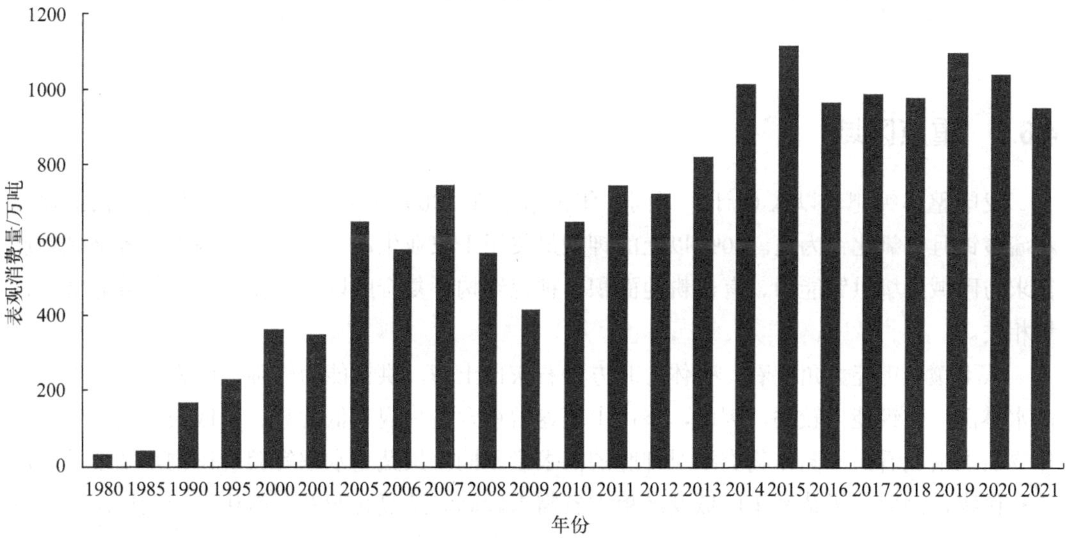

图 4-14　1981 ~ 2021 年我国钾肥表观消费量变化

钾是植物生长发育所必需的三大营养元素之一，对植物的功效没有替代品，仅靠土壤自身所含有的钾元素难以满足植物的需求，因此世界农业种植对钾肥的需求极其旺盛。世界超过一半用量的钾肥用于果蔬、谷物和油籽作物，其余主要用于棉花、咖啡、烟叶、棕榈油和糖类等经济作物的增产增收，钾肥被誉为“粮食中的粮食”[21]。

根据国家统计局统计，化肥的农用施用量在 2015 年达到峰值。2016 ～ 2020 年受化肥零增长政策影响，农业用量逐年下降，对于钾肥来说，总需求基本保持稳定。我国耕地灌溉面积与化肥施用量见表 4-25。

表4-25 2011～2020年我国化肥施用量

年份	农用化肥施用量 / 万吨	农用化肥品种 / 万吨			
		氮肥	磷肥	钾肥	复合肥
2011	5700.8	2381.4	819.2	605.1	1895.1
2012	5836.2	2399.9	828.6	617.7	1990.0
2013	5909.7	2394.2	830.6	627.4	2057.5
2014	5995.9	2392.9	845.3	641.9	2115.8
2015	6022.7	2361.6	843.1	642.3	2175.7
2016	5984.5	2310.5	830	636.9	2207.1
2017	5859.4	2221.8	797.6	619.7	2220.3
2018	5653.4	2065.4	728.9	590.3	2268.8
2019	5403.6	1930.2	681.6	561.1	2230.7
2020	5250.6	1833.9	653.8	541.9	2221.0

注：数据来源于国家统计局。

4.6.5 重点区域

我国整体钾肥（以 K_2O 计，下同）年需求量在 1000 万～ 1200 万吨，主要包括氯化钾和硫酸钾且以氯化钾为主。80% 以上的钾肥最终用于农业生产，因此从全国来看各区域钾肥需求与区域土壤供钾能力、有效耕地面积、种植结构、复合肥以及钾盐化工产能分布情况密切相关。

从土壤供钾能力角度看，整体上北方为石灰性土壤，供钾能力较强，南方酸性土壤加上雨水淋洗，供钾能力较弱，因此，整体土壤速效钾含量呈现南低北高、东低西高的趋势。从作物需求情况看，不同作物类型对钾肥的需求量不同，果蔬、水稻等粮食作物是主要的钾肥消费作物，因此，果蔬密集区域及产粮大省需求较高。从复合肥及钾盐化工产能情况看，各区域均有分布，相对产能较大的主要是山东、河南、湖北等省份及东北、西南等区域。

综合以上因素，各区域钾肥表观需求量呈现较大差异。从全国区域钾肥表观市场容量看，山东、湖北、东北、江苏、西南等排在前列，均超过百万吨。从全国各省市钾肥施用量来看，2020 年我国钾肥施用量排名前十的省（自治区、直辖市）依次为广西、河南、广东、湖南、山东、黑龙江、湖北、安徽、陕西和云南。

根据中国农业科学院的研究，虽然我国实行农业机械化以来，大量作物还田到土壤，但随着产量不断提高，大量钾素被作物带走，土壤速效钾含量仍呈持续降低趋势。当前我国农业生产需要钾养分（以 K_2O 计，下同）量为 2640 万吨，2020 年全国钾肥表观消费量为 1043 万吨，有机肥中钾养分资源潜力为 3400 万吨，但还田的有效养分约为 1273 万吨，消费与需求差表明，全国钾肥施用不足，而且综合经济发展、施肥水平等因素，从平衡施肥、品质农业以及在“化肥零增长”形势下控氮补钾要求等角度考虑，未来整体钾肥需求仍有一定的增长空间，各区域钾肥需求也将基于施肥水平和种植结构的变化而变化。

4.6.6 供需平衡

化肥在农业生产中起着不可替代的作用，我国用世界 7% 的耕地养活了世界 20% 的人口，化肥起的作用十分大，而钾作为品质元素和抗逆元素，对保障植物体正常生长、提高抗逆性、改善品质及增产增收具有不可替代的作用。我国可溶性钾资源短缺，但需求占世界的 25% 以上，因此，保障钾肥的供需平衡对保障国家粮食安全和农业可持续发展具有重要意义。

伴随着我国经济发展和农业现代化的推进，钾肥需求持续增长，我国自 1972 年开始便从加拿大等国进口钾肥以满足国内需求。整个 20 世纪，国内钾肥需求基本通过进口来满足，而 21 世纪初我国钾肥年进口量达到 600 万～ 700 万吨。随着我国钾肥产能呈现跨越式快速增长，进口量也有所增长，需求也上升到一个新台阶，钾肥自给率快速提高至 50% 左右，国内需求通过国产和进口有机结合灵活调剂来保障。

2016 年之后，国内整体钾肥产能、产量增长陷入瓶颈，国产供应保持相对稳定，进口量也维持在 800 万吨上下，需求保持缓慢增长态势。未来随着我国农业现代化的持续推进，钾肥需求仍有一定增长空间，而国内钾肥储量难以支撑大规模长期开采，因此未来保障钾肥供需平衡任务依然艰巨。为保障国内农业的可持续发展，针对国内钾资源供求失衡的矛盾，仍需落实我国“境内、境外”互相支撑的钾肥发展战略，推进国内资源平衡可持续开发，鼓励企业扩大进口，大力支持企业布局国外钾肥资源，共同保障国内钾肥稳定供应，维护国家粮食安全。

4.7 产业发展展望

4.7.1 国内优势企业与国际标杆企业对比

4.7.1.1 国际标杆企业

全球钾肥资源分布存在严重的不均衡现象，钾肥的生产也集中在加拿大、俄罗斯、白俄罗斯等几个大国，因此全球钾肥贸易主要分为三大贸易阵营。

第一大阵营在北美地区。加拿大 Nutrien 产能世界第一，占 21.89%。美国美盛 Mosaic，占世界总产能的 13.89%。这两家公司都通过北美销售同盟 Canpotex 一致对外销售。这一阵营大约掌握了全球 35.78% 的钾肥市场。

加拿大钾盐资源集中位于萨斯喀彻温省，主要由 Nutrien 公司和 Mosaic 公司 2 家大型钾肥生产企业开采。其中，Nutrien 由加阳公司与萨斯喀彻温钾肥公司于 2018 年合并而成，目前有 9 个生产矿井。Nutrien 是全球最大的钾肥生产商，产能（以 KCl 计）达到 2200 万吨，也是全球最大的化肥生产商及分销商。其兼顾并发挥原萨钾公司和加阳公司各自的优势，从而不断提高产能利用率、销售占有率，以及降低生产、运营成本。美国美盛 Mosaic 是北美第二大化肥生产商，该公司拥有加拿大 3 座钾矿和美国 2 座钾矿的开采权。Mosaic 产能（以 KCl 计）达到 1270 万吨，位居世界第四位，同时它也是全球最大的磷肥生产商和销售商。

第二大阵营在独联体和波罗的海国家，主要由俄罗斯乌拉尔钾肥公司和白俄罗斯钾肥公司组成。俄罗斯钾盐资源由 Uralkali 公司和 Eurochem 公司开采。其中 Uralkali 公司产能（以 KCl 计）达到 1330 万吨，居世界第二位。白俄罗斯钾盐资源由 Balaruskali 公司开采，产能（以 KCl 计）达到 1290 万吨。由于钾肥资源高度集中，在 2013 年以前，世界钾肥行业处于寡头垄断竞争的状态。2013 年，两国的 BPC 联盟解体，各国的钾肥产能得到释放。

第三大阵营在中东地区。以色列 ICL 和约旦 APC 是该地区最大的钾肥生产企业，组成第三大钾肥生产组织联盟，产能约占世界总产能的 10%。

4.7.1.2 国际产能分析

由于世界钾盐资源分布极度不平衡，长期以来国际钾肥市场处于寡头垄断格局（表 4-26）。

表4-26 2020年世界钾肥产量表

国家	产量（以 K_2O 计）/ 万吨
加拿大	1380
俄罗斯	811
白俄罗斯	740
中国	600
德国	220
以色列	228
约旦	159
智利	90
美国	46
西班牙	42
老挝	27
巴西	25.4
其他	36
总计	4404.4

注：数据来源于美国地调局。

产能方面，据美国地质调查局统计，2020 年世界钾肥（以 K_2O 计，下同）的总产能达到 6100 万吨，钾盐世界平均开工率约为 68%。同样地，钾肥生产企业集中于上述钾盐资源大国，其中有 12 家企业产能超过百万吨（表 4-27），共计产能达到 5252 万吨，占世界总产能的 90.38%。

表4-27　2020年世界百万吨级钾肥企业产能表

国家	企业	产能（以 K_2O 计）/ 万吨
加拿大	Nutrien	1320
	Mosaic	762
俄罗斯	Uralkali	798
	Eurochem	138
白俄罗斯	Balaruskali	774
德国	K+S	408
以色列	ICL	240
约旦	APC	156
智利	SQM	156
中国	盐湖股份	300
	藏格控股	120
	国投罗钾	80
其他企业		848
共计		6100

注：数据来源于美国地质调查局。

加拿大、俄罗斯和白俄罗斯三国的钾盐资源均为固体氯化物型钾资源，加拿大和白俄罗斯以钾石盐型矿床为主，俄罗斯以光卤石型矿床为主。矿床储量大、品位富（KCl 含量为 25% ～ 55%）、矿层厚、埋深浅，易于大规模开采，而且开采成本最低。采用的开采技术为固采法和液采法。

德国钾盐资源以无水钾镁矾等硫酸盐型固体矿为主，主要由 K+S 公司开采。K+S 产能（以 KCl 计）达到 680 万吨，居世界第五位。产品除氯化钾外，同样生产硫酸钾，是世界最大的硫酸钾生产商之一，并拓展镁肥、钾镁肥及速溶肥料的生产。

死海钾盐资源是超大型氯化物型钾镁盐液体矿床，为以色列和约旦两个国家共有，由以色列 ICL 集团和约旦 APC 公司共同开采。两者的产能（以 KCl 计）分别为 400 万吨和 260 万吨，分居世界第七位和第八位，产品为氯化钾。ICL 集团同时是世界上最大的特种肥料制造商，是世界上园艺肥料、草坪肥料和高效农业肥料的领导者，特种肥料产品涵盖控释肥料、全水溶性肥料、缓释肥料等三大系列，并加强死海中的溴、镁等资源的综合提取开发，是世界上第一大溴素生产商和阻燃剂生产商。

智利钾盐资源集中分布于阿塔卡玛干盐湖，由SQM公司进行开采，产能（以KCl计）达到260万吨，产品包括氯化钾和硝酸钾。由于阿塔卡玛盐湖卤水的特殊性质，在钾资源开发的同时，锂、硼、碘等资源实现同时开发，SQM是世界上最大的碳酸锂生产商。同时，紧密结合智利的硝石资源，衍生生产更多钾盐产品，如硝酸钾、碘化钾、碘酸钾等。

4.7.1.3 我国标杆企业

中国钾肥产能集中分布于青海察尔汗盐湖和新疆罗布泊盐湖。察尔汗盐湖为超大型盐湖钾镁盐型矿床，由盐湖股份和藏格钾肥共同开采（以京藏铁路为分界线，铁路以西属于盐湖股份，铁路以东属于藏格钾肥），产品为氯化钾。其中盐湖股份的产能（以KCl计）为500万吨，居世界第五位，中国第一位。罗布泊盐湖为大型硫酸镁亚型钾盐矿床，由国投罗钾独自开采，产品为硫酸钾，是世界上资源型硫酸钾产能最大的企业。

（1）青海盐湖工业股份有限公司

青海盐湖工业股份有限公司是我国目前最大的钾肥工业生产基地，是我国钾肥制造行业排头兵企业，是国家级柴达木循环经济试验区内的龙头骨干企业。公司始建于1958年，前身为青海察尔汗钾肥厂，1996年更名为青海盐湖工业集团有限公司，1997年将氯化钾生产经营主业重组为青海盐湖钾肥股份有限公司。

作为国内首家大型钾肥工业生产企业，地区的艰苦性和钾盐资源的集中性构成了企业的鲜明特征。经过多年的发展，公司已形成了一套比较完善的集科研开发、生产经营、化工产品生产、后勤服务于一体的生产体系，成为集化工生产建筑安装、工程监理、酒店和物业管理、百货、资本运作于一体的大型现代化公司。

① 资源情况。察尔汗盐湖总面积为5856平方公里，蕴藏了极为丰富的钾、钠、镁、硼、锂、溴等自然资源，总储量为600多亿吨，其中氯化钾资源量为5.4亿吨，均居全国首位。

② 生产情况。氯化钾产能为500万吨，硝酸钾产能为40万吨，氢氧化钾产能为40万吨，碳酸钾产能为8万吨。2015年氯化钾产量突破500万吨；2019年氯化钾产量为563万吨；2021年氯化钾产量为503万吨，占全国资源型钾肥总产量的57.5%。

盐湖股份在钾盐资源开采方面研发了低品位固体钾矿的浸泡式溶解转化开发技术，形成了世界上唯一的低品位固体钾盐开采工程，溶采技术使固体钾盐工业品位由8%降至2%，进一步增加了低品位固体钾矿的利用，可采储量成倍增加。钾盐加工方面开发了利用光卤石生产氯化钾的反浮选冷结晶技术，通过调整工艺路线、优化工艺操作条件、改进关键设备等技术手段，形成新一代高品位、高回收率氯化钾生产集成技术，能够稳定生产品位达98%的氯化钾产品。

（2）格尔木藏格钾肥有限公司

格尔木藏格钾肥有限公司是成立于2002年的一家民营企业，公司总部地处格尔木市，厂址位于市区以北 70 千米处的察尔汗盐湖，目前已发展为国内氯化钾行业第二大生产企业，是青海省 30 家重点企业之一。

① 资源情况。该公司资源也来源于察尔汗盐湖，公司拥有察尔汗盐湖开采面积 724.3493 平方公里。2017 年 10 月，公司收购大浪滩黑北钾盐矿，获得"青海省茫崖行委大浪滩黑北钾盐矿详查探矿权"，面积为 492.56 平方公里。该钾盐矿预测新增卤水氯化钾盐资源量 3000 万吨（察尔汗盐湖一半的资源量）。在取得大浪滩黑北钾盐矿采矿权后，公司开采矿区面积达到 1216.91 平方公里，资源储备进一步扩大。

② 生产情况。格尔木藏格钾肥有限公司经过近几年的快速发展，藏格钾肥（以 KCl 计，下同）产能扩大至 200 万吨。2018 年氯化钾最高产量达到 160 万吨；2021 年产量为 108 万吨，占全国资源型钾肥总产量的 12.3%。公司采用冷结晶反浮选技术，单条线年生产能力为 10 万吨，成品氯化钾含量 90% ～ 93%；兑卤脱钠、控速分解工艺（简称 $4^{\#}$ 工艺）生产线，可生产精制氯化钾，成品氯化钾含量 95% ～ 98%。

（3）国投新疆罗布泊钾盐有限责任公司

国投新疆罗布泊钾盐有限责任公司成立于 2000 年 9 月，2004 年成为国家开发投资公司的控股企业，以开发罗布泊天然卤水资源制取硫酸钾为主业。2006 年 4 月，新疆罗布泊钾肥基地年产 120 万吨硫酸钾工程正式开工建设，2008 年 11 月投料试车成功，2012 年 6 月通过国家发展改革委组织的项目验收，公司成为世界上最大的硫酸钾生产商。

① 资源情况。罗布泊盐湖位于新疆巴音郭楞蒙古自治州若羌县境内，处于塔里木盆地东端，是世界上最大的干盐湖之一，是我国继柴达木盆地之后发现的第二大钾盐成矿聚集区，蕴藏有我国最大的硫酸盐型卤水钾矿床。现已探明的罗北凹地及东西台地三个区段就有孔隙度储量 2.99 亿吨（折 KCl），同时，卤水富含钠、镁、锂、铯、硼等多种元素，具有巨大的综合开发利用价值。

其中，罗北凹地钾盐资源条件较好，是一个以液相矿为主，固液并存，并以钾盐为主，同时共（伴）生有钠、镁盐等可综合利用的大型矿床。南北长 60km，东西宽 25km，分布面积 1534.5km^2。K_2SO_4 资源量总计孔隙度储量为 3.107 亿吨、给水度储量为 1.528 亿吨。卤水矿分布面积广，埋藏浅，矿层厚，含钾量较高，富水性极强，KCl 含量为 0.92% ～ 1.83%，平均品位 1.52%，是罗布泊钾肥基地前期开发利用的主要对象。

② 生产情况。国投新疆罗布泊钾盐有限责任公司钾肥项目采用的是以盐湖卤水为原料，通过兑卤人为改变原卤水的结晶点和结晶路线，从而获得较高产量和质量的钾混盐及光卤石盐田产品，再经过分解、转化、浮选、结晶直接生产硫酸钾的生产工艺。该"罗布泊硫酸镁亚型卤水制取硫酸钾"工艺技术获得了国家科学技术进步奖一等奖。公司主要生产硫酸钾，产能为 160 万吨，硫酸钾镁产能 10 万吨，2018 年产量（实物量，下同）为 170 万吨，2021 年产量为 169.5 万吨，占全国资源型钾肥总产量的 15.8%。

4.7.1.4　标杆企业对比

我国的优势钾肥企业与国际标杆型钾肥企业相比仍存在一定的差距，但同时也具备自己的特色。

4.7.1.5 我国盐湖与世界主要盐湖对比。

从资源禀赋和其他方面对比，具体表现在以下方面。

（1）盐湖资源禀赋对比

青海盐湖资源与世界其他主要盐湖相比具有种类齐全、储量大、可开发潜力大的优势，但资源种类分布不均、品位较低，开发难度较大。我国钾盐资源以现代盐湖型卤水钾盐矿为主，需要经过自然蒸发得到钾石盐、光卤石、钾盐镁矾等含钾矿物后，再加工制取相应钾盐产品。但蒸发过程中钾盐成矿时间短，矿物中 KCl 品位一般为 15% ～ 20%，低于加拿大、俄罗斯、白俄罗斯等固体钾盐矿床品位。固体钾资源矿床分布少，规模小，品位低，KCl 含量一般低于 2% ～ 7%，低于工业指标，不能直接开采利用。

按照卤水成分的差异，一般将盐湖卤水分为三大类：氯化物型、硫酸盐型、碳酸盐型。青海省盐湖卤水类型主要是氯化物型和硫酸盐型，卤水中主要含有钠、钾、镁、锂、硼等元素，钠、镁资源储量大、品位较高，钾资源分布不均、品位相对较低，而锂、硼等资源总体储量大、品位低，特别是锂资源具有典型的高镁锂比的特点。死海盐湖是氯化物型，钾资源储量大、品位高，具有较强的资源优势；智利阿塔卡玛盐湖和美国大盐湖均为硫酸盐型，资源禀赋好，储量大，开发历史较长，从早期一两种产品开发逐渐发展为锂产品、卤素产品多元发展；乌尤尼盐湖具有巨大的钾锂资源储量且品位高。

（2）产业链对比

我国的盐湖资源开发中，青海盐湖开发已建成“镁、锂、钾”三大工业基地和“钾、钠、镁、锂、氯”五大产业集群，基本构建完成具有盐湖特色的循环经济产业集群，综合利用水平处于世界中等水平。钾肥种类包括氯化钾、硫酸钾、硫酸钾镁肥等。盐湖产品中，除了钾肥产品外，锂盐规模 3 万吨，金属镁建成产能 10 万吨。国外个别盐湖资源禀赋好且开发较早，形成了较为成熟的开发工艺和完备的产品体系，大多数盐湖资源开发仍处于初级阶段，而且以钾肥和碳酸锂开发为主，尚未形成完善的盐湖化工产业聚集体。

（3）工艺技术对比

我国盐湖钾肥生产系统集成技术达到国际领先水平。针对我国钾盐资源的自身特点，国内钾肥企业在钾资源开发过程中创新性地发明了一些新技术，实现我国钾盐资源的开发。如发明固体溶解转化技术开采固体钾资源矿床，使不能直接利用的固体钾资源转化为液体钾资源进行开采，大大增加了各矿山的可采资源储量，有效延长了服务年限。根据青海盐湖卤水类型和钾资源品位，开发了多种钾肥生产工艺，形成了冷分解-正浮选、反浮选-冷结晶、兑卤脱钠-控速结晶以及热溶结晶工艺生产氯化钾，浮选-转化生产硫酸钾 / 硫酸钾镁肥的钾资源的分离提取技术，开创了“固液转化、驱动开采、贫富兼采、循环回收”的独特开采模式，加强低品位矿和尾矿的综合利用。以上技术大幅改善了国产钾肥的品质，提高了市场竞争力。同时，我国不断改进相关技术，制取中高端及特种钾肥产品。

（4）园区规划对比

与国外部分盐湖区开发以独立的企业为主，缺乏统一的资源配置与产业布局的情况相比，青海省盐湖重点开发区域公共配套设施基本完备，产业空间布局合理。青海盐湖产业依托主要城市，有完备的交通网络、供电供水体系、供气管道，基础设施基本完备。重点资源开发区域至干线公路之间、园区与园区之间、资源点与产业区之间的公路网络基本形成公路基础设施网络，重点盐湖产业区有铁路通达。供电方面，青海省海西州750kV、330kV、110kV供电网络覆盖了全部产业区。供水方面，正在建设中的那棱格勒河水利枢纽工程、蓄集峡水利枢纽工程和都兰县诺木洪水库工程等7个水利工程保障水资源供给和调配。在产业空间布局上，初步建成了各具特点的产业园区，其中柴达木循环经济试验区是盐湖特色化工产业集群的载体，下属格尔木、大柴旦、德令哈、乌兰等四个特色鲜明、分工合理的工业园区。南美盐湖虽然资源禀赋好，但是在道路建设、矿产运输、输变电、供水等方面配套较为落后，制约了钾、锂资源的规模开发。

（5）资源综合开发利用对比

改变单一开发钾资源的思维模式，充分利用我国钾盐资源矿床共伴生矿产种类多、储量富的特征，进行钾、锂、硼、镁等多种资源的综合开发利用。如察尔汗盐湖的钾、锂并举开发，衔接周边煤、石油、天然气等其他丰富的资源，发展PVC、金属镁等相关产业，减少污染物排放及污染物处理成本，延伸产业链，提高产品附加值，构建以盐湖资源开发利用为核心的资源节约型、环境友好型循环经济产业技术体系；东台吉乃尔、西台吉乃尔、一里坪等锂、钾、硼矿床的资源综合开发利用等。

同时，我国卤水钾盐矿床的另一显著特征为卤水镁锂质量比值高，远高于南美盐湖卤水中的镁锂比值，从而对锂的分离提取产生极大的不利。现已创新性地发明了一系列不同的镁锂分离技术，如吸附法、萃取法、电渗析法、纳滤膜法等，均实现了高镁锂比盐湖卤水中锂资源的提取，并不同程度地实现了规模产业化应用。

另外，对钾资源矿床周边极其脆弱的生态环境资源实施优先保护，维护周边绿洲和河湖湿地安全，避免盐湖矿床周边区域生态退化。建设“水草茂密、鱼类集聚、鸟类成群、蓝天碧水”共存的生态盐湖，提升盐湖自然和工业旅游价值。

通过多年科技攻关，青海盐湖提锂技术获得突破，探索出低成本高镁锂比硫酸镁亚型、氯化物型盐湖卤水镁锂分离技术，构建了高镁锂比盐湖卤水绿色分离提取技术，攻克了高镁锂比提锂的世界级难题，先后建成了电渗析提锂、吸附法提锂、梯度膜融合提锂的万吨级碳酸锂生产线，开发了氢氧化镁、氧化镁等高端阻燃剂制备技术，完成了从“资源—产品—废物”到“资源—产品—再生资源—新生态”的完美变革，有效贯彻了资源开发与保护并重方针。因国外盐湖资源禀赋较好，从工艺技术难度系数看，国外盐湖资源开发技术难度较低。例如美国西尔斯湖卤水通过盐分离系统、煮解工序、硫酸盐工序、碳酸盐工序、锂回收工序等即可得到氯化钾、硼砂及硼化物、芒硝、锂盐等产品。智利的阿塔卡玛盐湖，锂金属储量大、品位高、镁锂比低，镁锂分离难度较小，通过简单的除硼沉镁工艺处理后即可得到硼酸和碳酸锂产品。

（6）产品竞争力对比

我国钾肥产品与国外相比，国外产品品质更高。但我国可在硫酸镁亚型盐湖卤水钾盐矿床开发过程中，除生产氯化钾、硫酸钾产品外，同时引入硫酸钾镁肥产品的生产，使镁元素同样得到大规模施用。同时，可以根据钾肥市场的需求变化，迅速调节不同钾肥产品产能的供应，使钾肥产品获得收益最大化。

（7）科研创新对比

与国外盐湖技术创新以企业为主相比，青海盐湖产业政、产、学、研协同发展，拥有专业科研机构提供技术支撑，科技人才队伍稳定。在盐湖科技人才和产业政策方面，青海省给予照顾和支持，初步建立起一支扎根高原、能吃苦耐劳的盐湖科技人才队伍，加快了盐湖资源开发利用进程，提升了盐湖科技水平。“十三五”期间青海省政府先后出台了多项高端人才和专业技术人才的政策措施，配套完善了相应的人才财政政策，打破制度壁垒，创新多元人才投入机制，建立健全多元人才政策体系。同时，为了激励科技人员创新和加强科技成果转化，先后颁布了一系列人才激励政策，创新人才股权、期权激励措施，提高科研人员成果转化收益的分享比例。

国外盐湖区各国政府产业政策不一，没有制定长期稳定的财税支持政策。以智利阿塔卡马盐湖为例，智利政府为了增加税收，修改和调整了资源税架构，钾肥的税率从 1.8% 提高到 5%，锂资源计价方式改变且税率翻倍，致使开发企业 SQM 生产成本大幅增加。在盐湖科技人才方面，世界上其他盐湖区尚未建立国立盐湖研究机构，相关大学也很少开设盐湖相关专业课程，专业人才较少，特别是玻利维亚，虽拥有世界上最大的乌尤尼盐湖，但至今也没有探明资源储量。

4.7.2 需求趋势展望

4.7.2.1 世界钾盐供应与需求展望

近年来，世界钾盐总体上处于供过于求的状态，未来供应产能可能还会增长，供应商产能进一步扩张，绿地项目成为增产主力。虽然需求增长依然强劲，但是供应增速将大于需求增速。

4.7.2.2 我国钾盐需求潜力预测

我国作为农业大国，目前约 90% 的钾盐产品作为钾肥用于农业领域，10% 左右用于工业领域。在农业领域消耗的钾肥中，种植粮食作物（谷类、薯类和豆类）消耗占 44.4%；经济作物（蔬菜、果类、油料、棉花、糖料、烟叶、茶叶和麻类）消耗约占 48.9%；非传统农业领域（药材、花卉、林业、草业和渔业）消耗约占 6.7%。

根据我国主要作物的养分需求及其产量数据，可以估算出在土壤肥力为零的情况下，钾肥养分的需求量在 2200 万吨以上，但在实际中，由于使用习惯以及经济性等多种因素制约，而且土壤肥力也不会降至为零，因此实际上每年钾肥施用量远远低于理论上的需求量，2019 年和 2020 年钾肥施用量约占需求量的 50%、48%，2200 万吨的需求量是一个理论值。

2010 ～ 2020 年间，我国粮食作物产量保持稳步上涨，2020 年粮食总产量 6.69 亿吨，连续 6 年稳定在 6.6 亿吨以上。在粮食生产保持稳定、经济作物提质增效的前提下，我国钾肥需求仍将保持稳中有升的态势。根据我国未来 10 年粮食产量展望以及作物的养分需求，综合考虑土壤中养分流失数量、难溶钾溶出速度以及我国秸秆还田比例等因素，我国钾肥需求潜力较大，根据农作物养分需求量预测我国钾肥需求量应超过 1500 万吨。

4.7.2.3　我国钾肥供需分析

从全球来看，钾肥产能、产量逐年提升，随着新产能的不断达产，钾肥供应量将进一步增加，国际钾肥市场总体供量完全可以满足需求。从国内钾肥（以 K_2O 计，下同）供需格局来看，虽然我国钾肥对外依存度在不断降低，但是基本接近平衡（表 4-28）。近年来农业发展较快、需求强劲，支撑钾肥需求超过 1000 万吨，从国内供给方面来看，随着资源量的逐年减少，服务年限的下降，资源型钾肥产能扩张已经不可持续，国产钾肥产能增幅放缓。未来国内钾肥供应总量保持稳定的情况下，仍需大量进口国外钾肥。

表4-28　2015～2020年我国钾肥供应与需求　　单位：万吨

年份	产能	产量	进口量	出口量	表观消费量
2015	645.0	571.7	560.6	20.6	1111.7
2016	645.0	578.3	408.2	18.6	967.9
2017	717.9	553.2	478.1	21.8	1009.5
2018	758.2	560.3	473.5	14.9	1018.9
2019	695.7	590.2	547.8	34.7	1103.34
2020	689.3	551.8	528.2	36.6	1043.40

4.7.2.4　我国钾肥消费量预测

“十一五”到“十二五”期间，我国钾肥消费量保持稳定增长，2015 年农业部下发《到 2020 年化肥使用量零增长行动方案》之后，通过促进农民改进施肥方式，提高肥料利用率，钾肥施用量小幅下降。经过两年的行动，2017 年全国已经提前三年实现化肥零增长，化肥利用率比 2015 年提高了 2.2 个百分点。随着“化肥使用零增长”行动方案的实现、土地休耕轮作制度与退耕还林还草的进行，近两年我国钾肥消费总量呈小幅下降。但从长远来看，根据作物需钾潜力分析，我国钾肥消费还有增长空间。

根据 2019 年 6 月香山科学会议资料，主要粮食作物按专家推荐的和按养分平衡法推荐的钾肥（以 K_2O 计，下同）合理施用量分别为 56kg/hm^2、77kg/hm^2（表 4-29、表 4-30）。

表4-29　主要粮食作物推荐的施肥指标　　单位：kg/hm^2

专家推荐施肥指标	低	中	高
氮肥（N）	120	181	294
磷肥（P_2O_5）	37	73	134
钾肥（K_2O）	26	56	125
$N+P_2O_5+K_2O$	183	310	553

表4-30 主要粮食作物按养分平衡法推荐的施肥指标　　单位：kg/hm^2

施肥量	亏缺	平衡	盈余
氮肥（N）	112	163	262
磷肥（P_2O_5）	35	65	115
钾肥（K_2O）	65	77	121
$N+P_2O_5+K_2O$	212	305	498

耕地面积按 18 亿亩计；当前使用钾肥的耕地比例按 53% 计，5 年后使用钾肥的耕地比例按 58% 计；当前的钾肥利用率按 42% 计，5 年后钾肥累计利用率按 50% 计；钾肥使用量按年 2% 的增长率计；钾肥占钾盐总消耗量的比例按 90% 计。

均衡施肥对粮食增产至关重要，在我国已有大量研究对氮、磷、钾养分平衡进行计算和分析，所得的结论较为一致：在氮、磷、钾养分收支中，氮素有盈余，磷素基本平衡，而钾素是亏损。我国土壤的土质普遍严重缺钾，尤其在南方砖红土壤地区，含钾量仅为 0.4%。根据 2018 年氮肥、磷肥和钾肥农业用消费量，我国氮、磷、钾消费比例是 1∶0.49∶0.38。但是，根据我国农业农村部结合土壤普查的结果，氮肥、磷肥、钾肥在玉米、小麦、水稻、大豆等大田粮食作物上的提倡施用比例为 1∶0.42∶0.42；在棕榈油、油菜籽、水果蔬菜、棉花和糖类等经济作物上的提倡施用比例为 1∶0.50∶0.70；粤西地区香蕉配方肥料氮、磷、钾的提倡比例为 1∶0.3∶1.3。纵观我国大田作物和经济作物，对钾肥的施用量还远低于推荐比例，在一定时期内，我国钾肥的施用应逐步增加达到养分平衡。

4.7.3 钾肥发展建议及展望

4.7.3.1 我国钾肥发展路径及建议

（1）发挥政府在钾肥产业发展中的引导作用，实现“稳产”目标

为保持 50% 的自给率，合理控制产能，科学开采有限的钾盐资源，实现稳产战略。一是通过政府宏观调控和资源配置手段，合理控制国内钾肥产能及钾盐资源的消耗速率，保持钾盐资源供给能力总体处于动态平衡状态。二是产业部门协调农业部门组织专家团队，确定我国钾肥合理需求量。三是围绕提升资源监管水平，建立和完善盐湖资源管理长效体制，探索资源开发利用的约束性机制。经济可行的情况下加快推广盐湖综合利用技术。

（2）发挥市场对钾肥供应的导向作用，实现“稳进口”目标

一是继续实施大合同联合谈判机制。二是建立多渠道且稳定的钾肥进口体系。三是增加国内钾肥生产商与贸易商之间的互动，根据国内产量和需求总量来协调进口钾肥的数量与进口时间，缓解市场供求矛盾，满足国内农业对钾肥的需求。

（3）建设资源综合开发示范基地，实施“创新型”战略，提高资源利用效率

一是以青海察尔汗及新疆罗布泊钾盐资源为中心，加强科技创新，建立以钾盐开发为龙头的循环经济和盐湖资源综合利用基地，加大锂、镁、硼等资源综合开发的产业化技术攻

关。二是设立盐湖资源综合利用的科技重大专项，建立专项基金和国家技术创新中心。三是大力支持低品位固液转化技术的进一步研发与应用，开发钾肥加工回收率的提升技术和装备，加强盐湖含钾卤水可采性技术开发及评价技术攻关，综合提高我国钾资源的利用率。

（4）继续加大在国内找钾的力度，实现“增储”目标

一是继续加大在国内找钾的力度，支持寻找钾盐资源的地质工作，培养一支精干队伍从事钾盐资源的调查勘探工作。重点是加大投入资金和人员力量，从国家层面整合找矿的队伍，产学研一体化，形成合力。二是加强基础理论研究和技术手段的攻关，运用理论知识指导勘探实际工作。三是认真落实“油钾兼探”政策，重点研究油盐共存盆地的历史钾盐成矿远景，继续在油气勘查区寻找和勘探钾盐资源。

（5）整合境外钾盐资源，实现“走出去”目标

鉴于目前我国境外钾盐开发存在的困难和问题，建议应依托“一带一路”国际合作，统筹规划、有序引导中国企业“走出去”实施境外钾盐开发：一是将资源可靠性作为项目选择的第一要素，项目定位在世界现有的重要钾盐成矿区，地质资料完整，可信度高，确保资源规模和矿石质量。二是建立重点钾盐项目联合体，与国内大型勘探、生产、销售企业等实现联合开发，建立钾盐“勘探-开发-生产”“技术-金融-安全”的合作机制，整合资源，优势互补，形成合力。三是支持行业龙头企业牵头代表国家建设境外钾肥项目。在国家相关部委的指导下，加快企业代表与老挝、泰国、刚果（布）、加拿大、哈萨克斯坦等国合作，形成内外协同的钾肥资源开发格局，力争在较短时间内形成钾盐规模化产能。

（6）多渠道挖掘利用难溶性钾肥，实现“补充”目标

我国可溶性钾盐资源短缺，但难溶性杂卤石和不溶性钾长石等资源储量非常丰富，因此国内一直在研究如何利用难溶性杂卤石和不溶性钾资源生产钾肥。由于经济成本问题，目前难溶性杂卤石和不溶性钾资源综合开发程度较低。通过研究和探索，低品位钾长石主要被开发应用为含钾土壤调理剂，配合相关产业进行全元素综合开发利用。杂卤石如能突破开采难题，未来有望作为可溶性钾盐资源的有效补充和储备资源。

4.7.3.2 政策建议

（1）完善产业政策，实行总量控制

根据钾盐资源储量，对钾矿资源开发实行总量控制的制度，合理规划钾肥生产建设规模，有序开发。对于已开发资源，需充分挖掘矿藏潜力，优化资源配置，推动资源整合，使优势资源向优势企业倾斜。

对有限的水资源进行合理配置。地方政府应对青海柴达木盆地、新疆罗布泊周边水资源进行系统规划，对盐湖资源的水资源进行优先配置，通过推广固体钾矿溶解转化技术提升钾盐可采量，保证国内钾肥长期稳定生产。

（2）完善财税政策，扶持钾肥发展

保障钾肥在青海和新疆地区的铁路运输，将国标 GB/T 6549—2011 与 GB/T 37918—2019 均纳入铁路运输优惠目录；减免或降低钾肥过路过桥费，或给予相应的运输补贴。

资源税合理确定计征对象与税率。目前氯化钾适用税率在 3% ～ 8%，建议按卤水或光卤石矿计征，激励企业对低品位钾矿和尾矿进行综合利用，氯化钾矿适用税率应控制在 5%

以下。

（3）完善监督管理政策，提高资源利用率

制定钾矿资源开发利用监督管理细则，完善节约与综合利用评价指标体系，加强日常监督考核，将盐田回收率、加工回收率和尾矿综合利用率“三率”纳入年度检查，对实际开发过程中没有达到国家规定最低指标要求的，要采取严格的限制措施，防止资源浪费。

由政府部门组织编制青海盐湖资源综合高效循环利用中长期发展规划，与《中国制造2025》等国家规划相衔接，全方位协同形成盐湖资源综合高效循环利用的合力。落实科技强国政策，持续对钾肥生产技术开发、重大装备研制给予科技攻关、重大专项等技术资金支持。

（4）完善投资支持政策，推动境外开发

保障粮食安全是国家的头等大事，应从国家层面加强对境外钾盐资源勘探开发工作的组织领导；考虑项目所在地国家的政策、民族和社会关系，充分开展资源外交政策，争取通过外交渠道获得该地区国家政府的支持，实现共建、共享、共赢。

发挥财政性资金的引导作用，对于特别重大项目给予资金支持；对于特定国家重点项目给予“一带一路产业基金”“丝路基金”“中非发展基金”等财政性资金支持。加大海外投资的信贷额度，把资源整合后的境外钾矿联合开发项目纳入国家银行风险投资的优先支持范围，帮助企业通过中国投资银行等银行获得项目融资。

对于境外钾盐生产的中资企业开放一定的非国营贸易进口经营权。境外生产的钾盐产品在同等品质、同等价格条件下返销国内时，可适当减免进口关税，给予市场贸易份额。

（5）完善沟通机制，发挥协会作用

对于国内钾肥行业发展，建议国家有关政府部门在制定相关产业政策时，充分发挥协会与企业联系紧密的优势，主动征求协会对行业发展中的重大问题的解决意见和企业诉求，向政府部门提出相关政策建议。

对于境外钾资源开发项目，在政府有关部委的指导下，由协会牵头建立境外项目专家咨询委员会，开展项目资源评估和项目可行性研究评审；协调企业之间合作开发的可能性，促进形成项目合作共同体。

参考文献

[1] 陈国福．峥嵘岁月-中国钾盐钾肥 70 年发展史 [M]．北京：化学工业出版社，2020.

[2] 周月．我国钾盐钾肥改革开放 40 年硕果累累 [J]．磷肥与复肥，2018,33(12):9-11.

[3] 李廷强，王昌全．植物钾素营养研究进展 [J]．四川农业大学学报，2001,19(3):281-285.

[4] 孙小虹，唐尧，陈春琳，等．世界钾盐产业现状 [J]．现代化工，2015,35(12):1-3.

[5] 张萍．提高察尔汗盐湖钾资源综合利用率的方法 [J]．磷肥与复肥．2014,29(5):19-21.

[6] 王罗海，王石军，刘万平，等．“固转液”技术应用及其对资源和环境的影响分析 [J]．化工矿产地质，2020,42(4):378-381.

[7] 张永生，郑绵平．中国钾盐矿产基地成矿规律与深部探测技术示范 [J]．地学前缘，2021.

[8] 王石军．21 世纪我国钾肥工业的发展与展望 [J]．化肥工业，2001,28(3):15-17.

[9] 彭丽．钾肥工业在西部大开发中崛起 [J]．中国石油和化工，2009(10):12.

[10] 杨卉芃，曹飞．世界钾资源研究系列之一——资源概况及供需分析 [J]．矿产保护与利用，2015(1) :75-78.

[11] 杨卉芃，曹飞．世界钾资源研究系列之二——国外典型钾盐公司概况 [J]．矿产保护与利用，2015(2) :67-72.

[12] 曹飞，杨卉芃．世界钾资源研究系列之三——国内外钾盐开发利用对比 [J]．矿产保护与利用，2015(3):76-78.

[13] 王孝峰．我国与世界钾资源及开发利用现状 [J]．磷肥与复肥，2005(2):10-13.

[14] 王孝峰．我国与世界钾资源及开发利用现状（续完）[J]．磷肥与复肥，2005(2):14-17.

[15] 白仟，袁俊宏，王章俊．国内外水溶性钾盐资源及我国钾盐产业发展现状 [J]．资源与产业，2014,16(2):37-46.

[16] 王孝峰．2021 年钾肥行业形势分析及 2022 年预测 [J]．肥料与健康，2022,49(1):1-5.

[17] 李刚．中国钾盐钾肥发展历程及“十三五”发展愿景 [J]．国土资源情报，2015(10):10-14.
[18] 周月，武娜，孙小虹．2020 年我国钾肥行业运行情况及 2021 年预测 [J]．磷肥与复肥，2021,35(8):1-4.
[19] 陆星，沈善强．我国钾肥生产发展现状及创新应用 [J]．石化技术，2017,24(9):25.
[20] 王鑫，李恩泽，程芳琴．国内外钾资源及钾肥生产现状 [J]．广州化工，2018,46(14):9-10.
[21] 孙爱文，张卫峰，杜芬，等．中国钾资源及钾肥发展战略 [J]．现代化工，2009,29(9):10-14.

中国肥料研究与应用全书

Books of Fertilizer Research and Application in China

FERTILIZER

第5章 中微量元素肥产业发展

5.1 概况

从1640年起，人类不断探讨植物的营养元素、有益元素，最终确定了16种植物必需的营养元素、7种有益元素和5种有害重金属元素。

到目前为止，国内外公认的高等植物必需的营养元素有16种。它们是碳、氢、氧、氮、磷、钾、钙、镁、硫、铁、硼、锰、铜、锌、钼和氯。在必需营养元素中，碳和氧来自空气中的二氧化碳，氢和氧来自水，而其他的必需营养元素几乎全部都来自土壤。在16种植物必需的营养元素中，其中6种为大量营养元素，3种为中量营养元素，7种为微量营养元素，中微量营养元素合计为10种，由此可见中微量营养元素的重要性。

7种有益元素为硅、钠、钴、硒、钒、镍和锗。随着科学研究的深入，现在人类已经发现了生命元素，还发现了钛、镧、铈等元素的许多特殊作用。由此断定，今后也可能发现新的植物必需的营养元素和有益元素。

研究表明，对这23种植物营养元素，人类应根据土壤状况和作物需要量合理、均衡地施用，不能偏废，更不能偏爱，以实现农业生产及农产品的安全、环保、优质、高产、高效。

中微量元素肥（简称中微肥）是一类提供植物生长发育所必需的营养元素（包括钙、镁、硫、硼、锰、锌、铁、铜和钼）的肥料。中微量元素肥作物需求少，但缺乏也不行，轻则农作物减产，重则颗粒无收。从产业的规模和总产量来看，无论是国外还是国内，中微量元素肥产业都具有少而精的特点。少是指农业的需求少，进入产业的门槛高，企业数量少；精是指产品的技术含量高，市场经营的要求高。中微肥产业的发展应现代高产高效可持续农业发展的要求，并与农业集约化和设施栽培的发展相伴随。目前，我国农业在经过了多年持续高产和大量元素化肥不断投入的情况下，广大农田和果园中微量元素缺乏的问题日趋突出，导致近年来我国农业对中微肥的需求量逐年增多，由此拉动了中微肥产业的快速发展。在农业生产活动中，叶面施用中微量元素肥料，配施增效措施，养分更全面，施肥更方便，技术方法更高效，如采取螯合、结合、悬浮等方法，既满足高产的要求，又能提高植株抗逆能力，改善其品质。

目前中微量元素缺乏已成为制约作物产量和品质提高的主要限制因子，尤其是中量元素镁和硫，微量元素硼、锌和锰在土壤中和作物生长发育过程中表现出“中度缺乏”的状态，微量元素中，硼缺乏最严重。在全国不同类型土壤中，对不同作物施用硼、镁、锌等中微量元素肥增产效果明显，已成为测土配方施肥中的核心技术。在肥料生产中，特别是在复混肥、BB肥和水溶性肥料生产中应重视中微量元素的添加和使用。在新型肥料研究开发中，中微量元素的研制与推广日益引起人们的关注和重视。在我国随着氮、磷、钾肥料的大量施用，以及农业集约化，设施栽培农业的发展，经济作物和果蔬作物种植面积的增加，农业生产障碍日益增多，尤其是作物营养失调现象的增加，限制了农作物产量和品质的进一步提高。一方面，由于种植结构调整，经济作物种植面积增加，从而对作物品质和产量要求都有所提高；另一方面，氮、磷、钾类大化肥浓度越来越高，由于生产工艺的原因，高浓度大化肥中中微量元素含量更低，再加上有机肥施用量的减少，土壤中可利用的中微量元素变得更少。因此，给土壤补充中微量元素显得尤为迫切。

同样，中微量元素在人体内也起着重要作用。生命必需元素按其在人体中的含量分为常量元素和微量元素，常量元素占人体总质量的99.25%，微量元素指在人体中质量分数低于0.01%的元素，其含量虽然低，但起到非常重要的生理作用。微量元素不能在人体内自行合成，只能来自饮食、空气及各种外源性物质。微量元素参与了人体酶的组成，以及某些激素、维生素、蛋白质的合成和代谢，可以说，微量元素在人体生命过程中有着极其重要的作用。不容忽视的是，随着我国粮食、果蔬等农作物产量的不断提高，氮肥、磷肥、钾肥的投入量不断增加，却忽视了植物必需的微量元素的补充，导致微量元素失衡状况日趋严重，由土壤中微量元素缺失引起的人体微量元素“隐形饥饿”的现象越来越突出。植物生长必需的微量元素与人体健康息息相关，科学研究也逐步证实了人体中的微量元素与地壳元素丰度呈正相关，这也是地壳元素沿土壤—植物—动物—人体生物链传递的体现[1]。

不过，在给农作物补充微量元素肥料时，需要注意施用量，部分元素稍有过剩就会对植物产生毒害，反而影响作物的产量和品质。部分微量元素积累过多会进一步影响人和动物的健康。一般认为土壤中铁含量超过50mg/kg时植物可能出现铁中毒现象，超过1700mg/kg时会导致植物死亡。对于大多数作物来说，土壤中锰含量大于500mg/kg时即为锰过量。一般来说，当土壤中硼含量超过5mg/kg时，植物就可能出现中毒症状，一般要求灌溉水中硼的合理浓度在0.3～0.6mg/L之间。一般认为当土壤中锌浓度达到50～100mg/kg时即可能过量，浓度为400mg/kg时对大多数作物都会造成毒害，并通过食物链的生物放大作用威胁到人类的健康。不过与其他重金属元素相比，锌的毒性较小，作物的耐锌能力较强。一般植物叶片的正常含铜量为5～30mg/kg，高于30mg/kg就可能中毒[2]。

5.1.1 中微量元素肥发展历程

在20世纪70～80年代期间，国内生产的中微肥产品以固体无机成分为主，农业应用以土壤施用方法为主、根外施用方法为辅。当时，我国中微肥产业刚刚兴起，较为薄弱，生产多以固体无机成分为主，定型产品极少。20世纪90年代以后，中微肥产业开始快速发展，生产企业和总产量逐年增加，产品类型以液态叶面肥为主，配方呈多元素与复合型的特点，固体微肥以无机盐为主，但企业的生产规模小，工艺技术不精，养分形态以无机盐为主，螯合态少，成本低，产品组分既有十全大补型，也有专用肥的发展趋势。在应用方面主要处于矫正施肥阶段，作物种类不够广泛。近年来，随着我国集约化农业的发展和农作物产量的持续增长，耕地普遍大量使用氮、磷和钾等化肥，而有机肥的施用跟不上，致使土壤中大量元素与中微量元素供应之间的不平衡已日趋突出；常规化肥品种向高浓度化发展，导致农田土壤中微量元素钙、镁、铁、锰等的归还量大大减少，土壤的中微量元素无法满足作物高产和优质生产的需要。另外，基于营养元素之间的拮抗作用，过量使用氮、磷和钾化肥，也造成了作物对中微量元素的需求量增加，例如过量施用磷肥会造成作物缺乏锌、铁、锰等微量元素，过量施用钾肥可诱发作物缺镁等。同时，农作物新品种的选育推广也促进了对微量元素需求量的增加。总之，随着我国种植业结构的调整，高产、优质产品的大面积推广，作物从农田带走的中微量养分难以如数归还，因此，农业生产对中微量元素肥应用的需求有所增加，尤其在高产地区和部分特种作物的种植地区，合理施用中微量元素是必要的。

21世纪以来，我国中微肥进入快速发展阶段。前期产业发展仍以小企业居多，产品形态中粉剂占到一半以上。后期以中型企业为主，年均登记量1400余项，其中水溶性肥料占96%。国产中微肥种类名目繁多，但产品质量参差不齐，快速发展与基础研究薄弱之间还存在矛盾。在产品技术层面上，产品内组分之间的协同效应研究薄弱，养分含量低，杂质高，甚至出现有效成分的沉淀、絮凝和固定等现象。在产品效果宣传上，夸大了效果，将叶面肥说成可以替代根部施肥，代替化肥，代替有机肥等。在应用方面，由于中微肥产品效果的发挥更多依赖于施用技术，而目前配套施用技术的研究还不到位，所以效果不是很稳定。叶面肥料要获得最佳效果，对于施用浓度、施用方式、施用的时期次数及对应的目标作物等都有很高的要求，喷施的浓度太高容易灼伤叶片，浓度太低又起不到应有的作用。在中微肥产业发展中，与产品生产同样重要的是技术服务，售前售后的技术服务很重要。

我国中微量元素肥产业正处于快速发展中，同时也存在各种问题，如产品组分难以体现作物、土壤、种植制度的差异等，而偏重追求养分种类的全面，产品中养分比例设计缺乏严格的科学性；又如，为了追求短、平、快的经济效益，向产品中添加人工植物生长激素等。为了遏制这种行为，2019年，国家市场监督管理总局、国家标准化管理委员会批准发布了多项植保农资类国家标准，其中GB/T 37500—2019《肥料中植物生长调节剂的测定 高效液相色谱法》标准的发布，适用于水溶性肥料、复合肥料、复混肥料、掺混肥料等肥料中复硝酚钠、2,4-D、脱落酸、萘乙酸、氯吡脲、烯效唑、吲哚-3-乙酸、吲哚丁酸等植物生长调节剂含量的测定。标准中各目标物的方法检出限和定量限分别为：复硝酚钠3mg/kg和10mg/kg；2,4-D 5mg/kg和10mg/kg；脱落酸、萘乙酸、氯吡脲、烯效唑3mg/kg和10mg/kg；吲哚-3-乙酸、吲哚丁酸5mg/kg和10mg/kg。实际上，随着市场环境的变化，那些将优质新产品开发和到位的技术服务相结合的企业操作，才真正体现出对未来市场的适应性，这也成为中微肥企业可能成功的标志。在全国范围内，一些企业的影响力逐渐增强，一些品牌的信誉度显著提高。

我国中微量元素肥产品的发展趋势与特点有：

① 有效成分高浓度化。通过采用新型的螯合剂、肥料形态以及加工工艺，提高产品有效成分含量，降低副成分的比例。

② 产品系列化。由于各地土壤条件与作物种类的差异，针对不同区域和作物选择合理的养分种类与比例，形成了根据土壤、作物和环境选择不同养分作组分的系列产品。

③ 性能多元化。除营养调控外，有助于作物抗病、抗旱、抗盐碱等抗逆能力的提高以及增加着色、风味等。此外，微量元素肥料的施用已不仅仅是为了农作物生产所必需，还进一步涉及畜牧业的需要、人类健康以及对生态环境与食物链的影响。

5.1.2 产能

根据农作物在生长发育过程中对无机元素需要量的大小，农业科学界将氮、磷、钾等需求量比较大的元素归类为大量元素，而将植物中含量在0.2～200mg/kg之间的必需营养元素钙、镁、硫、锌、锰、铜、铁、硼、钼、氯等称为中微量元素。中微量元素肥在农作物生长发育和优质高产中起着十分重要的作用，虽然植物对中微量元素的需要量很少，但它们对植物生长发育的作用与大量元素是同等重要的。当某种中微量元素缺乏时，作物生长发育会受到明显的影响，表现出明显的缺素症状，产量降低，品质下降。但是，中微量元素过多会使作物中毒，轻则影响产量和品质，严重时甚至危及人畜健康。

有关单位对全国土壤微量元素锌、硼、锰、钼、铜、铁含量的调查结果表明：我国大部分地区都存在不同程度的微量元素缺乏现象、土壤中微量元素处于“中度缺乏”的状态。针对性地施用中微量元素肥料，不仅可充分发挥中微量元素肥料的经济效益，而且可作为提高中、低田产量的有效技术措施。

5.1.2.1 国外概况

据统计，全世界缺乏微量元素的土壤达25亿公顷。目前美国、俄罗斯、日本、德国、法国、澳大利亚、比利时、新西兰、芬兰、瑞士、波兰、朝鲜、捷克、斯洛伐克、菲律宾、柬埔寨、越南、韩国、印度等30多个国家都大规模生产和广泛应用硼、锰、锌、铜、铁等微肥来补偿种高产作物造成的土壤中微量元素养分的缺乏，以促使作物对氮、磷、钾常量元素养分的有效吸收。

中微量元素肥有一个逐步发展的过程。世界许多国家都在各类缺素土壤和各种敏感作物上广泛施用微量元素肥料，不仅使用的微肥种类和品种多、数量大，而且施用的作物种类繁多，均收到了明显增产效果。

中微量元素肥在农业中的应用非常重要。随着农业生产的快速发展，氮、磷、钾肥料的普遍施用和用量的增大，人们对中微量元素肥料的种类、品种和数量的需求愈来愈多，中微量元素肥料也因此得到了较大发展。就美国来说，有30多个中微肥生产工厂，生产的中微肥品种多达50余个，其年产量达数十万吨之多。全球各中微量元素肥料市场增长趋势见图5-1。

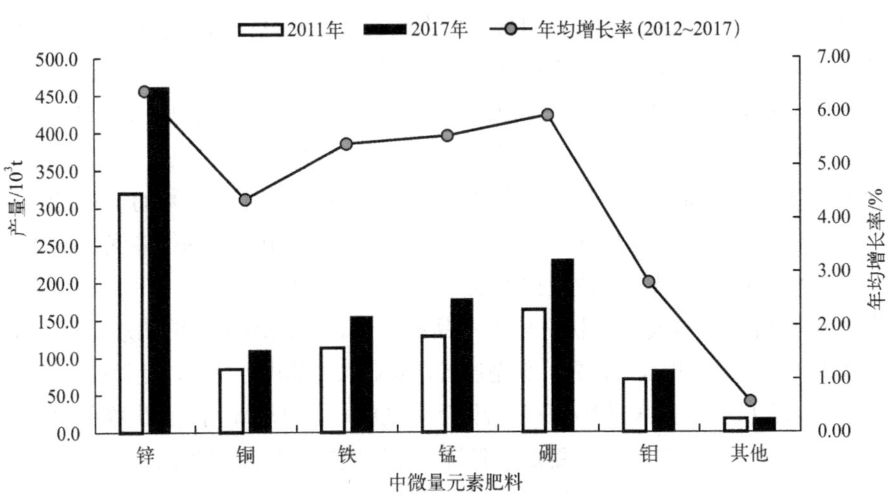

图5-1 全球各中微量元素肥料市场增长趋势

中微量元素肥受到广泛重视，是提高肥料利用率的需要，也是提高作物产量和品质，以及精准施肥的需要。锌、硼、锰、铁、铜是需求量较大的中微量元素，未来增速也相对较快。

中微量元素肥广泛用于水溶肥中，水溶肥在大田作物上的应用也会有所增长，特别是水资源比较匮乏的地区，因其经济附加值较低，增长受到一定限制，但大田作物种植区域广泛，面积较大，仍是水溶肥应用领域中的重要方面。

国外主要中微量元素肥企业生产情况见表 5-1。

表5-1　国外主要中微量元素肥企业生产情况

主要企业	主要产品
智利化学矿业公司（SQM）	硝酸钾、优聪素、多聚硼、美钙镁、瑞恩系列、古米系列等
以色列化工（ICL）	控释肥料（CRF）、全水溶性肥料（WSF）、缓释肥料（SRF）
德国康朴公司（COMPO EXPERT GmbH）	叶面肥、控缓释肥和生长调节剂等
以色列海法（Haifa）化学工业公司	硝酸钾、保力丰（含氮、磷、钾及六种微量元素）、魔力康（全脂包衣）、磷酸、磷酸二氢钾、硝酸镁等

5.1.2.2　国内概况

中微量元素肥不仅有助于改善当前的农业生态，而且能大幅度地提高农产品品质和产量。中微量元素将对粮食安全和食品安全均发挥越来越重要的作用。中微量元素肥的大规模研发、生产、施用是化肥行业发展的主流趋势。

我国中微量元素肥产业发展较快，中微量元素肥登记产品以水溶肥和复合型为主。近年来，随着科学施肥技术的普及，中微量元素肥生产技术有了较快的发展，但是还存在生产工艺简单、生产规模不大、技术含量不高等问题，产业的发展还需从加强肥料施用的针对性、高效性、环境友好等方面入手，加强中微量元素肥新产品研发技术、施用技术、农化服务推广体系等建设，促进中微量元素肥产业及应用技术的发展。

中微量元素肥属于新型肥料，已成为行业发展新的引擎。目前已经有 80% 的传统化肥企业在向新型肥料转型，推出了多种多样的新型肥料，新型肥料产量和产能不断提升。

在企业构成上，目前国内新型肥料生产企业已占肥料生产企业总数的 1/3，我国在山东、河北、河南、湖北、广东等地所建立的新型肥料企业最为集中。我国很多优质企业以套餐肥为载体，形成将专业的产品与专业的技术服务相结合的产品模式。

目前，我国新型肥料发展较快，处于产品种类多、产能增速快的状态，存在推广应用难、开工率不高、市场不规范等问题。新型肥料在农业农村部进行登记，登记种类有水溶肥料、缓释肥料、生物有机肥、土壤调理剂、复合微生物肥料、肥料增效剂、微生物菌剂。除上述登记种类外，还有广义新型肥料，如稳定性肥料、增值肥料、生物刺激剂等。在以上新型肥料产品中，大部分有中微量元素肥的添加成分，是新型肥料的重要组成部分。目前中微量元素肥行业执行的标准主要有《硅钙钾镁土壤调理剂》（T/CISIA 0002—2018）、《硼镁钙土壤调理剂》（T/CISIA 0001—2016）、《富有机硒微量元素肥质量要求》（T/CHYY 006—2021）、《氨基酸螯合中量元素肥料》（T/YNBX 09—2019）、《氨基酸螯合微量元素肥料》（T/YNBX 08—

2019）等。

目前，常用的中微量元素肥有：

① 钙肥　常用的有硝酸钙、硝酸铵钙、重过磷酸钙、石膏、石灰、石灰氮和炉渣钙肥等。

② 镁肥　常用的有硫酸镁、氯化镁、硝酸镁、碳酸镁、白云石、磷酸镁、磷酸镁铵等。

③ 硫肥　常用的品种有硫黄、石膏、硫酸钾、硫酸铵、硫酸钾镁、硫酸镁、硫代硫酸铵、过磷酸钙、硫包衣尿素等。

④ 硼肥　主要有硼砂、硼酸，其次还有五硼酸钠、八硼酸钠、八硼酸钾、硼镁肥等。

⑤ 锌肥　主要有硫酸锌，另外还有氯化锌、氧化锌、螯合态锌等。

⑥ 钼肥　主要有钼酸铵，另外还有钼酸钠、三氧化钼等。

⑦ 铜肥　主要有硫酸铜，另外还有氧化铜、螯合态铜、含铜矿渣等。

⑧ 锰肥　主要有硫酸锰，另外还有硝酸锰、碳酸锰、氯化锰、氧化锰等。

⑨ 铁肥　主要有硫酸亚铁，另外还有硫酸亚铁铵、铁的螯合物等。

⑩ 硅肥（有益元素）　常用的有硅酸钠盐、硅酸钾盐和硅酸钙盐等。

中微量元素肥主要品种生产及消费情况见表5-2。

表5-2　中微量元素肥主要品种生产及消费情况表

序号	元素种类	典型品种	生产能力/万吨	2016年产量/万吨	消费量/万吨	净出口量/万吨	出口比例/%	厂家数/个
1	钙	硝酸（铵）钙	100	80	45.3	34.7	44	30
2	镁	硫酸钾镁	170	48				
		硫酸镁	150	120	59	81	67	
3	硫	硫酸铵	1280	1080	780	28		60
4	硅	钾硅（钙）肥	120	30				
5	硼	硼酸	30	26	46	−20		
		硼砂	20	16	17.4	−1.4		
6	锌	硫酸锌	55	45	25	44		
7	铜	硫酸铜				1.1		
8	锰	硫酸锰	40	35	30			
9	铁	硫酸铁				10.5		
10	钼	硫酸钼						

中微量元素肥主要生产企业情况见表5-3。

表5-3　中微量元素肥主要生产企业情况表

序号	品种	企业名称	主要产品
1	钙肥	鲁西化工集团股份有限公司	硝酸铵钙
2		河南中科明星肥业有限公司	钾硅钙
3		辽宁鑫阳矿质肥料有限公司	钙镁肥
4		瓮福国际贸易股份有限公司	重过磷酸钙、富钙、普钙、钙镁磷肥、磷酸一钙、磷酸二钙
5		山西紫光钾业有限公司	钾硅钙肥
6	镁肥	深圳德钾盐贸易有限公司	硫酸钾镁、硫酸镁
7		贵州远盛钾业科技有限公司	钾硅镁多元肥
8		营口菱镁化工集团有限公司	硫酸镁、硼镁、七水硫酸镁、一水硫酸镁
9		金玛（宽甸）肥业有限公司	含镁水溶肥料
10		诸城市康泰化工有限公司	硫酸镁
11	硫肥	潍坊市金土地化工有限公司	硫酸铵、七水硫酸镁
12		山西并盛化肥有限公司	硫酸铵
13		武汉康正科技有限公司	硫酸铵、硫酸钾、硫酸亚铁、硫酸铜、硫酸镁、硫酸锌、硫酸锰
14		贵州远盛钾业科技有限公司	硫酸氮多元肥
15		五洲丰农业科技有限公司	硫酸钾
16	硼肥	山东金润梓生物科技有限公司	硼砂、硼酸、硼颗粒
17		淄博天邦化工有限公司	酸性高硼、硼酸
18		天津休美特国际贸易有限公司	腐植酸硼
19		山西磊鑫化工有限公司	铵钙加硼
20		潍坊市金土地化工有限公司	糖醇硼
21	铁肥	捷森国际实业有限公司	硫酸亚铁
22		长沙埃索凯化工有限公司	硫酸亚铁
23		柳州振锌五矿化工有限公司	硫酸亚铁
24		衡阳昱兴化工有限公司	硫酸亚铁
25		保定市清苑县津苑化工厂	硫酸亚铁
26	锌肥	瑞臣国际贸易（大连）有限公司	硫酸锌
27		广西桂林荣德化工有限公司	硫酸锌
28		衡阳昱兴化工有限公司	硫酸锌、碳酸锌、氧化锌
29		天津市新欣化工厂	氧化锌、氯化锌
30		长沙凯旺化工有限公司	硫酸锌

续表

序号	品种	企业名称	主要产品
31	铜肥	山东金润梓生物科技有限公司	硫酸铜、氯化铜、碱式氯化铜
32		诸城市康泰化工有限公司	硫酸铜、碱式氯化铜、碱式碳酸铜、氢氧化铜、醋酸铜、氯化铜、氯化亚铜、硝酸铜
33		武汉康正科技有限公司	硫酸铜
34		长沙埃索凯化工有限公司	硫酸铜
35		保定市清苑县津苑化工厂	硫酸铜、氧化铜
36	锰肥	广西桂林荣德化工有限公司	硫酸锰
37		长沙锐启化工产品有限公司	硫酸锰
38		衡阳昱兴化工有限公司	硫酸锰
39		瑞臣国际贸易（大连）有限公司	硫酸锰
40		长沙凯旺化工有限公司	硫酸锰
41	钼肥	江苏舜驰钨钼制品有限公司 / 江苏光明新材料有限公司	钼酸、钼条、二钼酸铵
42		山东金润梓生物科技有限公司	钼酸铵
43		捷森国际实业有限公司	钼酸钠
44		郑州森耀化工有限公司	钼酸钠、钼酸铵
45	氯肥	青海中信国安资源有限公司	氯化钾
46		烟台市烟农富邦肥料科技有限公司	氯化钾
47		江西腾达实业集团	氯化铵
48		中农集团	氯化钾
49		诸城市康泰化工有限公司	碱式氯化铜
50	钛肥	天津休美特国际贸易有限公司	钾钙钛、锌钙钛、硼镁钛、螯合钛元素
51		四川海莱生物科技有限公司	聚能金钛
52		四川龙蟒福生科技有限责任公司	福生钛（钛肥系列：钾钙钛、锌钙钛、硼镁钛）；药肥中间体：S-诱抗素、螯合钛元素、螯合中微量元素
53	硒肥	利川恒健泰硒业科技有限公司	活性硒基肥
54		深州市中农凯胜微量元素厂	有机态富硒叶面肥
55		安徽玉龙新材料科技有限公司	硒肥、富硒肥、富硒肥料
56		蚌埠市康硒农业科技有限公司	富硒叶面肥

续表

序号	品种	企业名称	主要产品
57	钴肥	烟台众德农业科技有限公司	含 EDTA（乙二胺四乙酸）螯合态钴叶面肥
58		深州市中农凯胜微量元素厂	硫酸钴、氯化钴
59		深州市中科启润生物有机肥料厂	硫酸钴、螯合钴
60	硅肥	齐齐哈尔市松土肥业有限公司	微纳米硅
61		山西紫光钾业有限公司	钾硅钙肥
62		河南中科明星肥业有限公司	钾硅钙
63		中科建成矿物技术（北京）有限公司	钾硅钙
64		山东金润梓生物科技有限公司	硅酸钠

5.1.3 产量

对我国 18 家主要的中微量元素肥料生产企业的中微量元素肥料生产情况进行调研，结果显示 18 家企业主要生产 76 种中微量元素肥料，总年产能为 738.41 万吨，总年产量为 560.51 万吨。其中固态肥料年产量为 558.60 万吨，占总产量的 99.66%；液态肥料产量相对较少，仅占产能的 23.40%。速效中微量元素肥料的年产量为 297.48 万吨，占总产量的 53.07%；速效 + 缓效中微量元素肥料的年产量为 220.00 万吨，占总产量的 39.25%；缓效肥料生产量占总产量的 55.33%。调研的中微量元素肥料多为无机盐类肥料，年产量为 558.29 万吨，占总产量的 99.60%。传统中微量元素肥料一般是无机盐类，无机盐类肥料由于溶解性能差，易受外界环境影响产生固定退化作用，导致吸收率低等，往往施肥效果不稳定。为了提高中微量元素肥料的应用效果，开发螯合肥料成为相关企业提升产品质量的重要途径。本调研产品中中微量元素螯合肥料主要有氨基酸螯合肥料和有机螯合肥料，年产量为 1.87 万吨，仅占中微量元素肥料总产量的 0.33%，占其产能的 32.90%，具有较大的生产潜力。中微量元素肥料多为复混肥料，年产量达 519.57 万吨，占总产量的 92.70%；单质肥料年产量较低，为 40.94 万吨，占总产量的 7.30%。

5.1.4 产品及结构

中微量元素肥产品按所含营养元素种类划分，可分为钙肥（石灰肥料）、镁肥、硫肥、硼肥、锌肥、铁肥、锰肥、钼肥、铜肥等；按养分组成可分为单质中微量元素肥、复合中微量元素肥和混合中微量元素肥；按化合物类型可分为无机盐类肥料、螯合态肥料和含中微量元素的工业废渣；按其专用性可分为兼用型和专用型；按其形态可分为固态肥料和液态肥料；按养分供给速率可分为速效性肥料和缓效性（迟效性）肥料。

1994 ～ 2021 年我国农业农村部共登记中微量元素肥料 3967 种。其中，2016 年之前，中微量元素肥料登记数量较少，发展较慢；2016～2021年，中微量元素肥料共登记3175种，占肥料总数量的80.04%，中微量元素肥料进入迅速发展阶段（图5-2），2018年，中微量元素肥料登记数量达到最高，即1955种，然后肥料登记数量下降。我国中微量元素肥料登记省份主要集中在河南和山东等肥料主产省份，其中河南省中微量元素肥料数量占肥料总数量的24.83%，山东省中微量元素肥料数量占肥料总数量的16.28%，其次为国外生产的中微量元素肥料，其数量占肥料总数量的7.76%，位居我国中微肥登记数量中的第三名（图5-3）。目前有20多个国家向我国出口中微量元素肥料产品，主要有美国、韩国和意大利等。

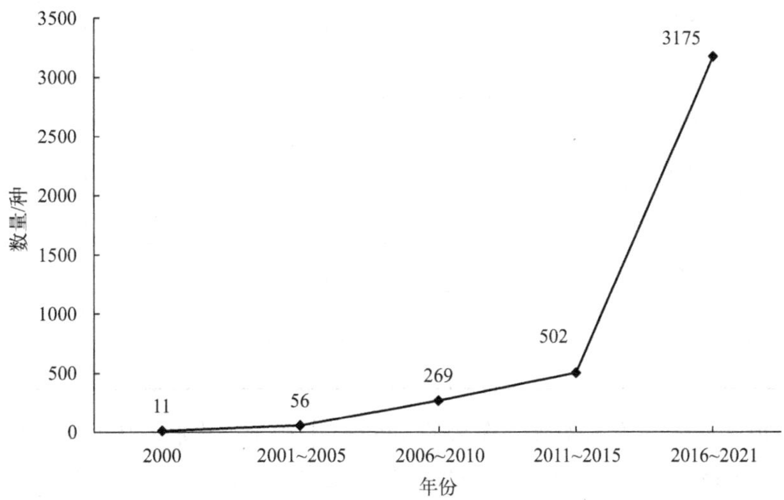

图5-2 1991～2021年农业农村部中微量元素肥料登记数量

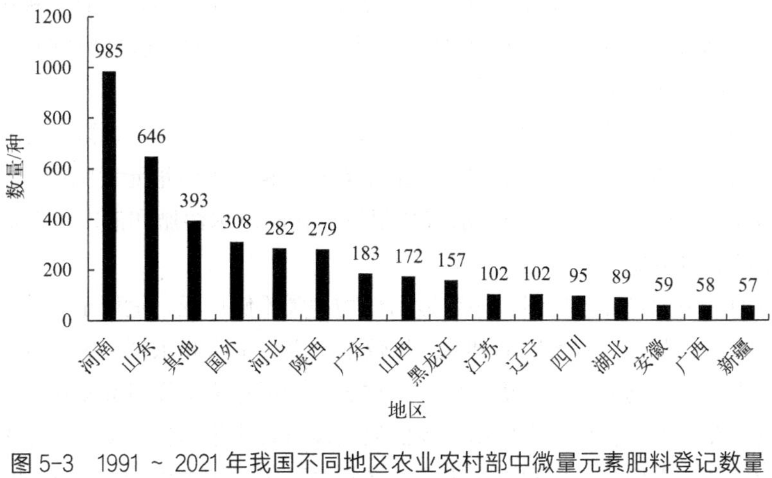

图5-3 1991～2021年我国不同地区农业农村部中微量元素肥料登记数量

湖南、浙江、福建、江西、上海、台湾、北京、天津、内蒙古、吉林、海南、青海、甘肃、宁夏、重庆、云南、贵州等地肥料种类数量均低于50，故不再单独表述，均划入其他选项。为对比，图中加入国外数据。

除中微量元素肥料外，1994～2021年我国农业农村部共登记含中微量元素的肥料6999种，主要为大量元素水溶肥料及含氨基酸水溶肥料，分别占肥料总数量的44.29%和48.69%

（表 5-4）。微量元素肥料因农作物对其需要量少，施用比较麻烦，在多数情况下与大量元素和中量元素复混是一种简便可行的办法，尤其是针对某一地区土壤和农作物的专用肥，大量元素肥料氮、磷、钾是微量元素肥料最好的分散剂，这样做既可防止微量元素局部使用过量造成危害，又可节省劳动力，简单可行，是受农民欢迎的一种方法。

表5-4　不同种类含中微量元素的肥料的登记数量情况

肥料品种	数量 / 种
大量元素水溶肥料	3100
含腐植酸水溶肥料	127
有机水溶肥料	162
含氨基酸水溶肥料	3408
农业用硫酸钾镁	15
农业用改性硝酸铵	5
农业用硝酸钙	3
土壤调理剂	179
总计	6999

1994 ～ 2021 年农业农村部登记在册的 3967 种中微量元素肥料中，复混肥有 3396 种，占肥料总数量的 85.61%（图 5-4）。大多数中微肥是含有多种中微量元素的，含有一种中微量元素的单质肥料主要有硼肥、锌肥、钙肥和硅肥。中量元素复混肥料主要是钙镁肥，硫肥及含硫的中微量元素肥料相对较少。含有一种中微量元素的单质肥料主要应用于特定区域特定作物，例如长江中下游油菜和棉花的生长发育对硼肥的需求较多。含有多种中微量元素的复混肥料具有普适性，适用于大多数作物，应用范围广。中微量元素肥料商品名种类繁多，大多与所含的中微量元素无关。

目前登记的中微量元素肥料可分为四类：微量元素肥料（固体）、微量元素水溶肥、中量元素肥料（固体）和中量元素水溶肥。微量元素肥料稍多于中量元素肥料，其中水溶性肥料占肥料总数量的 95.19%（图 5-4）。水溶性肥料包含固态水溶肥和液态水溶肥，固态水溶肥的数量多于液态水溶肥。

在应用方面，中微量元素肥料大多数适用作物种类不够广泛，适用于单种作物的中微肥数量为 3022 种，占肥料总数量的 76.18%。相较于小麦、玉米和水稻三大粮食作物，中微肥在水果和蔬菜等经济作物上的应用更为广泛。这表明，近年来中微量元素肥料的应用对象主要为经济作物，在三大粮食作物上应用较少的局面没有发生根本性改变。这主要是由于经济作物经济附加值高，中微量元素缺乏带来的经济损失远大于粮食作物，因此农民更重视中微量元素肥料的施用。按形态中微量元素肥料可分为固态肥料和液态肥料，已登记的固体型产品与液体型产品数量相当。登记固态肥料产品的剂型为颗粒、粉剂，生产、包装、储运成本低，可使用多种施用方式；液态肥料水溶性好，主要应用于根外喷施或水肥一体化等，施用方便，与农药等混配性好，但包装、储运成本较高。

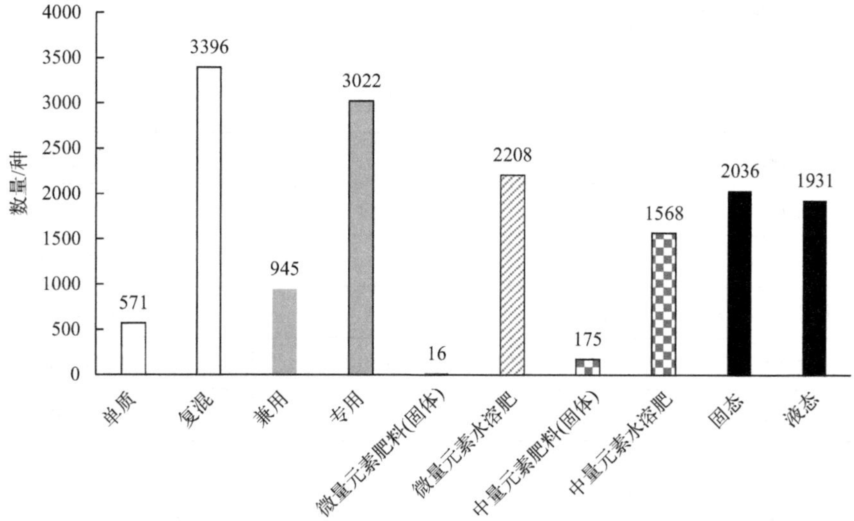

图 5-4　1991 ~ 2021 年农业农村部中微量元素肥料登记种类及其数量

主要中微量元素肥产品介绍如下。

（1）硼肥

硼肥是具有硼标明量，以提供植物养分为其主要功效的物料。硼肥主要有硼酸和硼砂。1923 年，K.Warington 发现硼是植物必需元素。随后，硼肥的研究工作开始进行。我国硼肥的研究和应用工作在 20 世纪 50 年代开始起步，主要是一些作物的肥效试验。20 世纪 60 年代中期，中国农业科学院油料作物研究所发现甘蓝型油菜发生“花而不实”症，经研究证明为缺硼症，施用硼肥可以有效防治。这是我国硼肥研究和应用的重大突破。20 世纪 70 年代中期以来，相继发现湖北新洲县（现新洲区）棉花“蕾而不花”症、黑龙江省甘南等地小麦“不稔”症，以及一些地方的苹果和柑橘“不实”症、油橄榄“多头”症，经研究证实上述情况都属于缺硼症。从此，硼肥的研究和应用引起了科技工作者的关注，在国家有关部门的支持下，硼肥工作进入了新的发展阶段。

① 我国常用的硼肥　目前常用的硼肥主要包括硼砂、硼酸、硼镁肥和硼矿石。

a．硼砂：化学名为工业十水合四硼酸二钠（$Na_2B_4O_7 \cdot 10H_2O$），是提取硼和硼化合物的原料。国家标准一等品主含量（$Na_2B_4O_7 \cdot 10H_2O$）≥ 95.0%，折合硼（B）含量 11%，外观呈白色细小晶体，难溶于冷水。硼素易被土壤固定，植物当季吸收利用率较低，是常用的单质硼肥品种。

b．硼酸：分子式 H_3BO_3，含量（国标）≥ 99.5%，折合含硼（B）量约 17%，由硼镁矿石与硫酸反应，经过滤、浓缩、结晶、烘干制成。硼酸为无色、带珍珠光泽的三斜鳞片状结晶或白色细粒晶体，可溶于水，是无机化合物硼素的化工原料，也是传统的硼肥品种之一。

c．硼镁肥：是生产工业硼酸的副产品，主要成分为硫酸镁（$MgSO_4 \cdot 7H_2O$）和硼酸（H_3BO_3），主含量 85% ～ 93%，其中硫酸镁占 80% ～ 90%，硼酸 3.6%，折合硼（B）含量 0.5% ～ 1%。外观呈白色或灰白色结晶颗粒或粉末，水溶性好，是含镁并含少量硼的中量元素肥料，适宜在缺镁且轻度缺硼的酸性土壤上作基肥施用。

我国主要的硼肥品种见表 5-5。

表5-5　我国主要的硼肥品种

品名	分子式	含硼量 /%
硼砂	$Na_2B_4O_7 \cdot 10H_2O$	11（以 B 计）
硼酸	H_3BO_3	17（以 B 计）
硼镁肥（硼泥）	—	1.5 ～ 1.6（以 B_2O_3 计）
晶体硼镁肥	$H_3BO_3+MgSO_4 \cdot 7H_2O$	5 ～ 12（以 H_3BO_3 计）
多硼酸铵	$NH_4B_5O_8 \cdot 4H_2O$	51 ～ 61（以 B_2O_3 计）
硼钙镁磷肥	—	0.17 ～ 0.23（以 B 计）
硼过磷酸钙	—	0.1 ～ 0.6（以 B_2O_3 计）

② 国外常用的硼肥　美国的硼肥中，一般以五水硼砂（$Na_2B_4O_7 \cdot 5H_2O$）、无水硼砂（$Na_2B_4O_7$）或十水五硼酸钠（$Na_2B_{10}O_{16} \cdot 10H_2O$）为主，还应用硼酸钙（$CaB_4O_7$）和灰硼矿（$Ca_2B_6O_{11} \cdot 5H_2O$）作肥料，含硼（B）10% 以上，在水中的溶解度较小，对作物不易产生中毒危害。

日本主要生产熔融硼肥（含枸溶性 $B_2O_3 \geqslant 15\%$，枸溶性 $MgO \geqslant 10\%$），含硼、镁和锰的烧结复合肥（含枸溶性 $B_2O_3 \geqslant 5\%$, 水溶性 $B_2O_3 \geqslant 1\%$），以及含硼的钙镁磷肥（枸溶性 B_2O_3 含量 0.5% ～ 1%）等。

由于微量元素的用量和使用浓度较难掌握，施用比较麻烦，所以在大多数情况下，与大量元素、中量元素复混是一种简便可行的办法。美国等发达国家都采用这种方法补充微量元素，我国也已有很多肥料企业采用这一种方法生产多元素复混肥、掺混肥、有机无机复混肥、缓释肥、水浇肥、叶面肥等。世界主要硼肥企业与代表产品见表 5-6。

表5-6　世界主要硼肥企业与代表产品

公司	产品	硼含量
Borax	速乐硼	21%
Quiborax	QUIBOR15B	15.2%
Inkabor	FertiBagra15	14.9%
SCL	富利硼	21%
Eti Mine	Etidot-67	14.5%
Searles Valley Minerals	AQUABOR	20.8%

③ 展望　针对现有硼肥产品存在的不足，研发可满足气候-土壤-作物系统的高效缓释肥料，建立硼肥创新链条，有助于实现硼养分的安全缓慢释放，促进作物生长，有效解决硼营

养缺乏造成的农业生产问题。总体而言，与国外相比，我国绿色高效微量元素肥料的研发尚处于起步阶段，可借鉴硼肥创新思路，重构肥料产品设计思路，为其他中微量营养元素产品的研发提供合适的途径，最终为我国发展绿色种植业提供绿色的肥料产品。

（2）镁肥

我国对镁肥的需求量巨大。根据目前我国土壤缺镁的现状，每年我国需要补充984万吨MgO。为提高作物产量与品质，实现农业绿色可持续发展，及时、合理地施用镁肥显得尤为迫切。因此，了解镁肥产业的发展现状，分析镁肥产品的生产加工技术及研发创新等，对促进产业进一步发展和指导农户科学施用镁肥具有重要意义。

① 镁肥品种　镁肥品种较多。按照组成，可分为单一镁肥和复合镁肥；按照来源，可分为天然镁肥和合成镁肥；按照在水中的溶解性能，可分为水溶性镁肥和难溶性镁肥；按照施用方式，可分为土壤镁肥和叶面镁肥；按照酸碱性，可分为酸性镁肥、中性肥料和碱性镁肥；按照物理状态，可分为固体镁肥和液体镁肥；按照氯含量，可分为含氯肥料、低氯肥料；按照是否添加活化剂，可分为活化镁肥和非活化镁肥等。

不同形态的镁肥的镁含量和性质不同（表5-7）。肥料的水溶性对镁肥的有效性有直接影响。镁肥通常分为两类：速效镁肥和缓效镁肥。各种镁肥的有效性是由其物理和化学成分决定的。常见的水溶性镁肥主要有氯化镁、硝酸镁及硫酸镁等，这类镁肥施用后见效快，通常在相对短的时间内释放更多的植物可利用的镁，对缓解作物缺镁具有较高的有效性。含镁矿物白云石、菱镁矿、煅烧菱镁矿等属于难溶性镁肥，这些矿物质通常也可直接用作镁肥，这类镁肥在土壤中释放速度较慢，但具有较长的肥效。此外，颗粒大小也是影响肥效的另一个重要方面，虽然同一种镁肥的水溶性没有差异，但颗粒状镁肥比粉末状的更难释放。水溶性镁肥料（$MgSO_4 \cdot H_2O$、$MgSO_4 \cdot 7H_2O$）通常可在相对短的时间内释放更多植物可利用的镁，因此能更有效地确保缺镁土壤中作物的镁需求。

表5-7　镁肥登记标准及物理化学特性

名称	分子式/主要成分	相关标准	镁（以MgO计）含量/%	溶解度（常温）/（g/L）	主要性质
泻利盐	$MgSO_4 \cdot 7H_2O$	GB/T 26568—2011	13～16	710	酸性，溶于水
硫镁矾	$MgSO_4 \cdot H_2O$	HG/T 2680—2017	27.1	417	酸性，溶于水
无水硫酸镁	$MgSO_4$	—	33.3	—	酸性，溶于水
硝酸镁	$Mg(NO_3)_2 \cdot 6H_2O$	HG/T 5272—2017	15.7	1250	酸性，溶于水
氯化镁	$MgCl_2 \cdot 6H_2O$	QB/T 2605—2003	25	—	酸性，溶于水
无水硫酸钾镁肥	$2MgSO_4 \cdot K_2SO_4$	GB/T 20937—2018	8	317.54（75℃）	碱性，溶于水
氯化钾镁肥	$KCl \cdot MgSO_4$	Q/DBJM 0001—2017	19.92	—	酸性，溶于水
镁螯合物	Mg·EDTA	—	2.5～4	—	酸性，溶于水
白云石	$CaCO_3 \cdot MgCO_3$	YB/T 5278—2020	21.7	0.01	碱性，微溶于水

续表

名称	分子式 / 主要成分	相关标准	镁（以 MgO 计）含量 /%	溶解度（常温）/（g/L）	主要性质
菱镁矿	$MgCO_3$	YB/T 5208—2016	44.82	0.094	弱碱，微溶于水
蛇纹石	$H_4Mg_3Si_2O_9$	HG/T 3575—2006	43.3	—	中性，微溶于水
氧化镁	MgO	YB/T 5206—2023	90 ～ 97	0.0062	碱性，微溶于水
氢氧化镁	$Mg(OH)_2$	HG/T 3607—2024	58 ～ 75	0.009	碱性，微溶于水
磷酸镁	$Mg_3(PO_4)_2$	JC/T 2537—2019	40.6	—	碱性，微溶于水
磷酸镁铵	$MgNH_4PO_4 \cdot 6H_2O$	T/SXAS 005—2020	21 (16.4 ～ 26)	0.169	碱性，微溶于水
光卤石	$KCl \cdot MgCl_2 \cdot 6H_2O$	—	14.4	—	中性，微溶于水
钙镁磷肥	$Mg_3(PO_4)_2$	GB 20412—2021	5 ～ 12	—	碱性，微溶于水
钢渣磷肥	$Ca_4(PO_4)_2O$, $CaSiO_3$, $MgSiO_3$	—	3.8 (2.1 ～ 4)	—	碱性，不溶于水
粉煤灰	MgO	—	1.9 (1.7 ～ 2.0)	—	碱性，微溶于水

② 发展趋势　镁肥将朝着高性能、低有害物含量的方向发展。

每年我国需要补充镁肥（以 MgO 计，下同）984 万吨，每年亚洲需要补充镁肥约 4000 万吨。国内对镁肥的研究与应用起步较晚，目前镁肥料的功效还未被充分认识，对镁肥的研究较少，镁肥的施用量较少。随着镁肥研究的深入、推广应用工作的展开，镁肥的研发将逐步加强，镁肥的产销量和施用量将会大幅提高。

美国 BB 肥（掺混肥）产量约占肥料总产量的 80%，我国 BB 肥产量占肥料总产量的比重偏低。随着 BB 肥产销量的增加，劳动安全卫生、环境保护要求的提高，镁肥将朝着颗粒化方向发展。

活化镁肥是镁肥发展的重要方向。活化镁肥是在难溶的轻烧氧化镁等镁肥中加入由生物酶和增效剂组成的活化剂混合加工而成。在土壤条件下，在活化剂的作用下，活化镁肥能持续均衡地给植物提供镁元素。生产过程不需要热能，不消耗硫酸。在节能降耗和低碳经济的大背景下，活化镁肥的研制开发和推广应用尤为重要。

（3）钙肥

钙作为植物生长发育必需的营养元素，在维持细胞形态、调节离子平衡和渗透压等方面具有极其重要的生理功能[1]；钙对生物膜的完整性具有重要作用[2,3]；钙还可以把膜表面的磷酸盐和磷酸脂蛋白质的羟基桥接起来，具有稳定生物膜透性和细胞完整性的基本作用[4]。质膜上存在大量钙，可调节离子的吸收选择性，并防止溶质从细胞质中泄漏出去[5]。植物在生长过程中获得高含量钙的液泡和细胞壁中大部分果胶物质是以果胶酸钙的形式存在[6]。同时，钙离子作为第二信使能介导生物学反应，包括植物生长、发育、抗逆等各个方面[7]。研究表明[8]，施用钙肥除可使植物和土壤获得钙的补充外，还可提高土壤 pH 值，从而减轻或消除酸性土壤中大量铁离子、铝离子、锰离子等对土壤性质和植物生理的危害，对我国华南地区的酸性土壤极为适用。

① 钙肥种类 钙肥是具有钙（Ca）标明量的肥料。施入土壤能供给植物钙，并有调节土壤酸度的作用。其主要分为 3 大类，即石灰、石膏以及其他含钙肥料。

生石灰，又称烧石灰，主要成分为氧化钙（CaO）。在农业生产中，生石灰是常用的含钙肥料。石灰主要起间接作用，通过中和土壤酸度、改良土壤结构、消除有害离子等来提高其他养分的有效性；对于缺钙的酸性土壤，也起补充土壤有效钙的作用。

熟石灰，主要成分是氢氧化钙 $[Ca(OH)_2]$，又称消石灰，是一种白色粉末状固体。生石灰遇水即成氢氧化钙，氢氧化钙是一种强碱，因而可以用于降低土壤的酸性，从而起到改良土壤结构的作用。农药中的波尔多液正是利用石灰乳（溶于水的氢氧化钙）和硫酸铜水溶液按照一定的比例配制而成的。冬天，树木过冬防虫，树木根部以上涂 80cm 的石灰浆。

石灰石粉是以碳酸钙为主要成分的白色粉末状物质，是由碳酸钙研磨制成的。有研究表明，施用石灰石粉显著提高了土壤的 pH 值，改良了土壤酸性，对大豆的植物保护系统有很大的作用。石灰类钙肥主要是作基肥撒施，作为钙营养的用量为 25 ～ 70kg/ 亩，强酸性土壤可超过 100kg/ 亩。在施肥过程中，以农家肥为底肥，农家肥是施用量最大的一种有机肥。其他肥料如矿物肥（钾肥、磷肥）、微肥都是辅助肥料，不宜过量施用。要注意石灰使用时不宜过量，因石灰呈强碱性，施用时要均匀。

石膏的主要化学成分为硫酸钙（$CaSO_4$）的水合物。石膏可作肥料施用，是钙质肥料。在农业生产中，石膏可以改良土壤，十分有利于农作物的发育。有研究表明，施用石膏促进花生的正常生长，主茎较高、侧枝较长；饱果率高，秕果相对较少；果荚比较饱满，百荚重和百仁重明显提高；提高有效结果数，降低虫果数，提高商品花生产量。石膏适宜施用于碱性土和中性土中，特别适合施用于同时需钙和硫的植物所处的土壤中，作基肥、追肥和种肥。石膏也用于改良钠型碱性土。碱土施用石膏最好在雨前或灌水前撒施。如果是为了改良碱土，应将石膏粉耕翻入耕作层中，用量根据含代换性钠的量和需要改良土壤的量确定。

② 发展趋势 当前，中国农业进入高质量发展时期，优化肥料产品结构势在必行，推动钙肥产品的应用是农业提质增效的需求。就钙肥而言，我国发展比较慢。近年来经济作物补钙大部分使用的是硝酸钙、硝酸铵钙、硝酸钙镁肥。硝酸钙和硝酸铵钙是全水溶的氮、钙复合肥，目前是市场上主要的补钙肥料。

初期，我国钙肥主要是石灰、石膏类产品，为土壤提供钙的同时，还能用于改良酸性土壤，提高土壤的 pH 值，从而利于植物的生长。

从 20 世纪 90 年代开始到 21 世纪初，随着我国氮肥市场肥料结构的变化和国际上新型肥料市场的影响，硝酸钙和硝酸铵钙产品开始进入我国，壮大了钙肥产品的队伍。氯化钙在提供微肥的同时与植物抗逆性相关，也开始进入市场。有些企业根据国内和国际市场对硝酸铵钙的需求，也开始研发生产硝酸铵钙。2003 年，天脊集团兴化实业有限公司、文通钾盐集团和交城红星化工有限公司开始开发试生产硝酸铵钙产品，文通化工成功生产出国内第一批硝酸铵钙产品，产品以出口为主。

随着国家相关化肥登记标准的颁布，钙肥的生产、经营日益规范，我国钙肥产业进入快速发展阶段。传统大企业的产品技术研发开始走自主创新的道路，厂商更多地关注产品质量及外观等问题，使得产品逐渐向多元素化、多方向发展，各企业也加大对人才的培养以及仪器的更新，紧跟国际发展趋势，氨基酸钙肥、螯合钙肥、EDTA 钙肥、硫酸钾钙镁等新型肥料开始涌现，因植物易吸收、易操作等优点受到种植户的青睐。

5.2 行业盈利及产业集中度

近年来，随着肥料市场放开以及农业生产技术的不断发展，我国肥料应用趋于向养分平衡的方向发展。由于过量施用高浓度大量元素肥料，以及有机肥的应用相对滞后带来的负面效应，人们普遍认识到了中微量元素对作物产量和品质的重要作用，这给中微量元素肥产业提供了一个良好的发展空间。许多企业不仅在大量元素化肥中添加中微量元素，也开始规模化生产中微量元素肥。为了规范市场，国家对中微量元素肥料进行登记管理。

5.2.1 重点企业概况

目前，中微量元素肥的生产企业较多，企业规模普遍偏小，分布广泛，还存在生产、销售和管理不够规范的问题，大型企业数量偏少，以复合肥企业为主。

在新型肥料中，水溶肥、缓释肥、土壤调理剂、增值肥料中均可添加中微量营养元素，目前大部分肥料中已经添加了部分中微量元素，中微量元素肥已成为中国肥料发展中不能缺少的重要组成。中微量元素需求给复合肥企业发展带来新的契机，如中化化肥、金正大和史丹利等大型复合肥企业，根据土壤、作物和市场的需要重新调整配方与生产工艺，添加镁、锌、硼、硅等中微量元素开发新产品投放市场。镁、硼、锌、硅等中微量元素对作物有良好的效果，成为复合肥销售的新卖点。在普通复合肥中添加中微量元素可以提升复合肥的品质，明显提升肥效。我国中微量元素肥的重点生产企业的概况如下。

5.2.1.1 金正大生态工程集团股份有限公司

金正大生态工程集团股份有限公司成立于1998年，主营复合肥、缓控释肥、硝基肥、水溶肥、生物肥、土壤调理剂等土壤所需全系列产品的研发、生产和销售，以及为种植户提供相关的种植业解决方案服务。公司复合肥产销量连续9年居国内首位，是国家创新型企业、国家重点高新技术企业、国家技术创新示范企业。公司具有年产各类新型肥料710万吨的生产能力。2010年，公司在深圳证券交易所上市（股票代码002470）。金正大集团是国家重点高新技术企业和国家创新型企业、缓控释肥料企业、国家与国际标准起草单位，先后在山东临沭、山东菏泽、安徽长丰、河南驻马店、辽宁铁岭、贵州瓮安、云南晋宁、广东英德、新疆阿克苏、湖北潜江、新疆阜康等地建有生产基地，并在美国、澳大利亚、印度、西班牙、挪威、以色列、德国、荷兰、越南、新加坡、中国香港等地设有分支机构。坚持自主创新、走产学研相结合的发展道路是金正大集团成立以来最大的特色和优势。

目前，金正大集团建有国家缓控释肥工程技术研究中心、复合肥料国家工程研究中心、国家认定企业技术中心、养分资源高效开发与综合利用国家重点实验室、土壤肥料资源高效利用国家工程实验室、农业部植物营养与新型肥料创制重点实验室、博士后科研工作站等高端研发平台。公司先后与山东农业大学、中国农业大学、中国农业科学院、全国农业技术推广服务中心、中国科学院南京土壤研究所、国家杂交水稻工程技术研究中心、上海化工研究院、美国佛罗里达大学、美国农业部系统实验室、挪威生命科学大学、以色列希伯来大学等40多家高校和科研院所建立了长期合作关系，并与德国施诺德研究院、越南南方农业科技研究院、埃塞俄比亚哈瓦萨大学等近20家科研机构开展学术交流，共同致力于新型肥料的研发与推广应用。金正大集团先后承担了“十一五”“十二五”国家科技支撑计划,“十三五”国家重点研发计划，山东省重点研发计划等50余项国家和省重大科研项目。拥有发明专利200多项，并荣获包括国家科技进步奖二等奖等在内的多项奖励。

5.2.1.2 史丹利农业集团股份有限公司

史丹利农业集团股份有限公司成立于1992年，是一家专业从事复合肥生产及销售、粮食收储、农业信息咨询、农业技术推广、农资贸易等的综合性农业服务商。公司以“创造美好农业”为企业使命，立足质量兴农、绿色兴农、科技强农，以“成为国际知名的植物生产方案服务商”为企业愿景。2004年，高塔生产线一次性投产成功，总养分54%的三安复合肥诞生。2011年，史丹利A股在深交所成功上市。2016年，史丹利荣获国家科学技术发明奖。2017年参与全球复合肥国际标准制定，成为复合肥国际标准起草单位。2019年，史丹利荣获国家科技进步奖。目前，公司现有总资产68亿元，公司已在山东临沭和平原、吉林扶余、广西贵港、湖北当阳、河南宁陵和遂平、江西丰城、甘肃定西、新疆轮台、河北隆化等地建有生产基地，年生产能力520万吨。在全国建立了3000多个销售服务商、10多万个销售服务网点，实现了在全国研发、生产、营销和服务的总体布局。史丹利公司助力现代农业发展，重视科技研发与国际合作，先后与国家杂交水稻、国家玉米、国家小麦、国家蔬菜、国家棉花工程技术研究中心，清华大学，中国农业科学院，上海化工研究院等30余家国内外高等科研院所深度合作。先后承担国家、省部级科技计划项目30余项，申请专利523项，授权324项，其中发明专利58项。同时，不断加强国际技术交流合作，相继与美国普渡大学、荷兰瓦赫宁根大学等签署战略合作协议。史丹利重视自主创新平台建设和产学研合作，不断加强技术创新与产品研发，形成了科学、完善的现代农业研发体系。公司建设了“功能性生物肥料国家地方联合工程实验室”“国家企业技术中心”“全国复混肥工程研究中心”“国家博士后科研工作站”“院士工作站”等国家级研发平台。2016年，公司与恒基利马格兰种业公司签署战略合作协议，开启种植全产业链综合服务模式战略转型。2018年，公司与美国农业综合检测服务领先者AgSource联合建立蚯蚓测土实验室，为用户提供测土施肥、植物检测等农业检测一体化服务。作为中国独立运营的美国同步的批量测土实验室，该实验室是目前国内集检测能力强、检测周期短、技术先进、效率高于一体的测土实验室，已通过CMA认证。蚯蚓测土实验室的运营，标志着史丹利引领植物营养领域从粗放走向精准，并形成了体系竞争力。在产品品类方面，史丹利聚焦专用肥的专业化生产，针对不同的需求层次，研制出包括史丹利三安、第四元素、劲素等专用性产品。史丹利三安是总养分量达到54%的复合肥产品；第四元素主要针对国内土壤中的中微量元素缺乏问题，补充中微量元素营养成分；劲素主要针对高端经济作物。与此同时，针对不同的农作物，史丹利通过配方与配比的调整，研制出具有针对性的专用肥系列产品。

5.2.1.3 中化化肥控股有限公司

中化化肥控股有限公司涵盖资源、研发、生产、分销、农化服务全产业链。公司于2005年7月成功收购China Fertilizer (Holdings) Company Limited及其附属公司（“化肥集团”）后在香港联合交易所挂牌上市，是中国化肥行业首家在香港上市的企业。中化化肥在国际化肥市场上具有重要影响力，是国际肥料工业协会（IFA）会员单位、国际植物营养研究所（IPNI）全球17家理事单位之一。中化化肥拥有逾60年的化肥国际贸易经验和国际贸易关系网络实力，是中国进口化肥的主渠道，为保障国内紧缺化肥资源供应、调剂余缺发挥骨干和建设性作用。中化化肥拥有齐全的大量元素肥、中微量元素肥以及专用肥、缓控释肥、生物肥等新型肥料的研发、生产能力。中化化肥在中国主要的农业省、农业县拥有自己建设的国内领先的分销服务网络，覆盖了中国95%的耕地面积。中化化肥积极推进全球视野的资源获取战略，拥有的磷矿资源量位列国内前十。

5.2.1.4 深圳市芭田生态工程股份有限公司

深圳市芭田生态工程股份有限公司，是集研发、生产、销售、终端服务于一体的环保型国家级高新技术企业、国家科技创新型星火龙头企业，总部位于深圳市科技创新孵化基地——南山区高新技术园。公司主营绿色生态肥料的生产，成立于1989年，并于2007年在深圳证券交易所上市，是中国复合肥行业里第一家上市公司（股票代码002170）。成立以来，公司秉承“喂育植物最佳营养，守护人类健康源头”的企业使命，始终坚持以科技创新驱动企业的发展，建立了全国同行业首个企业博士后工作站、国家钙镁磷复肥研究中心，先后荣获“中国企业专利500强”“中国最有价值品牌500强企业”“中国土壤肥料行业十大影响力品牌”“中国土壤肥料业60年最具影响力企业”等荣誉称号。

5.2.1.5 湖北富邦科技股份有限公司

湖北富邦科技股份有限公司是一家利用新材料、新工艺、新技术、大数据、人工智能等方式服务现代农业的国家高新技术企业，是中国肥料助剂创新者，是中国数字农业引领者。公司以化肥生产链为价值导向，为化肥生产企业提供包括高品质的助剂产品、优良的全程技术服务及精确的助剂自动控制系统在内的整体解决方案。控股子公司荷兰诺唯凯与法国PST是欧洲市场主要的化肥助剂提供商之一，也是全球市场上主要的多孔硝铵添加剂供应商之一。 其客户遍布全球，享有较高知名度与影响力，拥有行业内领先的研发水平，已取得国内专利130项、国外专利3项，另有数百项发明专利已被国家知识产权局受理，已申请19项PCT专利。

5.2.1.6 天津水泥工业设计研究院有限公司

天津水泥工业设计研究院有限公司隶属于中国建材集团，一直高度重视科技创新，拥有 4 个国家级技术创新平台和 4 个门类国家勘察设计甲级资质，包括国家水泥节能环保工程研究中心、国家企业技术中心、博士后工作站等平台。承担了多项国家重大产业技术研发项目，具有现代化的实验室以及先进完备的研究手段与仪器设备，拥有高水平、高层次合作研究队伍和条件，相关技术研究为行业先进水平。曾先后荣获国家科技进步奖 10 项，国家专利技术奖 408 项，省部级科技奖项 220 多项。连续多年位居中国设计百强前十名，先后获国家级和行业级优秀工程设计、工程咨询奖 200 余项。获国家技术创新示范企业、工业企业专利试点企业、国家重点高新技术企业等称号。公司始终致力于土壤调理和土壤修复领域创新技术的研发与产业化，通过建立技术创新、成果转化的机制，培育、提高自主创新能力，搭建产业与科研之间的“桥梁”，研究开发产业关键共性技术，加快科研成果向现实生产力转化，促进产业技术进步和核心竞争能力的提高。公司与清华大学、中国农业科学院农业资源与农业区划研究所、农业农村部环境保护监测所等高校和科研院所联合开展农田土壤修复方面的技术和产品。

5.2.2　集中度与区域分布

目前，我国中微量元素肥的生产企业较多，呈现小而散的特征，大型企业以复合肥生产企业为主，产业集中度不高。

我国中微量元素肥生产企业的分布范围比较广泛，全国各区域均有分布。企业多分布于农业主产区，尤其是农业生产发达地区，在经济作物主产区、设施农业发达地区和土地流转程度较高的现代农业发展区，呈现布局较为集中的分布情况。

由于中微量元素肥在我国起步较晚，目前处于初步发展期，生产企业分布较分散，行业管理难度较大，目前行业基本情况调查工作不够，行业底数不清。建议政府加大措施力度，支持行业发展。

5.3　市场与需求

5.3.1　消费潜力

长期以来，大量元素肥料施用在我国农业生产中已经得到充分重视，并已经出现了过度使用的苗头，但中微量元素肥料的科学施用尚未得到充分发展。主要原因是，中微量元素肥料需要更加精准的施用控制和更加精细的效益评价，在粗放式、分散式农业经营模式下发展难度较大。随着未来我国农化服务的发展、农业经营的集中化和精细化，以及农产品质量需求提升，中微量元素肥的施用将越来越受到重视。因此，测算科学施用情景下我国中微量元素肥料的市场潜力，对预测未来中微量元素行业发展具有重要的指导意义。

预测中微量元素肥料的市场潜力，农业生产规模、土壤缺素情况、作物需素特点等是主要影响变量。

5.3.1.1 中微量元素在复合肥中的应用

中微量元素在复合肥料中有四种使用方法。第一种是在复合肥料造粒过程中加入中微量元素，酸性复合肥料可提高微量元素有效性，促进作物对肥料养分的吸收，增强肥料肥效；第二种是制成水溶肥，把中微量元素和酸性 NPK（氮、磷、钾）肥料掺入灌溉水中，可促进中微量元素肥均匀分布、均一混合，提高中微量元素养分在干旱土壤中的有效性，促进作物吸收；第三种是把中微量养分肥料颗粒与 NPK 颗粒肥料混合；第四种是用液体或固体中微量养分包裹 NPK 颗粒肥料。

2006 年，农业部发布农业行业标准 NY/T 1112—2006《配方肥料》，第一次对铁、锰、铜、锌、硼和钼微量元素“开禁”。该标准规定，铁、锰、铜、锌、硼含量不低于 0.2% 和钼含量不低于 0.01% 可以在包装标识中标明，而新标准规定，单一中量元素不低于 2.0%、单一微量元素不低于 0.02% 可以在包装标识中标明。目前中微量元素的检测方法按 GB/T 19203—2003、GB/T 14540—2003 标准执行。

我国复合肥经过 30 多年的普及和大量投入，土壤中中微量元素的“老底”被大量消耗，导致土壤中的养分出现短板，大量化肥投入以及有机肥投入的不足使土壤酸化继而毒化严重，中微量元素短板加剧了养分失衡。据 2014 年农业部全国农业技术推广中心估测，中国耕地土壤中中微量元素在缺素临界值以下的比例为：钙 63%，镁 53%，硫 40%，硼 84%，铁 31%，锌 42%，锰 48%，铜 25%，钼 59%。与第二次土壤普查相比，中微量元素缺乏的耕地面积增加近 1 倍。

复混肥中中微量元素的加入量需考虑两个因素：第一个是土壤，第二个是作物品种。在计算复混肥中中微肥加入量时，除上述因素外还需考虑复混肥的用量，这样才能使中微量元素的添加量在合理的范围内。

目前，市场上主要的中微量元素肥大部分为无机盐类，其缺点是肥料施入土壤后以金属离子形式存在，容易被土壤中的磷酸根、碳酸根等固化，降低了中微量元素在土壤溶液中的活性，减少了作物对中微量元素的吸收，使作物出现各类中微量元素缺乏症状。土壤中富含磷或大量施用磷肥，往往会导致或加重农作物缺锌现象，但现有的复合肥厂只是简单地将各种元素的无机盐按比例混合加入，完全忽略各元素间的拮抗反应。这样虽然加入了不少中微量元素，但是能为农作物有效吸收的却很少。

近年来，中微量元素肥料的施用形式主要有离子态与复合肥配施、离子态单施、离子态叶面喷施、螯合态 / 络合态叶面喷施等形式，但不同作物对中微量元素的需求不同，同时同一中微量元素的不同形态也直接影响作物对其的吸收利用率。中微肥的特点（也是难点）在于其合适浓度范围过窄，量过则有害，量少则无效。所以，施用中微肥一定要求适量，否则施用过量或施用不均会导致植物不同程度的中毒受害，不仅不能增产，反而还会造成减产。

5.3.1.2 中微量元素在掺混肥（BB肥）中的应用

掺混肥料又称配方肥、BB 肥，是散装掺混肥料，是以两种及以上粒径相近的单质肥料或复合肥料为原料，按一定配方比例，通过简单机械掺混而成，为各种原料的混合物。掺混肥料有粉状和粒状两种形式。BB 肥的突出优势为能够适应现代农业，具有配方灵活、养分全面、浓度高、加工简便、生产成本低、污染低等显著优点，各种营养元素可以根据市场需求和作物需肥规律灵活调整，可根据需要添加各种营养，采用的原料一般为高养分含量的肥料，产品养分质量分数可达到 50% 以上，工艺简单、投资少、能耗低，没有废水、废气、废渣排放。

生产和应用掺混肥料较多的国家有美国、日本、加拿大和巴西。美国现有掺混肥料企业 8000 余家，掺混肥料产量占化肥消耗量的 70% ～ 80%。掺混肥料生产主要有 3 种形式，分别是地区性小型造粒生产、交通中心的大型造粒生产和单质肥料的简单掺混。小型造粒生产是目前美国掺混肥料生产经营的主要方式，辐射半径为 60km 左右，与当地的工业化大农场生产模式相吻合。

国家测土配方施肥补贴项目的实施，带动了测土配方施肥工作全面开展，目前我国掺混肥料产业已形成了多元化、规模化生产，在产业规模、产品种类、原材料、科学施肥服务体系建设和经济效益、社会效益、生态效益等方面都取得了长足的发展及进步，在促进粮食增产、农业增效、农民增收以及节约肥料资源方面发挥了巨大作用。然而，同时也存在着针对性差、肥效性差、宣传推广不足等缺点。

以 BB 肥作为载体和分散剂施用中微量元素，是一种便捷地补充中微量元素的有效措施。目前我国的掺混肥料主要是氮磷钾肥，中微量元素在掺混肥中的应用一般可采用两种方法：一种是 N、P、K 肥分别造粒时添加一定量的中微量元素；另一种是以中量元素、有机肥、硅肥作为载体，与微量元素一起造粒。

目前多数企业只是简单地将中微量元素的无机盐按比例混合添加，完全忽略元素间的拮抗反应，虽然加入了不少中微量元素，但能为作物吸收的却很少。值得注意的是，植物只能吸收能溶于水的离子态或螯合态元素，农作物所需的营养元素处于土壤的复杂体系中，各元素之间既有相互促进作用，也有拮抗作用。中微量元素在 BB 肥中的添加以大量元素肥料为载体和分散剂的方法已被多数厂家使用，如果直接加入复合肥中，易使中微量元素与磷酸盐发生副反应从而失去活性。而在 BB 肥里中微量元素以独立的颗粒掺混，保持了中微量元素的有效性。现有的中微量元素肥中中微量元素一般以可溶性无机盐的形式加入，各元素的拮抗作用会大大降低肥效，影响了植物的吸收效果。美国等发达国家采用乙二胺四乙酸（EDTA）、柠檬酸等螯合中微量元素，有效防止了拮抗作用，但 EDTA 成本高，限制了螯合中微量元素肥的发展。

5.3.1.3　中微量元素在水溶肥中的应用

水溶肥料是一种高效节能环保肥料。如今的水肥一体化已不是传统意义上的灌溉施肥，而是通过农业设施将溶于水的肥料即含有多种元素的营养液体精确输送到作物可吸收的部位。水溶肥料由于完全可以精量施用，可以显著减少肥料的总投入量。随着节水农业的迅猛发展，水溶肥料符合节水农业对肥料的新要求，关键是水溶肥料可以用于喷灌和滴灌等设施农业，实现水肥一体化。水肥一体化技术通常可节约水 30% ～ 40%，节约肥料 30% ～ 50%。

中微量元素水溶肥是中微量元素肥的主体，在登记的产品中，单一微量元素水溶肥料共有 30 多种，元素分别是硼和锌，其中单质硼肥有 26 种，其余大部分微量元素水溶肥是含有多种微量元素的复合型产品。

现在的中微量元素肥中一般都加入可溶性无机盐，由于各元素的拮抗作用会大大降低肥效，影响了植物的吸收效果。螯合物的主要特性是溶解性能好、吸收率高、活性强、用量少，有效防止了拮抗作用，缺点是成本高。即使这样，螯合中微肥的应用越来越广泛。同时，越来越多的螯合中微量元素肥料将被开发出来。中微量元素水溶肥料还可以配加农药等制剂，方便灌溉系统施肥；水溶肥料是国家支持发展的高效肥料，能适应发展生态文明的大趋势，具有巨大的市场潜力。

5.3.1.4 中微量营养元素肥发展前景

长期以来，农药和化学肥料的施用不当，导致农产品质量下降，生态环境恶化。因此，发展新型肥料，尤其是中微量营养元素肥料，保护生态环境，具有广阔的发展前景和市场机会。

在以上新型肥料中，水溶肥料、缓释肥料、土壤调理剂、增值肥料中均可添加中微量营养元素，目前大部分的肥料中已经添加了部分中微量元素。中微量元素肥已成为中国肥料发展中不能缺少的重要因素，中微量元素需求给复合肥企业发展带来新契机。如史丹利和金正大等大型复合肥企业，根据土壤、作物和市场的需要重新调整配方及生产工艺，添加镁、锌、硼、硅等中微量元素开发新产品投放市场。镁、硼、锌、硅等中微量元素对作物有良好效果，成为复合肥销售的新卖点。在普通复合肥中添加中微量元素可以提升复合肥的品质，明显提升肥效。

5.3.2 重点区域

我国中微量元素肥行业发展迅速，但仍未能满足需求，未来发展前景广阔。农业农村部根据各地区情况确定的分区域重点施肥原则如下。

① 东北地区施肥原则：控氮、减磷、稳钾，补充锌、硼、铁、钼等微量元素肥料。

② 黄淮海地区施肥原则：减氮、控磷、稳钾，补充硫、锌、铁、锰、硼等中微量元素。使用石灰等调理剂改良酸化土壤，发展果园绿肥。

③ 长江中下游地区施肥原则：减氮、控磷、稳钾，配合施用硫、锌、硼等中微量元素。

④ 华南地区施肥原则：减氮、稳磷、稳钾，配合施用钙、镁、锌、硼等中微量元素。注重利用钙镁磷肥、石灰、硅钙等碱性调理剂改良酸化土壤。

⑤ 西南地区施肥原则：稳氮、调磷、补钾，配合施用硼、钼、镁、硫、锌、钙等中微量元素。注重利用钙镁磷肥、石灰、硅钙等碱性调理剂改良酸化土壤。

⑥ 西北地区施肥原则：统筹水肥资源，以水定肥、以肥调水，稳氮、稳磷、调钾，配合施用锌、硼等中微量元素。结合工程措施利用石膏等调理剂改良盐碱地。

中微量元素肥大部分都是添加在复合肥中使用的，其重点消费区域在国家层面没有统计，由于应用面广泛，国内没有对消费情况进行调研，因此没有相关数据。根据应用情况分析，其重点消费区域应该是和复合肥的消费区域基本趋同。按照国家复合肥产品消费领域情况分析，可以确定中微量元素肥的消费重点区域。

此外，中微量元素市场与需求还与进出口总量、供需平衡等因素相关。

5.4 产业发展展望

5.4.1 中微量元素肥行业存在的问题

目前，我国中微量元素肥生产发展较快，政策扶持、行业组织引导、企业参与为中微量元素肥带来发展的新契机。但是由于品种繁多、作物不同和地域不同，存在需求差异化以及产品标准缺失等一系列问题，中微量元素肥的行业发展面临着许多亟待解决的问题，主要集中在以下几个方面。

（1）生产、消费秩序有待规范

中微量元素肥市场存在的主要问题是市场混乱、缺乏监测、管理缺失、研发滞后、虚假宣传等。据农业部（现农业农村部）全国农技中心土壤肥料质量监测处2014年度肥料市场抽查情况统计，在1217个中微量元素肥样品中，共查处假冒伪劣肥料7051t，查处假冒伪劣产品所占比重很大。

（2）生产技术水平的差距

技术水平有待提高。由于植物只能吸收能溶于水的离子态或螯合态元素，农作物所需的营养元素处于土壤的复杂体系中，各元素之间既有相互促进的作用，又有拮抗作用。中微量元素拮抗问题是关系到多元复合肥肥效的关键问题。现有的中微量元素肥一般都加入可溶性无机盐，各元素的拮抗作用大大降低了肥效，影响了植物的吸收效果。随着应用研究的深入，生产工艺不断改进，生产成本越来越低，氨基酸螯合中微量元素肥料有着广阔的发展前景。研究开发适合我国国情、价廉的螯合剂是中微量元素肥料研究的一个发展方向，应大力加强中微量元素螯合、络合的研究和应用。

（3）产品品种和质量的差距

国外肥料的规格、品种较多，应用研究比较深入，发达国家复混肥的比例占化肥总量的85%以上，而我国约75%。由于单一化肥所含元素单一，需施用多次，加之中微量元素用量很少，其施用量很难掌握，所以将中微量元素与氮、磷、钾常量元素复合，既减少了施肥的麻烦，又可将常量元素作为中微量元素的载体或稀释剂，方便施用。因此，多元、全元复混肥料的研制开发将成为中微量元素肥料研究的重点。一般可以与有机肥混合用，或者制成中微量元素的复合肥。同时，开拓新的多元素复合肥技术工艺线路。我国在肥料生产多元化和施用技术方面的研究有待加强。

（4）行业需融合发展

化肥、农业分属于不同领域，应打破行业界限，加强化工产业与农业的融合，具体体现在化肥生产企业对化肥流通环节的延伸发展，互相渗透。强化农化服务手段，真正服务到田间地头，用先进的农技服务和适用的农机设备等，助力绿色肥料和健康农业的发展，为实现农业现代化做出贡献。中微量元素肥行业生产技术需要梳理、产品标准需要制定、品牌需要扶持培育，目前存在的物流成本偏高、施肥机械和设施发展滞后、相关配套政策亟待完善等，都是中微量元素肥产业发展中亟待解决的问题。

5.4.2 发展趋势展望及建议

5.4.2.1 发展趋势展望

（1）加强管理，减量增效

传统农业经历了效益逐步下降的发展过程，随着化肥投入量增加，农作物产量先增后减、质量先升后降、成本线性上升、收入先升后降，环境影响逐渐上升，这就要求农业增长方式的转变需要靠增加农资投入增加效益、靠加强过程管理增加效益。农化服务可从以下方面提升利润空间。

① 作物增产　作物增产是农业过程最重要的增量效益来源。通过测土施肥、精准施肥等技术措施，可在不增加化肥总用量的前提下，使得农作物亩产量提高 5% ～ 10%。在部分缺素情况下，补充施用少量中微量元素肥料即可大幅提高农作物产量。增产对农业过程效益增量的贡献极为显著。

② 作物提质　作物提质是与作物增产几乎同等重要的增量效益来源。目前，我国基本粮食供应问题已经解决，消费者对农作物口味、营养等的要求出现差异化，不同品质的同类农作物单价可相差 20% ～ 100%。化肥施用对水果、蔬菜等农作物的提质效果尤为明显。

③ 人力节省　合理的化肥施用方案、缓控释肥的施用等可以节省化肥施用时的人力消耗，这一效益从近期看并不明显，原因是目前我国农村劳动力仍然处于富余状态。随着我国城镇化进程进一步发展，农村劳动力供应将下降，而价格提升，未来人力节省的效益将逐渐显现。

④ 农化品节省　农化品的节省主要有两个渠道：一是通过实施优化的施肥、施药方案，在不影响产出的前提下减少化肥、农药的用量；二是通过组织优化的农化品供应链，在保证品质的前提下降低终端化肥施用价格。农化品的节省主要带来三个效益：一是减少了农业过程的成本支出；二是减少施用量的同时农作物中化肥、农药的残留量也有一定程度的减少，从而提高农作物品质；三是化肥、农药施用量的减少将使得其造成的污染减少，从而带来积极的环境效益，这一环境效益有望转变为农化服务者的经济效益。

因此，未来发展的方向是提高农化服务水平，化肥行业实现减量增效目标。

（2）转型发展，创新营销

化肥市场的发展已从单纯的量的竞争转向质的竞争，普通肥料产能过剩，产品结构的调整、升级成为主流，新型肥料、特种肥料成为热点；从单纯的产品竞争转向以解决方案为主的综合竞争；套餐肥、一站式解决方案成为发展趋势；从单纯的经销渠道竞争转向多经营主体竞争，以农业服务、农产品经营为主业的经营体开始纵向延伸进入农资经营；从单纯农资商品销售竞争转向以产业链为纽带的体系化竞争；上下游整合、价值链打造成为竞争的主体。

为实现零增长的目标，现农业农村部提出，调整化肥使用结构不仅要优化氮磷钾配比、促进大量元素与中微量元素配合，还要适应现代农业发展需要，引导肥料产品优化升级，大力推广高效新型肥料。为配合农业化肥使用结构的调整，在《工业和信息化部关于推进化肥行业转型发展的指导意见》中强调，化肥行业要调整产品结构、提升创新能力、加强农化服务，开发高效、环境友好的新型肥料。随着化肥零增长政策的实施，行业发展的总量虽然受到限制，但以产品创新为驱动的结构性增长机会仍然存在。特别是着眼于营养提高、功能改善、减量增效、土壤改良、环境友好等方面需求的新型肥料和特种肥料具有广阔的市场前景。

未来肥料产品的推广将围绕农产品生产过程中的全程技术指导和农技服务，生产高附加值品质农产品，逐步走向订单农业，与互联网平台一亩田合作解决高端农产品销售问题。农资行业将会聚焦农作物、种植大户、作物整体种植方案、服务团队和服务能力、企业品牌、农资 + 互联网等方向。

5.4.2.2　行业建议

（1）加强企业整合，提高产业集中度

促进企业重组整合，支持大型生产企业通过兼并重组等方式，淘汰落后的企业。充分发挥市场机制作用，引导企业通过吸收合并、股权或资产收购等方式，优化资源配置，提高竞争力。培养大型骨干企业，树立行业标杆企业，引导传统肥料企业转型发展，本着优势互补的原则，同新型肥料企业联合发展，形成 5 个左右大型中微量元素肥的骨干企业，如中化化肥、金正大、史丹利等。

（2）加强监管，整顿秩序

整顿规范新型肥料市场，需从登记管理入手，不断建立、完善标准体系，加大市场监控力度，加强宣传培训。在产品登记上要坚持简单工艺的不予登记，没有可靠资源来源的不予登记，以城镇垃圾、城镇污泥、含重金属的工业废弃物为原料的产品不予登记的原则。因此，中微量元素肥研发中应注意产品有效性、施用安全性、工艺先进性和资源可靠性。

（3）坚持创新，加大市场开发力度

把创新作为市场开发的主要支撑，增加研发投入，推进技术和装备的不断进步，通过多方位的创新，提高行业的竞争力。推动产学研结合，加强节肥作物培育，启动实施作物节肥综合技术研发和集成项目。组建专家团队加强农技指导和服务，推广种肥同播、多肥同施等高效施肥技术，着力提升化肥利用率。中微量元素肥发展一是要实现高效化，采取螯合、络合等方法，提高中微量元素的施用效果；二是多功能化，既满足高产的要求，又能提高抗逆能力、改善品质；三是要适量化，避免某些中微量元素在土壤中富集。协会联合行业主流企业，搭建公共科研平台，加大应用研究力度，对重点品种加强关键生产技术研究、肥料施用技术与设备开发，重点加强中微量元素的反应机理、施用效果、对农作物和土壤的影响等基础理论研究。争取获得 30 个新肥料品种的研究成果。

（4）加强国际交流与合作

支持国内企业参与国外技术开发及国际市场竞争，增强国际化运营能力。坚持全球的视野和开放的姿态，积极参与国际化开发和生产经营。加强肥料产业的多元化发展，要着眼于全球市场，积极参与全球产业的竞争，加强海外市场布局，提高国际化经营能力。

（5）加强农化服务，实现绿色发展

加强农化服务，重点发展水肥一体化、土壤改良修复、耕地质量提升、化肥减量增效、品牌农产品等重点领域；开发农用新产品、新技术，引导企业向着全产业链、农业综合服务方向发展，区域性农业服务中心将成为未来农资行业营销模式的主流，着力推进农业服务的标准化、特色化，促使企业通过上下游合作、产业链联合来弥补产品技术缺陷，建立共生共赢关系。全面推行清洁生产、环境保护管理体系。加大环保投入，推进生产装备现代化、自动化，通过采用环保生产技术，从源头上减少污染排放。对新产品的使用要考虑对作物残留和土壤的影响。

（6）重视标准制定

为了引领行业高质量发展，提升行业整体竞争力，中国无机盐工业协会制定了中国无机盐工业协会团体标准管理办法，标志着中国无机盐工业协会中微量元素肥行业分会可以按照协会确立的标准制定程序，自主制定发布。按照中微量元素肥生产和市场需求情况，确定团体标准制定的规划，根据条件成熟情况，逐步推进标准制定工作。

5.4.2.3 政策现状

①《产业结构调整指导目录（2019年本）》中指出，鼓励有机废弃物无害化处理及有机肥料产业化技术开发与应用，鼓励旱作节水农业、保护性耕作、生态农业建设、耕地质量建设、新开耕地快速培肥、水肥一体化技术开发与应用。

②“十四五”种植业发展规划，提出推进化肥绿色增效，加快构建现代科学施肥技术体系、管理体系和制度体系，推进机械施肥、水肥一体、多元协同，加强肥料新产品、新技术、新装备集成创新和推广应用，促进施肥精准化、智能化、绿色化、专业化，提高有机肥资源还田量、测土配方施肥覆盖率、化肥利用率。

③“一控两减三基本”推进农业绿色发展，主要是要防止或者减少过度施肥和盲目施肥，通过测土配方等技术来提高用肥的精准性，提高利用率，鼓励农民通过绿肥、农家肥的使用来替代化肥、培肥地力。

5.4.2.4 政策建议

（1）健全和完善的法律法规

制定中微量元素肥行业标准的相关管理法规，对合法合规、技术先进、安全环保的设施建设使用到位的大型企业，给予大力支持；对于不符合标准规范的企业，则要进行淘汰，保护用户的合法权益。

（2）建立国家级统一的肥料监管信息平台

建立国家级统一的信息监管平台，使得产品相关信息能在权威的官方网站上随时查询，以方便企业和用户的使用。鼓励有条件的地方建立农资监管与追溯平台，充分利用信息技术确保“卖”得安全，“买”得放心，“用”得可管可查。规范“互联网＋肥料”经营模式，加强线上线下产品监管能力。

（3）规范管理产业发展

建议加强对中微量元素肥认证登记的科学管理，推优罚劣，打击假冒伪劣产品，使真正优势的产品能够在市场上公平竞争。同时，创新管理机制，采用互联网等手段，简化手续，提高企业产品在市场上的流通性和使用的便捷性。

（4）加大中微量元素肥政策支持力度

建议国家出台中微量元素肥使用补贴政策，引导农户进行传统化肥替代。粮食作物依然具有“减肥”潜力，据测算，如果全部按照测土配方施肥，可削减粮食作物化肥使用量26.7%，在作物优势生产区建立配方肥生产、加工和配送服务中心，落实、调整、完善农业三项补贴政策试点工作，将补贴与耕地地力保护挂钩，向中微量元素配方肥、缓（控）释肥等新型肥料倾斜。开展对农户科学施肥的教育培训，加强农户对生态环境保护的认识。

（5）加大对中微量元素肥研发的支持

建议国家鼓励建立国家级中微量元素科研平台，启动研究提高中微量元素利用效率的国家科研课题。在中微量元素缺乏的情况下，按传统方式使用无机盐形式中微肥，由于受到拮抗作用、沉淀反应的影响，其吸收效率较低。加强对中微量元素的科研支持，开展中微量元素螯合技术、施用技术等研究，提升中微量元素施用后的活性，提高使用效果。加强中微量元素的配方、制剂技术、使用方法三位一体的创新。通过定制化、精准化、服务化等组合式手段，充分发挥中微量元素肥的最大经济效益。

（6）整合行业内企业优势，提高行业整体发展水平

加强行业内各个企业的独特优势，大企业充分发挥龙头骨干的作用，推动小企业以点带面地快速发展，实现优胜劣汰的机制，使得行业整体水平得到实质性提高。

（7）加强农民培训和宣传推广

长期以来施肥中普遍存在着重化肥轻有机肥、重大量元素轻中微量元素的现象，土壤中的元素成分丰缺失调，中微量元素缺失已经成为制约作物增产、品质提升的重要问题，而大部分农民对认识存在局限。为此，建议启动中微量元素应用推广项目，出台政策支持农技部门和相关企业，开展中微量元素肥应用示范，开展农民培训，进行宣传推广。

参考文献

[1] 马彦平，石磊，何源．微量元素铁、锰、硼、锌、铜、钼营养与人体健康 [J]．肥料与健康，2020,47(5):12-17.

[2] 巩丽，刘振东，等．微量元素过量对农作物的危害 [J]．现代农业科技，2017：8.

[3] 麻浩，王爽，周亚丽．植物中钙依赖蛋白激酶的研究进展 [J]．南京农业大学学报，2017,40(4):565-572.

[4] Hanson J B. The functions of calcium in plant development[J]. Annu Rev Plant Physiol,1984,36:397-439.

[5] Whittington J, Smith F S. Calcium-salinity interactions affection transport in Chara coralline[J]. Plant Cell Environ,1992,15:727-733.

[6] 郑青松．外源钙和缩节胺对棉花幼苗耐盐性的调控及其机理 [D]．南京：南京农业大学，2000:49.

[7] 缪颖，蒋有条，曾广文，等．大白菜干烧心病发生过程中心叶组织 Ca^{2+}-ATPase 活性的变化 [J]．园艺学报，1998,25(1):50-55.

[8] 王淑芬，张仪，沈征言．大白菜干烧心病的形态结构及生理生化变化 [J]．园艺学报，1996,23(1):37-44.

中国肥料研究与应用全书

Books of Fertilizer Research and Application in China

FERTILIZER

第6章

中国复混（合）肥产业发展

6.1 概述

根据2016年修订的《化肥产品生产许可证实施细则（复肥产品部分）》的新细则，将“复混肥料”和“复合肥料”两个产品单元合并，统一称为“复合肥料”，并给出了产品定义：氮、磷、钾三种养分中，至少有两种养分标明量是由化学方法和（或）物理混合造粒方法制成的肥料。新修订的《复合肥料》（GB/T 15063—2020）沿用了上述定义，可以简单地描述为氮、磷、钾中的三种养分或两种养分均匀地在一个颗粒之中的肥料叫复合肥；氮、磷、钾在不同颗粒中或者不同颗粒的氮、磷、钾组成的肥料叫掺混肥。从定义上看，复混肥包含了复合肥和掺混肥，分别执行不同的国标。与单质肥相比，复合肥能比较均衡地供应多种作物生长需要的养分，可以发挥各种营养元素间的相互促进作用。而多种元素同时使用，也有助于降低劳动力投入，更好地适应农村劳动力缺乏的现状。

中国复合肥的生产和发展较晚，经历了几个重要阶段：一是20世纪80年代的起步阶段。在起步阶段的十年中，我国复合肥行业主要靠国产装置，单套国产复合肥生产装置产能仅为1万～5万吨。二是20世纪90年代的快速发展阶段。国内复合肥发展迅速，企业剧增，引进美国、法国等欧美先进技术的大型复合肥装置相继投产[1]。三是2000～2010年的成熟阶段。2015年最高峰时有许可证的复合肥企业达到了5300多家，全行业总产能约2亿吨，竞争进入白炽化状态。四是2010年之后的差异化发展阶段。受供给侧结构性改革的推动，环保不达标、生产成本高、竞争力弱的企业不断淘汰退出，2019年中国复合肥企业约有3000家，其中规模（年产值在2000万元）以上的复合肥企业只有864家。2019年时中国复合肥总产能降至1.3亿吨，实际产量仅为5628万吨，行业平均开工率为43%。2015～2019年我国复合肥产能和开工率变化见图6-1。

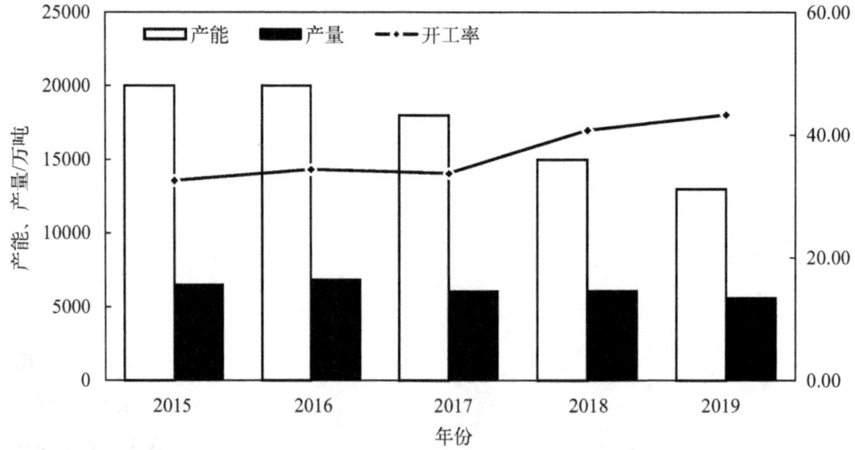

图6-1 2015～2019年中国复合肥生产情况

6.1.1 复合肥的概念、分类及相关标准

6.1.1.1 复合肥料产品的概念

针对之前不同口径对复合肥定义的不同，最新的国标 GB/T 15063—2020 将新标准名称及提及的“复混肥料（复合肥料）”修改为《复合肥料》，该标准指出复合肥料为氮、磷、钾三种养分中，至少有两种养分标明量是由化学方法和（或）物理方法制成的肥料。新标准中增加了硝态氮、中量元素、微量元素指标及测定方法，允许将硫、钙、镁等中微量元素标识在肥料包装上[2]。按照复合肥料的传统定义，作物养分分为大量元素、中量元素和微量元素三种，大量元素（主要养分）是对元素氮、磷、钾的通称。中量元素（次要养分）是对元素钙、镁、硫的通称。微量元素（微量养分）包括硼、锰、铁、锌、铜、钼等。

随着国家化肥工业的发展以及农业绿色发展的需要，也出现了很多功能肥料，因此为了与传统的以单纯提供营养的产品相区别，把增加微生物菌剂和其他增效剂的复合肥料称为新型肥料。但目前新型肥料还没有完善的分类体系，稳定性肥料则为新型肥料中的一种，在 2017 年发布了国标 GB/T 35113—2017。新型肥料是肥料家族中不断出现的新成员、新类型、新品种，其内涵是动态发展的，它将是肥料产业创新发展的原动力，是现阶段我国提高复合肥料利用率的主要途径之一。

6.1.1.2 复合肥料产品的分类

复合肥料产品众多，其分类也存在多样性，根据其养分含量、形态、工艺、功能等均可划分为不同类别。

按制造工艺可分为化成复合肥料和混成复合肥料两大类。化成复合肥料是指通过化学方法制成的含两种或两种以上营养元素的肥料，主要通过料浆法完成。混成复合肥料是将各种单质肥料机械混合制成的肥料，主要通过团粒法、挤压法、熔融法以及掺混法完成。化成复合肥料性质稳定，是将化工原料制造成化学肥料，一旦生产出来，其中的氮、磷、钾等养分比例就固定了，难以适应不同土壤和多种作物的需要。混成复合肥料是将单质肥进行混合，属化肥的再次加工，其优点是可以按照作物、土壤的需要配制各种比例的氮、磷、钾养分。但是，在新国标中，已经不再区分化学方法和物理方法制造过程，统称为复合肥料。

按所含养分数量可分为二元复合肥、三元复合肥和多元复合肥三大类。二元复合肥是指含有氮、磷、钾等营养元素中的两种营养元素的复合肥，过去曾经将磷酸铵纳入复合肥范畴，如今氮钾二元复合肥的发展仍然比较迅速。三元复合肥是指含有氮、磷、钾等三种营养元素的复合肥。多元复合肥指除含有氮、磷、钾等三种营养元素外再少量添加锌、锰、镁、硼等微量元素的复合肥。

按氮素养分形态可分为尿基肥、硝基肥和铵基肥三大类。尿基复合肥，是以固体尿素或熔融尿素喷浆造粒而成，同时氮素中有磷酸一铵带入的部分铵态氮。硝铵基复合肥，氮源为硝酸铵或硝铵磷产品，氮源中含有硝态氮和铵态氮。硝酸磷肥用硝酸分解磷矿得来，生产工艺特殊，也属于硝基肥。铵基复合肥，氮素全部由铵态氮提供，是以氯化铵和硫酸铵类为原料的复合肥，不含酰胺态氮和硝态氮，仅含有铵态氮一种。铵基肥主要是用料浆法生产高磷

类型的复合肥，用硫酸作填料，补充部分铵态氮，其他工艺较少生产。

按磷素养分形态可分为水溶磷复合肥和枸溶磷（含聚磷铵）复合肥两大类。水溶磷复合肥，磷源来自磷酸、磷铵、硝酸磷肥以及聚磷酸铵。枸溶磷复合肥，磷源来自钙镁磷肥、脱氟磷肥和钢渣磷肥。纯粹的水溶磷复合肥较少，一般在水溶性磷复合肥中，也含有少量枸溶磷。而纯粹的枸溶磷复合肥一般用在特殊的区域或特殊作物上。

按钾素原料种类可分为硫基复合肥和氯基复合肥两大类。硫基复合肥指复合肥中的钾源为硫酸钾，而且不含有氯根原料的产品。氯基复合肥以氯化钾为钾源，或以氯化铵为氮源，或者两者兼用。一般以是否含硫酸钾区分。

按总养分（$N+P_2O_5+K_2O$）含量可分为高、中、低浓度三大类。总养分含量25.0%～30.0%的为低浓度复合肥，总养分含量在30.0%～40.0%的为中浓度复合肥，总养分含量≥40.0%的为高浓度复合肥。

按单养分含量是否特别高可分为高氮肥、高磷肥和高钾肥三大类。习惯上将复合肥中氮、磷、钾单养分含量大于20%的定义为高氮复合肥、高磷复合肥、高钾复合肥。在作物专用肥中，大田作物以高氮、高磷类型为主，高钾类型主要用作经济作物的追肥，而且以硫酸钾类为主。

按肥效时间长短可分为普通复合肥料、控释肥料、缓释肥料和稳定性肥料几大类。普通复合肥料没有缓释或控释功能，就是常见的传统复合肥料。控释肥料是指能按照设定的释放率（%）和释放期（d）来控制养分释放的肥料。控释肥料有化工行业标准HG/T 4215—2011。缓释肥料执行的是GB/T 23348—2009，通过各种物理化学技术，使其对作物的有效态养分随着时间而缓慢释放。稳定性肥料是指加入脲酶抑制剂或者硝化抑制剂（或者二种混合）的复合肥料。稳定性肥料执行国家标准GB/T 35113—2017。缓释肥料、稳定性肥料和控释肥料超出本章讲述范围，但往往这几类肥料也含有三元素大量养分，目前也是市场热点，是新型肥料的主要类型，所以要加以区分。

按施用范围可分为通用型复合肥和专用型复合肥两大类。通用型复合肥指氮、磷、钾养分含量相等的肥料，例如15-15-15、16-16-16等。专用型复合肥指根据作物的养分吸收规律以及区域土壤养分的供应特点形成的配方肥料，专门适用于某区域的某种或一类作物[3]。

按物理形状可分为固体复合肥和液体复合肥两大类。固体复合肥指由颗粒状或粉状制成的复合肥料，是常见状态。液体复合肥指由溶液或悬浮液制成的复合肥料，目前在我国尚属于发展初期。

复合肥料分类及主要内容汇总见表6-1。

表6-1　复合肥料分类及主要内容汇总

序号	分类原则	分类	主要内容
1	加工工艺	化成复合肥料	料浆法
		混成复合肥料	团粒法、熔融法、挤压法、掺混法
2	养分形态	氮源复合肥	尿基、硝基、铵基
		磷源复合肥	水溶、枸溶（含聚磷铵）
		钾源复合肥	硫基、氯基

续表

序号	分类原则	分类	主要内容
3	养分种类	二元复合肥	含氮、磷、钾等营养元素中的两种
		三元复合肥	含有氮、磷、钾三种营养元素
		多元复合肥	除含氮、磷、钾三种营养元素外再少量添加微量元素
4	总养分含量	低浓度复合肥	总养分含量 25% ～ 30%
		中浓度复合肥	总养分含量 30% ～ 40%
		高浓度复合肥	总养分含量≥ 40%
5	肥效时间	普通复合肥	未添加缓释剂和控释剂
		控释肥	添加控释剂，有专门产品标准
		缓释肥	添加缓释剂，有专门产品标准
		稳定性肥	添加脲酶抑制剂或者硝化抑制剂
6	功能定位	专用型复合肥	专门适用于某区域的某种或一类作物
		通用型复合肥	氮、磷、钾养分含量相差不超过 1，适用于所有作物
7	产品剂型	固体复合肥	颗粒、粉末
		液体复合肥	悬浮液、清液型
8	单养分含量	高氮肥	复合肥中氮养分含量超过 20%
		高磷肥	复合肥中磷养分含量超过 20%
		高钾肥	复合肥中钾养分含量超过 20%

6.1.1.3　复合肥料产品相关标准

我国复合肥产品的相关标准不断完善，目前执行 GB/T 15063—2020《复合肥料》强制性国家标准，对养分指标如总养分、总氮、有效五氧化二磷、氧化钾以及水溶性磷占有效磷百分率、中量元素和微量元素含量、非养分指标（氯离子、粒度和水分）和包装标识要求都进行了明确的规定。但企业进行产品研发和登记时，多按照农业农村部行业标准分类。其中复合肥料产品包括含硫酸脲复合肥料、腐植酸复合肥料、硝基复合肥料。具体内容见表 6-2。

表6-2　复合肥类相关产品标准及内容

类别	大量元素养分含量 /%	其他元素含量 /%	其他
GB/T 15063—2020《复合肥料》	高浓度养分≥ 40；中浓度养分≥ 30；低浓度养分≥ 25	单一中量元素： 有效钙、有效镁≥ 1.0； 总硫≥ 2.0	硝基复合肥，硝态氮含量≥ 1.5%
HG/T 5516—2019《含硫酸脲复合肥料》	高浓度养分≥ 40；中浓度养分≥ 30	未标“含氯”＜ 3.0； 标识“含氯（低氯）”＜ 15.0； 标识“含氯（中氯）”＜ 30.0	pH=5.0 ～ 6.5

续表

类别	大量元素养分含量 /%	其他元素含量 /%	其他
T/CHAIA3—2018《腐植酸复合肥料》	高浓度养分≥ 40；中浓度养分≥ 30；低浓度养分≥ 25	高浓度水分≤ 5.0；中浓度水分≤ 7.0；低浓度水分≤ 10.0	
HG/T 4851—2016《硝基复合肥料》	高浓度养分≥ 40；中浓度养分≥ 30；低浓度养分≥ 25	硫＞ 1.0	硝态氮质量分数≥ 5%

6.1.2 发展历程

中国开始真正意义上的复合肥生产历史较为短暂，其发展过程经历了几个重要阶段：一是20世纪80年代的起步阶段；二是90年代的快速发展阶段；三是2000～2010年成熟阶段，即产品激烈竞争阶段；四是2010年之后的差异化发展阶段。

（1）起步阶段

从20世纪80年代江苏红三角化工生产了第一袋复合肥，在此之前全部依靠进口来满足国内需求。

（2）快速发展阶段

20世纪90年代以来，各地出现了缺钾现象，因此诞生了氮磷钾三元复合肥，如上海化工研究院采用团粒工艺，先后开发出尿素-过磷酸钙系、尿素磷铵系、氯化铵-过磷酸钙系、氯化铵-磷铵系、硝酸铵-过磷酸钙系等多种复合肥料的生产技术。国内复合肥发展迅速，企业剧增。1980～1990年复合肥生产能力年均增速超过20%，这个时期的复合肥主要是通用型的15-15-15，工艺主要采用圆盘造粒和滚筒造粒，产品以氯基为主，主要用作大田作物底肥。在此期间，山东红日阿康化工股份有限公司于1993年自主研发成功了氯化钾低温转化法生产硫酸钾三元素复合肥技术，其配方主要为12-18-15，获得国家发明专利和全国发明金奖，是中国硫酸钾复合肥技术的标志性企业。随后国内各大企业纷纷建设硫基复合肥装置，据调研统计，有20多家企业建设了60多套硫基复合肥装置，产能最高时达到1500多万吨。随后因副产盐酸的处理问题，关停了一些装置。2017年该技术产能仅为800万吨，产量约200万吨。硫基复合肥产品明显优于氯基复合肥，不但含有氮、磷、钾大量元素，还含有中量元素硫，出厂价格一般比同养分的氯基复合肥高出100～200元/t，对作物品质也有提高作用，主要用于经济作物。

（3）成熟阶段

2000～2010年，中国复合肥进入了平稳发展期，也就是成熟期，有许可证的复合肥企业最高峰时达到了5300多家，竞争进入白炽化状态，但近七成的复合肥企业规模小、竞争力差，基本上处于关停状态。硝基类肥料是复合肥行业十年快速发展中出现的新品种。

硝基肥既含有硝态氮又含有铵态氮，在较干旱的条件下，硝态氮更易被作物吸收，其形态稳定，氮素的利用率较高。我国在不同区域、不同土壤、多种大田和经济作物上进行试点示范，施用硝基复肥，作物增产8%～25%，农产品品质明显提高。优质的硝基复合肥料受到越来越多的农民尤其是种植大户的欢迎和青睐，市场份额不断扩大。虽然硝酸铵是化肥中重要的成分，但硝酸铵2002年被列为民爆产品，不能单独作为肥料使用，只能改性为硝基复合肥使用。

2000～2010年，高塔工艺发展达到高峰期。高塔发展前期主要生产高氮尿基复合肥，后因硝铵改性需要，国内硝基复合肥生产企业快速增加。硝基复合肥单套装置规模都不大，以适应硝基复合肥配方的变化和批量需求的调整，单套规模过大会带来操作和经济性方面的问题。为了扩大市场占有率，降低成本，有的企业选择建设30万～60万吨的生产规模，但一般都采用单套产能10万～20万吨的装置。中国约有100家企业建设了200多套高塔装置。高塔复合肥的产能有3500多万吨，其中硝基复合肥为1500万～2000万吨产能。

（4）差异化发展阶段

2014年，国家有关部门发布了多项利好新型肥料发展的政策和规划，我国新型肥料示范推广也在提速，新型肥料产业迎来了新的历史性发展机遇。2015年7月20日，发布了《工业和信息化部关于推进化肥行业转型发展的指导意见》，意见提出八项化肥行业转型升级重点措施，主要包括着力化解过剩产能、大力调整产品结构、加快提升科技创新能力、着力推进绿色发展、积极推进两化深度融合、加强农化服务、借力“一带一路”战略拓展国际市场、加大政策扶持力度。在行业淘汰落后产能以及环保压力日益加大的背景下，化肥行业集中度得到提升，新型肥料成为未来的发展重点。同时，为提高肥料利用率和控制污染，2015年农业部也制订了《到2020年化肥使用量零增长行动方案》，该行动方案发布后，我国化肥使用停止了增长态势，并进入了化肥负增长阶段，使复合肥行业从产量最高峰开始回落。复合肥料自此将以高效化、专用化、长效化、功能化和低碳化为发展趋势，主要包括增效肥料、水溶性肥、缓控释肥、硝基复合肥、海藻生物肥等新型肥料。新型肥料将技术物化到产品，适合中国农业发展现状，大幅度提高了肥料利用率，推动了我国化肥行业科技进步。

6.2　配方发展情况

在1999年以前，国内复合肥品种绝大部分都是以15-15-15通用型为主。这有两方面的原因，一方面是高浓度复合肥的主要生产工艺是氨化造粒，15-15-15生产技术成熟，产品质量可靠，各种工艺参数都已获取，操作稳定，生产方便。另一方面，由于90年代化肥实行计划经济，肥料的研究、生产、推广相互脱节，化肥主要由国家统购统销，复合肥企业还没有制定配方和复合肥的概念。1999年初全国取得复合肥料生产许可证的企业共计2240家，总生产能力达3000万吨，但在1999年之后，经过化肥流通体制改制，适应市场需求，化肥市场逐渐放开，肥料流通和生产企业如雨后春笋般地涌现，以中阿公司为代表在1999年率先生产各种类型的专用复合肥，其他如山东鲁西化工、云南红河磷肥厂、山东红日集团、四川什邡蓥峰实业总公司、湖北洋丰集团等也都开始转向高浓度复合肥料的生产。中阿公司在中国农科院对全国化肥区划研究的基础上，1999年在国内复合肥行业率先自主开发出16-

16-8小麦肥等区域和各种作物专用复合肥，从此开始改变3×15通用型复合肥主导市场的格局。

2004年，中国农业大学与中化合作，通过大面积土壤肥力调查结果，基于氮肥总量控制、分期调控，磷钾恒量监控，中微量元素因缺补缺技术，设计了黄河中下游小麦专用肥16-20-8-0.5（ZnO），这一方法体系充分考虑土壤条件和作物需求，为专用复合肥发展提供了更清晰的道路，此后各大复合肥企业都纷纷推出各种专用肥产品。2005年，国家测土配方施肥项目在全国启动，大样本的土壤取样分析和肥效试验为制定更精细化的肥料配方提供了可能。从2009年开始，中国农业大学联合地方教学科研单位、地方政府及肥料企业，基于测土配方施肥的田间试验数据和测土数据，开展不同尺度上的“大配方、小调整”区域配肥技术研究。目前“大配方、小调整”区域配肥技术已成为国家测土配方施肥项目的主推技术之一。2012年，农业部在全国选定100个肥料企业，以“大配方、小调整”区域配肥技术作为核心技术，进一步加强政府、科研单位、企业的合作，实现测土配方施肥技术成果的普及应用。

6.2.1 农技部门发布配方情况

配方覆盖作物情况：2005年以来，全国各级农技部门制定和推荐的肥料配方不断丰富，尤其是2013年测土配方施肥大力推动农企对接以来，农技部门配方制定数量和类型发生了较大变化。到2019年，全国县级行政区覆盖率超过80%。配方覆盖作物不仅包括小麦、玉米、水稻、马铃薯四大粮食作物，还包括大豆、油菜、棉花、花生、蔬菜、水果和其他经济作物。2019年，全国各级农技部门共制定发布配方6852个，以县级农技部门推荐配方为主，其中粮食作物配方数量占一半以上（表6-3）。

表6-3 农技部门推荐各作物配方数量变化

作物	省级配方		县级配方		配方总数	
	2014年	2019年	2014年	2019年	2014年	2019年
小麦	7	24	1129	1256	1136	1282
玉米	12	30	1663	1832	1675	1866
水稻	12	22	1139	1541	1151	1562
大豆	0	7	96	269	124	289
花生	2	3	130	162	132	165
油菜	9	24	320	374	329	398
马铃薯	0	8	334	293	334	301
棉花	0	1	95	120	95	121
蔬菜	0	7	160	322	261	486
水果及其他	1	13	101	369	102	382
总计	43	139	5167	6538	5339	6852

6.2.2　肥料登记配方情况

复合肥料从最初的国家登记到各省登记，2018 年又改为备案制度，说明复合肥已经成为一种成熟的肥料产品。2005 ～ 2009 年 5 年内登记各种类型复合肥产品总数 21444 个，2015 ～ 2019 年 5 年内登记（含备案，下同）各种类型复合肥产品总数 26312 个，比 2005 ～ 2009 年增加了 22.7%。按照氮、磷、钾配方统计，合并相同配比的产品，发现 2005 年至 2009 年间复合肥料有 3028 个配方，2015 年至 2019 年间复合肥料有 3441 个配方，比 2005 ～ 2009 年增加了 13.6%。由此可以看出，市场上不仅企业众多、产品众多，而且产品中氮、磷、钾的配比也非常多。另外，也可以看出，我国产品配方设计重复度非常高。如图 6-2 所示，2005 ～ 2019 年，登记的各种类型复合产品的数量先升高后下降。2005 ～ 2009 年登记产品数量发展得最快，同时这也是我国复合肥产业发展最快的时期，2009 年登记产品数最多，为 6544 个，较 2005 年增加了 162%，2009 年后登记产品数量逐渐下降，2019 年登记产品数量为 3069 个，较 2009 年减少了 53.1%。2009 年后登记数量下降的主要原因是三部委联合下文年产能 2 万吨以下的自配自用的复合肥产品不再需要进行登记，随着农场、种植大户和农民合作社的增加，自配自用复合肥产品增多。

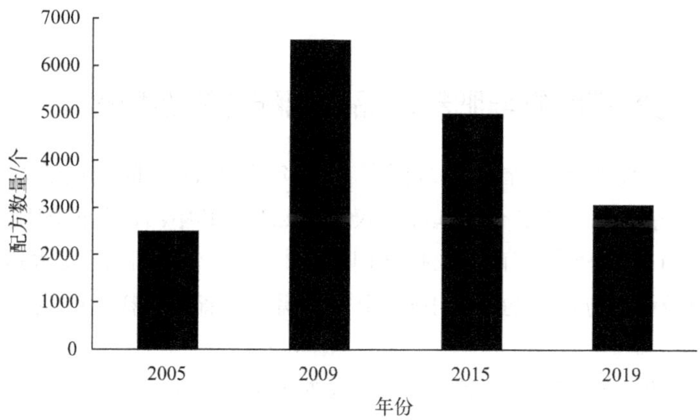

图 6-2　2005 ～ 2019 年登记复合肥配方数量

将登记肥料产品中氮、磷、钾配方相差不超过 1% 的定义为平衡型配方。在 2015 年到 2019 年间平衡型配方数量所占比例整体呈下降趋势，从 2015 年的 13.8% 减少到 2019 年的 10.8%。将氮含量高于 20% 的配方定义为高氮配方，在 2015 年到 2019 年间高氮配方数量所占比例整体变化不大，稳定在 33% 左右，2018 年所占比例最高，为 37%。

在全国各省份中，仅有 16 个省份登记了含氯基、硫基、硝基的产品。如图 6-3 所示，在登记的全部产品中，含氯产品数量所占比例从 2015 年到 2019 年经历了先下降后上升的变化，含氯产品数量从 2015 年占比 45.3% 减少到 2018 年占比 37.1%，下降了 8.2 个百分点，而 2019 年含氯产品数量占比为 57.5%，较 2018 年增加了 20.4 个百分点。硫基产品数量占比则稳定在 5% ～ 10% 之间，硫基肥产品占比与市场硫酸钾消费量占比相当。含硝基产品则稳定在 1% ～ 3% 之间，一直较低，硝基肥产品占比与硝酸铵在氮肥中的产量占比相当，我国近十年硝酸铵在氮肥中的占比为 4% ～ 6%。由于我国硝酸铵产量相对较低，加之国家出于安全考虑，限制硝酸铵作为化肥产品来储运，因此，硝酸铵作为肥料的发展一直受到严重制约。我国是尿基肥占绝对主流，硝基肥仅有少量产品，而西欧正好相反，硝基肥是主流。

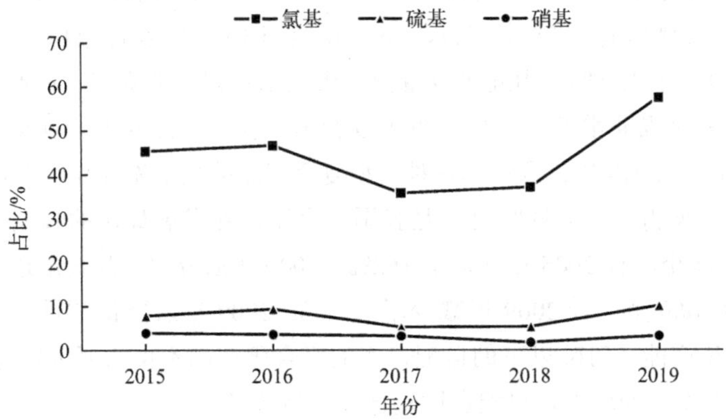

图 6-3　各省份登记含氯基、硫基、硝基的产品占比图

6.2.3　农技部门推荐配方与肥料产品登记配方的匹配度

实施肥料登记制度的 29 个省级行政区在 2015 年至 2019 年间登记配方 54409 个，但在省域范围的匹配数量仅为 14245 个，匹配度仅为 26.2%。其中河南省匹配度最高，五年间登记肥料 6984 个，有 3045 个与河南省农技部门推荐的配方一致，匹配度达到 43.6%。匹配度低于 10% 的省份登记配方数量均不足 1000 个，说明这些省份肥料生产能力薄弱，生产出的肥料科学性也较低。

全国匹配度高的一个原因是大型复合肥厂家都是全国销售，登记肥料配方是在生产所在省份，而销售是全国市场，尤其是生产能力薄弱的省份大量施用大厂的复合肥，导致本省的匹配度极低。所以，分析全国匹配度数据，更能反映中国登记配方和推荐配方的契合程度。

6.2.4　肥料产品登记配方在农技部门推荐配方中的匹配度

肥料产品登记配方在农技部门推荐配方中的匹配度很高。以样本量较大的三大粮食作物为例，全国肥料产品登记配方与全国农技部门小麦、水稻、玉米推荐配方的匹配度分别达到了 91.8%、86.3%、80.2%，也就是说农技部门推荐的小麦、水稻、玉米配方中分别有 91.8%、86.3%、80.2% 的配方可以在全国肥料市场中找到一致的产品，如果匹配范围精准到全国各地区，那匹配度也可以分别达到 82.5%、82.0%、80.2%，这说明农技部门推荐的配方已经绝大部分转化成产品了。但是农技部门推荐的产品在肥料企业所有登记产品中仅占 26.2%，说明企业自主创制了 73.8% 的肥料配方。这说明：一是复合肥企业有较强的农化服务能力，自行设计配方在市场中得到应用；二是复合肥企业为抢占市场，可能过度设计配方，登记了大量的无效配方，无法将产品与使用的区域、作物匹配，设计的配方没有得到大量生产。

6.2.5　配方存在的问题

① 配方浓度较高　目前登记的高浓度配方占六成以上，而且高氮配方占 1/3 以上。高养分的投入未必会带来较好的作物性状，但肯定会带来环境污染等问题。

② 通用产品多　目前我国化肥市场上的复合肥配方比较单调，常见的氮、磷、钾比例为 15-15-15、16-16-16，而近些年也出现了 17-17-17 等浓度更高的产品。产品几乎没有针对性，都是通用型的，没有进行区域的划分，覆盖区域过大，这样既增加了化肥企业的运输成本，也降低了产品的针对性，还造成养分浪费和环境污染。

③ 专用配方少　复合肥产品很少以某种特定作物进行区分，一个产品可以用在多种作物上。目前市面上存在少量针对某种特定作物的复合肥，但没有说明是基肥、追肥还是种肥，在一定程度上不利于农户选用。

6.3　复合肥行业情况

6.3.1　历年化肥和复合肥消费数量、复合化率

6.3.1.1　全国历年化肥和复合肥消费数量、复合化率

从 20 世纪 80 年代中期到 2020 年，我国历年来化肥消费数量、复合肥消费数量与复合化率见图 6-4 和图 6-5。2020 年我国农用化肥施用量（折纯量）为 5250 万吨，已经持续 5

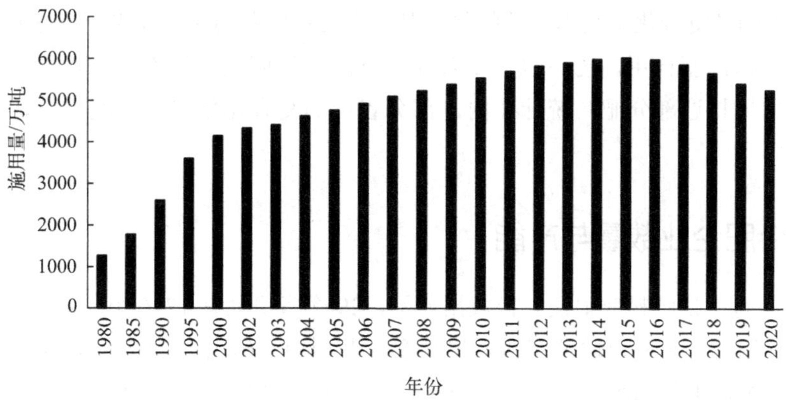

图 6-4　我国历年农用化肥施用量（折纯量）

年减少，与峰值2015相比减少了13%。可见近年来减肥增效、环境约束等政策有很强的引领作用。但我国复合肥的施用量（折纯量）是稳步上升的，从20世纪80年代的27万吨到2020年的2221万吨，增长2194万吨。与此同时，复合化率也从20世纪80年代的2.1%提高到2020年的42.3%。伴随着复合化率的提高，氮、磷、钾等单质肥料的施用量在近年来逐渐减少，尤其是氮肥，较2012年峰值减少了24%。

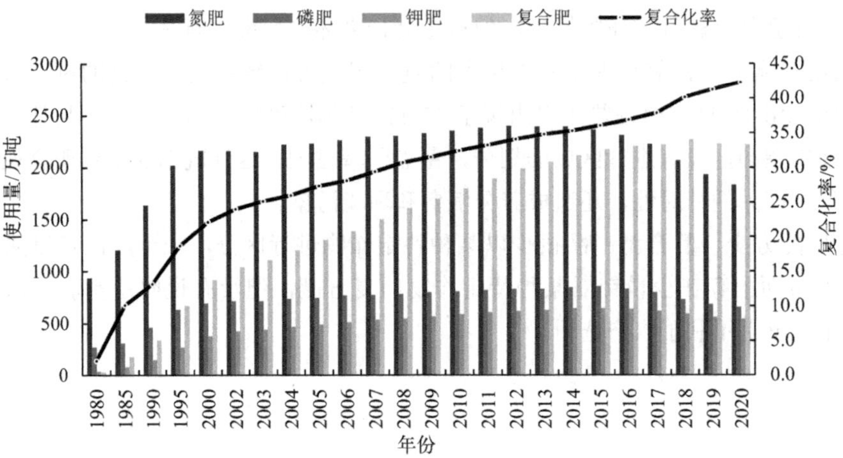

图6-5　我国历年不同肥料使用量（折纯量）及其复合化率

6.3.1.2　各省份2020年化肥和复合肥消费数量、复合化率

2020年全国农用化肥施用量排名前五的依次是河南、山东、安徽、河北、江苏。其中河南化肥用量远远高于其他省份，达到600万吨以上，而安徽、河北、江苏三个省份的化肥施用量维持在300万吨左右。

全国复合肥施用量排名前五的省份依次是河南、山东、吉林、安徽、河北。其中河南复合肥用量超过300万吨，其余几个省份均不足200万吨。复合肥在化肥施用量中占比最大的五个省份依次是吉林、山西、安徽、北京、上海。大部分省份的复合化率都没有超过50%，这里需要提出的是复合化率是指单纯的复合肥占农业化肥总用量的比例，不包括农户自己采购单质肥混配掺混肥自用，也不包括2万吨以下的掺混肥企业给农户或者合作社供应的配方掺混肥，如果将这部分肥料统计在内，部分省份的复合化率将大幅度提升，可达到90%以上。

6.3.2　复合肥企业数量与产能

2020年1月1日肥料登记证公告数据显示，29个省份共有1716个复合肥企业具有有效肥料登记证（河北、新疆已取消肥料登记制度，表6-4）。相比于2010年，2020年复合肥企业减少了966个，下降36%。各地企业分布与这些省份的农业发展、环保法规、市场竞争因素等情况密切相关。

表6-4　2010年和2022年全国各省复合肥企业数量分布情况

省份	2010 年复合肥企业数量 / 个	省份	2020 年复合肥企业数量 / 个
山东	519	山东	219
河北	349	河南	192
江苏	265	江苏	161
湖北	178	四川	157
四川	169	云南	137
湖南	129	辽宁	95
黑龙江	124	广西	93
广东	102	黑龙江	86
河南	94	安徽	83
广西	84	湖北	60
辽宁	83	湖南	51
吉林	82	陕西	50
贵州	65	吉林	47
山西	60	甘肃	39
天津	46	内蒙古	39
陕西	42	山西	36
浙江	40	贵州	32
安徽	39	重庆	28
北京	34	福建	20
甘肃	34	江西	18
江西	32	浙江	18
福建	27	天津	14
内蒙古	24	北京	12
海南	21	海南	11
重庆	21	宁夏	7
宁夏	7	青海	5
上海	7	广东	4
青海	5	上海	1
西藏	—	西藏	1
云南	—	河北	—

2020年我国复合肥料的生产主要集中在湖北、山东、江苏和安徽等地，这四个省的复合肥产量之和占复合肥总产量的70%以上。未来随着具有上下游优势的大中型企业搬迁改造工作的完成，湖北、山东、山西等省的复合肥运费占复合肥成本的比例较高，原材料和产品的运输路径过长，会影响产品盈利水平，因此我国复合肥龙头企业有全国性布局和地方布局两种，区域布局的差异为销售战略指明方向。复合肥销售需要做好配套服务，品种的开发需要根据不同地区的土壤和作物情况对产品配方进行调整，考虑到运距和运费，专用复合肥销售存在一定的销售半径问题。品牌影响集中在强势销售区域，外地企业与当地企业存在竞争劣势，而且销售半径问题对普通复合肥的影响更为明显，而对销售利润略高的新型肥料的影响稍微小一些。我国国土广阔，作物种植时节差异较大，也带来了用肥需求在时间上的不同，企业则通过不同地理区域种植的淡旺季差别进行相应的战略部署，如东北地区复合肥上半年需求高于下半年，而华东地区下半年需求则高于上半年。

6.3.3 上市复合肥企业近况

当前，复合肥行业也存在产业集中化现象。就世界大型肥料企业来说，目前国际上比较有名的企业有美国美盛公司（The Mosaic Company）、挪威雅苒（Yara）国际有限公司、德国K+S公司及法国GP公司等。雅苒公司是欧洲最大也是全球最大的化肥企业，美盛是美洲最大的化肥企业，德国K+S是欧洲最大的钾肥企业。我国肥料企业起步较晚，发展趋势可以借鉴国外肥料行业走向，因此，国内企业有进一步整合的必要性和可行性。

2016～2020年全国前十名上市复合肥企业的产量。从2016年到2019年呈下降趋势，从2631万吨下降到了2232万吨，降低了15.2%，与我国肥料行业从2015年的产量高峰走向下降相符。而2020年产量再次增加，达到了2527万吨，占全国总产量的近一半（全国总产量约为5456万吨）。其中新洋丰、中化化肥、云图控股等史丹利等企业稳居前列，这表明产业集中不可避免。小规模企业数量过多，不能充分发挥各要素优势，比如研发专用肥配方的能力不足，也难以做好复合肥需要的农化服务，仅能在产地附近销售，与大型复合肥企业相比，劣势明显。

6.3.4 历年复合肥料进、出口情况

如图6-6所示，2017～2021年，我国复合肥进口量呈先增长后下降趋势，2018年进口量最多，达153万吨，随后下降到2021年的122万吨。在此时期，我国复合肥出口量也呈先增长后下降趋势，以2020年出口量最多，达229万吨。自2019年以来，我国复合肥出口量远大于进口量。

6.3.4.1 历年复合肥料进口情况

如图6-7所示，1997～2021年我国复合肥进口趋势可分为两个阶段。1997～2008年，整体呈下降趋势，从749万吨下降到74万吨，下降了90.1%。2009～2021年，随

着我国复合肥生产能力的提高，复合肥进口数量呈平稳趋势，在 100 万～ 200 万吨之间波动。

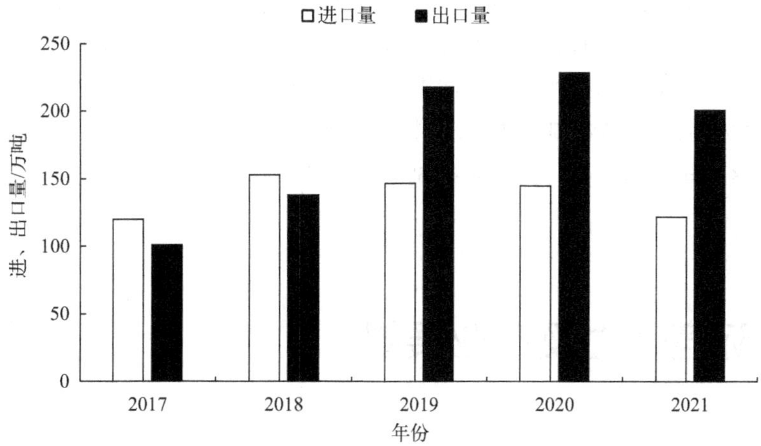

图 6-6　2017 ~ 2021 年中国复合肥进、出口量统计图

数据来源：中华人民共和国海关总署

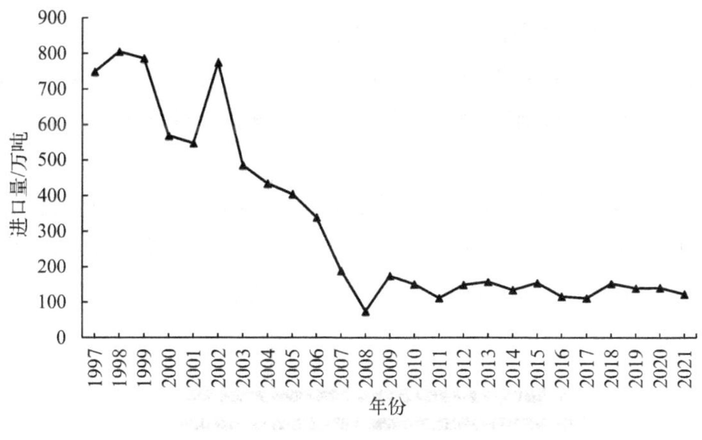

图 6-7　1997 ~ 2021 年中国复合肥进口量统计图

数据来源：中国统计年鉴

2020 年我国进口的三元复合肥主要来源于俄罗斯、挪威、比利时、芬兰四国，其他 30 个国家和地区合计占 9.45%。其中，从俄罗斯、挪威、比利时、芬兰这四个国家进口的三元复合肥数量占我国复合肥总进口量的 90.55%，进口占比分别为 32.84%、28.97%、20.01% 和 8.73%；从其他国家和地区进口的数量相对较少，占比不到 10%。

6.3.4.2　历年复合肥料出口情况

从出口国来看，2020 年我国三元复合肥主要出口至缅甸、菲律宾、莫桑比克、越南、老挝等 111 个国家和地区。其中，出口至缅甸的数量占比最高，是我国复合肥出口总量的 34%；其次是菲律宾，占总出口量的 17%；再次是莫桑比克，占总出口量的 14%。另外，随着我国复合肥质量的不断优化，出口量在 1 万吨以上的国家数量大幅增加。

从产销国来看，我国二元复合肥主要出口至澳大利亚、巴西、菲律宾、危地马拉、阿根廷、缅甸、泰国、越南、印度、印度尼西亚、乌拉圭等 40 个国家和地区。其中，澳大利亚、巴西、菲律宾、危地马拉的数量占我国二元复合肥总出口量的半数以上，出口占比分别为 14.14%、14.76%、16.26% 和 10.97%；其次是阿根廷、缅甸、泰国，占比在 5% ～ 10%；其他国家和地区数量相对较少，占比多在 5% 以下。

6.4 国际竞争力及产业展望

6.4.1 国内外肥料上市企业经济指标对比

根据 2020 年国内外肥料上市企业年报数据统计，企业净利润排名前 4 位的均为国外企业，Yara 排名第一，其净利润为 6.9 亿美元，第五名为是国内企业盐湖股份，净利润 3.15 亿美元，和国外前几名企业利润值存在较大的差距。

在利润率方面，前 3 名都是拥有钾资源的企业；前 5 名中就有 4 家国内企业，以盐湖股份利润率最高，为 14.6%。目前国内企业有资源优势或者规模优势，产品成本较低，获得较高的利润率。

2020 年全球上市复合肥企业研发与营收比详见图 6-8。在研发与营收比方面，国内企业发展势头较好，很多企业聚焦新型肥料开发，在研发上的投入越来越多，这样产品的含金量也越来越高，企业在创造属于自己的核心竞争力，有利于国内企业的快速发展。

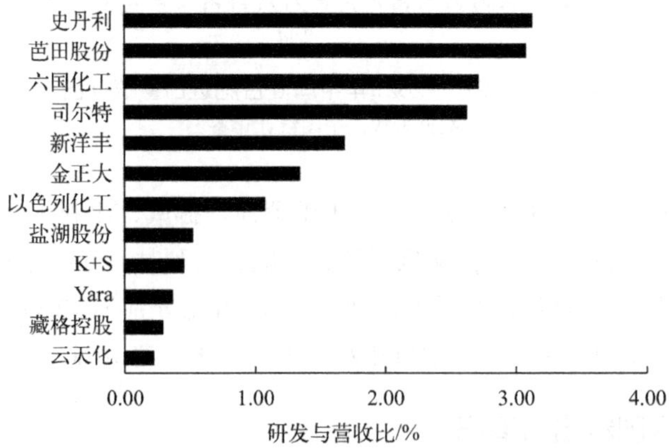

图 6-8 全球上市复合肥企业研发与营收比

6.4.2 我国复合肥料产品研发及创新

中国复合肥行业目前存在多种生产加工工艺，有料浆法、高塔熔浆造粒法、脱氯氨化法、团粒法、掺混法等，而国外发达国家的主要加工工艺一般就一种，比如欧洲的料浆法生产工艺，北美的掺混肥工艺，相对简单，而中国适合哪种生产工艺一直存在很多争论。根据中国复合肥产业发展模式的假设，复合肥产业的发展不应该过分局限于工艺技术，工艺是为配方生产服务的，工艺也就是配方的工业化过程，首先考虑的是配方产品的安全，满足高效农艺配方的要求，即满足区域配方肥和作物专用肥、经济作物肥的系列要求，工艺的选择同样要满足企业和农户实现成本优化的需要。

6.4.3 发展趋势

6.4.3.1 需求趋势

纵观世界化肥工业发展和化肥施用量变化，欧美发达国家都经历了化肥持续增长期、高位平台期、化肥用量缓慢下降期三个发展阶段。现在发达国家都已经走完三个阶段，进入缓慢下降期了，而我国在 2015 进入高位，但没有高位平台期，立即进入了缓慢下降的第三阶段，与世界化肥发展基本同步。

我国肥料产业发展受供给侧结构性改革、需求量负增长、需求结构调整、环保限制等因素影响，产品创新和服务创新是肥料产业发展的必由之路，同时乡村振兴等政策促进新型肥料需求增长。我国复合肥料产业发展进入成熟期后，产品创新、绿色发展是主旋律，在技术、产品、服务等方面都呈现出了新的特点和趋势[4]。

6.4.3.2 产业方向

化肥产品从单质肥料发展到复合肥料的发展趋势，是化肥产业与现代集约化农业相互交叉和渗透的结果，复合肥更适合农业生产的需要。目前，我国复合肥的产量约占化肥总产量的 40%，而且复合肥的比例还有待于提高。限制我国复合肥产业发展的因素除了资源、政策、施肥习惯外，复合肥产业自身的科技含量不高也是一个主要方面。国产复合肥的技术含量普遍低于进口复合肥，一些名牌进口复合肥虽然价位比较高，但在部分地区占相当比重，个别市场占有率超过 50%。2006 年初，在华南（广东、广西、海南）肥料市场，挪威海德鲁的船牌复合肥、德国巴斯夫的狮马牌复合肥、芬兰凯米拉的星王牌复合肥，尽管市场售价达到 2200 ～ 2300 元 /t，但仍受用户欢迎，同样为 15-15-15 的国产复合肥，售价仅 1700 ～ 1900 元 /t。大部分国产复合肥在外观质量、防结块性能以及实际溶解度等方面与进口复合肥存在差距，更为关键的是肥效方面也有差距。在一些经济发达地区，为了生产经济价值高的作物，农民宁愿出高价购买和施用“放心肥”。将农化服务的技术融于产品之中，技术和产品结合，复合肥各项指标经得起市场检验，肥效农民认可，这是我国复合肥企业需要面对的问题。

在复合肥产业升级方面，一是继续提高行业集中度，淘汰落后产能，进一步提高龙头企业产量占比；二是大幅度提升新型肥料在复合肥产品中的占比，大型企业从目前占比10%提高到30%以上，未来将以新型肥料主打市场，通过新型肥料来提升我国化肥利用率；三是继续开发更多的专用肥，将传统复合肥升级为高效系列专用肥，实现传统产业技术升级；四是发展功能型专用复合肥，如抗旱型、药肥结合型专用复合肥。

6.4.3.3 技术创新

因地制宜，进一步优化和创新工艺，实现高质量、高产出、高效资源利用、高效节能减排的绿色环保目标，持续不断地开发新型肥料，是我国复合肥料产业技术发展的主要动态和趋势。预计我国与世界同步发展新型肥料，在某些方面的新产品将会引领发展趋势。

在提高装置运行效率方面，一是具有多种工艺、多套生产装置的复合肥料企业，通过优化生产工艺，淘汰或封存部分落后装置，提高优质资产运行效率；二是通过改进、创新工艺，大幅度提高装置产出率；三是根据生产地与市场区域，合理配置生产，降低成本，提高开车率。

在提高产品质量、节能降耗方面，一是提高工艺、设备的技术水平和管理水平，实现养分精准控制，提高产品内在质量、外观质量及物理性能；二是改进和创新工艺，实现节能降耗，如减少造粒水分，应用“间接水冷”高效节能技术等；三是研发硫酸钾等生产原料替代技术，提升产品质量，降低生产成本。

在减少污染物排放、保护环境等方面，一是固体物料处理过程采用高效袋式除尘技术，实现长周期稳定运行；二是尾气洗涤采用“湿电”等高效脱除回收技术，实现氨和粉尘等的超低排放；三是干燥系统采用“煤改气”等清洁能源技术；四是研究开发磷矿直接生产复合肥料等绿色工艺。

6.4.3.4 产品创新

在新型肥料研究开发方面，我国主要研究开发以速效性、缓效性、提高营养功效、增加肥料功能为主要性能特征，而且同时具有其中一种主要性能特征和其他一种或两种以上非主要性能特征的复合型产品，或各种专用肥料产品，这是当前我国复合肥料产业产品发展的主要动态和趋势[5,6]。

（1）具有速效特征类产品

该类复合肥料产品施用后，部分营养物质能快速传送给植物并被吸收。一是研究开发成本低、全水溶的磷素化工肥料产品。二是研究开发水溶肥、液体肥等具有速效性主要性能特征的复合肥料。这类具有速效性特征的产品，能满足设施农业的发展需求，实现作物营养需求与肥料养分的智能化精准供给。水溶肥特别适合于我国北方缺水的环境，在干旱地区施用可提高肥料利用率。

（2）具有缓效特征类产品

该类复合肥料产品施用后部分营养物质能缓慢释放，更好地被植物吸收，减少损失，提高了肥料利用率。研究开发成本低，具有缓释、控释养分功能的绿色肥料助剂，研究开发含有部分缓释、控释、稳定性肥料养分等具有缓效性主要性能特征的复合肥料，提高肥料利用率，减少养分损失。缓效特征类复合肥产品，是我国目前提高肥料利用率的一个有力手段，与欧美发达国家相比，主要应用作物不同，国外主要用于草坪、高尔夫球场、家庭园艺等，而我国正在将此类产品推广应用于大田粮食作物，大大拓展了缓效特征复合肥的应用范围。

有机-无机复混肥料是指以畜禽粪便、动植物残体、腐植酸类、草炭、油页岩等有机物为原料，经发酵腐熟处理，添加无机肥料制成的复混肥料。进入 21 世纪，有机-无机复混肥在国内许多展览会、双交会上成为“新秀”，越来越受到人们的青睐。畜禽粪便在欧美国家及日本是引起水体污染，硝、磷酸盐富营养化的主要因素之一。我国可耕地及多年生作物面积仅为美国的 75%，而鸡的养殖数量，猪、牛的存栏数分别为美国的 2 倍、6.9 倍及 1.1 倍，禽畜粪便对环境的污染比美国严重。有机肥资源除直接或经处理后返回农田外，将无机肥运至有机肥资源集中地，以调节有机肥中的养分比例，或将有机肥运至无机肥料厂，加工为有机-无机复混肥，已成为目前肥料生产发展的新趋势。

（3）提高营养功效类产品

该类复合肥料产品以能够提高植物营养功效为主要性能特征。因地制宜，添加或使用含有中微量元素和有机物质等植物营养的原（辅）料，充分利用工农业废弃物经无害化处理得到的有机养分资源，有针对性地研究开发含有特定营养功效的中微量元素和有机物质，以提高产品营养功效为主要性能特征的复合肥料，提高产品营养功效。

（4）增加肥料功能类产品

该类复合肥料以能够增加产品除“营养功效、物理性状功效”以外的其他有助于植物生长和农产品品质提升的功能为主要性能特征。开发有针对性的肥料增效剂，提高作物品质和肥料利用率。添加含有腐植酸、氨基酸、海藻酸等的生物刺激剂，植物保护剂，植物生长调节剂等的原（辅）料，以及可以改良土壤以改善植物生长环境的功能性物质或微生物，开发以增加产品功能为主要性能特征的复合肥料，增加产品功能。

参考文献

[1] 江敬安，陈丽，沈兵，等．世界肥料产业发展趋势及展望 [J]．现代化工，2023,43(1):13-20.

[2] GB/T 15063—2020. 复合肥料 [S].

[3] 张福锁，张卫峰，马文奇，等．中国化肥产业技术与展望 [M]．北京：化学工业出版社，2007: 173-175.

[4] 郑秀兴，王莹．我国复合肥料产业发展现状与趋势 [J]．磷肥与复肥，2020,35(11):1-4.

[5] 谷涛．复合肥产业现状及发展趋势 [J]．财富时代，2020,181(6):108.

[6] 王兴仁，张福锁，刘全清，等．试论我国复混肥料的发展方向 [J], 磷肥与复肥，2005,20(2):5-8.

中国肥料研究与应用全书

Books of Fertilizer Research and Application in China

FERTILIZER

第7章

中国水溶肥料产业发展

我国水溶性肥料产业于20世纪90年代初起步，近年来，随着《国家农业节水纲要（2012—2020年）》《到2020年化肥使用量零增长行动方案》等节水节肥政策的不断普及，水肥一体化种植技术的快速推广，水溶肥料这一新型肥料逐渐受到广泛关注[1]。同时，受传统化肥产能过剩和市场对新型肥料的旺盛需求等共同作用的影响，我国水溶肥料产业得到了飞速发展，2014～2020年期间年均复合增长率达6%，是增长最快的新型肥料品种之一[2]。但与发达国家相比，我国水溶肥生产和产品仍存在肥料生产与农业需求不完全匹配、市场产品良莠不齐、技术研发与产品创新相对滞后等问题。

7.1 水溶肥料的概念、分类及特点

7.1.1 水溶肥料的概念

水溶肥料（water soluble fertilizer，WSF）的概念有狭义和广义之分。狭义范围仅包括农业农村部登记的六种产品（见表7-1），具有相对明确的品质标准[3]。广义范围除登记类产品外，还包括其他能溶于水或随水施用的肥料产品[4]（见图7-1）。生产实际中多采用广义概念。

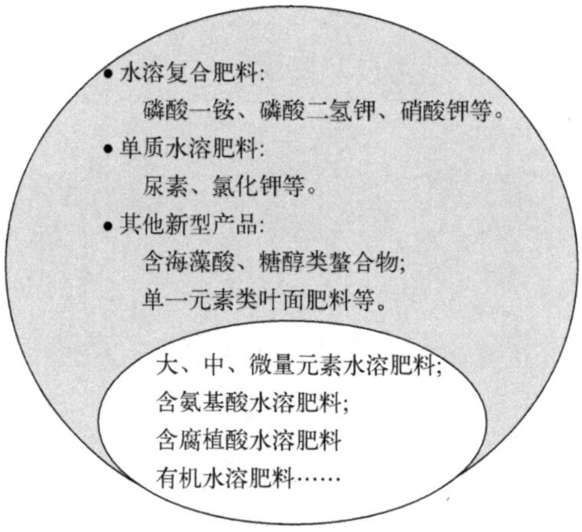

图7-1 水溶肥料范围

7.1.2 水溶肥料产品分类

在实际生产中，种植户通常按照种植需求，将水溶肥料分为营养型水溶肥料和功能型水溶肥料。营养型水溶肥料主要用于补充作物各个生长阶段所需的矿质营养，保障作物产量和品质。功能型水溶肥料多是无机营养元素（两种或两种以上）与农药、生物活性物质或其他有益的有机物质混配而成[5,6]。

工艺生产上则多根据物理形态分为固体和液体两类。其中固体类又分为粉状和颗粒状两种，国内市场以生产成本低且养分含量高的粉剂为主[7]。企业进行产品研发和登记时，多按照农业农村部行业标准分类，具体见表 7-1。

表7-1 农业农村部水溶肥料登记标准

类别	养分含量要求	水不溶物含量	其他
《大量元素水溶肥料》（NY/T 1107—2020）	a．总 N、P_2O_5、K_2O 含量之和，固体产品≥ 50%，液体产品≥ 400g/L； b．至少包括两种大量元素，而且单一含量≥ 4.0%； c．氯离子含量大于 3.0% 的产品需标识	≤ 1.0%	缩二脲含量≤ 0.9%
《中量元素水溶肥料》（NY 2266—2012）	a．Ca、Mg 含量或二者之和≥ 10%； b．硫含量不计入，仅在标识中标注	≤ 5.0%	pH 3 ～ 9
《微量元素水溶肥料》（NY 1428—2010）	a．Cu、Fe、Mn、Zn、B、Mo 含量之和≥ 10%； b．产品应至少包含一种微量元素，除单质产品外，Mo 元素含量≤ 1.0%	≤ 5.0%	pH 3 ～ 10
《含腐植酸水溶肥料》（NY 1106—2010）	a．腐植酸含量≥ 3%； b．大量元素型，指至少包括两种大量元素且含量之和≥ 20%、单一含量≥ 2.0%； c．微量元素型，指至少包含一种微量元素且含量之和≥ 6%，Mo 含量≤ 0.5%	≤ 5.0%	pH 4 ～ 10
《含氨基酸水溶肥料》（NY 1429—2010）	a．氨基酸含量≥ 10%； b．中量元素型，指至少包含一种中量元素且含量之和≥ 3%； c．微量元素型，指至少包含一种微量元素且含量之和≥ 2 %，Mo 含量≤ 0.5%	≤ 5.0%	pH 3 ～ 9

注：有机水溶肥料标准尚未出台，按各自企业标准执行，不予详述。

7.1.3 水溶肥料产品特点

（1）与水肥一体化技术结合

水溶肥料与常规复合肥料相比，由于其限定了水不溶物含量、pH 值范围等，更适应于水肥一体化系统，可用于追肥、冲施、滴灌、喷灌、叶面施肥等[4,8]。而且配合水肥一体化技术施用的水溶肥料通过高效水肥耦合的实时性、均匀性、近根施用或叶面施肥的空间有效性以及灵活改变的肥料配方的精准性等[2,9]，具有显著的节水节肥效果，平均节水率为 46%，节肥率为 34%[10,11]，符合我国节水干旱区及设施农业发展需求。

（2）产品复合化程度高

尿素硝酸铵溶液、农用硝酸钾等非复合型水溶肥料仅占农业农村部水溶肥料登记总量的 0.94%，绝大多数水溶肥料产品具有高度复合性。包括大量元素与中微量元素复合，矿质养分与腐植酸、氨基酸等有机养分复合，养分元素与植物生长调节剂、生物刺激剂等功能性物质复合，叶面用肥与表面活性剂等助剂进行复配等[12]。

（3）产品针对性强，附加值高

随着水溶肥料市场的开拓，市场竞争也愈加激烈。在满足基本营养需求基础上，厂商还会根据作物养分需求规律、土壤养分供给规律等生产作物专用型水溶肥料[7]；部分厂商在专用肥基础上还进一步推出针对不同地域、作物、施肥设施等的套餐式配方肥，如雅苒“翠康系列肥”等，或根据生长障碍因子等添加功能性物质、功能菌剂、农药等进一步提高产品附加值[13]。

（4）产品养分速效且吸收利用率高

我国为世界上最大的肥料生产国和消费国，但 N、P、K 的当季利用率仅为 30% ～ 35%、10% ～ 20%、35% ～ 50%，远低于发达国家的 50% ～ 60%，同时还存在环境污染等问题[14]。与传统肥料相比，水溶肥料产品中养分大多为水溶性或螯合态，施入土壤后能够被植物快速吸收利用，可提高养分吸收利用效率高达 70%[15,16]。香蕉、葡萄等经济作物的大量田间试验证明，相对于传统复合肥，水溶肥料平均增产率达 28.7%，平均亩增收可达 4000 元[17,18]。

7.2 水溶肥料产业发展及现状

从 20 世纪 60 年代开始，随着廉价塑料管道的大量生产，美国、英国、德国、以色列等国大规模推广和建设灌溉系统，使国外水溶肥料产业快速发展。我国水溶肥料产业较国外起步晚，但伴随着国家政策的大力推广和水肥一体化技术的普遍应用，发展速度较快。

7.2.1 产业及产品发展历程

（1）起步阶段（1970 ～ 1999 年）

20 世纪 70 年代以前，我国水溶肥料产品主要是单一无机盐类产品，包括尿素、磷酸二氢钾或者草木灰浸出液等。直至八九十年代，伴随着改革开放进程，国外水溶肥料产品逐步引入，主要以叶面喷施肥料形式出现，国内部分小型企业（广西喷施宝等）开始仿制，形成了一系列包含矿质养分、助剂等复合体系的自主产品，我国水溶肥料产业进入了起步阶段。

但在目前农业农村部种植业管理司的肥料登记平台查询到，1990 ～ 1999 年间，我国水溶肥料（叶面肥）登记总数不足 5 个，仅包含微量元素水溶肥和磷酸二氢钾产品，同时市场产品存在养分浓度低、田间应用效果不稳定等问题，与进口水溶肥料间存在显著差距。

（2）初步发展阶段（2000 ～ 2009 年）

21 世纪初期，随着国家水肥一体化技术的推广和快速发展，水溶肥料产品种类和数量显著增加，我国水溶肥料产业进入初步发展阶段。在 2006 年召开的农业部第五届肥料登记评审委员会肥料组第六次会议中，针对肥料登记管理办法，提出“规范水溶肥料产品通用名称。将可溶性肥料、叶面肥料等通用名称规范为‘水溶肥料’，叶面肥料不再作为通用性名称。水溶肥料具体包括：大量元素水溶肥料、微量元素水溶肥料、中量元素水溶肥料、含氨基酸水溶肥料、含腐植酸水溶肥料、有机水溶肥料等。与此相关的已登记肥料要换发登记证。其中，含腐植酸水溶肥料统一按新的检验方法和技术要求重新归并，检验结果符合要求的，通用名称变更为‘含腐植酸水溶肥料’，不符合要求的归为‘有机水溶肥料’管理，相应的指标变更为有机质”的修改意见。在2000～2009年间增加了大量元素水溶肥料、中量元素水溶肥料、海藻酸水溶肥料等。

但此阶段大量元素水溶肥料普遍追求高浓度养分配方（$N+P_2O_5+K_2O \geqslant 50.0\%$），部分企业N、P、K养分含量≥60%，同时混配以EDTA螯合为主的微量元素（养分含量≤3.0%）；微量元素肥除引进国外部分单质硼肥外，国内企业仍以EDTA等螯合剂螯合的混合微量元素为主（常见配方为Cu+Fe+Mn+Zn+B ≥ 10.0%）；含腐植酸类水溶肥数量显著增多，但腐植酸含量标准不一，大部分企业腐植酸含量集中于3%～4%，部分企业腐植酸含量≥8%；含氨基酸肥除部分中小型企业引进国外技术生产单一氨基酸钙、双吉尔-GGR等使氨基酸≥15.0%外，绝大部分国内企业将常规氨基酸、海藻酸等混合，生产氨基酸≥10.0%、TE（微量元素）≥2.0%的产品。同时，此时期产品以物理混配的固体型为主，用作经济作物的冲施肥，与进口水溶肥料间在产品形态和田间效果上仍存在一定差距。

（3）快速发展阶段（2010年至今）

2000年以前以产定销，肥料工艺决定产品；2000～2010年以销定产，农户和经销商需求决定产品类型。但2010年后，随着一系列水溶肥料登记标准的颁布，水溶肥料的生产、经营日益规范，我国水溶肥料产业进入以需定产的快速发展阶段。传统大企业开始跻身于水溶肥料行业，厂商越来越多地关注产品质量和农技服务以争取市场份额。种植户有了更多的选择权和自主权，产品逐渐向复合化、多样化与差异化方向发展，产品登记数量也呈现“阶梯式”增长状态（图7-2）。

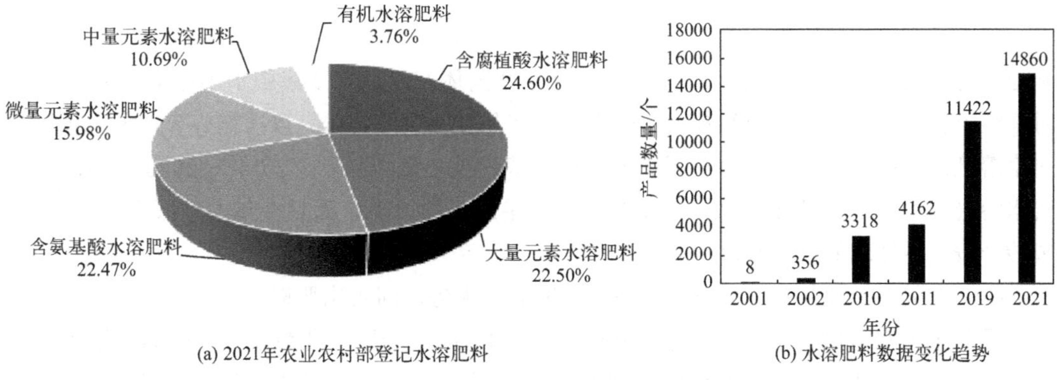

图7-2　我国水溶肥料产品登记数量

从此阶段开始，大量元素水溶肥追求高养分含量的趋势有所降低，企业更追求养分全面和养分平衡，在添加微量元素基础上还添加少量Ca、Mg等中量元素，例如苏贝尔作物营养有限公司生产 N+ P_2O_5+K_2O ≥ 50.0%、TE 为 0.2% ～ 3.0%、Ca+Mg ≥ 1.0% 的产品，但产品形态仍以固体粉剂为主，采用物理混合法生产。同时，国内开始出现大量中量元素肥料、单一微量元素肥料，如 B 肥、Zn 肥等；含氨基酸、腐植酸肥料也在原有基础上，引进糖醇、葡萄糖酸钠等用于改进中微量元素螯合技术，并添加植物生长调节剂以提高肥料田间效果。

7.2.2 国内水溶肥料市场现状

（1）多层次产品共存，但生产技术相对滞后，高端产品依赖进口

近年随着水肥一体化技术的普及，水溶肥料行业迅猛发展。截止到 2021 年 10 月，我国水溶肥料产品登记数已超 1.5 万个，在全国各省（区、市）均有水溶肥料生产企业，累计超 3000 家，年产能超 1400 万吨。据中国化肥信息中心调研数据，2021 年我国水溶肥（狭义）产量约 160 万吨，市场份额约为 150 亿元人民币，国内水溶肥料市场呈现多层次产品共存状态（表 7-2）。

表7-2　不同价位水溶肥料产品概况（2021年）

类别	价格/（元/t）	适用农田	产品类别	主要产品
高端	≥ 8000	果树，设施蔬菜	高端叶面肥料，功能型水溶肥，完全水溶肥料	中微量元素叶面肥，含腐植酸、氨基酸、海藻酸及生防菌剂等水溶肥料
中端	3000 ～ 8000	大田蔬菜，大田经济作物	水溶肥料，水溶性复合肥料	大量元素水溶肥料（登记），磷酸一铵、磷酸二氢钾等
低端	≤ 3000	大田作物	低端水溶肥料，水溶性原料肥，农场自行配肥	大量元素水溶肥料（未登记），尿素、尿素硝铵溶液等

但国产肥料主要以技术门槛低且产品储运方便的物理混配法生产，即在保障原料的纯度和原料之间相互兼容的情况下进行简单混合生产固体产品，主要集中于中低端产品[19]。同时，由于中高端产品利润空间较大，国内市场产品存在过度宣传、以次充好等现象，种植户对水溶肥产品的信任度下降，严重影响行业健康发展。资料显示，2014 ～ 2020 年期间，尽管水溶肥料产品产量逐年上涨，但年产量均不足产能的 50%，而且多集中于尿素硝铵溶液、磷酸一铵等中低端的广义水溶产品。

（2）多类型企业共存，但自主品牌未呈现显著优势，同质化严重

目前全国水溶肥料生产企业超 3000 家，已超传统复合肥企业数量。国内的水溶肥料企业主要有国内专业水溶肥料企业（河北萌帮、上海永通、上海芳甸等）、国内大化肥企业（云天化、金正大、云图控股、新洋丰等）和国际知名水溶肥料企业（Yara、ICL、SQM 等）。

国内企业总体而言具有本地原料优势和营销优势，但目前产品较少且产品同质化严重，各企业配方及产品田间效果均未呈现出显著差异（表 7-3）。整体而言，我国水溶肥料产品缺乏创新性，即使是功能型水溶肥料的研发，也多限于已普遍使用的腐植酸、氨基酸和海藻酸

等原料的混配，对其他改土、抗逆、促生和有机营养型的功能性物质或新型化合物原料的开发和应用较少，多引进国外专利产品（表 7-4），对螯合剂、表面活性剂等助剂筛选与作用机理的研究也相对滞后[4,6]。

表7-3　国内市场典型国资企业及其产品

企业名称	主要水溶肥类型	品牌	典型配方
河北萌帮水溶肥料股份有限公司	大量元素水溶肥料、中量元素水溶肥料、含腐植酸水溶肥料	卡丁、萌帮	25-15-10+TE、18-8-24+TE
金正大生态工程集团	大量元素水溶肥料、含腐植酸水溶肥料、含氨基酸水溶肥料	水至尊	19-19-19+TE（含硝态氮）
南宁汉和生物科技股份有限公司	大量元素水溶肥料、含氨基酸水溶肥料	欧神（BASF）	20-20-20+TE（含生物刺激素）
上海永通生态工程股份有限公司	大量元素水溶肥料、微量元素水溶肥料	花无缺、艾可收	20-20-20+TE、36-6-12+TE
深圳芭田生态工程股份有限公司	大量元素水溶肥料、含腐植酸水溶肥料	芭田	17-17-17+TE
新疆心连心能源化工有限公司	大量元素水溶肥料	沃利沃	13-31-6+TE（强酸型）

表7-4　国内市场典型外企及其产品

地区	企业名称	主营方向	主打产品	典型配方
德国	BASF	大量元素水溶肥料	雅拉至尊	15-5-35+TE（含生物刺激素）
德国	COMPO	大量元素水溶肥料 微量元素水溶肥料	康朴	13-7-40+TE、17-17-17+TE
挪威	Yara	组合产品 + 农技服务	RegaTM TeraTM	15-15-15+TE（水溶性颗粒） 9-9-34+TE（硝态氮）
智利	SQM	大量元素水溶肥料	硝酸钾	0-49-30+TE（酸性）
荷兰	Van Iperen	大量元素水溶肥料	IPE	11-44-11+TE（磷增效技术）
以色列	ICL	大量元素水溶肥料	Ultrafert	15-5-34+TE
德国	Complesal	叶面肥料	Professional	3-0-28+TE（悬浮肥）
			Essential	7-7-7+TE（清液肥）

国际知名水溶肥料企业产品质量好且品牌优势明显，但储运及推广成本相对较高[2]。广西规模化种植地区调研结果显示，综合生产成本及田间效果考虑，超 200 亩的中大型种植基地更倾向于直接采购国内水溶肥料原料进行简单混配后施用，或购买进口产品提高作物品质，而较少选择国内企业自主生产的水溶肥料产品。

但近年来，企业响应国家号召，加强校企合作，培养专业型人才，不断创新和研发新型水溶肥料产品，通过对产品形态、生产原料的改进，通过在营养功能基础上进行改土、防病、抗逆等功能扩展，通过对科学施肥技术的研究和推广实现节本增效、绿色发展，跟上国际，逐步实现规模化、品牌化[20]。2020年，大量、中量、微量元素水溶肥由登记改为备案后，留给企业和科研院所更多的研发创新空间，更对中国水溶肥发展起到了强促进作用。

7.3 水溶肥料产品生产加工工艺

7.3.1 固体水溶肥料生产

我国农业农村部肥料登记与备案信息显示，截至2021年10月，国内登记的固体水溶肥料产品占总登记量的46.75%，其中粉剂类产品数量达6777个，占固体类登记产品的96.83%。

7.3.1.1 固体粉状水溶肥料生产

固体粉状水溶肥料生产采用物理混合工艺和化学合成再结晶干燥工艺（表7-5）。其中物理混合法为主要生产方式[7]。

表7−5 固体粉状水溶肥料主要生产工艺

项目	物理混合法	化学合成法
生产流程	原料计量、破碎、过筛后，输送至混合器中混匀，然后进行计量包装	将各种原料在一定的温度、酸碱度等条件下，经过溶解、过滤除杂、反应、蒸发浓缩后，冷却结晶后分离或喷雾干燥得到全水溶产品
关键因子	原料筛选、助剂选择	共结晶现象
优缺点	优点：生产门槛低；养分含量高；产品复配性高。 缺点：肥料性状等受原料限制；产品易吸湿结块	优点：产品纯度、溶解性、pH等性状可控。 缺点：技术难度高，养分配比难控、复配性受限，而且现阶段与物理混合法生产的肥料的田间效果差异较小

7.3.1.2 固体颗粒状水溶肥料生产

颗粒状产品相对于粉状产品溶解速率慢、工艺复杂、能耗高且配方设计具有局限性，但能显著改善产品吸湿结块现象，主要用于硝基类肥料的生产。但国内氮肥生产原料多选用尿素，因此颗粒状水溶肥产品较少，仅占登记水溶产品的1.14%。

固体颗粒状水溶肥料生产与常规颗粒状复合肥生产具有一致性。根据水溶肥料生产标准、配方情况，进行原料、助剂筛选后，采用传统塔式、喷浆、转鼓、盘式、挤压等生产工艺完成造粒即可[19]。部分颗粒水溶肥料生产示意图见图 7-3。

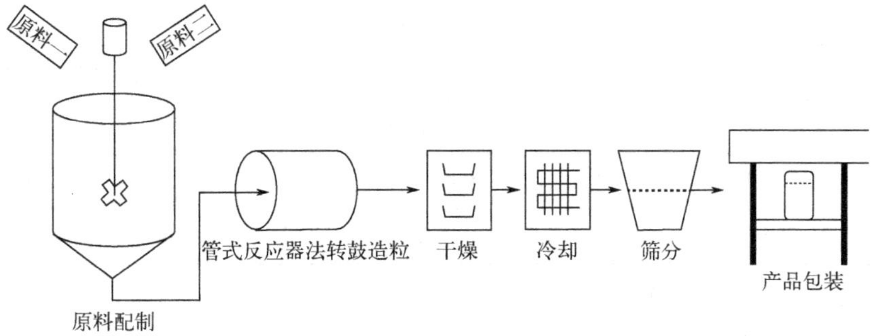

图 7-3　部分颗粒水溶肥料生产示意图

尽管固体水溶肥料具有养分含量高、贮存和运输方便、包装要求较低等优点，但相比液体水溶肥料，存在杂质含量相对较高、溶解性相对较差等缺点，易堵塞水肥一体化系统过滤器，降低系统耐用性，因此，随着水肥一体化技术的不断发展，国际上传统固体型复合肥料产品已逐渐被液体型取代。美国超过 40% 的肥料是液体肥料，2009 年水溶肥料的消耗量就已达到所有农作物使用肥料总量的 17%[21]。以色列液体肥使用比例超 90%[22]。

7.3.2　液体水溶肥料生产

我国受液体肥料储运、施肥设备等多种限制，液体水溶肥料的发展相对较慢，现阶段产品及产量占市场份额较小。但国内各大厂商不断研发创新，发展势头迅猛。据不完全统计，截至 2021 年 10 月，国内已登记有 7913 个液体水溶肥料产品，占总登记量的 53.25 %，以含氨基酸水溶肥料、含腐植酸水溶肥料居多，大量元素水溶肥料、微量元素水溶肥料产品数也均达 1000 个以上。

工业生产上，液体水溶肥料主要分为将溶解度范围内的矿质元素溶解于水的清液肥，以及借助于悬浮剂将营养成分以微型固体颗粒的形式浮于液体中的悬浮肥两类。后者由于其生产原料要求较低、产品复配性强、肥料利用率高、养分含量高、能配合水肥一体化系统使用等，已成为当前水溶肥料产品发展的重要方向。

7.3.2.1　清液型水溶肥料生产

（1）原料选择

清液肥多选用纯度高、养分含量高、水不溶物含量低的原料。大量元素原料选用氨水、尿素硝铵溶液（UAN）、磷酸、聚磷酸铵、硝酸钾、氯化钾等；中微量元素原料选用硫酸盐、硝酸盐等无机盐溶液，或螯合态溶液。

（2）助剂选择

液体肥料产品在生产、运输、储藏过程中易发生结晶析出、浑浊、沉淀等，可添加 0.5% ～ 2% 防结晶剂或 0.1% ～ 0.5% 稳定剂进行改良（见表 7-6）。

表7-6 液体水溶肥料生产常用助剂

类别	名称	特征	典型案例
防结晶/增溶剂	甘油（丙三醇）	黏度大，使养分结晶困难	上海永通 CN201410105433.3
	聚乙烯吡咯烷酮	非离子型高分子化合物，极易溶于水	中-阿化肥 CN201810588063.1
	聚乙二醇	非离子型水溶性聚合物，易溶于有机物	新洋丰 CN201811424798.7
稳定剂	六偏磷酸钠	吸湿性强，易水解为正磷酸盐	宁夏大学 CN202011342818.3
	硅藻土	中性、悬浮性好、吸附性强、密度小	深圳芭田 CN201710951320.9

（3）生产加工工艺

配制清液肥的关键在于在满足生产标准和养分需求的情况下，充分考虑原料的溶解度和混配性。以大量元素清液肥生产为例，其主要分为基础液肥生产和复合液体肥料配制两步。

基础液肥主要包括尿素硝铵溶液和聚磷酸铵溶液。复合液体肥料配制主要是指在考虑原料种类品质、添加顺序、反应条件（温度、pH 值、压力等）、反应时间的情况下，将基础液肥与其他原料按配比在反应釜（图 7-4）中混合。国外多用 10-34-0 或 11-37-0 的基础液与氯化钾和 UAN 混合，在基本无反应热情况下生产低浓度复合液体。但国内多采用固体尿素与正磷酸或聚磷酸铵基础液混合生产高浓度复合液体，其间会产生一定的反应热，需要添加冷却剂降温。

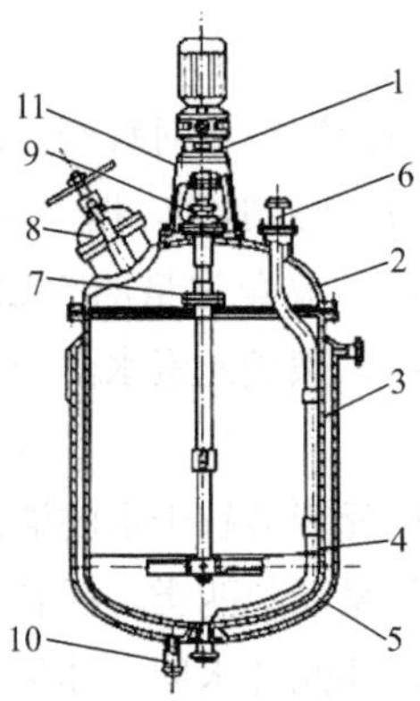

(a)

1—传动装置；2—釜盖；3—釜体；4—搅拌装置；5—夹套；6—工艺接管；7—联轴器；8—人孔；9—密封装置；10—蒸汽接管；11—减速器支架

(b)

图 7-4 反应釜结构（a）及实物图（b）

7.3.2.2 悬浮态水溶肥料生产

（1）原料选择

悬浮肥和悬浊肥的原料种类与清液肥一致，但相对于清液肥，对原料纯度级别的要求低，对肥料溶解度的要求也较低。同时，可选用农药等进行添加制成附加值更高的药肥一体化产品，将工业废弃物经过滤除杂后使用，进一步降低成本。

（2）助剂选择

悬浮肥生产易发生奥氏熟化现象，即不均匀粒子在体系中逐渐“长大”。主要表现为高含量制剂中晶体直接析出、含腐植酸溶液加入钙镁后活性物质逐步聚集、包材诱发晶体析出等，需要添加提供电斥力的阴离子型表面活性剂，或提供空间位阻的非离子型表面活性剂、水溶性高分子材料、聚合表面活性剂等分散剂解决，例如有机硅表面活性剂、十二烷基硫酸钠、纤维素等。

除分散剂外，根据悬浮剂原液的性能，常常还会添加 1% ～ 2% 的增稠（悬浮）剂维持体系稳定，常用膨润土、硅镁土、黄原胶、改性淀粉等。

（3）生产加工工艺

悬浮肥生产工艺主要包括原料研磨、制造悬浮体系、混匀分散三个板块。

研磨装置用于降低原料粒径，有利于减少肥料粒子过大或不均匀产生的沉淀分层问题。例如中盐红四方生产悬浮肥料，原料粒径要求需 ≤ 2μm[23]。

将增稠剂、分散剂等与水混匀制成预混悬浮液，黏度保持在 300 ～ 1000mPa · s 范围内可有效防止结晶长大和固体沉淀 [24]。

将研磨后的肥料原料加入预混悬浮液中，在反应釜中进行剪切搅拌，使肥料在悬浮体系中分散均匀即可。

7.4　展望

结合当前水溶肥料产品生产及市场情况，水溶肥料产业发展的局限性主要体现在以下几个方面：①产品同质化严重，产品配方不合理，缺乏针对性；②市场规范模糊，但市面产品种类繁多且质量参差不齐，农户难以合理选择；③肥料产品与施用设备结合度低，水溶肥原料成本高，原料间混配性能差，产品功能单一，田间应用效果受限。

随着现代农业和规模化农业的发展，肥料企业需要创新生产更多高附加值或高性价比的产品，以提高大型种植户对国产肥料的购买力度。同时，根据区域土壤和作物特征，设计匹配不同作物的新型绿色智能大量元素、中微量元素水溶肥以及功能性（有机）水溶肥，结合国家相应标准，通过工艺创新实现产品创制。例如加大对具有高浓度、低成本、高复配特性的悬浮肥的研发创新力度，包括利用低品位磷矿或有机无机废弃物等低价原料生产、研发新型肥料助剂，筛选抗逆性功能菌株或功能性物质，改进生产加工技术等，生产低价液体肥、有机-无机复混肥、含微生物功能肥等高附加值悬浮肥。除此之外，也需提高肥料产品与施用设备的匹配度，明确不同水肥一体化设备对水溶肥料产品的需求，积极开发探索无人机专用肥等，提高施肥效率和产品田间效益。另外，即使当前已有部分企业模仿国外开发出具有更强区域针对性或作物针对性的套餐肥料，但在实际应用过程中，仍然存在推广人员专业性低、与种植户沟通交流效率低等问题[5]，可尝试将套餐肥料产品与“科技小院”技术推广模式结合，发展“技术+产品+服务”的套餐化模式，提高资源利用效率，降低生产成本，实现农业绿色可持续发展。

综上，未来需要在产品创新、田间应用、技术推广等方面加强研究力度，保证水溶性肥料产业健康和可持续发展。

参考文献

[1] 赵秉强．三大产品类型可能引领未来肥料发展 [J]．中国农村科技，2015(2):24.

[2] 陈清，张强，常瑞雪，等．我国水溶性肥料产业发展趋势与挑战 [J]．植物营养与肥料学报，2017,23(6):1642-1650.

[3] 陈清，周爽．我国水溶性肥料产业发展的机遇与挑战 [J]．磷肥与复肥，2014,29(6):20-24.

[4] 梁嘉敏，杨虎晨，张立丹，等．我国水溶性肥料及水肥一体化的研究进展 [J]．广东农业科学，2021,48(5):64-75.

[5] 陈清．规模化农业生产下的套餐施肥 [J]．化工管理，2016(31):69-71.

[6] 沈欣，辛景树，李燕婷，等．水溶肥料产品登记现状 [J]．中国土壤与肥料，2021(2):296-301.

[7] 张强，付强强，陈宏坤，等．我国水溶性肥料的发展现状及前景 [J]．山东化工，2017,46(12):78-81.

[8] 彭贤辉，郭巍，朱基琛，等．水溶肥料的研究现状及展望 [J]．河南化工，2016,33(12):7-10.

[9] Malhotra S K. Water soluble fertilizers in horticultural crops——An appraisal[J]. Indian Journal of Agricultural Sciences,2016,86(10): 1245-1256.

[10] Pawar D D. Economic feasibility of water-soluble fertilizer in drip irrigated tomato (*Lycopersicon esculentum*)[J]. The Indian Journal of Agricultural Sciences,2013,83(7):703-707.

[11] Pradhan B, Deo B. Soilless farming - the next generation green revolution[J]. Current Science, 2019,116(5):728-732.

[12] 张强，常瑞雪，胡兆平，等．生物刺激素及其在功能水溶性肥料中应用前景分析 [J]．农业资源与环境学报，2018,35(2):111-118.

[13] 王祺，李艳，张红艳，等．生物药肥功能及加工工艺评述 [J]．磷肥与复肥，2017,32(8):13-17.

[14] 闫湘，金继运，梁鸣早．我国主要粮食作物化肥增产效应与肥料利用效率 [J]．土壤，2017,49(6):1067-1077.

[15] Kumar S, Rahi S, Sharma K C. Effect of foliar application of water-soluble fertilizers on growth-yield and economics of chickpea (*Cicer arietinum* L.)[J]. Annals of Agricultural Research, 2019(1): 40.

[16] Senthilkumar M, Ganesh S, Srinivas K. Fertigation for effective nutrition and higher productivity in banana——A review[J]. International Journal of Current Microbiology and Applied Sciences,2017,6(7):2104-2122.

[17] 刘思汝，石伟琦，马海洋，等．果树水肥一体化高效利用技术研究进展 [J]．果树学报，2019,36(3):366-384.

[18] 梁海玲，阳继辉，温标堂，等．滴灌施肥对香蕉产量及肥料利用效率的影响 [J]．南方农业，2021,15(14):39-40.

[19] 付强强，郑瑞永，李万和，等．固体水溶性肥料生产工艺现状 [J]．磷肥与复肥，2019,34(5):20-22.

[20] Satish, Chander. Specialty fertilisers in Indian agriculture[J]. Indian Journal of Fertilisers, 2021,17(4):294-295.

[21] Patel G M. Water soluble fertilizers-For efficiency and balanced fertigation[J]. Indian Journal of Fertilizer, 2011,7(12): 56–63.

[22] 涂攀峰，胡克纬，胡义熬，等．液体肥料配肥站介绍及发展趋势 [J]．磷肥与复肥，2021,36(4):49-52.

[23] 陈俊，原洪涛．高浓缩悬浮型水溶性肥料生产工艺及产业化研究 [J]．中国盐业，2020(17):34-38.

[24] Bogusz P,Rusek P,Brodowska M S. Suspension fertilizers: How to reconcile sustainable fertilization and environmental protection[J]. Agriculture,2021,11(1008):2-14.

中国肥料研究与应用全书

Books of Fertilizer Research and Application in China

FERTILIZER

第8章

中国有机（类）肥料产业发展

8.1 有机（类）肥料概念、种类及相关标准

8.1.1 有机（类）肥料概念

过去，有机肥料又称农家肥料，是指农村中利用各种有机物质，就地取材、就地积制的自然肥料的总称[1]。但随着商品经济的发展，工厂化加工的有机肥料大量涌现，相应地，有机肥料的内涵已超出农家肥料的范畴，向商品化方向发展[2]。如今的有机肥料广义上不仅包含农家肥料，还包含进入市场销售的满足行业或国家标准（详见本章后文）的有机肥料产品。近些年，有机肥料产品在不断变化更新，存在着有机肥同化肥等融合发展的变化趋势，有机肥料的概念内涵也在不断丰富和延伸。在最新编著的《中国有机（类）肥料》（2021 版）中，“有机（类）肥料”被定义为是一类包含有机物质的肥料的总称[3]。

8.1.2 有机（类）肥料种类

从古代起，我国农民就开始加工、使用有机肥料，产生了许多有机肥料名称，形成了许多有机肥料分类方法，但迄今为止，全国还没有一个统一的有机肥料分类标准。

新中国成立初期，农业部于 1958 年在总结农民积肥、造肥、保肥和施肥经验的基础上汇编出版了《肥料志》，将肥料分为有机肥料、无机肥料、细菌肥料和微量元素肥料四大类，其中有机肥料记载了 96 个品种。1990 年，农业部首次在全国 11 个省份开展了有机肥料调查研究。按照有机肥料的资源、特性和积制方法，把全国有机肥料归纳为粪尿类、堆沤肥类、秸秆肥类、绿肥类、土杂肥类、饼肥类、海肥类、农用城镇废弃物类、腐植酸类、沼气肥类等 10 大类，共收集到 433 个品种[4]，具体见表 8-1。

表8-1　中国有机肥料种类和品种表

种类	品种
粪尿类	人粪尿、人粪、人尿、猪粪、猪尿、猪粪尿、马粪、马尿、马粪尿、牛粪、牛尿、牛粪尿、骡粪、骡尿、驴粪、驴尿、驴粪尿、羊粪、羊尿、羊粪尿、兔粪、鸡粪、鸭粪、鹅粪、鸽粪、蚕沙、狗粪、鹌鹑粪、貂粪、猴粪、大象粪、蝙蝠粪等（80 个）
堆沤肥类	堆肥、沤肥、草塘泥、凼肥、猪圈粪、马厩粪、牛栏粪、骡圈粪、驴圈粪、羊圈粪、兔窝粪、鸡窝粪、鹅棚粪、鸭棚粪、土粪等（34 个）
秸秆肥类	水稻秸秆、小麦秸秆、大麦秸秆、玉米秸秆、荞麦秸秆、大豆秸秆、油菜秸秆、花生秆、高粱秸、谷子秸秆、棉花秆、马铃薯藤、红薯藤、烟草秆、辣椒秆、番茄秆、向日葵秆、西瓜藤、梨瓜藤、草莓秆、麻秆、冬瓜藤、南瓜藤、绿豆秆、豌豆秆、胡豆秆、香蕉茎叶、甘蔗茎叶、洋葱茎叶、芋头茎叶、黄瓜藤、芝麻秆等（45 个）

续表

种类	品种
绿肥类	紫云英、苕子、金花菜、紫花苜蓿、草木樨、豌豆、箭筈豌豆、蚕豆、萝卜菜、油菜、田菁、圣麻、猪屎豆、绿豆、豇豆、泥豆、紫穗槐、三叶草、沙打旺、满江红、水葫芦、蒿草、苦刺、金尖菊、山杜鹃、黄荆、马桑、扁荚山黧豆、青草、桤木、粒粒苋、小葵子、黑麦草、印尼大绿豆、络麻叶、空心莲子草、山青、葛藤、红豆草、含羞草、松毛、蕨菜、合欢、马缨花、大狼毒、麻栎叶、绊牛豆、鸡豌豆、莱豆、笆豆藤、薄荷、野烟、麻柳、山毛豆、秧青、无芒雀麦、橡胶叶、稗草、狼尾草、红麻、竹豆、过河草、串叶松香草、苍耳、小飞蓬、野扫帚、多变小冠花、大豆、飞机草等（130 个）
土杂肥类	草木灰、泥肥、肥土、炉灰渣、烟筒灰、焦泥灰、屠宰场废弃物、熟食废弃物、蔬菜废弃物、酒糟、酱油渣、粉渣、豆腐渣、醋渣、味精渣、糖粕、食用菌渣、酱糟、磷脂肥、药渣、黄麻麸、木薯渣、骨粉、自然土、尿灰、杂灰、烟厂渣等（69 个）
饼肥类	豆饼、菜籽饼、花生饼、芝麻饼、茶籽饼、桐籽饼、棉籽饼、柏籽饼、葵花籽饼、蓖麻籽饼、胡麻饼、烟籽饼、兰花籽饼、线麻籽饼、栀籽饼等（17 个）
海肥类	鱼类、鱼杂类、虾类、虾杂类、贝类、贝杂类、海藻类、植物性海肥、动物性海肥等（16 个）
农用城镇废弃物类	城市垃圾、生活污水、粉煤灰、钢渣、工业废水、工厂污泥、工业废渣、肌醇渣、生活污泥、糠醛渣等（21 个）
腐植酸类	褐煤、风化煤、腐植酸钠、腐植酸钾、腐混肥、腐植酸、草甸土、复合钙肥等（19 个）
沼气肥类	沼液、沼渣（2 个）

按照沈其荣等[3]编著的《中国有机（类）肥料》中的肥料分类，有机肥料既包含以人、畜粪便，植物和农产品加工下脚料，以及绿肥和作物秸秆等为原料制作的传统有机肥料，又包含现代商品有机肥料。其中，现代商品有机（类）肥料包括商品有机肥料、有机无机复混肥料、生物有机肥料、复合微生物肥料以及有机液态肥料等[3]。

按照原料来源和种类，可将有机肥料分为：a．工业生产副产物类有机肥料，主要包括味精发酵尾液、造纸厂废液、酒糟、醋渣、糖粕、木薯渣、糠醛渣等；b．农业废弃物类的有机肥料，主要包括秸秆、豆粕、食用菌渣、花生壳粉、烟末等，以及鸡粪、猪粪、牛羊粪、马粪、兔粪等；c．海洋生物副产物类的有机肥料，主要包括海带渣、海藻提取物、含有机质的氨基酸水溶肥等。

按照形态，可将有机肥料分为固体（粉状或者颗粒状）有机肥料和液态有机肥料。

8.1.3 有机（类）肥料行业相关标准

进入市场生产、经营的有机肥料必须执行国家或行业标准。我国于 2002 年发布了《有机-无机复混肥料》（GB 18877—2002）国家强制标准，同年，农业部制定并发布了《有机肥料》（NY 525—2002）农业行业标准。紧接着，2004 年制定并发布了《生物有机肥》（NY 884—2004）农业行业标准。标准的发布标志着我国有机肥料开始步入工业化生产阶段，对提升有机肥产品质量，规范有机肥行业发展发挥了重要作用。2002 年至 2021 年，近 20 年时间内，农业部（现农业农村部）先后 4 次修订《有机肥料》（标准发布情况见表 8-2），

2 次修订《生物有机肥》（标准发布情况见表 8-3），3 次修订《有机-无机复混肥料》（标准发布情况见表 8-4）。

表8-2 《有机肥料》标准发布情况

标准名称	发布日期	实施日期
NY 525—2002《有机肥料》	2002-08-27	2002-12-01
NY 525—2011《有机肥料》	2011-09-01	2011-12-01
NY 525—2012《有机肥料》	2012-03-01	2012-06-01
NY/T 525—2021《有机肥料》	2021-05-07	2021-06-01

表8-3 《生物有机肥》标准发布情况

标准名称	发布日期	实施日期
NY 884—2004《生物有机肥》	2005-01-04	2005-02-01
NY 884—2012《生物有机肥》	2012-06-06	2012-09-01

表8-4 《有机-无机复混肥料》标准发布情况

标准名称	发布日期	实施日期
GB 18877—2002《有机-无机复混肥料》	2002-11-18	2003-06-01
GB/T 18877—2009《有机-无机复混肥料》	2009-04-27	2012-05-01
GB/T 18877—2020《有机无机复混肥料》	2020-11-19	2021-06-01

8.1.3.1 有机肥料标准修改情况

随着国家政策的扶持和有机农业的兴起，有机肥料的标准越来越受到重视。长期以来，有机肥料的技术指标主要受 NY 525—2002 标准约束。然而，随着有机肥料市场的壮大以及有机肥生产和施肥技术的发展，NY 525—2002 标准的部分指标限值已经滞后于有机肥料行业的现实发展。为此，在总结有机肥行业生产、流通和应用环节经验的基础上，农业部组织专家综合各方意见，对 NY 525—2002 标准的部分技术指标进行了修改，制定了 NY 525—2011 标准。2012 年发布了 NY 525—2012。与 NY 525—2011 版本相比，NY 525—2012 标准将有机质测定中的重铬酸钾（分析纯）用量指标从 80g 减少为 39.23g[5]。其余内容与 2011 版相同。因此，本节内容主要列举 2002 版、2012 版和 2021 版《有机肥料》标准，不将 2011 版纳入比较范围。本节主要对有机肥料标准中的适用范围、定义和功能以及有机质含量、水分含量、重金属含量、总养分含量、pH 值、重金属含量等技术指标进行了简要分析。

（1）适用范围

2002 版适用于以畜禽粪便、动植物残体等富含有机质的副产品资源为主要原料，经发酵腐熟后制成的有机肥料。2012 版适用于以畜禽粪便、动植物残体和以动植物产品为原料加工的下脚料为原料，并经发酵腐熟后制成的有机肥料。2021 版适用于以畜禽粪便、秸秆等有机废弃物为原料，经发酵腐熟后制成的商品化有机肥料。

2012 版增加了“以动植物产品为原料加工的下脚料为原料”，另外也将市场上出现的“以非畜禽粪便、非动植物残体和以非动植物产品为原料加工的下脚料为原料”的有机肥排除在外，防止以次充好、以假乱真、以无机碳充当有机碳，蒙骗消费者和质检检测[6]。

2021 版增加了“秸秆”，删除了“动植物残体、以动植物产品为原料加工的下脚料”，强调了“商品化”。

（2）定义和功能

如表 8-5 所示，相较于 2002 版，2012 版的定义更加准确，可操作性更强，工艺更加成熟，明确了有机肥料生产的最主要工艺——发酵腐熟，但并未对发酵腐熟的程度做具体规定。此外，2012 版中还明确有机肥为含碳有机物料，排除了无机碳物料，对产品功能进行扩充，即可以改善土壤肥力、提高作物品质。2021 版则继续强调发酵腐熟。

表8-5　NY 525《有机肥料》不同版本定义及功能

标准版本	定义及功能
NY 525—2002《有机肥料》	主要来源于植物和（或）动物，施于土壤以提供植物营养为其主要功能的含碳物料
NY 525—2012《有机肥料》	主要来源于植物和（或）动物，经过发酵腐熟的含碳有机物料，其功能是改善土壤肥力、提供植物营养、提高作物品质
NY/T 525—2021《有机肥料》	主要来源于植物和 / 或动物，经过发酵腐熟的含碳有机物料，其功能是改善土壤肥力、提供植物营养、提高作物品质

（3）技术指标

表 8-6 为 NY 525《有机肥料》不同版本技术指标的对比情况。下面主要对有机质含量、水分含量、总养分含量、pH 值、重金属含量等指标进行分析比较。

表8-6　NY 525《有机肥料》不同版本技术指标

项目	2002 版	2012 版	2021 版
有机质的质量分数（以烘干基计）/%	≥ 30	≥ 45	≥ 30
总养分（$N+P_2O_5+K_2O$）的质量分数（以烘干基计）/%	≥ 4.0	≥ 5.0	≥ 4.0
水分（鲜样）的质量分数 /%	≤ 20	≤ 30	≤ 30
酸碱度（pH 值）	5.5 ～ 8.0	5.5 ～ 8.5	5.5 ～ 8.5
种子发芽指数（GI）/%	—	—	≥ 70
机械杂质的质量分数 /%	—	—	≤ 0.5

① 有机质含量　有机质含量是有机肥料关键的技术指标，是保证有机肥料质量的基础。然而有机质的检测方法一直存在争议，这给企业和质检部门的肥料检测工作带来诸多不便，也不利于肥料配方生产和施肥指导。GB 18877—2002《有机-无机复混肥料》为有机质测定方法增加了氧化校正系数 1.5，NY 525—2012 与 GB 18877—2002 一致，增加校正系数 1.5，故有机质含量由≥ 30% 修改为≥ 45%。与 2002 版相比，2012 版将测定有机质含量方法的氧化校正系数由原先的 1.0 修订为 1.5。由于用于生产有机肥料的原材料中的有机碳含量不同，其氧化情况也不一样，经过检测，发现一些有机肥中有机质的含量有所增加，有的甚至超过 100%[7]，因此 2021 版中的技术要求不变，只是在计算的时候不再乘以 1.5 的校正系数。

不过，为了增加含碳量，提高有机质含量，一些有机肥生产企业选用了褐煤粉一类的含碳量较高的矿物碳。但是，此类矿物碳基本上属于无效碳，并且无法通过目前标准中的有机质检测方法将其与有效碳进行区分。因此，2021 版中规定的有机质检测方法存在缺陷，标准仍有待继续完善。

② 水分含量　2012 版含水量要求放宽是为了满足企业和用户生产、应用的要求，降低能耗，减少环境污染。因 2002 版水分要求严格，生产企业不得不增加肥料成粒后继续烘干的环节，产生不必要的能耗。以煤为燃料的烘干设备会消耗大量能源，如每吨肥料为降 10% 水分而产生的煤、电、油能耗，可合排二氧化碳 0.08t[8]。另外，减少烘干时间，还可减少烘干过程中产生的二氧化硫、粉尘等大气污染物。肥料烘干过程中的高温和碱性环境容易使氮素变成氨气挥发，从而造成肥料氮素养分的损失。因此，从降低能耗、减少环境污染、减少有机肥料氮素养分损失等多个角度考虑，农业部将 NY 525—2012 标准中含水量限值从≤ 20% 提高到了≤ 30%。此指标的修订符合国家关于节能减排、转变经济增长方式的大政方针。2021 版继续沿用该水分指标。

③ 总养分含量　NY 525—2002 标准中有机肥总养分要求≥ 4%，2012 版提高了总养分含量要求，改为≥ 5%，增强了有机肥作为肥料产品的商品性。但是大部分废弃物堆肥后生成的有机肥料的总养分难以达到≥ 5% 的标准，这一方面导致了有机肥料生产过程中添加化肥情况的发生，另一方面使得不添加化肥的有机肥料难以获得肥料登记证进行销售[9]。因此，2021 版将该指标回调，修改为 2002 版中总养分含量≥ 4% 的指标要求。

④ pH 值　NY 525—2002 标准中有机肥的 pH 值范围为 5.5 ～ 8.0，2012 版本中 pH 值的上限调整到 8.5。对这一指标的调整除了参照不同国家的要求外，还结合了 NY 525—2002 标准发布后 10 年来的实施情况，以及生产实践中碰到的具体情况。比如我国制定 NY 525—2002 标准时主要考虑有机肥料产品 pH 值过高容易造成养分损失，也不利于微生物生存。但在该标准实施后，许多厂家为了使产品达标，通常会添加一些酸性物质，以降低产品 pH 值。然而，这一措施不仅增加产品成本，而且添加剂中所含的潜在有害物质还可能会对生态环境和人类健康造成危害。因此，NY 525—2012 标准对 pH 值指标的上限进行了调整，考虑到当有机肥料产品的 pH 值高于 8.5 时氮素损失较大，所以设定为 8.5[10]，并且 2021 版中继续沿用了该技术指标。

⑤ 重金属含量　土壤中连续施用重金属含量较高的有机肥料会造成土壤污染，不仅影响农产品质量和品质，而且影响大气和水体环境，并通过食物链危害动物和人类的生命健康。表 8-7 为 NY 525《有机肥料》不同版本中重金属等限量指标要求。从表中可以看出，NY 525—2002 标准尚无具体的重金属含量技术指标，而是参考了 1987 年发布的 GB 8172《城

镇垃圾农用控制标准》。相比于 NY 525—2002 标准，NY 525—2012 标准的重金属含量限值明显降低，更有利于保护土壤健康，可以防止污泥、工业垃圾等重金属含量高的废物流向有机肥料生产领域，构建食品安全防线。2021 版标准继续沿用 2012 版标准中的重金属含量限值。

表8-7　NY 525《有机肥料》不同版本中重金属等限量指标要求

项目	2002 版	2012 版	2021 版
总砷（As）/（mg/kg）	≤ 30	≤ 15	≤ 15
总汞（Hg）/（mg/kg）	≤ 5	≤ 2	≤ 2
总铅（Pb）/（mg/kg）	≤ 100	≤ 50	≤ 50
总镉（Cd）/（mg/kg）	≤ 3	≤ 3	≤ 3
总铬（Cr）/（mg/kg）	≤ 300	≤ 150	≤ 150
—	大肠菌值 10^{-2} ～ 10^{-1}	粪大肠菌群数≤ 100 个 /g	粪大肠菌群数≤ 100 个 /g
蛔虫卵死亡率 /%	95 ～ 100	≥ 95	≥ 95

此外，关于有机肥产品的腐熟度判定，NY 525—2012 标准明确了有机肥料生产的最主要工艺——发酵腐熟，但并未对发酵腐熟的程度做具体规定。这就可能导致其余限定性指标合格，但未充分腐熟的有机肥料产品流向市场，给土壤和施用者造成伤害。基于以上问题，在 NY/T 525—2021 标准中，增加了腐熟度的定义及检测方法——种子发芽指数（GI），如果 GI ≥ 70% 则表明有机肥已经腐熟。“种子发芽指数（GI）”指标源于 NY/T 3442—2019《畜禽粪便堆肥技术规范》。但是该检测方法是实验室测试有机肥腐熟程度的方法，更多适用于以畜禽粪便为原料的有机肥，而有机肥的生产原料很多，因此，在实际有机肥生产中，这个测试方法也需要不断探索和完善。

另外，2021 版标准明确了有机肥料生产原料分类管理目录，细化了包装标识等，更有助于规范行业发展。

8.1.3.2　相关标准

有机肥料相关标准包括产品标准、安全与限量要求标准、检测方法标准（表 8-8）。相关标准发布自国家市场监督管理总局、国家标准化管理委员会、农业农村部、工业和信息化部，标准范围有国家标准（GB）、农业行业标准（NY）、化工行业标准（HG）等。

表8-8　我国有机肥相关标准

标准类型	标准编号	标准名称	备注
产品类标准	NY/T 525—2021	有机肥料	规定了有机肥料的范围、要求、检验规则、检验方法、包装、标识、运输和储存
	NY 884—2012	生物有机肥	规定了生物有机肥的要求、检验方法、检验规则、包装、标识、运输和贮存

续表

标准类型	标准编号	标准名称	备注
产品类标准	GB/T 18877—2020	有机无机复混肥料	规定了有机无机复混肥料的术语和定义、技术要求、取样、试验方法、检验规则、标识和质量证明书、包装、运输和贮存
	NY/T 3618—2020	生物炭基有机肥料	规定了生物炭基有机肥料的术语和定义、要求、实验方法、检验规则、包装、标识、运输和储存
	HG/T 5602—2019	矿物源腐植酸有机肥料	规定了矿物源腐植酸有机肥料的术语和定义、要求、试验方法、检验规则、包装、标识、运输和贮存
技术标准	NY/T 3442—2019	畜禽粪便堆肥技术规范	规定了畜禽粪便堆肥的场地要求、堆肥工艺、设施设备、堆肥质量评价和检测方法
包装标识标准	GB 18382—2021	肥料标识 内容和要求	国家强制性标准。规定了肥料标识的术语和定义、原理、基本原则、一般要求、标识内容及要求、标签、质量证明书或合格证、标识印刷
安全与限量要求标准	GB 38400—2019	肥料中有毒有害物质的限量要求	国家强制性标准。规定了肥料中有毒有害物质的限量要求、试验方法和检验规则。适用于各种工艺生产的商品肥料，包括有机肥料
施用技术标准	NY/T 1868—2021	肥料合理使用准则 有机肥料	规定了有机肥料的术语和定义、来源和种类、性质、作用、合理施用原则、要点、不同种类有机肥料施用技术和安全施用等要求
常规检测方法标准	GB/T 19524.1—2004	肥料中粪大肠菌群的测定	
	GB/T 19524.2—2004	肥料中蛔虫卵死亡率的测定	
	NY/T 1978—2022	肥料 汞、砷、镉、铅、铬、镍含量的测定	
	NY/T 2540—2014	肥料 钾含量的测定	
	NY/T 2541—2014	肥料 磷含量的测定	

8.2 有机（类）肥料的发展历程

8.2.1 中国古代有机肥生产与施用

我国是最早施用有机肥料的国家之一，施肥历史悠久。古代农民在长期的农耕生活中，认识到施用有机肥料可以培养地力，提高农作物的产量。为此，劳动人民为了发展农业生产，开拓出了种类繁多的有机肥源。

古人把土壤中的有机质称作“肥”，把能增加土壤有机质的动物便溺（古称排泄屎尿）或者植物腐殖质等有机肥都称作“粪”[11]。我国许多古文典籍中都详细记录了古代有机肥的种类、积造方法和作用等。早在两三千年以前的奴隶社会中就有了锄草肥田、茂苗的文字记载。例如，战国时期《荀子·富国》中的“掩地表亩，刺草殖谷，多粪肥田，是农夫众庶之事也”，指出了战国时期的农民已认识到翻耕杂草和树叶可以提升地力，并强调以粪肥田。

西汉晚期农学著作《氾胜之书》首先明确提出“凡耕之本，在于趣时，和土，务粪泽，早锄早获”，反映了两千年前的黄河流域已十分重视有机肥料的施用。另外，该书还最早记载了追肥的使用技术，可见于种麻的一节引言：“麻生，布叶，锄之。率九尺一树，树高一尺，以蚕矢粪之，树三升。无蚕矢，以溷中熟粪粪之亦善，树一升。”从上述描述中可以看出，汉代粪肥已有“生 / 熟”之别，更多强调追施“熟”粪。虽然在古代人们不知道粪便腐熟后可以生成有利于作物生长的养分和功能性物质，但是劳动人民通过长时间的反复实践，已经学会将经验进行总结，摸索出适合当时生产力水平的追肥技术，即使用优质高效的蚕矢和腐熟粪便[12]。

北魏贾思勰《齐民要术》中提到“踏粪法”，该方法是将垫圈同积肥相结合的堆制法，是我国有关堆制厩肥的最早记载。即将秋收过后的作物秸秆垫于家畜圈内，家畜每日践踏其上，而后与畜禽粪便混合堆积，便制成了肥料。踏粪法的成功出现，是我国肥料史上的一次重要突破。此外，书中还有“凡美田之法，绿豆为上，小豆、胡麻次之”的论述。到了唐代以后，用芜菁、蚕豆、紫花苜蓿、紫云英和麦类等作为绿肥已十分流行。

宋代陈敷的《农书》指出施肥可以改良土壤，使地力常新壮。元代王祯的《农书》继承了陈敷的思想，同样认可了施肥的重要性。该书还记录了积肥、施肥和保肥的技术。此外，宋元时期为了保存肥料，还设计了一些有效的保肥措施，如粪屋、田头粪窑，至今南方仍在采用。

明代《宝坻劝农书》全面讲述了蒸粪法、煨粪法、酿粪法、窖粪法等有机肥料制造方法。明代宋应星《天工开物》中记录了明末主要的稻田肥料，该书提到“凡稻，土脉焦枯则穗实萧索。勤农粪田，多方以助之。人畜秽遗，榨油枯饼，草皮木叶，以佐生机，普天之所同也”，其含义是就全国而言，大部分稻田以人畜粪便、各种饼肥和杂草树叶为肥料。由此可见，该时期已开辟出多种优质的肥源，既有粪肥，也有不同的饼肥、绿肥等。该篇讲的是水稻施肥，因为水稻是明清时期最重要的农作物，其他农作物也应该施用上述各种肥料[13]。

明、清时期，油菜、肥田萝卜、饭豆、满江红、金花菜又相继作为绿肥作物。这时施肥技术又有了进一步的发展，提出了“三宜”原则：第一是因地制宜；第二是因时制宜；第三是因作物制宜。《沈氏农书》大约著于公元 1640 年，该书主要反映明清时期桑树施肥技术，并记录了部分因地制宜的积肥方法。从全书可知，沈氏种植桑树主要以人粪尿、牛厩肥、羊粪、稻秆泥、垃圾等为肥料，用枯桑叶来养羊，羊粪肥树，以此往复。书中强调桑地多以羊粪为主，而稻田施用猪粪和草木灰效果更佳。随着时代的发展和农业实践的深化，书中越来越详尽地论述了肥料的种类、作用、积造与施用的技术等。

由上述记录可知，中国自古就是农业大国，有着悠久的农耕历史，在肥料发展上也有长期积累下来的经验，其中有机肥料一直占据重要的位置。先民用自己的智慧与实践经验获得了用肥养地的知识，逐步形成了用地与养地相结合的耕种传统，使我国几千年的土壤肥力与粮食生产得到相对稳定的发展。我国施用有机肥料的历史源远流长，并伴随着农业生产的发展而不断改变，是我国传统农业由粗放型耕作到精细型耕作转变的重要体现。

8.2.2 中国近代有机肥发展概述

随着农业科学技术的进步，许多专家学者和科研单位继续开展了有机肥料的研究，进行了大量有益的工作。如二十世纪三四十年代，陈尚谨等在华北农村进行有机肥料调查与试验，陈恩凤、彭家元等在四川研究有机肥料的保氮施肥技术，陈方济、戴弘等研究绿肥的应用技术，高尚荫、陈华癸等研究微生物肥料，燕京大学、齐鲁大学在济南附近的农村进行施肥调查，卜内门公司沿海九省的人粪尿分析，四川省农业改进所和燕京大学的速成堆肥研究，福建研究利用微生物接种制肥堆肥等，都取得了积极的进展。

新中国成立后，党和政府对肥料工作十分重视。随着农业生产的发展，人们对肥料的要求也愈来愈高。在不同时期，党和政府都及时发出指示，号召广辟肥源，大力积造有机肥料，发展化肥生产，科学施用肥料。因此，肥料使用量显著增加。化肥总施用量，由1949年的0.6万吨（折纯量，下同）发展到1993年的3150.1万吨。有机肥料这些年来也有了一定的发展，1986年全国有机肥料总量20.9亿吨，1993年发展到26.9亿吨，耕地平均亩施用量从1459kg发展到1909kg。

20世纪70年代初，我国化肥用量已由新中国成立初的13万吨（标准肥，1951年）发展到2555万吨（标准肥，1973年）。化肥用量逐年增加，对提高农作物产量起到了巨大作用。化肥产量增加，提出两个问题：一是如何提高使用技术水平，减少储存、运输和施用各个环节的损耗；二是有机肥料在施肥中的位置如何，是不是无足轻重。1974年，农林部、供销合作总社、化工部召开合理使用化肥的经验交流会，总结化肥生产、使用、销售以及合理施肥提高产量的经验，从而推动了科学施肥事业的发展。会议还明确指出鉴于有机肥料在科学施肥和改良土壤中的特殊作用，即使将来化肥用量再增加，有机肥料仍然是不可代替的。随着化肥用量的增加，我国肥料施用的方针已由新中国成立初期“有机肥料为主，化学肥料为辅”发展到“有机、无机肥料相结合”。

1991年7月，国家计划委员会、农业部、建设部联合下达的《关于进一步加强有机肥料工作的通知》指出增施有机肥料、培肥地力是发展农业生产的一项长效工程，力争在三五年内使有机肥建设有较大改观。国家有关部门和地方政府要从农业发展基金中拿出一定比例的资金，用于有机肥的开发利用、新技术试验、示范和推广工作，以及绿肥种子基地建设等。计划、物资、商业、银行等部门对有机肥加工、运输机具以及仓储设备等，应继续在物质和资金方面给予支持。

随着现代农业的发展和农业产业结构调整，2002年我国通过了GB 18877—2002《有机-无机复混肥料》标准和NY 525—2002《有机肥料》标准，标志着中国商品有机肥料正式规范地进入肥料流通领域。

1949年至今，我国粮食产量及化肥和有机肥的施用情况发生了很大的变化。我国肥料产业发展大致分为以下四个阶段，其中，1949年至2018年我国有机肥养分的施用数量总体见图 8-1。从图中可以看出，1949 年至今，我国有机肥施用量在肥料总施用量中呈现出先高后低、先热后冷的特点。

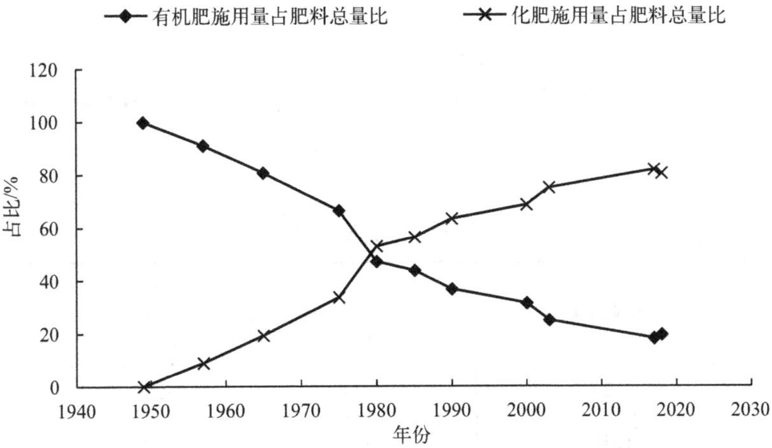

图 8-1　1949 ~ 2018 年我国有机肥及化肥施用量占肥料总施用量的比例

第一阶段（1949 ～ 1980 年），有机肥料占主导地位。

第二阶段（1980 ～ 1995 年），有机、无机肥料并重阶段。化肥工业迅速发展，有机肥料主导地位逐步减弱，有机肥料养分与无机肥料养分贡献基本相当，有机肥料养分所占比例为 40% ～ 50%，但积造方式已经发生了根本性变化，出现了一些规模化、工厂化的有机肥料制造方式。

第三阶段（1996 ～ 2015 年），有机肥料占配角地位。有机肥料由于受处理方法、施用条件等因素的限制，所占比例逐年下降，而这一阶段恰恰是化肥工业迅猛发展的阶段，无机肥料养分的投入已经占绝对的主导地位，有机肥料养分的投入比重不到 20%。

第四阶段（2016 年至今），有机肥部分替代化肥受到重视。为了提高土壤有机质含量和农产品品质，国家大力倡导施用有机肥。2015 年，农业部组织开展化肥农药使用量零增长行动。2017 年以来，农业部开展有机肥替代化肥行动，果菜茶有机肥替代试点由 100 个县增加到 200 个县，部分地区有机肥实行政府招标采购的政策，鼓励有机肥发展和施用。2020 年，有机肥施用面积超过 5.5 亿亩，比 2015 年增加约 50%。

8.3　我国有机养分资源及开发利用现状

8.3.1　我国有机废弃物产生量巨大，有机养分资源贮量丰富

我国每年有机废物产生量巨大，有机废物中蕴含大量的养分资源。据农业农村部公布的

资料，我国每年产生畜禽粪便（均按鲜重计）30多亿吨、人粪尿11亿吨、农作物秸秆约8亿吨。相关调查资料显示，我国每年粮食和食用农产品弃置数量约3.6亿吨，城镇园林绿化废弃物约2亿吨，其他有机废弃物3亿多吨。2016年我国有机废物总产生量为22亿多吨。

表8-9梳理了我国历年有机废物的氮（N）、磷（P_2O_5）和钾（K_2O）养分贮量。其中，2015年的养分总贮量超过8300万吨（折纯），已超过同年的化肥消费量（6022万吨），还含粗有机物达10亿多吨。

表8-9　我国历年有机废物资源养分贮量　　单位：万吨

年份	粗有机物	大量元素		
		N	P_2O_5	K_2O
2015	102533	3424	1580	3392
2010	104128	3305	1492	3259
2006	101162	3195	1456	3104
1996	85477	2458	1065	2508
1986	62353	1827	744	1894
1978	46458	1445	592	1489
1965	31276	1069	418	1087
1957	30335	1006	389	1041

8.3.1.1　我国主要有机肥资源与有机养分含量

利用最新数据和通用方法对我国的有机肥资源养分总量进行了最新估算，主要分析了畜禽粪尿、秸秆资源的数量和其所蕴含的有机养分资源情况。具体过程如下。

（1）粪污资源与有机养分含量

畜禽粪污产生量的估算多采用排泄系数法，由畜禽饲养数量（年内出栏量、年末存栏量）、饲养周期和排泄系数计算而得。

利用刘晓永等[14]的研究方法对2019年我国的畜禽（包括牛、马、驴、骡、猪、羊和家禽）粪污产生量进行了估算，各类畜禽粪便的排泄量和养分含量见表8-10。

表8-10　2019年我国主要畜禽饲养周期、粪尿日排泄量及氮磷钾含量

畜禽种类	周期/d	粪便				尿液			
		排泄量/(kg/d)	N/%	P_2O_5/%	K_2O/%	排泄量/(kg/d)	N/%	P_2O_5/%	K_2O/%
牛	365	24.87	0.38	0.10	0.24	11.70	0.51	0.02	0.92
马	365	11.46	0.44	0.14	0.40	4.55	0.72	0.06	0.72

续表

畜禽种类	周期 /d	粪便				尿液			
		排泄量 /(kg/d)	N/%	P_2O_5/%	K_2O/%	排泄量 /(kg/d)	N/%	P_2O_5/%	K_2O/%
驴	365	7.77	0.49	0.19	0.54	3.75	0.71	0.01	0.25
骡	365	0.77	0.32	0.16	0.23	3.75	0.60	0.01	0.28
猪	192	2.71	0.55	0.26	0.30	3.86	0.18	0.02	0.16
羊	365	2.09	1.01	0.22	0.54	0.64	0.70	0.03	0.77
家禽	67	0.12	0.81	0.37	0.62				

注：家禽没有尿液，故不再单独计算其产生的尿液量。

据统计，2019 年我国畜禽粪尿（鲜基）资源量为 390493.33 万吨，其中，粪便资源数量为 232548.69 万吨，尿液资源数量为 157944.64 万吨。

（2）秸秆资源及养分量

我国对作物秸秆的管理开始于 1970 年，虽然早在 1965 年以前作物产量的数据库就已经建立，但是秸秆产量的数据记录却有限[15]。我国对作物秸秆资源量没有专门进行统计，秸秆资源数量是通过与作物经济产量的关系得到的[16]，即秸秆籽粒比（或草谷比）。据有关研究估算，1949 年到 2011 年，我国秸秆资源数量从约 1.6 亿吨增加至 7.4 亿吨。2015 年我国秸秆资源总量已经达到 10.4 亿吨[17,18]。

（3）我国主要有机肥资源与养分总量情况

随着我国粮食产量的增加和畜牧业的发展，农作物秸秆和畜禽粪尿等有机废弃物增加，加上绿肥和人粪尿资源，我国有机肥资源量巨大。有机肥资源与养分总量的合理估算是有机肥资源高效利用的基础。1999 年，全国农技推广服务中心将我国有机肥料资源划分为基础资源、派生资源和可利用资源。其中派生资源和可利用资源主要来源于基础资源，所以多数文献也只归纳了基础资源的情况。杜为研等[19]结合近些年的文献分析得出，我国有机肥养分资源总量约为 7519.5 万吨。

经估算，我国粪污和秸秆的有机肥养分资源总量约为 6796.0 万吨，其中 N、P_2O_5、K_2O 养分量分别为 2833.0 万吨、750.1 万吨和 3212.9 万吨，占养分资源总量的比例分别为 41.69%、11.04% 和 47.28%。与杜为研等[19]的研究相比，此估算的有机肥养分资源总量相对偏小，主要是未将绿肥、饼肥等资源考虑在内。可以看出，我国畜禽粪污和秸秆中蕴藏着大量的氮、磷、钾资源，尤其是有机钾资源。因此，在化肥减量增效背景下，弄清我国有机肥养分资源现状及其在农业生产中的合理分配和有效利用对化肥减量施用、土壤有机质提升和农业绿色发展等至关重要。

（4）我国主要有机肥资源与养分空间分布

受地形地貌、气候、水等自然条件，农业生产水平、产业布局和区域经济发展状况等社会条件的影响，有机肥资源种类和总量在不同地区分布不一。参照中国粮食主产区划分，将中国大陆（未包括香港、澳门、台湾和南海群岛）划分为六大农区：a. 东北农区（黑龙江、吉林和辽宁）；b. 华北农区（北京、天津、河北、河南、山东、山西）；c. 长江中下游农区（上海、江苏、安徽、湖北、湖南、江西）；d. 西北农区（内蒙古、陕西、宁夏、甘肃、青海、新疆）；e. 西南农区（重庆、四川、贵州、云南、西藏）；f. 东南农区（福建、广东、广西、海南）。

除粮食类作物秸秆为秸秆类养分的主要来源外，各地区还分别有不同的特色秸秆来源。如东北地区为豆类秸秆，长江中下游和西南地区则是油料类秸秆，华北和东南地区更是以果蔬秸秆为主[20-26]。

畜禽粪污资源主要来源于猪和牛的粪尿，但不同地区也存在差异。如西北地区以牛羊粪尿为主，而长江中下游及以南地区为猪和家禽粪尿[19,22,27-32]。不同区域有机肥养分主要来源见表8-11。

表8-11　不同区域有机肥养分主要来源

区域	相对主要养分来源
华北	粮食和果蔬类秸秆、猪和牛粪尿、饼肥
东北	粮食和豆类秸秆、牛粪尿、饼肥
长江中下游	粮食和油料类秸秆、猪和家禽粪尿、绿肥
西北	粮食和棉麻类秸秆、牛和羊粪尿
东南	粮食和果蔬类秸秆、猪和家禽粪尿、绿肥
西南	粮食、薯类和油料类秸秆，牛粪尿

8.3.1.2　加工业有机废弃物和其他有机养分资源

随着我国化工业、食品业、发酵业、酿造业的发展，工业有机废物资源量也在逐年增加。据统计，2006年我国产出柠檬酸渣、食用菌渣、糠醛渣、味精渣、糖泥、酒糟2600万吨。这些逐年增加的加工业有机废物资源生产集中，如处理不当极易形成严重的点源污染。我国煤炭储量极其丰富，大量的褐煤、风化煤资源也是重要的有机肥料资源。全国的褐煤资源储量大约为1431亿吨，风化煤储量也非常丰富。据初步调查，仅山西省风化煤资源储量就有80亿吨，内蒙古、新疆、东北地区等都有比较丰富的风化煤资源。另外，我国尚有大量草炭资源[33]。

8.3.2　有机养分资源开发利用特点

（1）农业有机养分投入比例低

新中国成立初期，我国有机肥料的养分投入占绝对主导地位（1949年，占比99.9%）。但随着改革开放之后化肥工业的兴起，有机肥料的养分投入占比不断下降。如今与欧美等发达国家相比，我国有机养分投入比重较低。当前我国有机养分与无机养分的比例约为1∶3，远低于欧盟目前的1∶1。这说明我国农业生产过多依赖化学肥料养分。科学研究普遍认为，有机肥比重以50%左右为最宜，高产田可以低一些，化肥与有机肥的比例可为6∶4[34]。

（2）畜禽粪污和作物秸秆资源化利用潜力巨大

我国每年约产生7500万吨氮磷钾有机肥养分资源，但有效利用率不足40%（农业部关于印发《开展果菜茶有机肥替代化肥行动方案》的通知，2017)。因此，充分利用畜禽粪污与秸秆资源迫在眉睫。

① 畜禽粪污资源化利用潜力巨大，资源化利用有待规范与政策扶持。2008 年数据显示，我国畜禽粪污的利用仍以传统堆沤为主，占比 37.8%，工厂化堆肥处理比重较低，不到 7%，而且有高达 18.2% 的粪污仍未做处理，有些甚至被直接丢弃[35]。在局部地区情况更为严重，如在年粪污资源总量达 4.06 亿吨的东北地区，传统沤肥方式和有机肥企业消耗的利用比例分别为 46.7% 和 3.5%，闲置浪费率高达 43.8%[30]。

目前我国集约化畜禽养殖场多建在大、中城市近郊，但这些区域通常无足够的土地消纳粪污，导致农牧分离、种养脱节，使得畜禽粪污资源得不到充分利用，既造成资源浪费，又带来环境污染。这些畜禽粪污可通过地区产业结构引导消纳，鼓励发展有机肥资源综合利用产业，引导当地养殖企业采用清洁生产模式，通过无害化处理就地利用，同时鼓励通过产业化有机肥料生产扩大应用范围。

② 作物秸秆资源丰富。近年来，由于国家对农作物秸秆利用的补贴及政策的引导，秸秆综合利用成效显著。2015 年全国可收集秸秆资源量为 9.0 亿吨，利用量为 7.2 亿吨，秸秆综合利用率为 80%，秸秆还田比例达 43.2%，秸秆还田不但可以替代一部分化肥，而且可以提高农田养分的循环利用效率。虽然秸秆还田的比例在增加，但是受种养分离、堆沤还田劳动强度高等因素的影响，秸秆还田比例仍然不高，并未实现养分的完全再利用，仍有挖掘潜力。因此，加大秸秆还田关键技术的研究、优化秸秆资源管理、提高秸秆养分资源循环利用效率对减少化肥施用和保障国家粮食安全具有重要战略意义。

（3）加工业有机废弃物资源种类繁多

我国食品业、农产品加工业、发酵业、酿造业每年产生大量的加工业有机废弃物资源，其中有相当一部分可以用来生产有机肥料。尤其是 2000 年以后，迫于环保压力，利用工业有机废弃物生产肥料得到了快速发展。如 80% 的大中型味精企业从环保的角度出发，都建有自己的小型肥料厂，生产有机肥料或有机-无机复混肥料，消纳有机废物，防止污染环境。

此外，矿物有机废弃物资源利用潜力巨大。

（4）有机肥资源利用方式亟待技术升级和模式优化

目前我国大部分地区仍普遍采用落后的有机肥资源利用方式。以畜禽粪污资源为例，传统落后的堆沤方式仍是大头（占比 37.8%），但这种方式下的养分淋失和氨挥发损失比例很高，可达 50% 以上，而如果采用沼气池发酵处理，则至少可减少 20% 的养分损失。虽然畜禽粪便资源化利用的方式正在由一家一户简单堆沤逐步向规模化处理、工厂化生产、循环式发展转变，但是受新型生产经营主体和社会化服务组织发展的限制，能够从事或承担畜禽粪污资源化利用的服务主体和组织少之又少，影响了操作实施。同时，社会服务与经济效益挂钩的运行机制缺乏也是制约发展的因素之一。

8.3.3　有机肥料生产工艺落后，商品化程度较低

我国有机肥料产业起步于 20 世纪 90 年代，真正有商品标准并形成规模是 2000 年以后，产业发展历程较短，对商品有机肥料的科研积累也比较少。因此，整体而言，我国的有机肥

产业化技术水平较低。目前我国有机肥料生产企业已达3564个，年产量高达3302.7万吨（全国农业技术推广服务中心2019年调查数据）。但国内大部分企业采用简易、开放的条垛式堆肥工艺，仅有2%采用了比较先进的密闭式发酵仓堆肥工艺。据统计，纳入农业农村部肥料登记管理的商品有机肥目前只占有机废弃物产生量的很小一部分，仅为5%。

8.4 商品有机（类）肥料产业概况

8.4.1 商品有机（类）肥料产品类型

根据生产产品的不同，商品有机肥料企业主要可以分为有机无机复混肥企业、精制有机肥企业和生物有机肥企业3大类。

商品有机肥料也可按好氧发酵和厌氧发酵两种工艺划分。目前产业应用较多的是好氧发酵。好氧发酵又可分为条垛式发酵、槽式发酵、反应器发酵、生物气流膜发酵。这些工艺还可分成敞开式和封闭式两种，其中敞开式包括条垛式发酵和槽式发酵，封闭式包括反应器发酵。气流膜好氧发酵是近些年兴起的工艺。目前，以上好氧发酵方式中，应用较多的主要是条垛式发酵和槽式发酵。

8.4.2 商品有机（类）肥料企业生产情况

8.4.2.1 商品有机（类）肥料企业数量

我国商品有机肥料产业发展历史很短，2002年制定并发布了有机肥料商品标准NY 525—2002和有机无机复混肥料标准GB 18877—2002，2004年发布了生物有机肥料农业行业标准NY 884—2004，随着消费者对农产品安全意识的提高和我国开始提倡建设“三品一标”高品质农产品品牌，2004年至今国家相继出台了支持有机肥产业发展的相关政策，为有机肥产业发展创造了良好的动能和政策环境，促进了其快速发展。2008年出台了有机肥免征增值税政策。在良好的经济环境和政策扶持下，全国商品有机肥企业数量迅速增加。

8.4.2.2 商品有机（类）肥料产能、产量

据不完全统计，我国2019年的商品有机（类）肥料产能为8948.4万吨，产量为3302.7万吨，产能利用率为36.9%，整体产能利用率较低。

8.4.2.3 生产区域分布

我国有机肥料企业主要集中在两大区域：一是经济发达地区，包括广东、浙江、江苏和

福建等地，这些地区具有良好的环保意识和相对成熟的技术支撑；二是有机肥料资源丰富地区，包括山东、河南、河北、广西等地区，主要分布在大中型畜禽养殖场附近、城郊附近和有机特殊资源地区[36]。

据农业农村部2019年的调查，我国商品有机（类）肥料企业登记数排名前五的省份分别为河南、陕西、福建、湖北和内蒙古（见图8-2）。

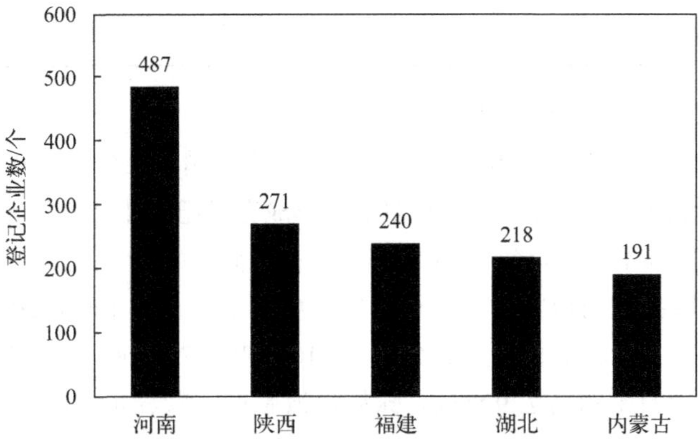

图8-2　2019年我国有机肥料企业登记数排名前五的省份

8.4.2.4　企业规模

与化肥企业相比，我国商品有机肥料生产企业的规模总体较小。据2019年农业农村部对我国商品有机（类）肥料企业规模的调查情况来看，当前我国产能大于2万吨的有机肥料企业数量占比仅为33%，大部分企业产能小于2万吨。同时，80%左右的有机肥料企业固定资产投入只有100万～200万元[3]。

8.4.2.5　工业生产副产物类有机肥及代表企业

工业生产副产物类有机肥拥有原料资源和规模优势，一方面解决了环保问题，另一方面实现了有机养分资源的综合利用。相关代表企业见表8-12。

2021年6月1日有机肥料新标准开始实施，标准对有机肥原料进行了分类，其中，工业生产副产物类有机肥原料大多归在了评估类原料中，比如食品及饮料加工有机废弃物（酒糟、酱油糟、醋糟、味精渣、酱糟、酵母渣、薯渣、玉米渣、糖渣、果渣、食用菌渣等）和水产养殖废弃物（海藻类等），目前尚未出台配套的细分评估类原料检测标准。另外，新标准增加了有机肥腐熟度安全指标，规定了种子发芽指数测定时有机肥样品测定的固液比为1∶10，以味精、酵母等发酵副产物为原料的企业由于养分含量较高，该指标无法满足，也在一定程度上限制了工业生产副产物作为有机肥资源的使用。建议相关部门尽快制定不同细分原料类别的有机肥标准或者将种子发芽指数指标作为应用评价性指标，不作为判定产品是否合格的指标，更好地促进有机资源的合理利用。

表8-12 工业生产副产物商品有机（类）肥料代表企业

企业名称	产品品牌	产品类型	主要原料
安琪酵母股份有限公司	福邦	有机肥、生物有机肥、水溶肥	酵母发酵浓缩液
内蒙古沃丰农业发展有限公司	金皐丰	有机肥	味精母液副产物
贵州茅台酒厂（集团）循环经济产业投资开发有限公司	深沃	有机肥	酒糟

（1）味精类发酵副产有机肥概述

“味精母液副产有机肥”是味精的附属产品，属于味精废液资源化再利用，通过在提取菌体蛋白后的味精废液中加入有机质，喷浆造粒形成有机肥。味精类发酵母液有机肥的产量和各企业味精的产能基本一致，每产 1t 发酵类产品就副产 1t 有机肥。目前味精行业产能集中在前三家，并且寡头格局越发明显，行业集中度非常高。据了解，2016 年味精主要厂家阜丰集团、梅花生物、伊品生物的产量分别为 110 万吨、70 万吨和 20 万吨，三者合计 200 万吨，占行业总产量的比例高达 92.6%。味精母液副产物营养丰富，平均含 N ≥ 12%，含有机质 ≥ 22.0%，目前，产品线涵盖了有机肥、生物有机肥、生物菌剂、复合微生物菌肥、土壤调理剂及新兴发展起来的氨基酸水溶肥等类型。但是，企业大多以基础原料的形式将产品供给工业客户生产掺混肥，或者因产品本身含有有机质、氨基酸、中微量元素等丰富的养分，pH 值在 3 ～ 7 之间，以土壤调理剂形式出售的产品所占比重也较大，自产符合 NY 525 标准的商品有机肥所占的比重很小。

（2）酵母发酵副产物有机肥概述

1986 年，国家科委中国生物工程开发中心、中国科学院微生物所、国家计委科技司三家联合建议成立活性干酵母工业试验基地，其中在宜昌的食用酵母基地经过几年的发展，在 1988 年通过改制正式改名为安琪酵母股份有限公司，并于 2000 年在上海证券交易所挂牌上市。目前国内酵母行业工厂合计产能约 38.2 万吨（折干），余下酵母发酵浓缩液约 100 万吨，其中安琪酵母占比约 55%。这些酵母发酵浓缩液源于植物糖蜜，并且在培养酵母的过程中添加了氨基酸、活性生物酶、螯合态中微量元素等动植物所需的多种营养。

酵母发酵浓缩液生产有机肥主要有以下三大类工艺，对应有机肥、有机水溶肥等商品有机肥料。a．酵母源底肥：酵母发酵营养液由液态转化为固态，进而实现在有机肥料上的应用。首先利用广泛分布且易得的谷糠粉或其他吸附剂将酵母发酵营养液固化，产生富含多种营养物质且容易发酵腐熟的有机物料，采用半静态的兼氧发酵方式发酵腐熟，此时该有机物料既可以作为粉剂型有机类肥料进行销售，也可以再进行深加工，运用常规的圆盘、滚筒、挤压等造粒方式造粒成型，经过烘干、冷却、筛分、包膜、计量包装等工序做成商品级的优质颗粒型有机肥料。b．酵母源粉剂型水溶肥：主要以酵母发酵营养液为原料，将其雾化后直接干燥为粉剂，再经过调整 pH 值等工序得到正式产品。虽然生产过程中有高温烘干环节，但由于干燥过程只有 8s，最终的粉剂基本保留了全部有益成分。酵母发酵营养液是去沉淀后的全水溶液体，直接干燥后的粉剂同样是全水溶的。酵母源粉剂型水溶有机肥不仅水溶性好，而且保留了酵母发酵营养液内在的营养源。c．酵母源液体型水溶肥：是在酵母发酵营养液浓缩液的基础上复配多种功能型物料得到的拥有不同特性的系列全水溶液体肥料。安琪酵母源液体肥相比颗粒型和粉剂型有机肥，取材更直接，生产更环保，养分损失更小，因此使用后见效更快、更优。

（3）酒糟类原料的有机肥概况及代表企业

白酒酒糟是白酒生产后的残渣，是白酒行业最大的副产品。我国目前白酒酒糟每年产量已经超过1亿吨，量大而集中，如果不及时加以处理，就会腐败变质，不仅浪费了宝贵的资源，还会严重污染周围环境，因此，实现酒糟资源化处理对推动白酒行业可持续发展具有重要的意义[37]。

每生产1t白酒，将会产生6～10t酒糟[38]。如果白酒与酒糟按照1∶8的比例计算，2018年全国酒糟产量达到1.1亿吨。酒糟的含水量较高，堆放过程中会有大量污水渗出，产生的酒糟渗滤液中含有大量有机污染物。这些污染物酸度高，其中化学需氧量（COD）高达100g/L，对环境造成了严重的污染[39]。除水分外，酒糟中还含有大量的有机物和营养物质。有研究表明，白酒酒糟可制取甘油，培养食用菌，提取复合氨基酸及微量元素，提取植酸和植酸钙，提取蛋白质，生产淀粉酶和纤维素酶，生产饲料和肥料等，其中利用酒糟生产饲料和农肥是彻底解决酒糟的最好方法。利用白酒酒糟生产饲料和农肥不但经济效益可观，而且社会效益也不可估量[40]。利用酒糟作为原材料制作生物有机肥，不仅可以解决环保问题，而且能为绿色食品的生产提供有机环境，实现酒糟大规模资源化利用，具有较高的经济效益、环保效益和社会效益。

8.4.2.6 农业废弃物类有机肥及代表企业

利用农业生产过程中的副产物来制造有机肥在我国的传统农业中是一个极为重要的环节。畜禽粪便有机肥主要以生猪、肉牛、蛋鸡、肉鸡和羊规模养殖场的固体粪便为主，经好氧堆肥无害化处理后，就地农田利用或生产有机肥。

2017年，印发《国务院办公厅关于加快推进畜禽养殖废弃物资源化利用的意见》（以下简称《意见》）。《意见》提出，到2020年，建立科学规范、权责清晰、约束有力的畜禽养殖废弃物资源化利用制度，构建种养循环发展机制，全国畜禽粪污综合利用率达到75%以上。同年，中共中央办公厅、国务院办公厅印发了《关于创新体制机制推进农业绿色发展的意见》，农业部制订了《到2020年化肥使用量零增长行动方案》，印发了《开展果菜茶有机肥替代化肥行动方案》，开展了有机肥替代化肥试点。2020年，农业农村部办公厅、生态环境部办公厅印发了《农业农村部办公厅　生态环境部办公厅关于进一步明确畜禽粪污还田利用要求强化养殖污染监管的通知》。2021年，农业农村部办公厅、财政部办公厅印发了《农业农村部办公厅　财政部办公厅关于开展绿色种养循环农业试点工作的通知》。同年，农业农村部印发了《2021年绿色种养循环农业试点技术指导意见》。这些政策说明国家对推动畜禽粪污资源开发利用和有机肥施用的重视。

表8-13为中国农资流通协会有机肥分会近几年对不同类型原料的典型企业的了解和调研情况，这些企业在规模、实力及品牌建设方面相对比较突出，在全国或者区域内比较有代表性。

表8-13 农业废弃物类商品有机（类）肥料代表企业

企业名称	产品品牌	产品类型	主要原料
根力多生物科技有限公司	根力多	有机肥、微生物肥、水溶肥、生物有机肥	骨粉、豆粕、蘑菇棒
夏河县达哇央宗有机肥料加工销售有限责任公司	达哇央宗	有机肥料、生物有机肥、液体有机肥	羊粪、菜籽饼
陕西枫丹百丽生物科技有限公司	木美土里	有机肥、生物有机肥、复合微生物肥料	牛粪、作物秸秆
云南顺丰洱海环保科技股份有限公司	洱海	有机肥、有机无机复混肥、微生物肥	畜禽粪便、农作物秸秆
青海省专用肥料有限公司	青羊	有机肥料、生物有机肥料、有机无机复混肥料	羊板粪、菜籽粕、酒糟、麦麸
宁夏农垦贺兰山生物肥料有限责任公司	西夏	有机无机复混肥、有机肥、生物有机肥	畜禽粪便
四川省眉山益稷农业科技有限公司	益稷	有机无机复混肥、有机肥、生物有机肥	秸秆、菌渣、醋渣、糖渣、油枯
安陆市鸟王种禽有限责任公司	三河	有机肥、微生物肥料	畜禽粪污
四川中农润泽生物科技有限公司	菌中缘	有机肥、生物有机肥、有机无机复混肥	棉籽壳、豆粕、玉米芯、油枯、麦麸以及草本类中药材渣
重庆市万植巨丰生态肥业有限公司	万植	有机肥、生物有机肥、有机无机复混肥	秸秆、油饼、豆粕等

8.4.2.7 海洋生物副产物类有机肥

海藻类有机肥是指以生长在海洋中的大型藻类为原料，通过化学、物理或生物方法，提取海藻中的有效成分，制成肥料。此类肥料能促进植物生长，提高产量，改善农产品品质。目前，我国海藻肥生产企业主要分布在山东、江苏、广东等沿海地区。据不完全统计，目前我国海藻肥生产企业在300个以上，全国农资市场上标称“海藻肥“在售的产品约有500种。其中海藻肥更多以特肥产品形式存在，该类原料生产的有机肥料产品较少。海大生物作为国内最早一批开发、生产、销售海藻类有机肥的企业，可以看作是其中的一个代表性企业。

8.4.3 行业经济指标

（1）商品有机（类）肥料价格

有机肥料生产所用的有机废弃物原料千差万别，生产工艺也不尽相同，同时受到原料成本、运输、供需、人力成本、农产品价格和政策等影响。因此，商品有机肥料价格差距较大也不稳定。表8-14为中国农资流通协会有机肥分会了解到的主要商品有机肥料产品的年平均出厂价格情况，可以看出，每吨最低仅几百元（400 元），最高达上千元以上（2200 元）。

表8-14　主要商品有机（类）肥料产品年平均出厂价格

产品类型	主要原料	年平均出厂价格 /（元 /t）
有机肥料（NY 525 标准）	种养业废弃物	500 ～ 800
	粮食发酵副产物	600 ～ 900
	加工业有机废弃物	1400 ～ 2200
	天然原料	400 ～ 800
有机无机复混肥料（GB 18877 标准）		1000 ～ 4000
生物有机肥料（NY 884 标准）		600 ～ 1800

（2）有机（类）肥料专利

自 1990 年至 2008 年，我国每年发布的有机肥专利数量不到 100 个；2009 ～ 2012 年，专利数量小幅上升；自此以后至 2018 年专利发布数量均大幅度增长，2018 年发布量达到 2723 个；2019 年小幅度回落，后又呈现增长态势。迄今为止，相关专利数已经累计达到 3000 余个。

8.4.4　有机肥进、出口

据海关统计，2020 年我国经化学处理的动植物肥料进口量为 3500t，较 2019 年同比上升 9.61%；经化学处理的动植物肥料出口量为 2.69 万吨，较 2019 年同比下降 21.26%。

根据海关总署 1997 ～ 2020 年经化学处理的动植物肥料进、出口数据，2020 年有机肥进、出口总量仅 3 万吨，占全国商品有机肥产量的比例不足 1%，在中国肥料总产量里面更是微乎其微。世界有机肥贸易量不大，一般都在 120 万～ 200 万吨，中国有机肥料贸易量占世界贸易量的比例较小。中国有机肥出口以基础原料为主，说明中国有机肥在产品理念、产品质量、研发水平和品牌塑造上与国际农业发达国家还有很大的差距。

8.5　有机（类）肥料施用与需求现状

8.5.1　施用现状

8.5.1.1　施用数量和比重

从有机肥施用地区来看，施用量最多的是山东省，其次为河北省和江苏省；施用量最少的是西藏自治区，其次为上海市和青海省[41]。施用总量超过50万吨的省份共有10个，合计占全国施用总量的66.2%。

全国农田氮肥施用中有机肥料提供的氮养分占氮肥总量（有机氮肥＋化肥氮）的比例平均为17.4%，比例较高的省份为北京、天津和浙江，均超过30%；比例为20%～30%的有13个省份，包括山西、内蒙古、辽宁、上海、江苏、山东、海南、四川、贵州、甘肃、青海和新疆；黑龙江的比例最低，其次为湖南和湖北。

全国农田磷肥施用中有机肥料提供的磷养分占总磷肥用量（有机磷肥＋化肥磷）的比例平均为31.7%，高于上述氮肥情况，比例较高的省份为贵州、辽宁、北京和山西，均超过50%，比例在30%～50%的省份有13个，小于30%的省份有15个；黑龙江的比例最低，其次为湖南和湖北。

8.5.1.2 施用特点

有机肥料施用受地区经济发展、有机肥料生产、作物种植结构和数量、栽培技术水平及绿色安全食品等诸多因素制约，具有如下施用特点。

① 施用有机肥料区域集中于经济发达地区。随着人民生活水平进一步提高，消费者对安全健康的要求也随之提高，进而对食品安全的重视也逐渐加强，企业在蔬菜、水果等经济作物的栽培管理中也就更重视有机肥料的施用。近年来出现的绿色食品、有机食品在经济较为发达地区的消费数量说明了这一点。从全国来看，这些区域主要集中在全国特大城市周边蔬菜基地及广东、江苏、福建、辽宁和浙江等地区。

② 施用有机肥料区域受限于有机肥料资源。在中国化肥快速发展的同时，有机肥料没有像无机肥料发展得那么完善，从肥料全国销售情况看，有机肥料还是区域化布局，主要集中在有机资源丰富的地区。

③ 施用有机肥料数量取决于当地种植结构。由于近年来作物产出的效益，农民作物种植结构不断调整，对在价值较高的果树、蔬菜及瓜类等经济作物上使用有机肥料较为重视，在粮食作物上施用较少。同时，有机肥料带来的品质改善也让农民获得更高的效益，因此种植结构进而也影响了有机肥料的施用。

④ 施用有机肥料也取决于无公害、绿色及有机产品基地的分布。近年来，随着经济和社会的发展，城乡居民生活水平的提高，人们对生态环境质量和食品质量及安全性的要求越来越高，为生态农业与绿色食品的发展提供了广阔的市场，无公害绿色食品及有机食品的市场显著增加。从技术上讲，生产无公害绿色食品及有机食品依靠一系列的种植管理规程，在这些管理规程中明确规定使用有机肥料。在发展无公害基地的同时，也促进了绿色产品和有机产品（食品）的快速发展，决定着有机肥料的施用格局。

8.5.2 需求现状

20世纪70年代，中国化肥发展很快，1971～1980年的10年间，产量（养分）由299.4万吨增加到1232.1万吨。有机肥料的比重下降，占肥料总投入量的66.4%。1987年，化肥总产量达1612.2万吨，平均亩施化肥达27.8千克。化肥在总肥料投入量中的比重大大增加，特别是氮素养分比重超过有机肥。近年来，我国复种指数过高，过量施肥和不合理施肥，以及农药的大量使用，导致我国部分地区土壤有机质连年下降，土壤微生物群落数量不断减少，土壤肥力严重退化，因此肥料吸收利用率有所下滑，个别地区已经出现了不同程度的肥害、药害和蔬菜大棚“死棚”现象。

据统计，我国土壤肥力状况的总体特点是耕地的有机质含量较低，大部分土地的有机质不到 1%，已严重影响国家的粮食安全，因此，国家一直在倡导追施有机肥培肥地力。近年来，随着人民生活水平的不断提高，我国人民的消费已从温饱型转向质量型，就是由消费热量食品转向消费安全、卫生、营养食品，人们更加注重食品的安全性，对无污染、安全、卫生的绿色食品的需求日益增加。而绿色肥料是绿色食品的基础，只有配制绿色肥料才能达到这一目的。有机肥、生物肥、有机无机复混肥、复合微生物肥等有机肥料属于这一领域的肥种。

8.5.2.1　需求规模

据世界粮农组织（FAO）肥料年鉴的有关报道，全球绿色肥料的发展方向是：多成分、多功能、高效、高浓度、无污染；有机、生物、无机相结合。国际上部分国家的绿色肥料使用比例已高达 45% ～ 60%。

2015 年 2 月 17 日，为贯彻落实中央农村工作会议、中央 1 号文件和全国农业工作会议精神，紧紧围绕“稳粮增收调结构，提质增效转方式”的工作主线，大力推进化肥减量提效、农药减量控害，积极探索产出高效、产品安全、资源节约、环境友好的现代农业发展之路，农业部制定了《到 2020 年化肥使用量零增长行动方案》（以下简称《方案》）。《方案》指出，当前我国化肥施用存在四个方面的问题：一是亩均施用量偏高。我国农作物亩均化肥用量 21.9 千克，远高于世界平均水平（每亩 8 千克），是美国的 2.6 倍，欧盟的 2.5 倍。二是施肥不均衡现象突出。东部经济发达地区、长江下游地区和城市郊区施肥量偏高，蔬菜、果树等附加值较高的经济园艺作物过量施肥现象比较普遍。三是有机肥资源利用率低。目前，我国有机肥资源总养分达 7000 多万吨，实际利用率不足 40%。其中，畜禽粪便养分还田率为 50% 左右，农作物秸秆养分还田率为 35% 左右。四是施肥结构不平衡。重化肥轻有机肥、重大量元素肥料轻中微量元素肥料、重氮肥轻磷钾肥的“三重三轻”问题突出。传统人工施肥方式仍然占主导地位，化肥撒施、表施现象比较普遍，机械施肥仅占主要农作物种植面积的 30% 左右。《方案》首次提出了有机肥替代化肥。通过合理利用有机养分资源，用有机肥替代部分化肥，实现有机无机相结合。提升耕地基础地力，用耕地内在养分替代外来化肥养分投入。

8.5.2.2　需求变化

20 世纪 80 年代以前，我国农村普遍施用农家肥，化肥施用量较少，农家肥施用比例在 90% 以上。20 世纪 80 年代以后，随着我国化肥工业的快速发展，化肥施用量逐步增加，农家肥施用量逐步减少。2000 年之后我国化肥施用量达到 95% 以上，只有部分经济作物开始施用商品有机肥。

（1）肥料品种需求变化：实施“一控两减”，化肥施用逐步减少，有机肥逐年增加

2017 年 2 月 8 日，为深入开展化肥使用量零增长行动，加快推进农业绿色发展，农业

部制定了《开展果菜茶有机肥替代化肥行动方案》。选择100个果菜茶重点县（市、区）开展有机肥替代化肥示范，目标是“一减两提”：一是化肥用量明显减少。提出到2020年，果菜茶优势产区化肥用量减少20%以上，果菜茶核心产区和知名品牌生产基地（园区）化肥用量减少50%以上。二是产品品质明显提高。三是土壤质量明显提升。果园、菜园、菜地土壤贫瘠化、酸化、次生盐渍化等问题得到有效改善。

（2）作物需求变化：有机肥施用由果菜茶逐步向大田作物过渡

近年来，由于我国有机肥和农家肥多数是粉状，施肥不方便，再加上有机肥机械施肥程度较低和农村青壮年劳动力外流，因此，我国大田作物很少施用有机肥。不过，随着农村耕种水平的提高和土地确权，东南沿海、华东和华北部分农业发达区域，农民开始在大田施用有机肥，以提高优质水稻、高筋小麦、酿酒高粱、糯玉米的作物品质。2021年4月25日，农业农村部办公厅、财政部办公厅联合下发《农业农村部办公厅　财政部办公厅关于开展绿色种养循环农业试点工作的通知》，指出，2021年开始，国家在畜牧大省、粮食和蔬菜主产区、生态保护重点区域，选择基础条件好、地方政府积极性高的县（市、区），整县开展粪肥就地消纳、就近还田补奖试点，扶持一批企业、专业化服务组织等市场主体提供粪肥收集、处理、施用服务，以县为单位构建1～2种粪肥还田组织运行模式，带动县域内粪污还田，推动化肥减量化，促进耕地质量提升和农业绿色发展。通知要求试点补奖政策实施范围仅限耕地和园地，不含草场草地，开始引导农民将有机肥施用到大田作物上。

（3）有机肥品种需求变化

我国有机肥品种需求变化具有以下特点：a. 从“纯有机”向“有机无机相结合”方向发展；b. 向“有机和微生物相结合”方向发展，生物有机肥需求不断扩大；c. 向“有机 + 无机 + 微生物菌剂 + 中微量元素”多元化方向发展，复合微生物肥料需求逐步增加。

8.5.2.3　年均复合增速

近年来，有机肥需求量不断增加，农业需求前景广阔。2019年化肥施用量5403.6万吨（折纯），约14500万吨（自然吨），有机肥施用量约3150万吨。预计2050年我国有机肥需求将达到7250万吨（自然吨），31年期间我国商品有机肥将增加4100万吨，折合年均复合增长率2.73%。

8.6　中国有机（类）肥料与国际对照

随着人民生活水平的提高和饮食结构的调整，畜禽养殖业得到了迅猛发展，带来巨大经济效益和社会效益的同时，也产生了新的问题——畜禽粪便污染问题，并成为继工业、生活垃圾污染之后的第三大污染源，是造成农村环境污染的主要原因。自20世纪50年代起，发达国家开始进行大规模的集约化养殖，在城镇郊区建立集约化畜禽养殖场，其产生的粪便污水造成了严重的环境污染。与此同时，许多发达国家开始采取措施加以干预和限制，并通过立法进行规范化管理[42]。而我国有机肥企业，生产规模小，生产工艺落后，自动化程度低，尚处在初级工业化阶段。

8.6.1 生产对照

目前，世界范围内应用最广泛的有机肥料生产技术仍然是堆肥化技术。沈玉君等[9]研究指出，发达国家主要通过成立专门机构、建立质量体系、统一检测方法等方式推动堆肥行业标准化。英国、意大利通过成立堆肥协会推动标准化。英国有机废弃物堆肥协会（the Organic Waste Composting Association，OWCA）成立于1992年，为规范堆肥产品标准，从2005年起堆肥协会和英国标准协会（British Standards Institution）共同建立了PAS 100：2005、PAS 100：2011、PAS 100：2018等方法，主要包括堆肥生产和监测规程、抽样和分析方法，以及质量标准。意大利堆肥协会（Italian Consortium for Composting，CIC）作为堆肥产品的认证系统，对本国的堆肥产品进行统一认证。在认证过程中，由意大利堆肥协会（CIC）的认证人员进行取样，并在经过认证的实验室进行分析。德国涉及堆肥的法律法规主要有BioAbfV 1998、肥料管理-DüV 2006、土壤保护法-BBodSchG 1998，对堆肥无害化标准、肥料管理等进行了规范。1991年，德国建立了堆肥质量保证体系RAL-GZ251，用于质量标识标准化与产品定期检查，2000年建立了有机废弃物质量保证体系，2003年建立了污泥堆肥的质量保证体系。

中国主要通过农业农村部制定的有机肥、堆肥标准等来规范和管理有机肥行业，相关的标准有《有机肥料》（NY/T 525—2021）、《畜禽粪便堆肥技术规范》（NY/T 3442—2019）、《有机无机复混肥料》（GB/T 18877—2020）等。

8.6.1.1 国内外堆肥及有机肥相关标准指标

（1）有机质含量

我国的畜禽粪便堆肥技术规范NY/T 3442—2019和有机肥行业标准NY/T 525—2021中均要求，有机肥中有机质含量应不低于30%。据沈玉君等[9]整理，西班牙堆肥标准规定有机质含量应不低于35%，德国在30%以上，欧盟在15%以上，印度在16%以上。其他国家，如日本一般要求在40%以上，澳大利亚在20%以上，德国在15%以上，美国在30%以上。由此可见，中国在有机质含量要求上较为严格。另外，英国、加拿大、丹麦等发达国家的堆肥标准并未对有机质进行限制。

欧盟于2019年7月颁布了第2019/1009号肥料法规，将有机肥分为矿物有机肥和（非矿物）有机肥，从形态上又分为固态和液态两种，其有机碳含量也作出了具体区分。欧盟不同种类、形态有机肥的有机碳含量情况见表8-15。

表8-15 欧盟不同种类、形态有机肥的有机碳含量

种类	固体有机碳含量	液体有机碳含量
非矿物有机肥	＞15%	＞5%
矿物有机肥	＞7.5%	＞3%

（2）养分含量

养分能为农作物提供全面的营养，因此一些国家对堆肥及有机肥养分进行了最低限制。据沈玉君等[9]整理，不同国家和地区对总养分（全氮+P_2O_5+K_2O）的最低限制值不尽相同。欧盟仅对全氮含量有最高限制，即不超过2%TS（总干重）。而英国、巴西、加拿大、丹麦等一些发达国家并未对养分含量作出约束，畜禽粪便经过无害化处理和腐熟后可作为有机肥直接施用于农田。

欧盟于2019年7月颁布了第2019/1009号肥料法规，该法规中指出包含N、P_2O_5、K_2O中的任何一种或多种，如果只包含其中一种，则应满足欧盟单一养分有机肥含量标准（表8-16），如果是包含两种以上养分，则应满足欧盟多种养分有机肥含量标准（表8-17）。

表8-16 欧盟单一养分有机肥含量标准

单一养分	非矿物有机肥		矿物有机肥	
	固体	液体	固体	液体
N	＞2.5%	＞2%	＞2.5%	＞2%
P_2O_5	＞2%	＞1%	＞2%	＞2%
K_2O	＞2%	＞2%	＞2%	＞2%

表8-17 欧盟多种养分有机肥含量标准

多种养分	非矿物有机肥		矿物有机肥	
	固体	液体	固体	液体
N	＞1%	＞1%	＞2%，N（有机）=0.5%	＞2%，N（有机）=0.5%
P_2O_5	＞1%	＞1%	＞2%	＞2%
K_2O	＞1%	＞3%	＞2%	＞2%
总含量	＞4%	＞3%	＞8%	＞6%

（3）重金属限量

含有重金属的肥料施入土壤中会增加土壤污染风险，因此重金属含量是堆肥标准中严格控制的一类指标。表8-18为沈玉君等[9]整理的国内外对堆肥产品中重金属铅（Pb）、汞（Hg）、镉（Cd）、铬（Cr）、砷（As）、铜（Cu）、锌（Zn）、镍（Ni）8种重金属作出的限定标准。除以上8种重金属外，有些标准对钼（Mo）、钴（Co）等重金属也有限制。可以看出，美国堆肥标准中各重金属的限量值相对较低。杨帆[43]研究指出美国现阶段尚且缺乏联邦统一的肥料法，各州根据各自地区的特点，自发制定有关的肥料法。中国大陆（或内地）对重金属Pb的质量分数限值在50mg/kg以下，相比其他国家和地区最为严格。

根据用途不同，欧盟将堆肥分为生态标准、有机耕种及土壤改良剂3类；加拿大将堆肥分为A类和B类；中国台湾分为畜禽粪便堆肥、一般堆肥及杂项堆肥；中国香港分为有机耕种、普通农业标准及非农业用途。中国大陆（或内地）堆肥标准未按用途进行分类限定。

表8-18　国内外对堆肥重金属的限量标准

地区		分类	重金属质量分数 /（mg/kg）							
			Cu	Pb	Zn	Cd	Cr	As	Hg	Ni
中国	大陆（内地）			50		3	150	15	2	
	香港	有机耕种	300	100	600	1	100	10	1	50
		普通农业标准	700	150	1300	3	210	13	1	62
		非农业用途	1500	300	2800	39	1200	41	17	420
	台湾	畜禽粪便堆肥	100	150	500	2	150	25	1	25
		一般堆肥	100	150	250	2	150	25	1	25
		杂项堆肥	100	150	250	2	150	25	1	25
日本				100		5	500	50	2	300
韩国			500	150	900	5	300	5	2	50
澳大利亚			200	200	250	3	400	20	1	60
欧盟（EU）		生态标准	100	100	300	1	100	10	1	50
		有机耕种	70	45	200	0.7	70		0.4	25
		土壤改良剂	100	100	300	1	100		1	50
德国			100	150	400	1.5	100		1	50
英国			200	200	400	1.5	100		1	50
美国			1500	300	2800	1.5	100			
加拿大		A 类	100	150		3	210	13	0.8	62
		B 类	757	500		20	1060	75	5	180

欧盟第 2019/1009 号肥料法规中规定每千克干物质中各类有害物质不能超过有害物质的限值，具体情况见表 8-19。

表8-19　欧盟有机肥有害物质限量标准　　单位：mg/kg

元素	非矿物有机肥含量限值	矿物有机肥含量限值
Cd	1.5	3（P_2O_5 < 5%）或 60（P_2O_5 ≥ 5%）
Cr	2	2
Hg	1	1
Ni	50	50
Pb	120	120

续表

元素	非矿物有机肥含量限值	矿物有机肥含量限值
As	40	40
Cu	300	600
Zn	800	1500
缩二脲	不得检出	12

8.6.1.2 国内外有机肥生产基本工艺分析

国外预处理技术和促腐菌剂的研究虽然起步较早，但是商品有机肥生产企业数量较少，在产能、产量、施用量等方面不尽完善。

国外预处理技术基本成熟，主要通过调节氧气供应、水分含量、C/N 值、pH 值等参数，为后续发酵提供良好的微生物活动条件。微生物菌种添加与否主要依据原料特性或发酵初始条件。在该方面，日本的 EM 菌技术影响力大，至今国内尚有很多企业在生产销售。美国俄亥俄州立大学（Ohio）等也开发过“起爆剂”菌剂。

中国商品有机肥预处理技术和腐熟菌剂的研究起步较晚，但近年来随着国内化肥工业的迅速崛起和有机肥市场需求的快速增长，有机肥腐熟发酵、造粒、烘干等生产加工技术的进步很大。中国农业科学院、中国科学院、中国农业大学、上海交通大学、南京农业大学、华中农业大学、郑州大学、华南农业大学等国内多家著名科研院所相继投入大量的科研力量和经费，研发出了适合国内使用的腐熟菌剂、功能菌剂、除臭剂，对中国的环境保护、农业面源污染减少、土壤改良和修复做出了较大贡献。

目前，中国在商品有机肥的腐熟菌剂、功能菌剂、造粒、烘干技术方面都取得了突破性进展，涌现出了山东蔚蓝生物、北京中微聚丰、湖北中向生物、北京航天恒丰等一大批科技创新型企业，在腐熟菌剂、功能菌剂的开发上都做出了突出成就。

有机肥造粒、烘干、自动化和粉尘排放控制技术方面，中国农机院下属中机华丰公司、河南龙昌机械、山东中创亿丰等企业在技术研发、推广应用上都具有重大突破。例如，中机华丰公司的整体系统控制技术，山东中创亿丰的自动化控制、干燥技术，河南龙昌机械的无火干燥、节能筛分、粉尘减量排放、自动翻抛技术等。这些科技创新型企业为有机肥料行业在减少占地面积、节能降耗和粉尘减量达标排放等方面提供了创新方案，具有显著的社会效益和经济效益，为我国有机（类）肥料制造水平的提升做出了贡献。

有机肥整体生产技术方面，安琪酵母、河北根力多、中化农业、内蒙古沃丰农业、山东中创亿丰、青岛海大、河北梅花集团、内蒙古德源肥业等企业都在技术创新、品质提升方面做出了有益尝试，推动我国的有机肥制造技术不断提高。

8.6.1.3 国内外有机肥生产设备差异

目前，国外在堆肥发酵工艺、技术和设备方面已日趋完善，基本上达到了规模化和产业化水平。如日本畜禽粪便堆肥已实现工厂化，他们研制的卧式转筒式和立式多层式快速堆肥装置，发酵时间约为一到两周，具有占地少、发酵快、质地优的特点。美国的BIOTEC2120高温堆肥系统，由10个大型旋转生物反应器组成，通过微生物发酵在72h内可处理1300t畜禽粪便，使之成为优质有机肥料。韩国采用的槽式发酵和螺旋式搅拌在国际上属于比较先进的粪便发酵技术[44]。发达国家的先进堆肥设施价格较贵、运行维护成本高，很难在我国推广应用。

我国西北、东北地区宜选条垛式发酵，中东南地区适合选择用槽式发酵或装置式发酵，同时应该重视通气技术的采用，尤其是间隔通气和智能通风技术。然而，目前国内许多有机肥企业选用了槽式发酵方式，但无通气设备或任意设置。槽式发酵存在堆肥无升温或升温慢、水分无散失、堆肥前后水分差别小、通风设备不匹配、能耗高、臭气散发量大等缺点。国内槽式发酵的合理通气量一般是100～150L/(min·m^3)，但目前许多企业达不到这一要求。

8.6.2　施用对照

据农业农村部农技推广中心统计，1949年、1990年、2000年、2003年我国有机肥施用量占肥料总投入量的比例分别为99.9%、37.4%、30.6%、25.0%[45]。

欧美国家中，有机肥施用比重普遍较大。美国2011年施用化肥比例为46%，有机肥为54%。英国2015年肥料施用情况为化肥43%、有机肥57%。法国2012年有机肥施用比例约为63%。加拿大（2012年）和德国（2013年）的有机肥比例均在60%左右。韩国2011年肥料施用结构为化肥占比48%，有机肥占比52%，和美国施用结构类似。日本较为注重有机肥的施用，施用量高达76%[46]。

8.6.2.1　美洲地区有机肥生产和施用情况

美国、加拿大为北美及中美地区制定了有机肥料产品进口的详细规范说明，法律制度完善，施用标准健全。美国、加拿大的部分地区对有机肥采用产品质量受控可溯法律体系。由于美洲地区有机质资源短缺，市场供求不平衡，价格居高。

美国也曾因为过量施用化肥导致环境破坏。18世纪80年代开始，在美国密西西比河与密苏里河流域，农业面源污染氮、磷富集引起了该河流的富营养化，也导致了下游墨西哥湾的水质被污染。水中的硫化物、亚硫酸盐、重金属离子和病原物质数量上升明显。美国环保署将农业废弃物污染列为河湖水质的最大污染源。不仅如此，在过去的150年之间，美国中东部地区土壤的有机质含量从7%下降到5%。这一系列的现象，使得美国推行施用有机肥料。

在美国，有5%的耕地在使用畜牧业废弃物生产的有机肥料，数字较低的主要原因是肥料的运输成本太高，尤其是畜禽类粪便制造的有机肥料。目前，联邦政府、州政府和当地都对有机肥料的贮藏、运输制定了相对较严格的规定，使得生产与运输还需要烦琐的手续。

当地有机肥料的施用方法比较精细，不同作物对有机肥料中养分的吸收程度不同，施用量要因作物而定。不仅如此，家禽和牲畜的粪便制造的有机肥料含有的养分比例不同，所以对于不同的作物也会选择不同种类的有机肥料。

8.6.2.2 欧洲有机肥施用情况

欧盟的养分资源投入结构为有机肥料 49%，化学肥料 49%，城市与工业废物 2%。1991 年欧盟颁布硝酸盐指令，目的是减少农业来源的硝酸盐对地表水和地下水的污染。该指令中提出硝酸盐脆弱区这一概念，主要是指污染水体覆盖的流域，脆弱区内要执行严格的养分管理规定和措施，如对有机肥用量、施用时期和施用区域的限制，其中明确规定有机肥投入不能超过 170kg（N）/hm^2。此外，在冬季强降雨期不能施肥，冻土和冰雪覆盖地以及邻近水源地不得施肥。

不同国家在执行硝酸盐指令的过程中存在较大的差异。丹麦和荷兰在施肥计划、施肥方法、耕作和轮作等方面采取的措施相比德国和英国更加严格，涵盖了肥料的施用记录、土壤分析、肥料禁用期及禁肥区、有机肥的低排放施用方法等良好的农业措施。而德国和英国在有机肥施用过程中没有应用低排放措施。以上四个国家都曾向欧盟委员会提出申请，要求将硝酸盐指令中规定的有机肥施用氮素不超过 170kg（N）/hm^2 进行调整。丹麦和德国申请后有机肥施用量调整为 230kg（N）/hm^2，荷兰和英国调整为 250kg（N）/hm^2，但此限额都只在草地上应用[47]。

8.6.2.3 大洋洲有机肥生产和施用情况

以大洋洲国家新西兰为例，该国以畜牧业为主，其牧草占据了总农业用地的 85% 以上。随着畜牧业的发展，有机资源日益丰富，当地生产的有机肥原料主要有两种：其一是牲畜粪便；其二是城市下水的淤泥等。

8.6.2.4 日本有机肥生产和施用情况

日本的化学肥料应用较早，在 20 世纪 40 ～ 50 年代就已经脱离了农家肥的使用，造成 60 年代土壤有机质减少。有机质持续下降造成日本农业 70 年代末连续四年平产，1980 ～ 1985 年五年之间，四年产量下降，这给日本政府敲响了单施化肥的不科学性的警钟。在 20 世纪 70 年代，日本发生严重的“畜产公害”，此后便制定了《废弃物处理与消除法》《防止水污染法》和《恶臭防止法》等 7 部法律，对畜禽污染管理作了明确的规定。20 世纪 70 年代日本就制定了《肥力促进法》，并且旗帜鲜明地指出“农业必须依靠施用有机肥料培养地力，在培养地力的基础上合理施用化肥”的规定，并在 80 年代末由日本农林水产省出台系列鼓励使用有机肥的政策和措施，大力发展绿色、有机农业。这一主张在日本逐渐成为认知主流，进一步激增了有机肥的使用数量。日本 2013/2014 年度肥料要览统计，2012 年日本肥料总用量为 1660 万吨，其中化肥 393 万吨，有机肥 1267 万吨，有机肥占 76%。有机肥料中以豆饼、骨粉等为原料的有机肥有 113 万吨，污泥为原料的有机肥料有 135 万吨，堆肥有 600 万吨（数据来自中国农业大学）。

8.6.2.5 印度有机肥生产和施用情况

印度是传统农业大国，有机肥以低价提供给农民使用，来充分调动农民生产积极性，收支缺口主要靠政府补贴。随着化学肥料施用量的激增，印度部分地区的土地有机质不断下降，土壤肥力不足，生态环境日益变差，影响了印度农业的长期可持续发展。

印度有机农业管理中心指出：随着人民生活水平的不断提升，人民对自然环境和健康的要求也在不断提高，未来对健康、绿色的有机农业的需求也将继续增长。这进一步增强了印度政府导向施用有机肥料的力度。

国家政策导向和资金补助方面，印度政府对有机肥料和生物农药企业进行重点支持，鼓励发展有机农场。印度农业和食品加工业部部长表示：使用了有机肥的农民，予以每公顷500卢比（约合8美元）的现金补助；对生物肥料、生物农药生产企业和农业垃圾堆肥企业给予25%、33%的倾斜性财政政策支持。

8.6.3 管理对照

在世界各国的有机肥资源中，动物粪便排放量大，环境污染风险高，为此，国外许多发达国家从农业发展和生态环境入手，制定了一系列政策法规来管理有机肥的生产和施用。

欧美国家和地区通过建立不同类别及用途的有机肥标准进行管理。如欧盟将商品有机肥分为2级，德国分为2级，西班牙分为2级，而奥地利将商品有机肥分为A+（用于有机农业）、A（用于农业和儿童公园）、B（用于园林、土地整治）3级，加拿大BNQ（魁北克省标准局）分为3级，美国华盛顿州分为2级，得克萨斯州分为2级[48]。

美国没有专门设立包括有机肥在内的肥料管理法律，只是将肥料归纳到有关化学物质安全或食品安全的法规内进行综合性的严格管理。1977年，美国出台了《清洁水法案》(CWA)。法案把大规模集约化畜禽养殖场定义为点源污染，其他养殖场被纳入面源污染源；法案要求规模化养殖场必须持有畜禽粪污排放许可证，通过实施综合管理计划，将粪污作为养分还田，提高土壤有机质含量，减少水土流失，实现种养业协调发展[49]。1999年，美国环保署和美国农业部联合实施畜禽粪便综合养分管理计划，要求粪污养分含量尽量与农作物所需营养相匹配。综合养分管理计划包括：粪污管理计划、废水储存和处理计划、肥料施用计划、养殖场安全、土地治理以及防止水土流失措施、氮和磷污染评估等[50]。该计划强调“零排放”，而我国目前的循环农业项目仅强调产业间的循环，没有突出“零排放”。美国2002年5月通过的《2002年农场安全与农村投资法案》的重要特点之一就是显著加大了对农业生态环境的保护力度，推进农业可持续发展，推广使用有机肥和测土施肥等保护性耕作技术。

1991年，欧盟发布《硝酸盐指令》(the Nitrates Directive)，要求每个国家对本国水质环境进行评估，并划分不同等级的硝酸盐敏感区。与该指令相关的计划有：水生环境计划、绿色增长计划及流域管理计划。这些计划以强制性措施为主，包括设定禁肥区、有机肥和总氮投入上限以及实施肥料账户等[51]。2019年，欧盟颁布了第2019/1009号肥料法规，取代此前2003年出台的肥料法规。该法规对肥料生产、销售环节中的各个经济体（生产商、进口商、分销商等）所应该承担的责任进行了细分。所有的市场主体都要向市场监督管理机构承诺为其提供有机肥的经营者或有机肥的购买者，并且这些信息应在产品售出后5年内随时可以提供，以确保肥料来源和去向的可追溯性[52]。另外，在欧洲的一些发达国家中，政府正在逐步淘汰对农药和化肥的补贴或税收优惠，开始对合成农药和化肥征税，并对有机肥料和生物农药给予优惠政策。欧盟为了农业可持续发展，对其成员国实行农业耕地补贴政策。如德国的农场主想要拿到300欧元/hm^2的补贴，在农业生产过程中必须严格落实其规定的要求，比如：必须使用有机肥、对农业生产过程中的资源投入进行记录以及进行作物轮作等[48]。

20 世纪 80 年代，日本开始走上“环境保全型”农业发展道路。以环境保全型农业为核心，对肥料和有机肥的应用进行管理。日本将堆肥和其他有机肥料的管理作为防治农业面源污染的重点，相继出台了有机肥和化肥合理实施的相关法案。其中最重要的就是在 1999 年颁布的“农业环境三法”：《家畜排泄物法》《肥料管理法》以及《持续农业法》[53]。《家畜排泄物法》通过推动环保技术措施的应用来优化畜禽粪便排泄管理，如禁止畜禽粪便的野外堆积或直接向沟渠排放，存储粪污的地面要用非渗透性材料建设并有侧壁，同时要适当覆盖等，并提供贷款等优惠政策，促进畜牧业的健康发展。《肥料管理法》规定原料中含有污泥的堆肥必须作为普通材料登记，以避免对污泥进行不当处理的行为。同时，要求堆肥、家畜粪肥等特殊肥料的销售必须要标明成分，提高肥料的投放效率。而后出台的《肥料取缔法》和《堆肥品质法》更加确保了肥料的质量和安全施用，对普通肥料和特殊肥料做了严格的区分并建立相应的登记标准，对堆肥等特殊肥料的产销实行严格的审批管理，要求提供肥料的种类、品质和成分等信息。《持续农业法》旨在促进农业可持续发展，确保农业生产与环境的平衡。该法案明确指出要减少化肥和农药的使用，强调使用堆肥改善土壤质量。而后日本出台了《肥力促进法》，提出日本农业必须依靠施用有机肥培养地力，在培养地力的基础上合理施用有机肥。日本农林水产省制定的有机-无机法规中主要内容之一就是预购买 35kg 硫铵，必须配施 1500kg 厩肥。

我国虽建立现代化肥工业体系，但传统有机肥生产与施用方式仍居主导地位，目前缺乏畜禽粪污及有机肥相关法律法规，有机肥市场混乱，同时施用过程缺乏标准和监控，可借鉴国外相关管理办法，规范化肥和有机肥的生产与施用，引导企业合理生产，引导农民科学施肥。

8.7 产业发展过程中存在的主要问题

20 世纪 90 年代以来，有机肥的发展遇到一系列问题。随着化肥的广泛应用，以及种植制度的变化，有机肥投入数量和比例都在下降，主要表现为：消费者施用意愿不足和商品有机肥企业市场竞争力较弱；需求侧方面，存在“三不”，即不愿用——成本过高，不会用——知识缺乏，不敢用——假冒伪劣。

8.7.1 宏观政策与管理环节

8.7.1.1 有机（类）肥料行业标准不完备，指导性差

现有的有机肥料标准不能完全覆盖所有的有机肥料品种，特别是不同原料、不同工艺

生产的有机肥料没有相应的技术要求，只有一个统一的含量标准。以NY/T 525—2021新标准为例，新标准增加了原料的分类管理和产品腐熟度等安全性指标，明确了有机肥料生产原料分类管理目录。原料按目录分类管理，分为适用类、评估类和禁用类：优先使用附录A中的四大类适用原料（种植业废弃物、养殖业废弃物、加工类废弃物、天然原料）；禁止选用粉煤灰、钢渣、污泥、生活垃圾（经分类陈化后的厨余废弃物除外）、含有外来入侵物种物料和法律法规禁止的物料等存在安全隐患的禁用类原料；采用附录B中的“评估类原料”生产有机肥料，须进行安全评估，并通过安全性评价后才能用于有机肥料生产。这些变化，是新标准修改说明中特别提出的，也是本次修改的一个关键点，是老标准中没有的内容。但是，评估类的原料目前尚缺少相应的评估检测方法标准。禁用类中的污泥是指河道污泥、工业沉降污泥等，和种植业、养殖业、食品加工业沼液氧化塘中的“污泥”——沼渣有着本质的区别，应该严格区分污泥和沼渣。

另外，新标准中新增了腐熟度判定指标——种子发芽指数。自标准实施以来，据中国农资流通协会有机肥分会了解，种子发芽指数作为腐熟度的判定指标存在一定的局限性，同时，NY/T 525—2021《有机肥料》与国家推荐性标准GB/T 18877—2020《有机无机复混肥料》中的有机质检测方法不一致，建议加强有机肥料标准体系建设，同时根据行业和企业的需要加大行业团体标准的建设力度。

8.7.1.2 产业扶持政策力度不够

目前，只有部分地区开展了有机肥补贴，而且有机肥料产品目前执行2号运价，不享受国家对农用化肥实行的现行优惠运价以及免收铁路建设基金的运输优惠政策，运费成本相对化肥偏高。该政策对有机无机复混肥料（GB/T 18877—2020）、复合微生物肥料（NY/T 798—2015）等商品的运输影响最为突出，不利于产销对接，增加了种植户的施用成本。

8.7.1.3 有机肥料行业分类不尽合理

2017年，由国家统计局起草，国家质量监督检验检疫总局、国家标准化管理委员会批准发布了《国民经济行业分类》(GB/T 4754—2017)，与2011版相比，该版本中新增了“0532畜禽粪污处理活动”分类及代码，并将其归在“A农、林、牧、渔业”中，但目前有机肥料制造企业仍归在了“化学原料和化学制品制造业”，部分地区存在按化工类别对有机肥料生产企业进行管理的问题，这使得部分省份的有机肥企业在新建或者改扩建项目方面遇到了审批困难、环保排污标准要求高、企业被迫停产等问题，在一定程度上限制了有机肥产业的发展，阻碍了畜禽养殖废弃物资源化利用，不利于推动农村人居环境改善、减少农业面源、提升土壤有机质和农业绿色发展。2021年初，中国农资流通协会通过中华全国供销合作总社向全国政协提交了《关于调整有机肥料行业类别并加大政策支持的提案》，为保障和促进有机肥产业健康有序可持续发展，提出了以下两点建议：a. 在《国民经济行业分类》(GB/T 4754—2017)“制造业”门类中新设“有机肥料及微生物肥料制造”大类，与“化学原料和化学制品制造业”大类并列；b. 建议将以畜禽粪污为主要原料生产的商品有机肥料列入“农、林、牧、渔业”门类并进行鼓励。目前，提案回复的意见已经得到国家统计局等部门的正式回复，拟在下次修订《国民经济行业分类》标准时予以考虑。

8.7.2 生产环节

（1）有机肥生产技术薄弱，产品科技含量需要不断提高

我国有机肥积造方法落后，表现为“三低三大”：有机肥料养分低体积大、无害化程度低污染大、积造有机肥效益低劳动强度大。此外，年产量在2万吨以下的企业占大多数，总体规模偏小，不少企业技术力量薄弱，技术人员少、水平低，生产机械简陋，生产工艺落后，工艺控制不当、不严，检测手段不完备，不合格有机肥产品时有出现，加上原料来源和价格不稳定，企业不能实现稳定、连续的生产，导致产品质量参差不齐。

尤其是在无害化处理方面，畜禽养殖业规模化、集约化发展，大量饲料添加剂及抗生素类药物的使用，致使以畜禽粪便为原料的商品有机肥料多种重金属元素含量、抗生素和病原微生物残留量明显较高。黄绍文等[54]针对全国主要菜区典型商品有机肥和有机废弃物展开调查，按照我国NY 525—2012有机肥行业标准，多项重金属指标均超标。王飞等[55]抽查华北地区商品有机肥，检测发现其中Pb超标率高达80.56%，若按照德国腐熟堆肥标准，大部分重金属均超标。张慧敏等[56]对浙北地区畜禽粪便和农田土壤中四环素类抗生素残留的测定表明，施用畜禽粪肥的农田表层土壤中土霉素、四环素和金霉素的平均含量分别为未施畜禽粪肥农田的38倍、13倍和12倍。畜禽粪便中的病原生物包括细菌、病毒、原生动物和蠕虫等，流入土壤后可存活较长时间，还可以侵入植物体内污染可食用部分。重金属元素含量、抗生素和病原微生物残留量明显较高的问题频频发生，这使得商品有机肥在市场上缺乏竞争力。

（2）商品有机肥企业产业化经营不健全

差异化策略是企业提供不同于市场同类现有产品的产品，以便于消费者识别和选择，并在消费者心目中树立起独具特色的良好形象[57]。各区域有机肥资源禀赋与种植结构存在较大差异，应与之相结合发展具有区域特色的有机肥产品满足差异化需求。目前，部分商品有机肥企业并未建立科学的差异化营销模式，城市的商品有机肥原料选择大同小异[58]。

（3）商品有机肥企业品牌化经营不明确

良好的品牌不仅为消费者提供了质量保障，也为企业获得信任和口碑[59]。在市场竞争下，品牌也是提高市场竞争力和满足消费升级的强有力的武器[60]。但是目前我国缺少如知名化肥品牌金正大、史丹利、沃夫特、云天化等的商品有机肥品牌，缺少品牌较高的市场占有率与美誉度[61]。

8.7.3 推广环节

8.7.3.1 推广现状

（1）推广渠道

① 政府渠道　近年来，国家为了鼓励推广有机肥，相继出台了各项鼓励政策和措施，加大了有机肥料产品推广范围和补贴力度，助推了有机肥料产品的施用，比如“土壤有机

质提升补贴”“东北黑土地保护利用试点项目”“畜禽粪污资源化利用行动方案”。2017 年至今，相继在 238 个县开展“果菜茶有机肥替代化肥行动”等。此外，黑吉辽蒙、冀鲁豫苏等省份响应国家政策，相继出台了有机肥推广相关的政策和专项资金，从提升耕地质量、增加有机肥施用量、种养循环结合等方面进一步加速了该类肥料的发展。政府推广主要依靠中央政府、省（自治区、直辖市）、县三级财政资金实施招标采购，由各地农业主管部门具体落实。

② 企业渠道　2007 年之前国内化学肥料的推广和应用一统天下，但 2007 ～ 2008 年受全球和国内能源、气候等各种因素影响，国内化肥价格屡创新高，导致农户投资种植业生产的资金减少，部分肥料企业发现商机开始加大有机无机肥料、“化肥 + 有机肥料”的推广应用模式，田间表现和产品得到了农户的认可，拉开了有机肥料商品化推广新序幕。

2015 年以来，农业农村部组织开展化肥农药使用量零增长行动的政策引导，我国有机肥料得到了迅速推广，生产企业数量、产能、产量、施用量都得到了快速增长。在这个过程中，有机肥生产和流通企业承担了主要职能。同时，化肥行业原材料占用资金成本高，生产装置投资大，利润点相对较低，行业平均净利润率在 2% 左右，竞争白热化，完全依靠产能规模效益，而有机肥料产品原材料占用资金成本低，生产装置投资小，利润点相对较高，行业平均净利润率在 6% 以上，肥料企业开始重视该类产品的生产研发和推广应用。

有机肥生产企业一般都具备自己的销售部门或子公司，可以针对就近用户直接销售，也可以针对经销商实施总经销和总代理的区域销售，在销售过程中企业承担测土配方施肥、农技服务、科技讲座和培训。农资流通企业主要负责总经销区域的物流和配送，配合生产厂家进行农技服务。

③ 农民自行购买应用　我国农民历来有施用有机肥料的习惯，这些有机肥的种类主要包括自己堆沤的有机肥、腐熟发酵后的畜禽粪便。由于农户辨别能力有限，很难辨认有机肥是否经过了腐熟发酵，未经发酵处理的有机肥料容易传播有害病菌和虫卵，在土壤中容易因发酵升温而烧苗、烧根。随着国内消费水平的提高，人民对绿色、有机农产品需求量增加以及供给侧结构性改革的要求，种植大户、专业的种植组织开始主动施用有机肥料商品以提高作物品质。

（2）推广模式

① 围绕作物推广　指在政府农技部门的指导下，以粮食作物、经济作物、果菜茶等为主要施肥对象的推广模式。首先测定当地土壤的肥力、pH 值、有机质含量，根据目标产量和品质制定配肥方案。

② 与无机肥料相结合推广　有机肥由于自身存在局限性，例如有气味、笨重、水分高、不易长距离运输等，不利于农民单独施用。因此，国内有机肥生产企业有意识地实施有机无机相结合、与中微量元素相结合的施肥策略，采用复合生产模式，减少单独用有机肥的次数，不仅能减少施肥时的人力和物力，还能提高肥效。

③ 围绕产业链推广　随着环保压力的增大，大型国企、养殖企业开始尝试产业链推广模式。例如：华润集团、中电建集团、中化化肥、中农集团、德青源（合力清源）、新希望集团等开始整合有机肥料产业链的上下游资源，试图通过立足本业，通过粮食、电力、养殖、肥料、技术、资金等优势产业，延伸企业在有机肥料领域的产业链，为企业创造更多利润。

8.7.3.2　推广中存在的问题

有机肥料产品受原料产地、施用地点、运输优惠政策等方面的制约因素，在物流运输环节受到限制，主要因素如下：

① 部分地区供需错配　有机肥料的原料来源主要是畜禽粪污、秸秆和食品工业（淀粉厂、味精厂、酒精厂）等产生的废弃物。从产业分工、产业聚集方面看，养殖大县、七区二十三作物带、食品工业强县分布得相对集中，不能就地解决废弃物还田利用，无法实现落地为安，必须要依靠在周边 300 千米半径内消化解决。

② 交通运输壁垒　有机肥料产品不享国家对农用化肥实行的现行优惠运价、免收铁路建设基金政策，该政策对有机无机复混肥料（GB/T 18877—2020）、复合微生物肥料（NY/T 798—2015）等商品的运输的影响最为突出，不利于产销对接，增加了种植户的施用成本。

8.7.4　施用环节

8.7.4.1　农户施用有机肥的意愿不强烈

① 农村青壮年劳动力匮乏，有机肥的积造和施用费时、费工、费力，农户不愿在有机肥上消耗更多的成本。刘梅等 [62] 研究发现，非种植业收入占总收入的比重对施用有机肥有显著负影响，表明非种植业收入比重越高的农户，越不愿意费时施用有机肥。吴丽花 [63] 研究了农户购买商品有机肥的行为，认为有机肥施用不方便对农户购买有机肥的行为有显著影响，说明有机肥施用费力的缺点是影响农户考虑的因素。

我国有机肥施用机械化普及程度和科技化水平不高 [64]，基本还停留在人工撒施有机肥阶段，这种方法不仅生产效率低，而且显著增长了人工成本 [65]。另外，通常粉状商品有机肥的施用效果优于颗粒，但缺乏相适应的施肥机械，不得已做成颗粒状，导致有机肥施用效率低以及成本投入增加 [66]。

② 相比化肥而言，有机肥养分含量低，肥效慢，增产效果不佳，如果按照等量养分施用有机肥替代部分化肥，有机肥成本投入效益低 [67]。因此，有机肥料的主要市场对象为设施蔬菜、水果、茶叶等高经济附加值的经济作物，对于农户小规模生产，化肥还是主要选择对象，而且作为理性经济人的农户，在没有经济激励的情况下，很难愿意选择有机肥替代化肥 [68]。

8.7.4.2　农户对有机肥的认知不足

中国的大部分农户老龄化严重，这些农户受教育程度不足，欠缺对有机肥的作用和环境保护的认知 [69]。仇焕广等 [70] 认为农户为了规避潜在的产量损失风险，选择多施用化肥；左喆喻 [71] 研究发现过量施用化肥造成的农业面源污染无法影响农户选择施用有机肥的行为，真正能影响农户选择的是经济利益。

8.7.4.3　农户对有机肥质量信心不足

有机肥和化肥一样，不合理施用同样也会对土壤环境造成污染。现阶段商品有机肥与传统农家肥相比，在组成物质上有很大的区别，规模化畜禽养殖场的粪污中重金属和抗生素残留量明显高于农户家庭小规模养殖的畜禽粪污[72]。市场上商品有机肥质量参差不齐。山东省2015年秋季对119个有机肥料进行抽查，不合格的产品26个，合格率仅为78.1%（数据源于山东省农业部办公厅关于2015年秋季有机肥料监督抽查情况的通报）。四川省工商局2017年下半年对流通领域农资商品省级质量抽查检验，共81个肥料商品不合格，其中有机肥产品占5个，原因是有机质含量不达标和总养分标注模糊，这也在一定程度上阻碍了农户购买和施用商品有机肥。

8.8 行业发展趋势展望

8.8.1 有机肥行业发展趋势

8.8.1.1 政府引导、财政补贴模式逐步向市场化运营模式转变

从20世纪90年代末的“有机质提升工程”“秸秆还田工程”，到21世纪的“畜禽粪便资源化利用”“秸秆和畜禽粪便资源化利用整县制推进”，中国政府在土壤有机质提升、秸秆和畜禽粪便资源化利用方面常抓不懈，付出了巨大的努力。但受多种因素的影响，我国有机肥在农业投入品中所占份额较小，与部分发达国家相比还有一定的差距。随着政府引导和宣传力度的加大，我国农业科技服务水平和农民的种植技术不断提升，人们对有机肥的认识也在不断提高，居民对有机食品的需求不断增加。农户不再单纯追求农作物产量，更注重农产品的内在品质和口感，他们已经认识到只有提升农作物的品质才能真正实现农业的增产、增收。因此，以市场为主导的有机肥生产、销售、施用模式正在逐步形成，未来将有更多的资本、技术和新型社会化主体进入商品有机肥料市场。

8.8.1.2 商品有机肥料企业将由分散型向规模化、集约化模式转变

随着秸秆和畜禽粪便资源化利用的整县制推进，以国有大型企业华润、中电建、国基、中化农业、中农集团、各地城投公司等为代表的企业将率先携带资本和技术进入有机肥市场，资本的聚集将加快有机肥料行业的市场整合，资源化配置将更加趋于合理。技术简陋、资金规模小的有机肥料企业将逐步被市场淘汰，市场竞争将更加激烈。

8.8.2 未来5年供需预测

8.8.2.1 需求预测

在国家积极的宏观政策引导下，商品有机肥需求和消费快速增长。

① 土地有机质提升、“化肥零增长”背景下减量增效、“土十条”“绿色种养结合”等行业政策带来的机遇。化肥施用量将进一步减少，递减速度预计 2% ～ 3%；有机肥、生物有机肥、有机-无机复混肥、复合微生物肥、有机质土壤调理剂的需求量将进一步扩大，这些有机肥料需求的递增速度将超过化肥的递减速度，预计为 2.5% ～ 3.5%，速率相差应该在 0.5% ～ 1.0% 之间。

② 国家供给侧结构性改革带来的机遇。农业供给侧结构性改革推动经济由主要追求数量转向更加追求质量，显著提升质量效益竞争力。随着生产发展和生活水平提高，人们对优质安全农产品的需求越来越大，农产品需求逐渐向新型化、多样化、高端化演变，农业供给侧结构性改革最突出、最重要的就是绿色、安全和放心。具体举措之一就是把农产品质量提升和生态环境改善统一起来、结合起来，深入实施化肥农药零增长行动、加大农业面源污染治理力度等措施，在农业生产中使用有机肥替代化肥。

③ 人们对绿色及有机农产品的需求不断增加带来的机遇。农业绿色发展是适应消费结构升级的方向。当前，我国正在由中等收入国家向高收入国家迈进，显著的特点就是消费结构升级，人们已经从“吃得饱”转向了“吃得好”和“吃得健康”，这对绿色有机农产品的需求有很大的刺激。有数据显示，2012 年我国有机农产品销售额约为 150 亿元 [73]，2015 年已达到约 360 亿元 [74]，3 年时间就翻了一番多，巨大的市场需求会有效刺激有机肥的需求，促进我国有机肥产业的发展。

综合来看，未来 5 年内，我国的有机肥市场消费需求仍将有一个长足的提升和进步空间。2022 ～ 2026 年预计有机肥料需求量将增加 300 万～ 500 万吨，需求量将达到 3450 万吨至 3900 万吨左右。

8.8.2.2 供应预测

随着我国有机肥料需求量增加，供应量也将相应增加。特别是在 2021 年中央一号文件、2021 年 4 月下发的《农业农村部办公厅 财政部办公厅关于开展绿色种养循环农业试点工作的通知》和《国家发展改革委关于印发“十四五”循环经济发展规划的通知》的引导下，国家将在 5 年内投入 136.5 亿元用于发展绿色循环农业，鼓励深化农业循环经济发展，建立循环型农业生产方式；加强农林废弃物资源化利用；推动农作物秸秆、畜禽粪污、林业废弃物、农产品加工副产物等农林废弃物高效利用；加强农作物秸秆综合利用，坚持农用优先，加大秸秆还田力度；加强畜禽粪污处理设施建设，鼓励种养结合，促进农用有机肥就地就近还田利用。

为实现 2030 年前碳达峰、2060 年前碳中和，促进绿色种养、循环农业发展，肥料行业、畜牧业及粮食加工业也将加大环保投入，生产供应更多的商品有机肥料。预计未来 5 年，我国商品有机肥料供应将增加 300 万～ 400 万吨。

参考文献

[1] 李庆逵，朱兆良，于天仁，等. 中国农业持续发展中的肥料问题 [M]. 南昌：江西科学技术出版社，1998.
[2] 贾小红，等. 有机肥料加工与施用 [M]. 北京：化学工业出版社，2010.
[3] 沈其荣，等. 中国有机（类）肥料 [M]. 北京：中国农业出版社，2021.
[4] 全国农业技术服务推广中心. 中国有机肥料资源 [M]. 北京：中国农业出版社，1999.

[5] 李祥，刘毅，曾桥．有机肥料标准 NY 525 的解读与思考 [J]．中国标准化，2020(13):145-149.
[6] 吴西宁．有机肥新旧标准的比较及分析 [J]．河南科技，2014(9):82.
[7] 有机质含量超 100% 引发标准质疑 [J]．广西质量监督导报，2013(6):48.
[8] 严超，徐培智，解开治，等．浅析我国精制有机肥质量标准存在问题及主要指标的制定 [J]．广东农业科学，2008(9):60-63, 67.
[9] 沈玉君，李冉，孟海波，等．国内外堆肥标准分析及其对中国的借鉴启示 [J]．农业工程学报，2019,35(12):265-271.
[10] 董亚维，乔轶宁．关于有机肥料标准的解读和探讨 [J]．湖南饲料，2016(6):29-31.
[11] 刘立荣．中国古代有机肥制用及其启示 [J]．西北大学学报，2015,45(4):675-679.
[12] 赵文，刘雁南，王思明，等．从《齐民要术》等史籍看中国古代的肥料科学及其对后世农业发展的启示 [J]．农学学报，2020,10(1):82-87.
[13] 周广西．明清时期中国传统肥料技术研究 [D]．南京：南京农业大学，2006.
[14] 刘晓永，李书田．中国畜禽粪尿养分资源及其还田的时空分布特征 [J]．农业工程学报，2018,34(4):1-14, 316.
[15] Johnson J M F, Allmaras R R, Reicosky D C.Estimating source carbon from crop residue,roots and rhizodeposits using the national grain-yield database[J]. Agronomy,2006,98(3):622-636.
[16] 全国农业技术推广中心．中国有机肥料养分志 [M]．北京：中国农业出版社，1999.
[17] 中华人民共和国农业部．种养结合循环农业示范工程建设规划（2017—2020）[EB/OL]．http://www.moa.gov.cn/nybgb/2017/djq/201802/t20180202_6136360.htm.2017-6-14.
[18] 高利伟，马林，张卫峰，等．中国作物秸秆养分资源数量估算及其利用状况 [J]．农业工程学报，2009,25(7):173-179.
[19] 杜为研，唐杉，汪洪．我国有机肥资源及产业发展现状 [J]．中国土壤与肥料，2020(3): 210-219.
[20] 田慎重，郭洪海，董晓霞，等．耕作方式转变和秸秆还田对土壤活性有机碳的影响 [J]．农业工程学报，2016,32(S2):39-45.
[21] 刘晓永，李书田．中国秸秆养分资源及还田的时空分布特征 [J]．农业工程学报，2017,33(21):1-19.
[22] 宋大利，侯胜鹏，王秀斌，等．中国秸秆养分资源数量及替代化肥潜力 [J]．植物营养与肥料学报，2018,24(1):1-21.
[23] 牛新胜，巨晓棠．我国有机肥料资源及利用 [J]．植物营养与肥料学报，2017,23(6):1462-1479.
[24] 郭冬生，黄春红．近 10 年来中国农作物秸秆资源量的时空分布与利用模式 [J]．西南农业学报，2016,29(4):948-954.
[25] 朱建春，李荣华，杨香云，等．近 30 年来中国农作物秸秆资源量的时空分布 [J]．西北农林科技大学学报（自然科学版），2012,40(4):139-145.
[26] 汪海波，秦元萍，余康．我国农作物秸秆资源的分布、利用与开发策略 [J]．国土与自然资源研究，2008(2):92-93.
[27] 杨飞，杨世琦，诸云强，等．中国近 30 年畜禽养殖量及其耕地氮污染负荷分析 [J]．农业工程学报，2013,29(5):1-11.
[28] 林源，马骥，秦富．中国畜禽粪便资源结构分布及发展展望 [J]．中国农学通报，2012,28(32):1-5.
[29] 张田，卜美东，耿维．中国畜禽粪便污染现状及产沼气潜力 [J]．生态学杂志，2012,31(5):1241-1249.
[30] 杨帆，董燕．东北四省（区）畜禽粪便有机肥资源及其利用探讨 [J]．中国农技推广，2015,31(1):40-41, 50.
[31] 仇焕广，廖绍攀，井月，等．我国畜禽粪便污染的区域差异与发展趋势分析 [J]．环境科学，2013,34(7):2766-2774.
[32] 周天墨，付强，诸云强，等．中国分省畜禽产污系数优化及污染物构成时空特征分析 [J]．地理研究，2014,33(4):762-776.
[33] 张福锁，等．我国肥料产业与科学施肥战略研究报告 [M]．北京：中国农业大学出版社，2008.
[34] 黄鸿翔，李书田，李向林，等．小麦大豆间作条件下的作物养分吸收利用对间作优势的贡献 [J]．植物营养与肥料学报，2006,12(6):3-8.
[35] 杨帆，李荣，崔勇，等．我国有机肥料资源利用现状与发展建议 [J]．中国土壤与肥料，2010(4):77-82.
[36] 杨帆，马常宝．我国有机肥料产业化利用现状及发展前景 [J]．腐植酸，2006(2):13-18, 32.
[37] 胡志强，李存福，张国顺，等．白酒酒糟综合利用技术研究进展 [J]．山东化工，2019,48(15):76-78.
[38] 周小兵．白酒酒糟发酵生产丁二酸 [D]．无锡：江南大学，2013.
[39] 李红．酒糟综合利用技术研究进展 [J]．中国资源综合利用，2016,34(12) : 36-39.
[40] 王肇颖，肖敏．白酒酒糟的综合利用及其发展前景 [J]．酿酒科技，2004(1):64,65-67.
[41] 刘宏斌，等．面源污染防治卷 中国农业面源污染防治战略研究 [M]．北京：中国农业出版社，2019: 25-30.
[42] 世国．发达国家如何处理养殖污染 [J]．青海科技，2014(5):92-93.
[43] 杨帆．美国肥料管理模式与启示 [J]．中国土壤与肥料，2007(3):1-3, 14.
[44] 杜艳艳，赵蕴华．农业废弃物资源化利用技术研究进展与发展趋势 [J]．广东农业科学，2012,39(2):192-196.
[45] 王广凤，张宝翠，刘树艳．有机肥施用存在的问题及对策 [J]．现代农业科技，2012(6):316-317.
[46] 孙春花，杨占平，王学君，等．我国有机资源利用问题研究 [J]．农村・农业・农民（B 版），2019(7):44-46.
[47] 马海龙，李婷玉，马林，等．欧洲国家农田养分管理差异及其对我国的启示 [J]．土壤通报，2019,50(4):974-982.
[48] 龙文军，姜楠．发达国家有机肥规范及推广的经验做法 [J]．农村工作通讯，2021(9):59-61.
[49] 刘北桦，詹玲，尤飞，等．美国农业环境治理及对我国的启示 [J]．中国农业资源与区划，2015,36(4):54-58.
[50] 陈静，张敏，程广燕，等．美国生猪粪污资源化利用经验对中国的启示 [J]．农业展望，2019,15(1):86-90.
[51] 蒋伊童，李婷玉，马林，等．丹麦养分管理农业养分管理政策和机制的创新及启示 [J]．土壤通报，2020,51(2):381-390.
[52] 金书秦，唐佳丽，杨小明，等．欧盟有机肥产品标准、管理机制及其启示 [J]．中国生态农业学报（中英文），2021,29(7):1236-1242.
[53] 王晨珲，李婷玉，马林，等．日本化肥减量增效实现途径及启示 [J]．土壤通报，2020,51(3):725-732.
[54] 黄绍文，唐继伟，李春花．我国商品有机肥和有机废弃物中重金属、养分和盐分状况 [J]．植物营养与肥料学报，2017,23(1):162-173.
[55] 王飞，赵立欣，沈玉君，等．华北地区畜禽粪便有机肥中重金属含量及溯源分析 [J]．农业工程学报，2013,29(19):202-208.
[56] 张慧敏，章明奎，顾国平．浙北地区畜禽粪便和农田土壤中四环素类抗生素残留 [J]．生态与农村环境学报，2008,24(3):69-73.
[57] 高炳华．品牌差异化营销策略探讨 [J]．商业研究，2005(4):153-156.
[58] 付君，钟波，周进，等．山东省有机肥产业化对策研究 [J]．农业工程，2012,2(3):84-87.

[59] 刘雪飞，胡胜德. 国外农产品品牌建设的基本经验及启示 [J]. 植物营养与肥料学报，2014(6):1-5.
[60] 张传统. 农产品区域品牌发展研究 [D]. 北京：中国农业大学，2015.
[61] 孙松. 顾客价格视角的化肥企业品牌竞争力研究 [D]. 青岛：中国海洋大学，2012.
[62] 刘梅，杜丽丽，张晓. 基于 Logit 模型的农户有机肥施用意愿及影响因素分析——以山东为例 [J]. 安徽农业科学，2010,38(9): 4827-4829
[63] 吴丽花. 农户购买有机肥的影响因素分析——以江苏省为例 [D]. 南京：南京农业大学，2010.
[64] 吴彬. 浙江省商品有机肥应用对策研究 [D]. 杭州：浙江农林大学，2015.
[65] 李洁，吴明亮，汤远菊，等. 有机肥施肥机械的研究现状与发展趋势 [J]. 湖南农业大学学报，2013,39(1):97-100.
[66] 白由路. 国内外施肥机械的发展概况及需求分析 [J]. 中国土壤与肥料，2016(3):1-4.
[67] 姜茜，王瑞波，孙炜琳. 我国畜禽粪便资源化利用潜力分析及对策研究——基于商品有机肥利用角度 [J]. 华中农业大学学报（社会科学版），2018(4):30-37.
[68] 王晶晶. 浙江省农户有机肥施用行为及影响因素分析 [D]. 杭州：浙江农林大学，2016.
[69] 诸彩虹，冯淑怡，张蔚文，等. 农户采用环境友好型农业技术行为的实证分析——以有机肥与测土配方施肥技术为例 [J]. 中国农村经济，2012(3):68-77.
[70] 仇焕广，栾昊，李瑾，等. 风险规避对农户化肥过量使用行为的影响 [J]. 中国农村经济，2014(3):85-96.
[71] 左喆喻. 农户对环境友好型肥料的选择行为研究——以有机肥及控释肥为例 [J]. 农村经济，2015(10):72-77.
[72] 董元华. 有机肥与耕地土壤质量 [J]. 中国科学院院刊，2015(30):257-269.
[73] 钱静斐. 中国有机农产品生产、消费的经济学分析——以有机蔬菜为例 [D]. 北京：中国农业科学院，2014.
[74] 吴文良，乔玉辉. 中国有机农业发展与展望 [J]. 农学学报，2018,8(1):193-196.

中国肥料研究与应用全书

Books of Fertilizer Research and Application in China

FERTILIZER

第9章

中国微生物肥料产业发展

9.1 微生物肥料定义与范畴

微生物肥料（microbial fertilizer），也称微生物菌剂（microbial inoculant），又称生物肥料（biofertilizer）、菌肥、接种剂，是一类利用微生物生命活动及其产物使农作物得到特定肥料效应的微生物活体制品，在这种效应的产生中，制品中的微生物起关键作用。这个定义是我国土壤微生物学的奠基人、中国科学院院士、华中农业大学陈华癸教授于 1994 年针对我国当时关于微生物肥料的含义、作用的模糊认识和争论提出来的，其表述科学和准确。陈华癸教授还进一步提出在此类产品中：一类为产品中所含微生物的生命活动增加了植物营养元素的供应量（包括土壤和生产环境中植物营养的供应量与植物营养元素的有效供应量）；另一类为其中所含活微生物生命活动的作用，还包括更广泛或至今尚不十分明确其作用的产品，不限于提高植物的营养元素供应[1]。

在农业行业标准 NY/T 1113—2006《微生物肥料术语》中，将微生物肥料定义为含有特定微生物活体的制品，应用于农业生产，通过其中所含微生物的生命活动，增加植物养分的供应量或促进植物生长，提高产量，改善农产品品质及农业生态环境。这是一个外延拓展且标准化的表述，已在微生物肥料行业中得到认可和采用。

从植物营养角度来说，多数微生物（除生物固氮微生物外）本身并不能直接为植物提供营养元素，但微生物是养分有效形态的转化分解者（如溶磷、解钾等），是养分循环中的原动力。而从实际应用来说，微生物肥料已得到了普遍承认。印度 Central Arid Zone Research Institute 于 2002 年编写的书名就为《生物肥料》（*Biofertilizer*）。国际上许多国家均认可和采用“biofertilizer”一词，而对纯菌剂产品使用“inoculant”，我国称之为微生物肥料（microbial fertilizer）或简称为生物肥料。从历史上看，我国将微生物作为肥料经历了从根瘤菌剂到细菌肥料（菌肥），再演变为微生物肥料的过程。我国微生物肥料经过近 20 多年的规范管理及行业的健康发展，已形成了具有中国特色的微生物肥料产业。微生物肥料一词已被社会各界和使用者所接受与认可，并成为绿色农业发展中不可替代的投入品。

9.2 微生物肥料种类及其特性

目前，我国微生物肥料按照产品的内涵分为两大类：一类为菌剂类产品；另一类为菌肥类产品。菌剂类产品是指一种或一种以上的目标微生物经工业化生产扩繁后直接使用或与利于该培养物存活的载体吸附所形成的活体制品。它在单位面积上的用量少，一般亩用量为 2 ～ 5kg。按产品中特定的微生物种类或作用机理又可分为根瘤菌制剂、固氮菌制剂、溶磷细菌制剂、溶磷真菌制剂、硅酸盐细菌制剂、促生细（真）菌制剂、光合细菌制剂、放线菌制剂、有机物料腐熟剂、土壤修复菌剂等产品种类。菌肥类产品是指目标微生物经工业化扩繁后与营养物质等复合而成的活体制品。它在单位面积上的用量较大，一般亩用量在

50 ～ 100kg，包括复合微生物肥料和生物有机肥。下面分别介绍微生物肥料的主要产品种类及其特性。目前将微生物肥料的功能与机理归纳为 6 个方面，分别为提供植物氮素营养、活化或溶解养分功能、促进有机物料腐熟功能、改善农产品品质功能、增强作物抗逆性功能、改良和修复土壤功能。

9.2.1　根瘤菌制剂

根瘤菌制剂是以根瘤菌为生产菌种制成的菌剂。根瘤菌是能与豆科植物共生形成根瘤，并进行生物固氮的一类革兰氏阴性杆菌。根瘤菌制剂的出现已有 100 多年的历史，它的普遍应用也有 80 多年的历史，是世界上公认的效果最稳定、最好的微生物肥料之一。制剂的生产原理是通过人工分离、筛选将固氮性能良好、抗逆性能优越和结瘤竞争能力强的根瘤菌菌株作为生产菌种，借助于工业发酵的设备和技术扩大培养而成。其中的固体制剂多用草炭土、蛭石或其他代用品作载体吸附发酵液制成，液体制剂为发酵液直接罐装或加入其他助剂后罐装而成。根瘤菌制剂的应用原理是制剂通过拌种、包衣或土壤接种后，在相应的豆科种子周围存活、繁殖，当豆科植物萌发长出幼根后，制剂中的相应根瘤菌通过根部，在一系列生理过程和生物化学过程后侵入，在较短的时间内即可在豆科植物根部形成根瘤，侵入的根瘤菌即在其内生存，依靠豆科植物提供的营养，可实现生物固氮。

一个根瘤的寿命大约是 60 天，它在这 60 天中源源不断地给豆科植物提供优质的氮素营养，豆科植物在生长过程中不断生成新的根瘤，老的根瘤衰老后破溃。一般来说，豆科植物的根瘤向其提供的氮素营养约占其一生中氮素总需求的 1/2 ～ 2/3 以上。不仅如此，老根瘤破溃后，它所含有的氮素回到土壤中，可以提供给下茬作物。因此，早在《齐民要术》中，就记载了种豆可以肥田的事实，种植豆科植物时使用了相应的根瘤菌制剂，使其多结瘤、多固氮，不仅能节约氮素化肥，而且能提高当季豆科植物的产量，同时又给下茬留了一定的氮素营养，一举多得，十分符合农业可持续发展的需求。

豆科植物与根瘤菌之间能形成特殊的固氮器官——根瘤，根瘤的共生固氮效率是目前自然界中最高的。因根瘤菌仅能侵染豆科植物，限制了共生固氮的农业应用。如何扩大根瘤菌的侵染范围，揭示结瘤信号传递与根瘤形成过程的分子机制一直都是科学家研究的热点。共生固氮同时又是一个极消耗能量的过程，因此，如何调节豆科植物的结瘤平衡，既能够保证共生固氮顺利进行，又能够保持豆科植物初级代谢在正常水平，一直以来都是豆科植物共生固氮领域的重要研究课题。实践中，应选用经农业农村部登记的根瘤菌制剂产品，其质量应符合国家标准的要求，并经试验证明菌株与大豆品种相匹配，能良好结瘤和有效固氮，并具有增产效果。目前主要的根瘤菌制剂包括大豆根瘤菌剂、花生根瘤菌剂、紫云英根瘤菌剂、苜蓿根瘤菌剂。这些产品在化学氮肥减施，实现豆科与禾本科粮食作物轮作效应，以及农业种植结构调整方面均有重要意义。

要发挥共生固氮作用，其关键是选育优良的根瘤菌生产菌株。一般而言，优良的根瘤菌菌株应具备如下特性：与相应的宿主植物有强的亲和力，能尽快形成根瘤，而且有较强的固氮活性；在田间具备较强的竞争结瘤能力；遗传稳定性好，不易发生变异；在液体培养基内具有较快的增殖能力，有较好的生产能力；在载体基质和土壤中具有较强的存活能力，有较强的环境适应性和增产能力。

温室盆栽试验是考察根瘤菌与作物品种的匹配性（或称之为亲和性）及根瘤菌的固氮能力的试验。共生匹配表现在根瘤菌诱导与其相匹配的豆科植株结瘤的能力，并形成大量有效瘤，包括根瘤的现瘤时间、占根瘤数、根瘤鲜（干）重和占瘤率等。占瘤率表征的是根瘤菌的竞争结瘤能力，接种菌株的占瘤率高，表明其竞争能力强，应用效果就好。

9.2.2 固氮菌制剂

地球上能进行固氮活动的原核生物中，除了与豆科植物共生时可以固氮的根瘤菌类群以外，还有一大类在自由生活状态时可以固氮的微生物，其中一类为完全自生固氮微生物，即通常所说的自生固氮微生物；另一类为联合固氮微生物，它们与植物根部形成松散联合，在植物根系分泌物的影响和刺激下，大量聚集和繁殖，但不与植物形成任何共生的组织，它们的代谢产物对植物生长十分有利。多年来，对此类微生物有不少研究和应用，形成了微生物肥料产品中的一类，即自生和联合固氮菌制剂。

固氮微生物的固氮过程，是在细胞内固氮酶的催化作用下进行的。不同固氮微生物的固氮酶，催化作用的情况基本相同。即是在固氮酶将 N_2 还原成 NH_3 的过程中，需要 e 和 H^+，还需要 ATP（腺嘌呤核苷三磷酸）提供能量。生物固氮的过程十分复杂。简单地说，在 ATP 提供能量的情况下，e 和 H^+ 通过固氮酶传递给 N_2 和乙炔，使它们分别还原成 NH_3 和乙烯。

固氮菌制剂可以使用的菌种十分广泛。长期的研究指出，可以自主固氮的微生物至少包括十几个科，200 多种以上。常用的有圆褐固氮菌（*Azotobacterchroococum*）、瓦恩兰德固氮菌（*A. vinelandii*）、拜叶林克固氮菌（*Berjerinkia*）中的几个种。可以使用的联合固氮菌种类也很多，如固氮螺菌属（*Azospirillum*）中的一些种，克雷伯菌属（*Klebsella*）中的一些种等。自生和联合固氮微生物虽然都可以固氮，但它们固氮的效率与共生的根瘤菌相比要低许多。根瘤菌在与豆科植物共生时，它可以源源不断地得到豆科植物宿主提供的能量，同时它们在根瘤内固定的氮素又不断被植物运走，根瘤内始终处于一个氮含量相对很低的状态，不至于造成对固氮活动的阻遏。而自生或联合固氮微生物固定的氮素一旦能够满足自身的需求后，固氮活动就立即停止；而且它们在固氮时也易于受土壤环境中氮素含量的影响，如果土壤中氮素含量较高时，则不进行自主固氮。研究报道自生或联合固氮微生物固定氮素的量仅为根瘤菌固氮量的几十分之一，甚至更少。虽然如此，但这类微生物在生长繁殖过程中可以产生较大量和多种类的次生代谢产物，如植物激素、维生素、有机酸等，一些自生固氮菌可以产生大量的胞外多糖，对于形成土壤团粒结构十分有利。因此，优良的固氮菌制剂，其优良菌株应具备与作物亲和性强、固氮高效、环境适应广、竞争性或定殖能力强的特征。

生产中使用的自生和联合固氮菌应该选生长速度快、抗逆性强，而且产生次生代谢产物种类多、量大的菌株作为生产菌种，而不应该有太多的随意性，更不能因为产品中包含了固氮菌就认为似乎为作物解决了氮素营养供应问题。产品中不仅要有含量较高的有效活菌，而且至少要保证在有效期内有效活菌含量不低于标准。使用时要充分注意到菌株的适应性、适应地域、相应的施用技术和合适的用量。选育一些抗氨、泌氨能力强，产生植物生长调节物质数量大，以及耐受不良环境能力强的菌株是此类制剂的研究方向。

9.2.3 溶磷微生物制剂

磷素是植物生长、发育的三大营养元素之一，具有重要的生理功能和生物化学功能。施入土壤中的含磷化合物在一系列的化学反应下，其中的大部分磷素转变为难溶性的磷化合物。1903 年，Staltrom 首次发现并报道了溶磷微生物及其作用以来，人们虽然对溶磷微生物的种类认识、筛选、鉴定、机理，以及包括分子生物学等方面进行了不少的研究，但总体来说，对土壤和植物的磷素代谢与循环的认识仍然不足，实际应用的瓶颈还未突破，仍需加强基础和应用基础研究。

自然界中的溶磷微生物种类非常多。已报道的溶磷细菌有：土壤杆菌（*Agrobacterium* sp.）中的一些种，节杆菌属（*Artrrobacter* sp.）中的一些种，芽孢杆菌属和假单胞菌属中的许多种。不同种类的溶磷微生物的生长条件、作用方式、分解能力不同。关于溶磷微生物分解难溶磷化合物的机理，一方面是这些微生物在生长过程中所产生的多种酸，尤其是各种有机酸（如乙酸、丁酸、柠檬酸等），它们可以溶解一些难溶磷化合物，使植物根部能吸收利用；另一方面，微生物所产生的磷酸酶（如植酸酶）可以使难溶磷溶解。值得关注的是，溶磷细菌的种类虽多，在筛选和应用时，安全性是首要的考虑因素。有的细菌有溶磷功能，但其自身却是人类或动植物的病原菌，如铜绿假单胞菌曾被作为一种溶磷细菌生产“磷细菌肥”，由于该菌是可以引起人类伤口化脓并且毒力较强的病原菌，因此在生产中早已被禁用。

土壤中具有溶磷作用的真菌种类也有很多，报道的溶磷真菌主要有酵母、曲霉和青霉等。许多研究表明，真菌溶磷的能力优于细菌。近年来的研究指出，仅青霉中即报道了十几种以上，其中以拜莱青霉（*Penicillium bilaii*）居多。溶磷真菌的生产与溶磷细菌的生产有较大的差异，溶磷细菌通过工业扩大培养的方式容易获得大量的菌体，但工业扩大培养（液体发酵）对溶磷真菌而言易得到大量的菌丝体，如果要使其完成生长过程还需要进一步的液体—固体的步骤，在此步骤中完成产孢，或者直接用固体发酵技术。目前有一些复合制剂中含有溶磷真菌，除了生产时注意满足真菌的生长条件外，也要注意它的碳源、氮源的种类，最佳作用底物的确定，以及菌剂施入土壤后的生态条件对溶磷的影响。溶磷微生物制剂的研发应用，不仅能活化土壤磷素养分，提高磷肥利用效率，而且能活化钙、镁、铁、硅等难溶性养分元素。

9.2.4 硅酸盐细菌制剂

硅酸盐细菌（silicate bacteria）是指能分解硅酸盐矿物的一类细菌，最早是于 1911 年分离获得的，1939 年苏联学者将其命名为硅酸盐细菌。20 世纪 60 年代我国学者引进该菌，在研究中发现该菌对改善作物的钾元素代谢和营养有作用，有人将其俗称为“钾细菌”。有研究指出，硅酸盐细菌有 150 多个种，但并非都有解钾作用，胶冻样类芽孢杆菌、土壤类芽孢杆菌、环状芽孢杆菌等是生产中最常见的菌种。胶冻样类芽孢杆菌作为菌种在生产硅酸盐细菌制剂时经常遇到的问题是，碳源选择不当导致菌体胞外多糖的产量剧增，显微镜下可见菌体外包裹了一厚层，有时可达菌体的许多倍，以致发酵液的单位体积活菌含量很低。

9.2.5 促生菌制剂

植物根际促生菌是土壤里在植物根际中存活的有促生作用的细菌和真菌类群。早在20世纪30年代就发现了这些微生物，70年代以来的研究逐步增多，对资源的鉴定研究把具有促生作用的微生物由细菌扩展到真菌。其促生机制可分为直接作用、间接作用两类，直接作用包括提高植物营养元素的生物可得性，合成激素促进植物生长等；间接作用包括抑制病原微生物生长，诱导植物产生系统抗性等。

9.2.6 光合细菌制剂

光合细菌是一类能将光能转化成生物代谢活动能量的原核微生物，是地球上出现得最早的光合生物，广泛分布于海洋、江河、湖泊、沼泽、池塘、活性污泥以及水稻、小麦、水生植物根系和根际土壤中。人类对光合细菌的研究迄今已有180年的历史。光合细菌至少分为2个大类群4个科19个属，农业上应用的多为红螺科中的一些属、种。光合细菌的作用是多方面的，如光合细菌中的蓝细菌是重要的固氮微生物之一，后来发现其他的光合细菌（如球形红假单胞菌、沼泽红假单胞菌、荚膜红假单胞菌等）均可固氮，它们所固定的氮素可以通过特定反应合成氨基酸，并由此转变为菌体蛋白。光合细菌制剂应用于农作物不仅可以改善植物营养，而且能明显刺激土壤微生物的增殖，从而进一步改善土壤的生物肥力。

9.2.7 有机物料腐熟剂

有机物料是泛指农业生产过程和生活过程中的副产物或废弃物，例如农作物秸秆、畜禽粪便、生活污泥等。这些物料一方面是含有许多有用物质的资源，另一方面又是废弃物，其中含有有害物质，如不加以无害化处理就会变成污染物，对环境等造成很大的危害。从循环经济的角度，从可持续发展的战略出发，通过生物转化技术将其减量化、无害化，进行资源化利用，是最重要的一个方面，而有机物料腐熟剂就是一个很好的技术和手段。

有机物料腐熟剂是根据不同的物料选择和组配具有分解、腐熟、转化功能的微生物加工而成的。其作用机理是在适宜的营养（尤其是适宜的C/N）、温度、湿度、通气量和pH等条件下，通过微生物的生长、繁殖产生温度并使有机物料分解，将碳、氮、磷、钾、硫等分解矿化或将有机物料由大分子变为小分子，或变成腐殖质。在腐熟过程中既是物质的转化，又是物料的升温和保湿，将物料中的有害生物（病原微生物、寄生虫卵等）杀死，由此实现了资源利用和无害化。有机物料腐熟是多种微生物共同参与的过程，虽然有许多研究对参与物料腐熟的微生物进行分离、鉴定，但是限于技术手段，还有许多我们现在还难以分离、培养、鉴定的微生物种群。下一步的研发方向是，适用于不同作物秸秆、不同气候条件、不同栽培耕作模式的专用型快速腐熟菌剂，以及低温、中温、高温过程的专用腐熟菌剂和除臭除异味的特色腐熟菌剂。

9.2.8 土壤修复菌剂

土壤修复菌剂是面对不断增加的土壤污染问题而研制的产品。这类产品在修复土壤，维护土壤健康，以及在保证农产品安全中不可缺少。土壤的主要污染物是化学肥料和化学农药（包括除草剂、杀菌剂）、工业化学品污染、石油化工污染、生活污水等。一些污染已由点源污染发展到面源污染，水体污染不仅仅是地面水，而且扩展到地下水。环境治理是一项艰巨的综合工程，生物修复是治理的重要组成部分。我国的土壤修复菌剂生产和应用处于起步阶段。目前的关注热点是对酸性土壤、盐碱土壤和次生盐渍化土壤的修复，以及对土壤中农药残留、土壤中除草剂残留等的高效降解。

可以进行生物修复的微生物主要是细菌和真菌，还有一些放线菌。生物修复的主要机理是矿化作用，即进入土壤的污染物是一些可降解的，被微生物生长、繁殖所需要的碳源、氮源，微生物分泌的许多酶可将其由大分子分解为小分子从而加以利用，这就是常说的共代谢作用。另外则是氧化偶合反应，是指芳香族化合物通过酶类使其发生氧化反应，然后偶联在一起，这些酶包括氧化物酶、漆酶、络氨酸酶等。

9.2.9 微生物种子包衣剂

微生物种子包衣剂是将功能微生物包裹在作物种子表面，发挥促生作用，构建优良根系微生物的独特功效。种子包衣后不仅促进作物种子的萌发，获得全苗、壮苗，还能有效减轻一些植物病害，得到了农民的认可。有的还选用对重茬作物病害有明显抑制作用的微生物种群，达到减轻重茬病害的作用。该技术将扩大微生物肥料产品的使用范围，并实现微生物肥料与种业的联合。当前研发应用较多的是根瘤菌大豆种衣制剂。微生物种子包衣剂潜在市场大，是实现减肥减药效果的重要途径。

9.2.10 复合菌剂

复合菌剂是指有效微生物有 2 种（甚至包括 1 个种的 2 个以上菌株）或 2 种以上的菌剂，通常认为群体微生物的作用要比单一微生物的作用大，就豆科植物的根瘤菌制剂而言，许多产品常由 2 个以上的菌株制成，这样可以适应豆科植物的不同基因型品种。一些企业推出的“第二代”根瘤菌接种剂则是根瘤菌菌株与促生菌株的复合，以达到促进结瘤和促进宿主植物生长的作用，这些促生菌株被称为“促结瘤菌株”，是通过大量研究筛选出来的，并非随意组合。

复合菌剂产品中可组合的微生物种类很多。一些组合是合理的、可行的，例如组合中的微生物至少是互不抑制的，有的还有协同作用，使用后则有增效作用；而有的组合则是不合理的，微生物之间相互拮抗，甚至相互抑制，这种组合是不可取的。复合微生物制剂的生产要选好的生产菌种，确定恰当的生产工艺。多菌株的产品主要是分菌株生产，然后混合，也有企业采用混合接种、混合发酵的方式。需要注意的是这些混合菌种的微生物对碳源、氮源、通气、pH 等发酵条件的要求是否一致或互补，要进行认真的研究。

9.2.11 复合微生物肥料

复合微生物肥料是指一种或一种以上微生物与营养物质复合，提供、保持或改善植物营养，能提高农产品产量或改善农产品品质的活体微生物制品。其特点是将无机营养元素、有机质、微生物通过工艺技术有机结合于一体，已在农业生产中表现出节本增效等多重功效。具体体现在提高化肥利用率、降低化肥使用量和减少化肥过量使用导致环境污染，并能提高农作物品质和产量。主要产品在生产应用中取得了较好的效果，受到了用户的欢迎，显示了良好的应用前景。优先研发微生物与氨基酸等复合微生物肥料，拓展其在减肥增效提质、水肥一体化及设施农业中的应用。可见，此类产品在化肥减量施用和国家“化肥零增长行动”或“化肥负增长行动”中具有重要地位，应用前景广阔。

9.2.12 生物有机肥

生物有机肥是由特定功能微生物与主要以动植物残体（如畜禽粪便、农作物秸秆等）为来源并经无害化处理、腐熟的有机物料复合而成的一类兼具微生物肥料和有机肥料效应的肥料。其目的是将生物肥和有机肥的优点集于一身，区别于仅利用自然发酵（腐熟）所制成的有机肥。生物有机肥在增产、提高产品品质、减少化肥使用量和降低生产成本等方面发挥了重要作用，符合我国农业可持续发展和绿色食品、有机食品生产的方向，表现出广阔的应用前景。

9.3 微生物肥料产业

9.3.1 微生物肥料发展历程

我国微生物肥料的研究、生产和应用已有近 80 年的历史，最早可追溯到 20 世纪 40 年代。其发展经历了初期阶段、推广应用阶段和产业规模化发展阶段三个阶段。

初期阶段主要是以根瘤菌的发现和小规模应用为主要特征。这一时期主要产品是大豆根瘤菌剂和苜蓿根瘤菌剂，剂型为试管或玻璃瓶装的琼脂剂型，也有少量以草炭、蛭石为吸附载体的粉状和颗粒状剂型。产品主要在小型试验车间、实验室中生产，应用面积不大，而且持续的时间短。在这期间研发出适用于农村基层的菌种选育方法和菌剂生产工艺，如大堆固氮菌培养和质量检查法、酒瓶法培养并测定豆科共生固氮效率等实用技术。

20 世纪 50 年代到 90 年代为微生物肥料的推广应用阶段，以根瘤菌产品剂型不断丰富和促生制剂研发应用为其特征。20 世纪 50 年代末期～ 70 年代，在制定 1956 ～ 1967 年 12 年农业发展纲要中，就将“发展细菌肥料”一节列入农业发展纲要。此阶段除根瘤菌菌剂产品外，还有自生固氮菌剂、解磷细菌制剂、5406 放线菌制剂，以及固氮蓝藻、VA 菌根等，以土法生产为主，少有设正规发酵设备的企业，产品质量难以控制；县、公社（乡）、大队（村）均有生产厂，全国约有数千家生产厂，少有设正规发酵设备的厂家。虽然产品种类不少，但质量普遍不高，甚至因为使用的菌种是病原菌而导致安全问题[2]。

20 世纪 90 年代至今，微生物肥料进入产业规模全面发展的新阶段，微生物与农业可持续发展、微生物对农业生产和食品安全的不可替代作用被重新认识。以我国第一个微生物肥料行业标准 NY/T 227—1994 和 1996 年微生物肥料产品正式纳入肥料登记管理为起点，我国微生物肥料跨进产业规模化发展阶段。1999 年 4 月 21 日，国家计划发展委员会在计司高技函〔1999〕025 号文件中专门将微生物肥料列入农业高技术产业化重大专项，在国家各项政策的支持下，行业进入创新发展阶段。在 2010 年 11 月召开的国务院常务委员会上，生物产业被列为中国七大产业支柱之一，并被排在第三位的重要位置。2015 年的中央一号文件首次将“生物肥料”作为主要发展项目列入文件中。2015 年农业部推出农业减“肥”计划，2020 年要实现化肥、农药的零增长。2018 年 5 月 21 日全国环境保护会议指出“要调整农业投入结构，减少化肥农药使用量，增加生物有机肥使用量”，微生物肥料行业实实在在迎来新的发展机遇。

9.3.2　微生物肥料产业现状

微生物肥料具有多方面的功效，我国的微生物肥料行业经过近 80 年的发展，尤其是近 20 年的快速发展，已成为肥料行业不可或缺的一员，在农业可持续发展中发挥着重要的作用。我国微生物肥料产业经过 20 多年的持续、健康、稳定发展，已跨入创新高速发展的黄金时期。尤其是 2015 ～ 2021 年期间，更是企业影响力和市场占有率形成的关键时期，这也得益于国务院“放管服”政策的实施，为企业创造了更好的发展空间。截止到 2022 年 3 月，我国已有微生物肥料生产企业近 3500 家（含境外 21 家），登记产品共计 9845 个，菌种资源的应用近 159 种，产能达 3000 余万吨，产值逾 400 亿元。

9.3.2.1　产品结构

截止到 2022 年 3 月，共计有 11082 个微生物肥料产品获得农业农村部颁发的肥料登记证，还在有效期内的产品数量为 9845 个。其中农用微生物菌剂产品数量达到 5221 个，占总数的 53.03%，包括一般微生物菌剂（未明确其功能与应用的菌剂，占总数的 47.91%）、有机物料腐熟剂（3.30%）、根瘤菌制剂（0.38%）、光合细菌制剂（0.36%）、土壤修复菌剂（0.69%）、内生菌根菌剂（0.06%）和微生物浓缩制剂（0.31%）等。复合微生物肥料产品 1731 个（17.58%），生物有机肥产品 2893 个（29.39%），详情见表 9-1。

表9-1　我国微生物肥料产品的种类和数量现状

产品大类	产品通用名	登记产品数 / 个	占比 /%
农用微生物菌剂	微生物菌剂	4717	47.91
	有机物料腐熟剂	325	3.30
	根瘤菌制剂	38	0.39
	光合细菌制剂	36	0.37
	土壤修复菌剂	68	0.69
	内生菌根菌剂	6	0.06
	微生物浓缩制剂	31	0.31
复合微生物肥料	复合微生物肥料	1731	17.58
生物有机肥	生物有机肥	2893	29.39

9.3.2.2 菌种构成

目前在已登记的微生物肥料产品中，共使用了 60 个属 159 个有效菌种。其中，链霉菌属（*Streptomyces*）、芽孢杆菌属（*Bacillus*）和乳酸杆菌属（*Lactobacillus*）的菌种应用最广泛，分别占全部 159 个菌种的 17.5%（28 个）、13.7%（22 个）和 8.1%（13 个）。虽然链霉菌属中获得应用的菌种种类最多，但仅在 166 种登记产品中得到生产应用，应用率不到 2.2%。而芽孢杆菌属中的 22 个芽孢杆菌菌株在 7051 个登记产品中得到应用，应用率高达 92.7%，其中又以枯草芽孢杆菌的应用最广泛，占全部登记产品的 65.05% 以上，其次是地衣芽孢杆菌（19.94%）和胶冻样类芽孢杆菌（18.06%）。

9.3.2.3 产能与产量

微生物肥料生产企业多数是中小企业，一般所设计的微生物菌剂产能多在 1000t 左右，复合微生物肥料的产能在 5000t 左右，生物有机肥的产能多在 1 万吨左右。也有个别生产企业的设计产能较高，一般微生物菌剂在 5000t 左右，复合微生物肥料的产能在 1 万吨左右，生物有机肥的产能在 2 万吨以上。经调研及部分企业实地考察，预估微生物肥料行业总的产能每年在 3000 万吨以上，实际年产量在 2000 万吨以上，年产值在 400 亿元以上。

9.3.2.4 企业数与从业人员

微生物肥料企业已遍布我国的 31 个省、自治区、直辖市。从企业数量上看，2008 年以前以山东、河北、北京的企业最多，但此后，微生物肥料企业逐步向南方（江苏、福建、广东、广西）和中部（河南、湖南、湖北）等地域发展。按照每家企业的从业人员平均 60 人左右计算，全国从事微生物肥料行业的人员在 20 万人左右。各省（自治区、直辖市）生产企业数及登记产品详见表 9-2，我国部分微生物菌种生产企业及产能详见表 9-3。

表9-2 各省（自治区、直辖市）生产企业数及登记产品一览表（2021年12月） 单位：个

省（自治区、直辖市）	企业数量	农用微生物菌剂	复合微生物肥料	生物有机肥	产品总数
北京	68	115	56	178	349
天津	15	40	7	9	56
上海	26	65	26	37	128
重庆	13	16	9	9	34
辽宁	175	183	38	130	351
吉林	33	32	15	30	77
黑龙江	376	611	172	130	913
内蒙古	110	103	56	139	298
山西	104	78	51	115	244
陕西	227	261	103	233	597

续表

省（自治区、直辖市）	企业数量	农用微生物菌剂	复合微生物肥料	生物有机肥	产品总数
甘肃	54	12	31	62	105
青海	12	8	3	14	25
宁夏	29	18	17	36	71
新疆	102	73	63	75	211
云南	72	37	19	57	113
贵州	9	5	3	6	14
四川	66	36	43	76	155
西藏	2	0	0	3	3
河北	319	382	198	395	975
山东	387	1238	273	418	1929
江苏	89	170	54	90	314
浙江	32	28	10	17	55
福建	42	48	19	31	98
安徽	22	26	7	18	51
河南	622	1056	159	217	1432
湖北	145	200	78	181	459
湖南	30	56	20	1	77
江西	35	54	15	38	107
广东	124	120	81	99	300
广西	107	42	89	107	238
海南	20	18	10	14	42

表9-3　2017年我国部分微生物菌种生产企业及产能　　单位：万吨

序号	企业名称	省（自治区、直辖市）	区域	年产能
1	北京航天恒丰科技股份有限公司	北京	华北	2
2	北京裕丰力多金肥业有限公司	北京	华东	2
3	武汉合缘绿色生物股份有限公司	湖北	华中	2
4	山东蔚蓝生物科技有限公司	山东	华东	2
5	福建好与佳生物科技股份有限公司	福建	华东	2
6	江苏科邦生态肥有限公司	江苏	华东	1.8

续表

序号	企业名称	省（自治区、直辖市）	区域	年产能
7	湖北吾尔利生物工程股份有限公司	湖北	华中	1
8	重庆万植巨丰生态肥业有限公司	重庆	西南	1
9	河南宏翔生物科技（集团）有限公司	河南	华中	0.6
10	山东奥丰生物科技有限责任公司	山东	华东	0.5
11	山东爱福地生物科技有限公司	山东	华东	0.5
12	山东中创亿丰肥业集团有限公司	山东	华东	0.5
13	河北根力多生物科技有限公司	河北	华北	0.3
14	福建绿洲生化有限公司	福建	华东	0.3
15	安徽莱姆佳生物科技股份有限公司	安徽	华东	0.2
16	河南鹤壁市人元生物技术发展有限公司	河南	华中	0.2
17	湖北中向生物工程有限公司	湖北	华中	0.2
18	北京启高生物科技有限公司	北京	华北	0.1
19	三门峡龙飞生物科技有限公司	河南	华中	0.07
20	北京沃土生物科技有限公司	北京	华北	0.05
21	山东农大肥业科技有限公司	山东	华东	0.04
22	泰瑞生态科学（济宁）有限公司	山东	华东	0.04
其他				3.0
合计				20.4

9.3.3 微生物肥料产业问题

我国的生物肥料产业中存在的问题，来自产业层面、政府层面、市场层面、企业层面和用户（使用者）层面，也可归结为管理、技术、市场与品牌、应用等方面。

① 产业层面　产品同质化严重（普遍），缺少旗舰企业和功能特色的知名品牌；技术工艺配套性能差，部分企业（占近 40%）无生产菌剂的条件与能力，产率与效能较低，生产成本较高；研发能力与创新能力普遍欠缺，而且缺少产权保护，严重影响新技术产品的研发。

② 政府层面　对微生物肥料行业质量安全风险管控和市场监管力度不足；产品的功能评价体系仅处于初级阶段，评价主要依据田间试验，而田间试验结果又受各种综合因素影响，导致功能评价直接证据不足。

③ 市场层面　社会诚信体系和规范的市场竞争机制尚不完善；企业间缺少合作，各自为政，不良竞争甚至恶性竞争时有发生；存在市场宣传误导现象。

④ 企业层面　不少企业生产的产品有效菌含量达不到标准要求；缺乏有效的杂菌控制

技术、设备及工艺，导致杂菌率超标和保质期短等产品质量问题；产品登记菌种与产品实际使用的菌种不一致问题较为突出；企业对产业的高质量转型发展和新业态要求缺乏认识，更缺少对策方案。

⑤ 用户（使用者）层面　面对繁杂的市场，难以选用适宜对路的产品，被产品的菌数（菌含量）和价格所左右，甚至是产品选择的主要依据；产品应用不合理，导致使用效果不稳定，影响用户的后续选用。

微生物肥料产业所存在的以上痛点和难点问题，其根本出路在于创新技术产品、塑造知名品牌、保护知识产权和规范市场。未来国家和产业界共同推进这些方面的工作，克服解决阻碍行业发展中的各层面问题。

9.3.4　微生物肥料发展前景

目前我国微生物肥料累计每年的应用面积在 4 亿亩左右。应用区域较为集中地分布在：一是大中城市周边区域，该区域多为蔬菜、水果等经济价值较高的种植区域，应用微生物肥料可提高农产品品质，减少土传病害的发生，增加农产品的经济价值。二是南方水稻等规模种植区域，应用面积达到 4700 万亩以上。三是茶叶、草药等种植区域，以及珠三角、长三角等污染耕地区域，探索应用微生物肥料抑制重金属、降低农药用量、保护生态环境的技术方法和措施。

2015 年，农业部制定《到 2020 年化肥使用量零增长行动方案》，明确要求实行肥料零增长限制政策，提倡大力发展生物肥料。2017 年，农业部印发了《开展果菜茶有机肥替代化肥行动方案》，这就为化肥零增长行动提出了具体的实践做法。除了有机肥之外，微生物肥料在这两年也越来越受到农民的欢迎，对于农资企业而言也意味着巨大商机。由于国家对生物肥料的大力支持，大量企业进入微生物肥料行业，微生物肥料行业总资产迅速扩大。

近十年，由于国家对微生物肥料产业发展的政策和资金支持，微生物肥料在农业中显现出独特功效，加上微生物肥料登记管理的规范与引导作用，我国微生物肥料产业得到了持续快速稳定的发展，近几年以每年 10% 以上的速度发展，原因如下：从宏观层面讲，“减肥减药”“化肥零增长”“绿色农业（农业可持续）”和“生态农业”等国家需求，离不开微生物肥料产业发展；从中观层面讲，是国家肥料产业结构调整、国家发展包括微生物肥料在内的生物产业的支持，需要研发应用生物肥料产品；从微观层面讲，微生物肥料所体现的不可替代的功能特性决定需要推广微生物肥料的应用。

国家微生物肥料的发展规划还指明了微生物肥料下一步的研发方向，即突破微生物和生物功能物质筛选与评价、高密度高含量发酵与智能控制、新材料配套增效等关键技术，创制和推广一批高效固氮解磷、促生增效、新型复合和专用的绿色生物肥料新产品；加快研发污染土壤的植物-微生物联合修复技术、重金属污染土地的生物固化与生物修复技术以及土壤农用化学品残留组分的生物消减（消除）技术，创制土壤生物修复新产品，集成配套技术体系，建立土壤联合修复的技术模式，逐步消除土壤污染物，改良和修复土壤。

对于微生物肥料产业发展目标：一是研发、应用和产业化要进入国际前沿水平；二是在规模、效果方面，继续扩大规模，提升耕地质量及农产品品质，争取占肥料总量的 20% 左右，应用面积在5亿亩以上，化肥利用率提高5个百分点以上；三是在新型产品研发方面，提高效果及质量，优化产品结构，发展具有新型功能的生物肥料产品，年总产量达4000万吨；四是建立技术创新体系方面，要形成以行业龙头企业为主体、产学研结合、有持续创新能力的平台。

总之，微生物肥料在农业领域取得了重大突破和进展，得到了广泛应用，前景广阔，将给肥料行业带来新的机遇和挑战。为此，肥料企业要顺应农业需求，准确把握时机，开发具有提升耕地质量的多功能性微生物肥料，助力我国现代农业持续、健康发展。

9.4 微生物肥料标准建设与组成

在农业农村部、科技部、国家标准化管理委员会等部门的支持下，农业农村部微生物肥料和食用菌菌种质量监督检验测试中心牵头组织各方力量，历经二十余年的微生物肥料标准研究与制定，建成了由基础标准、产品标准、安全/菌种标准、方法标准和技术规程5个层面组成的微生物肥料标准体系。这也是国际上首次建立的微生物肥料标准体系。标准体系的建立为我国开展微生物肥料登记管理提供了坚实的技术保障，是微生物肥料产业持续稳定发展的技术支撑。

9.4.1 微生物肥料标准体系建设

现代农业技术的发展与应用给我国农田土壤带来了明显的影响。一是化肥用量逐年增加造成了化肥利用率和化肥增产效益下降；二是农药使用量呈现逐年上升趋势，导致环境污染并对农产品安全构成威胁；三是我国磷肥、钾肥资源严重不足，这给农业的可持续发展带来了严重的挑战。从我国农业发展的战略高度来说，发展微生物肥料产业是可持续农业、生态农业的要求，也是我国目前无公害食品和绿色食品生产的现实需要，更是减少化肥和农药用量、降低环境污染的必然选择。绿色食品生产要求产地生态环境符合规定标准，农作物的栽培管理必须遵循一定的技术操作规程，化肥、农药、植物生长调节剂等的使用必须严格遵循国家安全使用标准。绿色食品的特点是安全和营养，其生产过程要求环境与效益兼顾，这是人类未来发展必须遵循的基本准则，是生态与经济发展良性循环的有力保证。这些都为微生物肥料的发展提供了广阔空间，也促进了微生物肥料标准体系的建设。

纵观我国微生物肥料的发展历程，其间历经几次波折，而每次持续的时间都不长，其原因无外乎是基础和应用基础研究滞后，产品质量不稳定，产品效果无保证，企业的生产设备、工艺不符合要求，科普宣传不力等。其中最主要的还是产品本身的质量问题，产品质量无标准可依，因为产品标准在一个行业发展中起着至关重要的作用。鉴于此，1992年农业部将微生物肥料标准建设纳入重要议程，并于1994年颁布、实施了我国第一部微生物肥料产品标准《微生物肥料》（NY/T 227—1994），这对促进我国微生物肥料健康发展起到了重要作用。

没有农业标准化，就没有农业现代化，就没有食品安全保障。实施农业标准化是建设现代农业的重要抓手，是增强中国农业市场竞争力的重要举措。国家从“十五”以来狠抓标准体系的建设，特别是重视农业标准体系的建设，农业部提出了农业标准体系建设规划，科技部等部门在标准研制方面也给予了大力支持。“十五”以来，农业部在每批农业行业标准制定和修订项目计划中，都将微生物肥料标准制定纳入其中，累计下达微生物肥料标准制定任务近 30 项。此外，科技部在标准研制方面也予以立项支持，为有关标准的制定提供了技术 / 理论依据。

9.4.2　微生物肥料标准体系建设过程

（1）1959 年首次提出微生物肥料标准研究与制定

中国农业科学院土壤肥料研究所根据 1959 年全国农业微生物科学技术座谈会的意见，提出了商品菌肥质量标准要求，但限于当时条件，这个质量标准要求不高也不够全面，而且三十多年来又未做任何修改和补充，已不能适应目前我国菌肥生产和应用的需要，再者是学术单位提出的规定，缺乏法律性，对微生物肥料生产很难起到监督和制约作用。

（2）20 世纪 80 年代曾提出制定豆科牧草根瘤菌标准

20 世纪 80 年代初为了推动畜牧业的发展，开始推广豆科牧草种植，并采用机播的方式大面积接种牧草根瘤菌，促进了牧草根瘤菌制剂的发展，不仅筛选出了许多优良牧草根瘤菌种，建立了相应的根瘤菌剂生产基地，初步形成了菌种筛选—菌剂生产—技术推广体系。为了保证所接种豆科牧草根瘤菌剂产品的质量，曾组织有关企业技术人员讨论、酝酿制定豆科牧草根瘤菌剂产品标准[3]，但受限于当时社会各方面条件，未能推动根瘤菌剂标准的制定。

（3）1994 年颁布我国第一个微生物肥料标准

为了使我国微生物肥料生产走上健康发展的道路，加强对微生物肥料产品的监管，迫切需要制定微生物肥料产品标准和检验规程，这也是保护农民利益、提高产品质量和应用效果的迫切需要。农业部于 1992 年将微生物肥料标准建设提上日程，并于 1994 年颁布了我国第一个微生物肥料标准《微生物肥料》（NY/T 227—1994），本标准是我国微生物肥料领域的第一个标准，填补了国内空白，我国成为世界上少数几个有微生物肥料标准的国家之一，其颁布实施将对整顿我国微生物肥料市场、打击假劣产品、保障微生物肥料健康发展起重要作用。

（4）2000 年首次提出我国微生物肥料标准体系框架

从 20 世纪 90 年代起，我国微生物肥料行业得到了健康、快速的发展，至 2000 年左右已形成了产品品种较多、符合国情发展的新兴产业，在农业可持续发展、食品安全生产和环境保护等方面发挥了越来越重要的作用。与行业的快速发展相比，微生物肥料标准建设方面总体处于滞后的局面。因此，加强微生物肥料标准体系建设显得十分必要和迫切。在 2000 年提出了微生物肥料标准体系建设的初步构想和框架。

农业部微生物肥料质检中心于 2002 年在北京召开“微生物肥料标准体系建设研讨会”，就新形势下我国微生物肥料标准体系建设的现状、问题及今后需要加强的地方做了充分的讨论，一致认为构建由通用标准、菌种安全标准、产品标准、方法标准和技术规程组成的微生物肥料标准体系是科学合理的，符合行业发展要求。该体系的建设和实施必将进一步促进微生物肥料产品质量的提高，规范微生物肥料市场和贸易，引导微生物肥料行业的整体健康发展，充分发挥微生物肥料在农业可持续发展中的重要地位。

9.4.3 微生物肥料标准的组成

在微生物肥料标准体系建设规划指导下，标准制定也得到了农业部的大力支持，并在有关各方的协作、配合下，经过 10 余年的共同努力，2000 年以来陆续颁布了 30 余个微生物肥料标准，其中包括基础标准 3 个、产品标准 9 个、菌种 / 安全标准 4 个、方法标准 5 个和技术规程 8 个，构建起了具有我国特色的微生物肥料标准体系。该标准体系的建立，使得微生物肥料行业在菌种、生产、检验、使用、包装、储存等全过程均有标准可依，为确保我国微生物肥料质量安全、规范微生物肥料生产和质量监督提供了重要的科学依据。根据这些标准的内容等，可划分为基础标准、产品标准、菌种 / 安全标准、方法标准和技术规程 5 个方面，其主要微生物肥料标准汇总于表 9-4。

表9-4 主要微生物肥料标准体系一览表

类别	标准名称	标准号
基础标准	微生物肥料术语	NY/T 1113—2006
	农用微生物产品标识要求	NY 885—2004
产品标准	农用微生物菌剂	GB 20287—2006
	生物有机肥	NY 884—2012
	复合微生物肥料	NY/T 798—2015
	农用微生物浓缩制剂	NY/T 3083—2017
菌种 / 安全标准	硅酸盐细菌菌种	NY 882—2004
	微生物肥料生物安全通用技术准则	NY/T 1109—2017
	根瘤菌生产菌株质量评价技术规范	NY/T 1735—2009
	微生物肥料生产菌株质量评价通用技术要求	NY/T 1847—2010
方法标准	肥料中粪大肠菌群的测定	GB/T 19524.1—2004
	肥料中蛔虫卵死亡率的测定	GB/T 19524.2—2004
	微生物肥料生产菌株的鉴别 聚合酶链反应（PCR）法	NY/T 2066—2011
技术规程	农用微生物菌剂生产技术规程	NY/T 883—2004
	微生物肥料实验用培养基技术条件	NY/T 1114—2006
	肥料合理使用准则 微生物肥料	NY/T 1535—2007
	微生物肥料田间试验技术规程及肥效评价指南	NY/T 1536—2007
	微生物肥料菌种鉴定技术规范	NY/T 1736—2009
	微生物肥料产品检验规程	NY/T 2321—2013
	秸秆腐熟菌剂腐解效果评价技术规程	NY/T 2722—2015

注：GB 为国家标准代号；NY 为农业行业标准代号；带“/T”为推荐性标准，反之为强制性标准。

标准体系是指一定范围内标准按其内在联系形成科学的有机整体，标准体系内的每一个标准都是一个具有特定内容的、可独立存在的、在一定范围内可通用的基本单元。标准体系内各标准是一个有机的整体，标准之间具有纵向和横向的联系，其中纵向联系是不同层次之间的联系，为共性和个性的联系，横向联系是协调和配套的联系，各标准之间相互联系、相互制约、相互作用。标准体系表是指在一定范围内的标准，按其内在的相互关系绘制成的能够反映标准体系特性的图表。其中产品标准是构成微生物肥料标准体系的核心，对菌剂和菌肥两大类产品的技术指标提出了要求，其他标准的制定是建立在产品标准基础上的，是对产品标准的有机延伸和补充。基础标准在标准体系中处于统领地位，在微生物肥料领域有关的定义及其标识、宣传等方面予以了规范。菌种 / 安全标准又是产品的核心技术要求，将微生物肥料使用的菌种分为 4 级管理，确保产品的安全、有效。方法标准是产品标准的技术延伸，规范了有关产品技术指标的检验要求。技术规程是从应用角度对产品的生产、使用、效果评价等方面予以规定[4]。

颁布实施的微生物肥料标准，在规范我国的微生物肥料市场、实施有效的监管、指导企业生产与农民使用、促进微生物肥料行业健康快速发展等方面起到了不可替代的作用，使我国的微生物肥料从菌种、生产、使用、质检、包装、储存等全过程均有标准可依，为确保我国微生物肥料质量安全、规范微生物肥料生产和质量监督提供了重要的科学依据，对推动我国微生物肥料行业的健康快速发展起到了积极促进作用。相信微生物肥料标准体系建设的进一步完善，将为微生物肥料行业的发展提供更为坚实的物质基础。

参考文献

[1] 葛诚．微生物肥料生产应用基础 [M]．北京：中国农业科技出版社，2000.
[2] 葛诚．微生物肥料生产及其产业化 [M]．北京：化学工业出版社，2007.
[3] 宁国赞，刘惠琴，马晓彤．中国豆科牧草根瘤菌大面积应用 13 年回顾 [J]．中国草地，1995,4：56-59.
[4] 李俊，沈德龙，林先贵．农业微生物研究与产业化进展 [M]．北京：科学出版社，2011.

中国肥料研究与应用全书

Books of Fertilizer Research and Application in China

FERTILIZER

第 10 章

中国土壤调理剂产业发展

土壤调理剂又称土壤改良剂、土壤修复剂等。2010 年以来，土壤调理剂产业发展进入高峰阶段，2021 年土壤调理剂产能 550 万吨，比 2010 年的 223 万吨增加了 1.5 倍，年均增长率为 8.5%。“十四五”期间国家高度重视中低产田改良和耕地质量提升，预计中国土壤调理剂产量将以 9% 的复合增长率增长。科学安全地应用农业废弃物等多种资源发展土壤调理剂仍需技术和政策方面的持续创新。

10.1 概述

10.1.1 土壤调理剂概念、种类及功能作用

10.1.1.1 概念

土壤调理剂又称土壤改良剂、土壤修复剂等。英文名称有 soil amendment、soil conditioner、soil improver、soil enhancer 等。日本《地力增进法》规定肥料只限于给植物供应营养或者为了有助于植物的栽培而给土壤带来化学变化的物料，而以给土壤带来化学变化以外的变化为目的施入土壤的物料称为土壤改良材料。欧盟 Regulation (EU) 2019/1009 法案肥料类产品目录清单采用“soil improver”，定义为：土壤调理剂为欧盟肥料类产品，当施入土壤中时，其功能是维持、改善或保护土壤的物理或化学性质、结构或生物活性。分为有机土壤调理剂和无机土壤调理剂两大类，规定了技术指标、重金属限量等要求。从这个意义上来说，国外有机肥料、生物肥料因为施用后增加了土壤有机质，改善了土壤理化性质和生物多样性，提高了土壤肥力，也被广泛称为土壤调理剂。美国土壤学会（Soil Science Society of America）在其出版物《土壤学名词术语汇编》（*Glossary of Soil Science Terms*）中定义“soil amendment”是任何材料，如石灰、石膏、锯末、堆肥、动物粪便、作物残渣或合成土壤调理剂，施于土壤中或土表以促进植物生长。可能包含重要的肥料元素，但该术语通常指添加的材料，而不是主要用作肥料的材料。“soil conditioner”定义为一种可明显地改善特定土壤的物理特性或物理过程的材料，用于特定用途或作为植物生长基质，如锯末、泥炭、堆肥、合成聚合物和各种惰性材料。可见“soil conditioner”只是改善特定的土壤物理特性或物理过程的材料，而“soil amendment”更突出促进植物生长，范围比“soil conditioner”更宽泛。

我国国家推荐性标准 GB/T 6274—2016《肥料和土壤调理剂 术语》把“土壤调理剂”定义为用于改善土壤的物理和（或）化学性质，以及（或）其生物活性的物料。农业农村部《肥料登记管理办法》定义“肥料”是指用于提供、保持或改善植物营养和土壤物理、化学性能以及生物活性，能提高农产品产量，或改善农产品品质，或增强植物抗逆性的有机肥料、无机肥料、微生物肥料及其混合物料。该肥料定义中包括了土壤调理剂的范畴，因此土壤调理剂必须获得农业农村部肥料登记证才可以生产、销售和使用。土壤调理剂是目前农业农村部

用于登记时的通用名称。农业行业标准 NY/T 3034—2016《土壤调理剂 通用要求》将“土壤调理剂”定义为加入障碍土壤中用于改善土壤的物理、化学和/或生物性状的物料，适用于改良土壤结构、降低土壤盐碱危害、调节土壤酸碱度、改善土壤水分状况或修复污染土壤等。这一定义突出土壤调理剂功能，较为缜密严谨，被国内学者大量引用。NY/T 3034—2016 标准也明确土壤调理剂是以矿物原料、有机原料、化学原料为组成成分并经标准化加工工艺生产的土壤调理剂；本标准不适用于以未经标准化生产或无害化技术处理的、存在食品安全风险和/或土壤生态环境风险的物料或废料为原料生产的土壤调理剂。

10.1.1.2 种类

欧盟 Regulation (EU) 2019/1009 法案肥料类产品目录清单中土壤调理剂分为有机土壤调理剂和无机土壤调理剂两大类，分别规定了技术指标、重金属限量等要求。有机土壤调理剂应由 95% 纯生物来源的材料组成，可含泥炭、褐煤和风化煤，但不能含有其他石化或嵌入地质构造中的物质。

我国土壤调理剂种类繁多，产品由多种材料制成，成分较为繁杂，因此难以执行严格统一的分类标准。目前存在两种主流的分类依据和方法，主要参照土壤调理剂的功能用途或主要成分进行分类。按照土壤调理剂原料与生产，分为天然土壤调理剂和人工合成土壤调理剂两类。陈廷钦按照主体成分将土壤调理剂分为人工合成土壤调理剂、天然土壤调理剂、在工农业生产过程中产生的副产物或废弃物这三类[1]。按原料来源分为天然调理剂、人工合成调理剂、天然-人工共聚物调理剂和生物调理剂；按功能用途分为免深耕土壤调理剂、土壤结构调理剂、土壤酸碱调节剂、土壤保水剂、用于绿化的土壤调理剂等；按作用对象分为沙田土壤调理剂、冷浸田土壤调理剂、渍涝田土壤调理剂等[2]。

孙蓟锋和王旭总结了我国土壤调理剂可能的一些原料来源（见表 10-1），有天然矿物类、固体废弃物类、人工提取或合成的高分子聚合物类、生物制剂类[3]。固体废弃物类提法不合适。根据《中华人民共和国固体废物污染环境防治法》，综合利用固体废物应当遵守生态环境法律法规，符合固体废物污染环境防治技术标准。使用固体废物综合利用产物应当符合国家规定的用途、标准。以未经标准化生产或无害化技术处理的、存在食品安全风险和/或土壤生态环境风险的物料或废料为原料，存在很大的安全使用风险，不得用于生产农业施用的土壤调理剂。

表10-1 土壤调理剂的分类

分类	土壤调理剂
天然矿物类	泥炭、褐煤、风化煤、石灰石、石膏、硫黄、蛭石、膨润土（蒙脱石）、沸石、磷矿粉、磷石膏、钾长石、白云石、蒙脱石、麦饭石（硅酸盐）、硅酸盐、珍珠岩等
固体废弃物类	粉煤灰、高炉渣、碱渣、乳化沥青、城市污泥、垃圾、作物秸秆、木屑、豆科绿肥、禽畜粪便、酒糟、纸浆废液、脱硫废弃物、味精厂发酵物、鱼产品下脚料等
人工提取或合成的高分子聚合物类	壳聚糖、腐植酸、聚合氨基酸、树脂胶、腐植酸-聚丙烯酸、纤维素-丙烯酰胺、淀粉-丙烯酰胺/丙烯腈、乙酸乙烯酯和顺丁烯二酸共聚物（VAMA）、水解聚丙烯腈（HPAN）、聚丙烯酰胺（PAM）、聚乙烯醇（PVA）、聚乙二醇（PEG）和脲醛树脂（UF）等
生物制剂类	生物控制剂、菌根、微生物接种菌等

国家推荐性标准GB/T 32741—2016《肥料和土壤调理剂 分类》将土壤调理剂分为无机土壤调理剂、有机土壤调理剂和合成有机土壤调理剂等三大类，但该分类方法难以满足和体现目前市场上不同种类土壤调理剂的要求。2016年，我国发布实施的两项农业行业标准NY/T 3034—2016《土壤调理剂 通用要求》和NY/T 886—2022《农林保水剂》提出了土壤调理剂相对规范和全面的分类方法。其中，农业行业标准NY/T 3034—2016《土壤调理剂 通用要求》将土壤调理剂分为矿物源土壤调理剂、有机源土壤调理剂、化学源土壤调理剂和农林保水剂（见表10-2）。

表10-2 《土壤调理剂 通用要求》（NY/T 3034—2016）分类及相关要求

分类	命名要求	指标要求	原料要求及典型原料
矿物源土壤调理剂	依主要原料制成来源不同冠以所属的前缀	应标明所含钙、镁、硅、磷、钾等主要成分及含量，pH值，粒度或细度，有毒有害成分限量等	一般由富含钙、镁、硅、磷、钾等的矿物经标准化工艺或无害化处理加工而成。主要矿物有石灰石、白云石、钾长石、磷矿石、硅矿、麦饭石、沸石、蒙脱石、膨润土、菱镁石、黏土矿石、硅藻土、氢氧化钙、碱渣等，以及牡蛎壳、贝壳等
有机源土壤调理剂	依主要原料制成来源不同冠以所属的前缀	应标明有机质含量、pH值、粒度或细度、有毒有害成分限量等	一般以无害化有机物料为原料经标准化工艺加工而成。主要生产原料有禽类羽毛、浒苔、餐厨废弃物等动植物残体，还有氨基酸发酵尾液、味精发酵尾液等工业下脚料
化学源土壤调理剂	依主要原料制成来源不同冠以所属的前缀	所标明的成分应有明确界定，不能重复叠加	由化学制剂经标准化工艺加工而成。主要生产原料有聚马来酸、聚丙烯酸、柠檬酸、月桂醇乙氧基硫酸铵等
农林保水剂	依据其保水性能而命名	应标明吸水倍数、吸盐水倍数、pH值等	以合成聚合型、淀粉接枝聚合型、纤维素接枝聚合型等吸水性树脂聚合物为主要原料加工而成的土壤调理剂，用于农林业土壤保水、种子包衣、苗木移栽或作肥料添加剂等

10.1.1.3 功能作用

土壤是人类最基本的生产资料，是人类赖以生存的物质基础。在我国，土地资源不但非常有限，而且成土因素或人为因素导致具有障碍因子的土壤还存在相当比例，其中包括侵蚀、质地不良、结构或耕性差、盐碱化、酸化、有毒物质污染、土壤中存在妨碍植物根系生长的不良土层、土壤水分过多或不足、肥力低下或营养元素失衡等。农业行业标准NY/T 2271—2016《土壤调理剂 效果试验和评价要求》定义“障碍土壤（obstacle soils）”是指由于受自然或人为因素的影响，植物生长产生明显障碍或影响农产品质量安全的土壤。障碍因素主要包括土壤质地不良、结构差或存在妨碍植物根系生长的不良土层、肥力低下或营养元素失衡、酸化、盐碱化、土壤水分过多或不足、有毒物质污染等。这些性质或形态特征可能是某类土壤或某个区域土壤所共有的，也可能是由气候条件、成土母质，或人为耕作活动所引起的，如施肥、灌水、连作、设施栽培等。标准列举了不同障碍土壤类型，包括砂性（砂质）土壤、黏性（黏质）土壤、结构障碍土壤、酸性土壤、盐碱 / 盐渍土壤、盐化土壤、碱化土壤、污染土壤、水分障碍土壤等。土壤调理剂定义的内涵就是根据其功能和作用，加入障碍土壤中用于改善土壤的物理、化学和 / 或生物性状的物料，适用于改良土壤结构、降低土壤盐碱危害、调节土壤酸碱度、改善土壤水分状况或修复污染土壤等。

综合研究结果表明，土壤调理剂对障碍土壤的改良作用包括以下几种。

① 改良土壤质地与结构　调节土壤砂黏比例，改善土壤结构，促进团粒结构形成；改变土壤的孔隙率，提高土壤通透性。

② 调节土壤酸碱度　在我国南方，土壤酸化是其主要的障碍因素。近年来蔬菜大棚种植模式发展迅速，保护地土壤障碍问题严重，土壤酸化问题也相当突出。酸性土施用石灰进行调节是过去常见的改良手段。近来以碱渣、粉煤灰和脱硫废弃物等为主要原料的土壤调理剂也取得了较好的应用和推广效果。调节土壤 pH 值，降低或减少铝毒危害。

③ 改良盐碱土　盐碱化土壤具有含盐量高、pH 值高、土壤结构差、渗水率低和排水能力差等特点，影响作物正常生长。通过施用土壤调理剂来缓冲和减轻盐胁迫，调节土壤盐基饱和度和阳离子交换量，降低土壤盐分累积，改善土壤盐碱化状况。

④ 改善土壤养分供应、吸收与保持性能　调理失衡的土壤养分体系，促进有效养分供应。土壤调理剂通常使用多种基础原料制造而成，本身可能就含有一定量的氮、磷、钾养分，但是相对于肥料而言其数量有限。某些土壤调理剂具有调节土壤保水保肥的能力，可改善土壤营养元素的供应状况。土壤调理剂的施用对土壤固定态或缓效养分起到调节或激活作用，也应引起关注，分析其中机制，应包括土壤结构改善、土壤酸碱度调节、土壤生化特性改良等几方面，多种因素促进了养分元素的释放和植物有效性的提高。

⑤ 修复污染土壤，重金属离子钝化作用　随着工农业的发展，重金属污染与农药、石油烃等有机污染土壤事件时有发生。目前修复重金属污染土壤的方法有微生物修复、植物修复、物理化学修复等，而物理化学修复包括化学固化、土壤淋洗和电动修复等。其中的化学固化就包括加入土壤调理剂如石灰、磷灰石、沸石等，通过调节土壤 pH、对重金属离子的吸附或沉淀作用改变重金属在土壤中的存在形态，从而降低其生物有效性和迁移性。通过向石油污染土壤中添加微球菌和麦麸，来降低石油污染土壤的降解率。以核桃壳、玉米芯、大豆秸秆和小麦秸秆为土壤调理剂施用到石油污染土壤中，能不同程度地使石油量降低[4]。土壤中施用菌糠后，加速了土壤石油烃的降解效率。有机磷农药降解菌剂研究结果表明，菌剂有明显降解有机农药的作用。

⑥ 调节土壤微生物区系，保持土壤微生物环境良好　施用有机原料来源的土壤调理剂为土壤微生物提供了良好的栖息环境，保护土壤中有益微生物，促进微生物繁殖，抑制了病原菌和有害生物的数量。通过加入生物制剂、微生物菌剂、菌肥等生物改良剂，改善土壤生物学性状。邢世和等利用石灰、粉煤灰、白云石、废菌棒和化肥制成不同组合的土壤改良剂，研究了其对土壤微生物、酶活性和烤烟产量的影响，结果显示施用不同组合的土壤改良剂明显促进了耕层土壤中 5 种微生物（细菌、放线菌、磷细菌、钾细菌和纤维分解菌）的繁殖，提高了酶（过氧化氢酶、脲酶、磷酸酶、纤维素酶）活性[5]。在烟田中施用腐植酸和硫黄后提高了过氧化氢酶和碱性磷酸酶的活性，增加了土壤微生物总量[6]。

土壤调理剂对土壤改良、耕地保护意义重大。发挥土壤调理剂的功能，需要科学使用土壤调理剂。我国障碍土壤类型多样，针对不同的土壤障碍因子、土壤质地、酸碱度和农作物种类进行研制，提高土壤调理剂的针对性和创新性，既可达到改良土壤的目的，还可节约用量、降低成本。但对不同土壤调理剂改善土壤性状、促进作物生长等作用机制、机理的研究尚不深入，影响了调理剂的针对性施用。土壤调理剂的主要作用是改善土壤环境，解决土壤障碍性问题，但它不是肥料，不能代替肥料，需与有机肥料、化学肥料、微生物菌剂等结合施用，从而提高效果。但与肥料等配合施用不等同于简单混合施用，多数土壤调理剂呈碱性或酸性，与肥料混合可能会导致氨态氮挥发从而造成肥料损失，与微生物菌剂混合会抑制微生物活性甚至杀灭微生物。目前，市场上土壤调理剂的原料组成配比，如各种原料的种类、添加量，相互之间的协调性与拮抗性，都需要更加深入细致的研究，以达到最优效果。

10.1.2 相关标准与技术要求

2010 年以来，由农业部门牵头，在土壤调理剂标准化研究方面开展了大量工作，逐步构建并完善了我国的土壤调理剂技术标准体系，详见表 10-3。目前，已发布实施的土壤调理剂相关标准包括产品通用要求与评价标准、包装标识标准、安全与限量要求标准、常规检测方法标准、术语标准等。标准发布部门包括国家市场监督管理总局和国家标准化管理委员会、农业农村部、工业和信息化部等，标准范围包括国家标准（GB）、农业行业标准（NY）、化工行业标准（HG）等。我国土壤调理剂登记主要采用国家强制性标准和农业行业标准。

表10-3 我国土壤调理剂相关标准

标准类型	标准编号	标准名称	主要内容和范围等
产品通用要求与评价标准	NY/T 3034—2016	土壤调理剂 通用要求	规定了土壤调理剂分类及命名要求、原料要求、指标要求、限量要求、毒性试验和效果试验要求、试验方法、检验规则等
	NY/T 2271—2016	土壤调理剂 效果试验和评价要求	规定了土壤调理剂效果试验相关术语、试验要求和内容、效果评价、报告撰写等要求
	NY/T 886—2022	农林保水剂	规定了农林保水剂产品的技术要求、试验方法、检验规则、标识、包装、运输和储存要求
	NY/T 3935—2021	土壤调理剂及使用规程 餐厨废物原料	规定了以餐厨废物为主要原料生产的土壤调理剂的相关要求及其使用规程
	NY/T 3936—2021	土壤调理剂及使用规程 烟气脱硫石膏原料	规定了以烟气脱硫石膏为主要原料生产的土壤调理剂的相关要求及其使用规程
	NY/T 3937—2021	土壤调理剂及使用规程 牡蛎壳原料	规定了以牡蛎壳为主要原料生产的土壤调理剂的相关要求及其使用规程
	HG/T 4219—2011	磷石膏土壤调理剂	规定了磷石膏土壤调理剂的要求、试验方法、检验规则以及包装、标识、运输和贮存。适用于以湿法磷酸的副产物为原料加工生产的主要用于改良碱性土壤和石灰性土壤的磷石膏，主要成分为二水硫酸钙（$CaSO_4 \cdot 2H_2O$）

续表

标准类型	标准编号	标准名称	主要内容和范围等
产品通用要求与评价标准	HG/T 5782—2020	腐植酸土壤调理剂	规定了腐植酸土壤调理剂的术语和定义、要求、试验方法、检验规则、标识、包装、运输和贮存。适用于以活化腐植酸和含钾硅酸盐矿物为主要原料，经一定加工工艺制得的富含钙、镁、硅等中、微量元素，以改善土壤结构、调理土壤酸碱性和为作物提供营养元素为主要功能的产品，分为酸性腐植酸土壤调理剂和碱性腐植酸土壤调理剂
包装标识标准	GB 18382—2021	肥料标识 内容和要求	国家强制性标准。规定了肥料标识的术语和定义、原理、基本原则、一般要求、标识内容及要求、标签、质量证明书或合格证、标识印刷
	NY/T 1979—2018	肥料和土壤调理剂 标签及标明值判定要求	规定了肥料和土壤调理剂标签规范、标明值判定、试验方法及检验规则的技术要求。适用于中华人民共和国境内生产、销售、使用的肥料和土壤调理剂商品标签、订单合同以及标明值判定
安全与限量要求标准	GB 38400—2019	肥料中有毒有害物质的限量要求	国家强制性标准。规定了肥料中有毒有害物质的限量要求、试验方法和检验规则。适用于各种工艺生产的商品肥料，包括土壤调理剂
	NY 1110—2010	水溶肥料 汞、砷、镉、铅、铬的限量要求	该标准中的汞、砷、镉、铅、铬限量指标要求严于国家标准 GB 38400 的规定，土壤调理剂登记评审目前按此标准规定执行
	NY/T 1980—2018	肥料和土壤调理剂 急性经口毒性试验及评价要求	规定了肥料和土壤调理剂急性经口毒性试验方法、技术要求、结果评价及毒性分级
常规检测方法标准	NY/T 1973—2021	水溶肥料 水不溶物含量和 pH 的测定	根据 NY/T 3034—2016《土壤调理剂 通用要求》，土壤调理剂 pH 测定按照此标准执行
	NY/T1978—2022	肥料汞、砷、镉、铅、铬、镍含量的测定	根据 NY/T 3034—2016《土壤调理剂 通用要求》，土壤调理剂汞、砷、镉、铅、铬含量测定按照此标准执行
	NY/T 887—2010	液体肥料密度的测定	根据 NY/T 3034—2016《土壤调理剂 通用要求》，土壤调理剂液体肥料密度按照此标准执行
	NY/T 2272—2012	土壤调理剂 钙、镁、硅含量的测定	规定了土壤调理剂中钙、镁、硅含量的测定方法
	NY/T 2273—2012	土壤调理剂 磷、钾含量的测定	规定了土壤调理剂中磷、钾含量的测定方法
	NY/T 2876—2015	肥料和土壤调理剂 有机质分级测定	规定了土壤调理剂中有机质、易氧化有机质等的测定方法
	NY/T 3035—2016	土壤调理剂 铝、镍含量的测定	规定了土壤调理剂中铝、镍含量的测定方法

续表

标准类型	标准编号	标准名称	主要内容和范围等
常规检测方法标准	NY/T 3036—2016	肥料和土壤调理剂 水分含量、粒度、细度的测定	规定了土壤调理剂中水分含量、粒度、细度的测定方法
	NY/T 3422—2019	肥料和土壤调理剂 氟含量的测定	规定了土壤调理剂中氟含量的测定方法
	GB/T 20781—2006	固体肥料和土壤调理剂 筛分试验	规定了用筛分试验法测定固体肥料和土壤调理剂颗粒大小分布的方法
	GB/T 39229—2020	肥料和土壤调理剂 砷、镉、铬、铅、汞含量的测定	规定了肥料和土壤调理剂中可溶于硝酸的砷、镉、铬、铅、汞含量测定的试验方法
术语标准	GB/T 6274—2016	肥料和土壤调理剂 术语	规定了肥料和土壤调理剂的术语和定义，分为以下几类：一般术语、产品术语、物理性质术语、物理化学性质术语、安全术语和采样术语。适用于保持和改善植物营养、土壤物理化学性质及其生物活性的各种物料
	GB/T 32741—2016	肥料和土壤调理剂 分类	规定了商品化的肥料和土壤调理剂的分类

10.2 土壤调理剂产业发展

10.2.1 发展历程

古人在生产过程中利用石灰、草木灰等对土壤进行改良，逐步认识到天然矿物质改良土壤的作用。《礼记 · 月令》中记述“烧草取灰，或沤草作肥”，沤草可以增加土壤腐殖质，烧制草木灰既能除草又能通过酸碱反应中和酸性，进而改良土壤的性能。清初屈大均的《广东新语》记载“从化之北九珠山，是多青石，居民燔灰以粪田，名曰石粪”，其中的石粪就是石灰，描绘的是当地居民烧制石灰并施用到田中以肥田的事件，但石灰并不能直接提供养分，而是可以对土壤进行改良，从而达到与施肥相同的效果，所以当地居民认为石灰可以肥田[7]。

土壤调理剂的研究始于 19 世纪末，最开始是针对干旱、半干旱及盐碱地土壤。20 世纪 50 年代以前，学者主要利用天然的有机高分子化合物如纤维素、木质素、多糖类、腐植酸类等物质作为土壤调理剂，但由于天然有机化合物类的土壤调理剂易被土壤微生物分解，而且用量大、成本高，因此难以在生产中广泛应用。

20 世纪 50 年代后，利用人工合成材料生产土壤调理剂。美国研发出一种名为“Kriluim”

的土壤结构改良剂，向土壤施用后能促进土壤团粒结构的形成、提高土壤水稳性能，而且还具有耐降解能力，面市后受到相关研究工作者的密切关注。早期研究采用的有机材料如多糖、淀粉共聚物等，分子量相对较小，活化单体比例高，这个时期的调理剂主要用作土壤结构稳定剂。20 世纪 70 年代开始研究以大分子聚合物为主体的土壤调理剂 [8,9]，然而早期的研究并未得到广泛应用，主要原因是用量大、费用高、效果不稳定。20 世纪 80 年代，人工合成高聚物土壤调理剂达到研究和应用高潮，其中以比利时的 TC 调理剂和印度的 Agri-CS 免深耕调理剂最为成功。80 年代后期，美国等一些国家对胶结性聚合物（高吸水性树脂或称保水剂）的农用研究也给予过很大的关注，其应用包括农业、温室、机械农业、草坪和自然景观等范围。

保水剂是一种交联密度很低、不溶于水、水膨胀性高、吸水力特别强的高分子聚合物。20 世纪 90 年代以后，水溶性聚合物聚丙烯酰胺因具有水土保持价值而重新受到重视。1980 年全球保水剂产量为 0.5 万吨，1989 年升至 21 万吨，1998 年为 85 万吨，现已超过 200 万吨，需求量仍在增加。

1961 年，浙江农业大学土壤肥料系在《浙江农业科学》上发表了《合成土壤改良剂的效果试验初报》，用人工合成的高分子化合物作土壤结构改良剂。1975 年，贵州省化工局、贵州省化工所涂兴沼和朱成相报道了《土壤改良剂——硝基腐植酸镁及其制造法》，这项发明是把硝基腐植酸和含镁的物质进行反应，使腐植酸变成镁盐的形式从而作为土壤改良剂的一种制造方法。随着腐植酸的开发，腐植酸类肥料用作土壤改良剂，保墒抗旱。1976 年，吴增芳编著的《土壤结构改良剂》由科学出版社出版。1982 年，我国农牧渔业部从比利时引进聚丙烯酰胺和沥青乳剂，应用于渠道防渗、盐渍土改良、造林、种草、防止水土流失、旱地增温、保墒等方面，但因成本高而未能在我国推广应用 [10,11]。

10.2.2 土壤调理剂产品登记分析

1989 年 9 月 6 日，农业部发布部门规章《中华人民共和国农业部肥料、土壤调理剂及植物生长调节剂检验登记的暂行规定》，规定任何组织和个人生产、销售的肥料、土壤调理剂、植物生长调节剂，除规定免予登记的肥料品种以外，必须进行检验登记，未经批准登记的产品不得销售使用。外国厂商向我国推销、赠送的肥料、土壤调理剂、植物生长调节剂也必须进行检验登记，未经检验登记的产品不准进口。凡在生产国未注册登记、销售或已淘汰的产品一律不予登记。规定管理范围包括以下用于农业的制品：①以提供植物养分为主的有机肥料类、无机肥料类；②以改善土壤理化性状为主的土壤调理剂类；③以调节植物生长发育状况为主的植物生长调节剂类；④兼有上述两种或三种作用的其他制剂。

1990 年 7 月，农业部召开肥料、土壤调理剂及植物生长调节剂农用检验登记发证会，经登记评审委员会专家评审，对符合临时登记要求的申请单位，发给有效期为两年的临时登记证。获首批登记的产品有广西博林牌喷施宝、广州翠竹牌植物生长剂、台湾碧全牌植物健生素、佛山活力牌植宝素、美国绿旺、绿宝系列叶面肥、北京保农元牌植物活力素、商丘常乐牌益植素——农业硝酸稀土等几种。

2000 年 6 月 23 日，农业部令第 32 号公布《肥料登记管理办法》，办法自发布之日起施行。农业部 1989 年发布、1997 年修订的《中华人民共和国农业部关于肥料、土壤调理剂及植物生长调节剂检验登记的暂行规定》同时废止。其后《肥料登记管理办法》分别经 2004 年 7 月 1 日农业部令第 38 号、2017 年 11 月 30 日农业部令 2017 年第 8 号、2022 年 1 月 7 日农业农村部令 2022 年第 1 号进行修订。根据农业农村部颁发的《肥料登记管理办法》，实行肥料产品登记管理制度，未经登记的肥料产品不得进口、生产、销售和使用，不得进行广告宣传。农业农村部负责全国肥料登记、备案和监督管理工作。《肥料登记管理办法》肥料定义中包括了土壤调理剂的范畴，因此土壤调理剂必须获得农业农村部肥料登记证才可以生产、销售和使用。

已登记土壤调理剂的原料以无机类居多，主要来自钾长石、石灰石、生石灰、白云石等矿物质，其次是牡蛎钙、贝壳；有机类产品中的原料则主要以味精发酵尾液为主，其次是氨基酸发酵尾液、餐厨垃圾；原料组成来自生物炭或生物质发电灰，泥炭类较少。

10.2.3 企业调查分析

为了解国内土壤调理剂企业及生产现状，对国内部分相关企业进行了问卷调查，结果表明：目前，我国土壤调理剂企业生产规模相对较小，产品年产能小于 100 万吨的企业占 90%，而且 79% 的企业年产能在 20 万吨以内。获得土壤调理剂登记证号较多的企业有营口雷邦斯中微量元素有限公司，有 7 个；其次为武汉市沃农肥业有限公司、福建玛塔生态股份有限公司，均有 5 个土壤调理剂登记证号。在产品研发方面，63% 的土壤调理剂企业具备一定的研发能力，所售土壤调理剂产品为企业自行研发的产品。在原料资源方面，大多数土壤调理剂企业需外购产品原料，44% 的企业自有原料来源，受原料质量及价格波动影响相对较小。

土壤调理剂企业的销售渠道有通过经销商分销，也有直接对接渠道用户进行销售，销售范围以南方地区居多，尤其广西、四川、云南、广东、湖南等地。近几年来，调查企业中 69% 的企业土壤调理剂销售量逐年递增，12% 的企业销售量出现下降，超过一半的企业年销售额在 5000 万元以上。

为分析企业及其研发面临的问题，分别对企业现阶段的研发目标、研发现阶段的最大困难、研发对科技支撑的需求及研发对国家政策方面支持的需求四个问题进行了调查。通过对问卷调查结果的整理和筛选，并对调查信息进行词频分析，结果显示：企业与其研发部门的首要目标为新技术的探索与引入、新产品的开发以及企业对高层次人才的需求。目前面临较多的困难为土壤调理剂新产品的研发和登记周期过长。在土壤调理类产品开发中，涉及微生物、发酵、原料造粒等不同方向；对于登记周期过长的问题，建议缩短登记周期。在科技与政策要求上，主要集中在促进产品进入政府高质量农田建设方案项目、给予充足资金、特定技术的扶持、缩短登记备案周期等方面。

根据农业行业标准 NY/T 3034—2016《土壤调理剂 通用要求》对土壤调理剂的分类（Ⅰ矿物源土壤调理剂，Ⅱ有机源土壤调理剂，Ⅲ化学源土壤调理剂和Ⅳ农林保水剂），表 10-4 ～表 10-7 列出了在农业农村部登记的典型国内外企业土壤调理剂产品，以及广义范畴包含的土壤修复菌剂产品。

表10-4　典型矿物源土壤调理剂

企业名称	商品名称	产品形态	登记技术指标	主要原料	适宜范围
广东大众农业科技有限公司	田师傅	粉剂	K_2O ≥ 4.0%；CaO ≥ 20.0%；MgO ≥ 5.0%；S ≥ 2.0%；SiO_2 ≥ 4.0%；pH 10.5 ~ 12.0；Na ≤ 3.0%；Cl ≤ 3.0%	钾长石、处理碱渣	酸性土壤
山西富邦肥业有限公司	地尔康	粉剂	K_2O ≥ 4.0%；CaO ≥ 32.0%；MgO ≥ 5.0%；SiO_2 ≥ 30.0%；pH 10.0 ~ 11.5	钾长石、石灰石	酸性土壤
北海夏氏蓝得生物科技有限公司	夏氏蓝得	粉剂	CaO ≥ 42.0%；pH 7.5 ~ 10.0	牡蛎壳	酸性土壤、盐碱土壤、黏性土壤
福建玛塔生态科技有限公司	—	粉剂	CaO ≥ 45.0%；pH 8.5 ~ 10.5	牡蛎壳	酸性土壤
天脊煤化工集团股份有限公司	—	粉剂	CaO ≥ 40.0%；pH 8.0 ~ 10.0	硝酸磷肥副产品	酸性土壤

表10-5　典型有机源土壤调理剂

企业名称	商品名称	产品形态	登记技术指标	主要原料	适宜范围
宝鸡阜丰生物科技有限公司	阜丰	颗粒	有机质≥ 22.0%；N ≥ 12.0%；pH 3.0 ~ 4.0；粒度（1.00 ~ 4.75mm）≥ 90%	味精发酵尾液	盐碱土壤
北京嘉博文生物科技有限公司	—	粉剂	有机物总量≥ 85.0%（以干基计）；有机质≥ 75.0%（以干基计）；易氧化有机质≥ 20.0%（以干基计）；pH 5.5 ~ 7.5；水分≤ 8.0%（105℃）；Na ≤ 0.6%；Cl ≤ 1.0%	餐厨废弃物	保护地障碍土壤

表10-6　典型化学源土壤调理剂

企业名称	商品名称	产品形态	登记技术指标	主要原料	适宜范围
成都新朝阳作物科学股份有限公司	—	颗粒	阴离子（以分子量 679 计）24.0% ~ 26.0%；pH 6.0 ~ 8.0；水分≤ 5.0%；粒度（1.00 ~ 4.75mm）≥ 90%	月桂醇乙氧基硫酸铵	砂性土壤、黏性土壤
河南省火车头农业技术	—	粉剂	表面活性剂总活性物质≥ 1.0%；Fe+Mn+Zn 5.0% ~ 10.0%；pH 5.0 ~ 7.0；水不溶物≤ 5.0%	脂肪酸甲酯磺酸钠、聚氧乙烯失水聚醇硬脂酸酯	结构性障碍土壤

表10-7 农林保水剂和土壤修复菌剂

企业名称	通用名称	商品名称	产品形态	登记技术指标	适宜范围
唐山博亚树脂有限公司	农林保水剂	农林保水剂	粉剂	吸去离子水倍数：100 ～ 700g/g；吸 0.9%NaCl 溶液倍数≥ 30g/g；粒度（0.18 ～ 2.00mm）≥ 90%	—
根力多生物科技股份有限公司	土壤修复菌剂	土壤修复菌剂	颗粒	有效活菌数≥ $3.0×10^8$ 个 /g；有机质≥ 40.0%；胞外多糖≥ 1.0mg/g	碱性土壤
中农绿康（北京）生物技术有限公司	土壤修复菌剂	土壤修复菌剂	粉剂	有效活菌数≥ $5.0×10^8$ 个 /g；有机质≥ 20.0%；胞外多糖≥ 1.0mg/g	盐碱土壤

此外，部分外国企业产品已进入了我国的土壤调理剂市场，以矿物源土壤调理剂和农林保水剂产品为主，详见表 10-8。

表10-8 国内市场典型外企及其产品

企业名称	商品名称	产品形态	登记技术指标	主要原料	适宜范围
美国 PMMR 矿产开采加工公司	—	粉剂	硅铝比 Si/Al 为 2.0 ～ 3.0；pH 3.5 ～ 5.5；细度（粒径≤ 75μm）≥ 90%；真密度为 2.0 ～ 3.0g/cm^3	火山岩-蒙脱石	保护地障碍土壤；盐碱土壤
美国艾佐迈矿产公司	—	粉剂	硅铝比 Si/Al 为 5.0 ～ 6.0；pH 8.0 ～ 10.0；细度（粒径≤ 75μm）≥ 90%	黏土矿石	保护地障碍土壤
韩国大成 GM Tech 株式会社	—	颗粒	CaO ≥ 19.0%；MgO ≥ 13.0%；有机质≥ 5.0%；pH 7.0 ～ 9.0；粒度（1.00 ～ 4.75mm）≥ 90%	白云石	保护地障碍土壤
韩国（株）三宝矿业	—	颗粒	CaO ≥ 24.0%；MgO ≥ 15.0%；有机质≥ 5.0%；pH 7.0 ～ 9.0；粒度（2.00 ～ 4.75mm）≥ 90%	白云石	酸性土壤
韩国韩源道中央研究所	—	颗粒	CaO ≥ 24.0%；MgO ≥ 16.0%；pH 7.0 ～ 9.0；粒度（1.00 ～ 4.75mm）≥ 90%	白云石	酸性土壤
韩国恩博股份有限公司	—	颗粒	CaO ≥ 28.0%；MgO ≥ 2.5%；SiO_2 ≥ 25.0%；pH 8.0 ～ 10.0；粒度（1.00 ～ 4.75mm）≥ 90%	石灰石、沸石、白云石	酸性土壤
美国爱森公司（SNF）	爱渴舒	粉剂	吸去离子水倍数：300 ～ 500g/g；吸 0.9%NaCl 溶液倍数≥ 30g/g；粒度（0.18 ～ 2.00mm）≥ 90%	聚丙烯酰胺、聚丙烯酸钾盐	农林保水剂
株式会社日本触媒	绿立普	颗粒	吸去离子水倍数：100 ～ 300g/g；吸 0.9%NaCl 溶液倍数≥ 30g/g；粒度（0.18 ～ 2.00mm）≥ 90%		农林保水剂

10.2.4　产能与产量

中国自20世纪80年代中期引进土壤调理剂开始，该产业已走过近40个年头。随着水土流失、土壤沙化、酸化和盐渍化等问题的增加，我国土壤退化面积不断扩大，土壤调理剂因能够改良土壤、调节酸碱度、提高土壤肥力，近十几年来发展十分迅猛。

2021年中国土壤调理剂登记产品数量207个，比2010年的38个登记产品增加了4.4倍。2021年，土壤调理剂产能810万吨，比2010年的420万吨增加了1倍，年均增长率为6.2%；2021年土壤调理剂产量550万吨，比2010年的223万吨增加了1.5倍，年均增长率为8.5%。预计未来中国土壤调理剂产量将以9%的复合增长率增长。

10.3　土壤调理剂行业存在的问题与发展展望

10.3.1　土壤调理剂行业存在的问题

10.3.1.1　产品研发及推广问题

目前，土壤调理剂产品的原料选择单一，多使用天然物质和人工合成物质，对餐厨废弃物、工农业废弃物的开发利用少[12, 13]，同时缺少对各种原料种类、配比以及相互之间协调性与拮抗性的研究[14]。虽然市场上土壤调理剂产品数不胜数，但是跟风炒作的不在少数，产品没有核心研发技术，产品的作用机理不明确，土壤调理剂的研究大多集中在调理剂施用特点、效果方面，而对不同土壤调理剂改善土壤性状、促进作物生长等作用机制、机理的研究不深入，影响了土壤调理剂的针对性施用，土壤调理剂单方面作用研究较多，而将不同作用机理调理剂结合，开展综合作用机理调理剂的研究仍需加强[15]。同时，部分单位产品制作工艺存在问题，易导致土壤调理剂产品质量、效果、性能的不稳定[12, 13]。

10.3.1.2　产品用量及施用效果

土壤调理剂产品通过调理土壤，提高土壤肥力，提升土壤养分供应能力，进而提高作物产量与品质[16]。目前，土壤调理剂普遍存在用量问题：用量太少，土壤改良效果不明显；用量太多，调理土壤成本提高，易造成浪费甚至土壤板结等问题[17]。市场上土壤调理剂产品质量良莠不齐，有些土壤调理剂施用效果明显，但施用成本昂贵，生产效益不明显；有些调理剂虽成本低，但施用效果不稳定[15]。

土壤调理是一个长期的过程，前期投入较大，短期难以见效，在一定程度上阻碍了土壤调理剂行业的发展。而且目前市场上现有的土壤调理剂产品功能单一，无法同时解决土壤酸化、结构或可耕性差、营养元素失衡、肥力下降等问题[17]。缺乏长期的定位试验跟踪和数据验证。与肥料相比，土壤调理剂的施用量相对较大，目前市场上销售的土壤调理剂产品推荐施用量一般为60kg/亩，对于问题严重的土壤，需要加大施用量，多次或多季施用才能取得较好的效果，于是施用总量就尤为可观，尤其是以工业废弃物和高分子聚合物为原料的土壤调理剂有极大的潜在环境风险[3, 18]。目前，土壤调理剂的研究与应用大多局限于盆栽试验和小地块试验，研究的时间短、范围小，缺少农田长期定位试验示范研究[15]，因此消费者未获得较高的置信度，土壤调理剂对环境、土壤和农产品的副作用还有待于深化研究[12, 13]。

10.3.1.3 土壤调理剂施用风险

许多土壤调理剂研制原料选自工业固体废弃物，因技术和成本问题无法实现无害化处理，导致有害的成分转移到农田土壤中，加之调理剂施用量较大，对农田土壤造成潜在环境风险。目前，对土壤调理剂施用的风险研究还很少。孙蓟锋等人通过对土壤调理剂主要原料的分类分析，研究我国主要土壤调理剂产品中Hg、As、Cd、Pb、Cr 5种重金属元素含量及不合格率等现状[19]。分析样品主要来自农业农村部肥料登记检验样品，部分样品来自企业质量跟踪或质量复核样品以及调研采集样品。采用农业行业标准NY/T 1978—2010《肥料汞、砷、镉、铅、铬含量的测定》对样品中重金属元素含量进行检测。矿物源土壤调理剂中存在As、Pb、Cr重金属元素超过限量规定的情况，尤其Pb元素导致的不合格率达20.9%，是导致矿物源土壤调理剂不合格的主要原因。Pb含量检测平均值为42.5mg/kg，已经接近限量标准（50mg/kg），Pb含量最高检测值达到204mg/kg。导致Pb元素超标所用原料主要包括钾长石、牡蛎壳、钢渣、钼尾矿、磷矿石＋碱渣等5种。

应用聚丙烯酰胺、沥青乳剂、聚乙烯醇等人工合成材料生产土壤结构调理剂和农林保水剂。聚丙烯酰胺施入土壤后，会在土壤中残留一定量的丙烯酰胺，该物质能够被微生物降解，通常不会在土壤中积累，但这种物质已被证实具有致癌性，对人体的神经有毒害作用。制备生物炭过程中会产生多环芳烃（PAHs）、重金属以及环境持久性自由基（EPFRs）等化学物质。多环芳烃是一类广泛存在于环境中的持久性有机污染物，其致癌、致畸风险非常强[20]。孙翔等人基于生命周期分析方法对餐厨垃圾肥料化利用环境风险进行评价研究。餐厨垃圾肥料化利用过程的风险因子主要产生于运输与存储、预处理、堆肥、废物填埋和肥料化产品施用等5个过程，主要潜在的突发性风险有：餐厨垃圾原料处理不及时、存储时间过长且敞口堆存，释放的臭气对周边环境的影响与风险；餐厨垃圾发酵所配套的臭气处理设施故障所带来的环境影响与风险；餐厨垃圾油水分离和发酵及渗滤液收集设施发生渗漏所带来的环境影响与风险[21]。主要潜在性累积性风险有：肥料化产品高盐分、致病细菌残留、重金属残留对肥料施用作物的毒害风险和农产品污染风险；堆肥技术不合理与不当产生劣质肥料化产品，造成作物生长不良及减产风险。唐杉等人总结了有机肥料包括有机原料来源的土壤调理剂施用过程可能存在的危害风险包括：重金属、抗生素、环境激素、微塑料等可能会对产地生态环境与农产品安全产生影响的风险；盐分过高、腐熟不够对作物生长不利的风险；人体病原生物、动植物病原体（包括菌种、毒种等）、害虫等带来的生物安全风险以及进口产品带入的有害生物入侵风险[22]。

中国从20世纪90年代后期开始利用燃煤烟气脱硫石膏改良碱化土壤。燃煤烟气脱硫石膏是来自电厂的脱硫废渣，是对含硫燃料（主要是煤）燃烧后产生的烟气进行脱硫净化处理而得到的工业副产物。随着中国燃煤电厂除尘、脱硫和脱硝等烟气污染控制系统的安装，在解决燃煤燃烧过程中 SO_2 等废气减排的同时，也会产生越来越多的脱硫石膏等脱硫副产物。有研究利用燃煤烟气脱硫石膏代替天然石膏进行盐碱地改良。然而，当企业采用燃煤烟气净化技术和协同脱汞工艺时，煤中有害污染物在脱硫过程中富集到烟气脱硫副产物——脱硫石膏及飞灰中，导致燃煤烟气脱硫石膏中主要有汞（Hg）、氟（F）、氯（Cl）和硒（Se）等多种污染元素的富集，脱硫飞灰中主要有砷（As）、镉（Cd）、铬（Cr）、铜（Cu）、镍（Ni）、铅（Pb）和锌（Zn）等多种污染元素的富集[23]。磷石膏是湿法磷酸生产过程中产生的工业废渣，为解决大量磷石膏堆存造成的环境问题，目前，磷石膏被再次作为建筑材料利用，如用于生产水泥缓凝剂和制作石膏建材，以及用于充填矿坑和筑路等。20 世纪 90 年代，也有研究尝试利用磷石膏替代天然石膏改良盐碱化土壤。然而，磷矿石中多种有害元素在湿法磷酸生产过程中残留或富集在磷石膏中，导致磷石膏中重金属、氟化物（F）及放射性元素镭（^{226}Ra）等污染元素含量较高。2017 年国家出台的 GB 34330—2017《固体废物鉴别标准—通则》明确规定，生产过程中产生的副产物，包括在无机化工生产过程中产生的磷石膏等属于固体废物，按照固体废物管理。

电石渣是电石法聚氯乙烯（PVC）生产过程中产生的工业固体废渣。在电石法 PVC 生产过程中，电石渣中会带入一些有毒有害物质，主要有镉（Cd）、镍（Ni）、氯（Cl^-）和氰化物（CN^-）等。电石渣中污染元素 Cd、Ni、CN^- 和 Cl^- 等含量不同程度地超出国家土壤环境质量标准和地下水质量标准的规定。镁渣是镁工业产生的主要工业固体废物之一。镁渣含有钙（Ca）、镁（Mg）和硅（Si），一些人尝试将镁渣用作 Si-Ca-Mg 肥料或农业土壤调理剂。然而，在镁冶炼过程中，一些污染元素被引入，导致这些污染物在镁渣中富集，如砷（As）、铬（Cr）、镉（Cd）、汞（Hg）、铜（Cu）、镍（Ni）、氟（F）和氯（Cl）[24]。研究表明，这些污染物的富集可导致它们在中国某些镁渣中以高浓度存在，尤其是镉、汞、铜、镍、氟和氯（分别为 0 ～ 4mg/kg、0 ～ 0.74mg/kg、20 ～ 127mg/kg、100 ～ 170mg/kg、2727 ～ 14800mg/kg 和 133 ～ 1000mg/kg）[25]。未经无害化处理、有害物质超标、存在环境安全风险的工业固体废物不得直接施用于农田土壤，杜绝其进入食物链从而危害人类健康。

土壤调理剂的不合理施用会直接导致土壤退化加剧甚至产生二次污染，同时长期施用土壤调理剂也可能会对土壤生态系统的结构和功能造成一定影响，导致土壤的产能与品质下降，引发农产品安全等相关问题[26]。施用后土壤调理剂相关风险研究较少，未能形成标准化的风险评价体系，长期、大量、连续施用是否会给土壤生态系统造成危害需要进一步探索。

10.3.1.4 市场上产品良莠不齐，产品概念模糊

目前生产与市场流通环节还存在一个概念，即能够调理土壤，对土壤有改良作用的产品都可以称为土壤调理剂，比如微生物菌剂、菌肥类产品均属于土壤调理剂分支内，当然这种说法也并未得到广泛的认可，但这也反映了同一功能属性的产品边界模糊化的趋势。部分产品如石灰，不仅可以给植物提供钙，也多用来改善酸性土壤，因此有时候认为其既是肥料，

也是土壤调理剂，其实两者没有很清晰的界限。土壤调理剂产品可替代性强，即使有些区域有土壤调理的需求，也可以用一些替代品进行调理。

市场上的土壤调理剂产品包装标识混乱，一方面存在假冒伪劣产品，恶意篡改相关包装信息，如登记证号、产品名称，与备案信息不符等问题；另一方面通过外包装信息故意夸大产品功能功效，误导农户[27]。下游经销商对土壤调理剂认知不清，不仅炒概念，将宣传做得五花八门[28]，同时盲目推广，将调理不同土壤问题的产品进行错误的分配布局[29]。目前农户对土壤调理剂的认知度和接受度都较低，而且部分土壤调理剂成本较高，如果缺乏正确的宣传和科技培训，会导致产品使用效果不佳，反而会打消受损农户的积极性。土壤调理剂所用原料各异，作用机制多种多样，作用效果通常长效缓慢，因此如何甄别调理剂产品的好坏优劣，亟待尽快建立一套科学的评价体系[3, 12-14, 18]。需要加强对登记产品生产应用的跟踪评价，将评价结果作为继续登记的依据。

针对我国土壤调理剂市场各种乱象，目前市场监管尚缺少强有力的手段，监管力度不够。需要强化完善监管体系，对进入市场的登记产品进行不定期监督抽查和质量检验，发现问题立即曝光，净化土壤调理剂市场，规范行业发展。

10.3.2 土壤调理剂行业发展展望

我国人均耕地只有世界人均水平的45%，耕地少的现状很难改变，而且耕地有机质含量仅相当于欧洲国家的一半。我国耕地整体质量偏低并伴有愈演愈烈的退化现象，水土流失、土壤酸化、盐渍化等现象呈加速扩展的趋势。土壤调理剂的出现为有效解决以上问题提供了新的技术手段和方法。2016 年，国务院出台了“土壤污染防治行动计划”（简称“土十条”），对土壤污染和治理提出了明确要求和治理目标。2017 年，中共中央中发〔2017〕4 号文件中明确提出要坚持最严格的耕地保护制度和最严格的节约用地制度，像保护大熊猫一样保护耕地，着力加强耕地数量、质量、生态“三位一体”保护，落实“藏粮于地、藏粮于技”战略。南方土壤酸化、重金属污染问题突出，北方土壤干旱、盐碱化问题突出。随着国家对耕地质量安全、粮食安全和农产品质量的重视力度加大，土壤调理剂将有较大的发展空间。

我国退化土壤类型多样，应该针对不同的土壤类型和作物种植环境，针对性研发土壤调理剂产品，实现其功能创新性。建立完善的土壤调理剂技术标准体系，针对目前市场上土壤调理剂产品要形成标准化的风险评价体系，开展功能稳定性和产品使用风险性长期监测。强化源头控制，建立禁止使用的原料目录，切断潜在污染源。完善监管体系，规范土壤调理剂市场，坚决杜绝劣质产品进入市场。

参考文献

[1] 陈廷钦．土壤调理剂及应用进展 [J]．云南大学学报（自然科学版），2011(S1):5.
[2] 骆园，熊德中．土壤调理剂应用效应研究进展 [J]．安徽农业科学，2015,43(13):4.
[3] 孙蓟锋，王旭．土壤调理剂的研究和应用进展 [J]．中国土壤与肥料，2013(1):7.
[4] 张东旭．常见农作废物对石油烃污染土壤的改良效果研究 [D]．兰州：兰州理工大学，2016.
[5] 邢世和．不同改良剂对烟区土壤肥力性状及烤烟产量和质量的影响 [J]．福建农林大学学报（自然科学版），2004,33(3):384-389.
[6] 刘巧真．不同土壤改良剂对烤烟根区土壤微生态・烟叶质量的影响 [J]．安徽农业科学，2011,39(25):3.
[7] 赵赟．中国古代利用矿物改良土壤的理论与实践 [J]．中国农史，2005,24(2):8.
[8] Garca-Sanchez A, Alastuey A, Querol X. Heavy metal adsorption by different minerals:Application to the remediation of polluted

soils[J].Science of the Total Environment, 1999, 242(1/3): 179-188.
[9] 叶鑫，解占军，王秀娟，等. 土壤调理剂在土壤改良中的应用概况 [J]. 辽宁农业科学，2012(1):2.
[10] 朱咏莉，刘军，王益权. 国内外土壤结构改良剂的研究利用综述 [J]. 水土保持学报，2001(S2):140-142.
[11] 王小彬，蔡典雄. 土壤调理剂 PAM 的农用研究和应用 [J]. 植物营养与肥料学报，2000(4):457-463.
[12] 周岩. 土壤调理剂（保水剂）对砂土和砂壤土结构的影响 [D]. 郑州：河南大学，2011.
[13] 周岩，武继承. 土壤改良剂的研究现状，问题与展望 [J]. 河南农业科学，2010(8):4.
[14] 尹万伟，黄本波，汪凤玲，等. 土壤调理剂的研究现状与进展 [J]. 磷肥与复肥，2019,34(2):5.
[15] 李晨昱，卢树昌，王茜. 土壤调理剂在农业领域研究现状、问题及前景 [J]. 北方园艺，2018(14):7.
[16] 朱莉静. 土壤调理剂火热背后，戴着"镣铐"在跳舞 [J]. 营销界（农资与市场），2017(20):16-17.
[17] 许晓平，汪有科，冯浩，等. 土壤改良剂改土培肥增产效应研究综述 [J]. 中国农学通报，2007(9):331-334.
[18] 孙蓟锋. 几种矿物源土壤调理剂对土壤养分、酶活性及微生物特性的影响 [D]. 北京：中国农业科学院，2012.
[19] 孙蓟锋，王旭，刘红芳，等. 我国土壤调理剂中重金属元素及其相关原料农业资源化利用现状 [J]. 中国土壤与肥料，2017(6):149-154.
[20] 吴丹萍，李芳芳，赵婧，等. 生物炭在制备及土壤应用中的潜在环境风险 [J]. 昆明理工大学学报（自然科学版），2019,44(1):6.
[21] 孙翔，肖芸，阚慧，等. 基于生命周期分析的餐厨垃圾肥料化利用环境风险评价研究 [J]. 环境污染与防治，2013,35(8):6.
[22] 唐杉，刘自飞，汪洪，等. 有机肥料施用风险分析及相关标准综述 [J]. 中国土壤与肥料，2021(6):353-367.
[23] 王小彬，闫湘，李秀英，等. 燃煤烟气脱硫石膏农用的环境安全风险简 [J]. 中国农业科学，2018,51(5):14.
[24] 王小彬，闫湘，李秀英. 工业固体废物电石渣农用的环境安全风险 [J]. 中国土壤与肥料，2019(4):9.
[25] Wang X, Yan X, Li X Y. Environmental risks for application of magnesium slag to soils in China[J]. Journal of Integrative Agriculture, 2020, 19(7): 1671-1679.
[26] 索琳娜，马杰，刘宝存，等. 土壤调理剂应用现状及施用风险研究 [J]. 农业环境科学学报，2021,40(6):1141-1149.
[27] 朱莉静. 千亿土壤修复市场微生物肥迎来新生机 [J]. 营销界，2017(8):14.
[28] 安亚杰，于平平. 土壤调理剂打响土壤"保卫战"[J]. 营销界（农资与市场），2017(3):30-31.
[29] 朱莉静. 大数据解读中国耕地土壤问题 [J]. 营销界（农资与市场），2017(8):25-26.

中国肥料研究与应用全书

Books of Fertilizer Research and Application in China

FERTILIZER

第11章

肥料增效剂产业发展

11.1 概述

肥料增效剂是能够提高农作物对肥料吸收利用率的非养分物质的统称，我国从20世纪70年代起就出现了一系列增效技术的研究，目前已经有物理性能改善类、养分转化抑制类、养分释放控制类、生物功能调节类等四大类产品，生产企业多达上千家，2021年各种增效剂销量达到近100万吨。但目前我国的肥料增效剂生产和产品与发达国家相比仍存在降解与污染问题、机理研究不够、标准相对缺乏、推广应用有待规范等不足，需要加强功能化、多元化和绿色化产品的研究，打造生态环保的增效剂体系，助力肥料产业绿色高效发展，为高质量农业做出更大贡献。

11.1.1 概念、种类及产业化应用

中国肥料产业经过多年的快速发展，以氮、磷、钾为主要养分的化肥产业已经到了成熟期。这个时期，典型的特点是产能供大于求、产品同质化严重、市场竞争激烈、利润率下降明显，同时与国外发达国家相比，化肥的利用率比较低，养分浪费严重，环境压力大。面对这种形势，在工业和信息化部“产业转型升级”、农业农村部“化肥需求零增长”、生态环境部“‘双碳’目标、‘三磷’治理”等政策措施引导下，高效、生态、环保的增效肥料成为行业“蓝海”，增效肥料功能的实现，离不开小剂量大作用的肥料增效剂。业内普遍把添加了增效剂的增效肥料叫作新型肥料或特种肥料或高效肥料，主要有水溶肥、缓/控释肥、稳定性肥料、增值肥料等。

肥料增效剂是能够提高农作物对肥料吸收利用率的非养分物质的统称。从定义来看，肥料增效剂有两个最主要的特征：一是肥料增效剂不能直接为作物提供养分；二是肥料增效剂的主要作用是提高肥料利用率，或者是解决养分无法解决的问题。肥料增效剂提高肥料利用率主要表现在三个方面：一是作用于肥料，在短时间内让肥料减少挥发、淋失等，促进作物吸收；二是作用于环境，农作物最重要的环境就是土壤，土壤的结构能够影响农作物对肥料的吸收；三是作用于植物，促进根系的吸收能力，农作物自身吸收水肥的能力强了，肥料利用率自然就高了。

目前肥料增效剂的产品已经非常广泛多样。广义层面，包括添加到肥料产品中或单独施用于土壤中的增效物质。其中添加到产品中的有几大类，包括以改善肥料产品物理性状，提高储存、运输和施用效率为主要目标的防结块剂、螯合剂、悬浮剂、表面活性剂等，这些产品在一定程度上提高了肥料中养分的利用效率。也包括添加到肥料产品中，直接调控养分释放、转化、迁移等的产品，如包膜材料、抑制剂、吸附性物质等。还包括添加到肥料产品中，但主要是发挥作物生理功能调控和土壤环境调控的产品，包括腐植酸、氨基酸、海藻酸、微生物菌剂及生物有机肥等。直接施用的肥料增效物质包括部分特殊的生长调节剂、生

物刺激素等。在肥料产业提质增效、种植产业优质高产、环保产业生态友好的大背景下，快速发展的增效肥料离不开肥料增效剂的使用。

肥料增效剂种类及产业化应用汇总见表 11-1。

表11-1 肥料增效剂种类及产业化应用汇总

功能	种类	组分	产业化应用
物理性能改善类	防结块剂	防结块剂主要包括惰性粉体防结块剂、无机盐类防结块剂、表面活性剂类防结块剂、非表面活性剂或疏水性物质类防结块剂和惰性物质-表面活性剂-其他填充物复合型防结块剂等	复合肥、水溶肥、叶面肥、液体肥料
	螯合剂	螯合剂主要有乙二胺四乙酸（EDTA）及其二钠盐、二乙三胺五乙酸（DTPA）、乙二胺二羟基苯乙酸（EDDHA）和羟乙基乙二胺三乙酸（HEDTA）等	
	悬浮剂	悬浮剂主要有膨润土、白土、硅镁土等。其加入量通常为 1%～2%，以形成稳定的黏滞悬浮液	
	表面活性剂	表面活性剂主要有有机硅与植物精油	
养分转化抑制类	脲酶抑制剂	有醌类、多羟酚类、磷酰胺类、重金属类及五氯硝基苯等。目前在世界肥料市场上主要有正丁基硫代磷酸三胺（NBPT）和氢醌（HQ）	稳定性肥料
	硝化抑制剂	烷、烯、炔、芳香烃及其衍生物；含硫（S）化合物；N 杂环化合物；市场广泛流通的硝化抑制剂主要有双氰胺（DCD）、3,4-二甲基磷酸盐（DMPP）、2-氯-6-三氯甲基吡啶（NP）等	
养分释放控制类	缓释剂	脲甲醛肥料（Urea-form,UF）、异丁叉二脲（IBDU）、丁烯叉二脲（CDU）、草酰胺（乙二酸二酰胺）、磷酸铵镁等	缓 / 控释肥料
	控释剂	硫黄、无机盐、树脂，植物油、磷矿粉、纤维素、淀粉等	
生物功能调节类	腐植酸、氨基酸、海藻提取物、蜜糖发酵物、功能性微生物及其代谢产物、低聚糖、小分子肽、植物激素、不饱和脂肪酸、生物碱、矿物质等		水溶肥和增值肥料

11.1.2 相关标准与技术要求

肥料增效剂种类繁多，但标准相对较少，NY/T 3504—2019 肥料增效剂涉及了硝化抑制剂及使用规程。标准规定了硝化抑制剂相关术语和定义，以及要求、试验方法、检验规则、标识、包装、运输、储存和使用规程。该标准适用于中华人民共和国境内生产和（或）销售的 2 氯-6-三氯甲基吡啶、3,4-二甲基吡唑磷酸盐（DMPP）等硝化抑制剂。另外，工业和信息化部 2018 年批准了《肥料增效剂 腐植酸》和《肥料增效剂 海藻酸》的立项，项目计划编号 2018-1867T-HG 和 2018-1867T-HG。

虽然肥料增效剂的行业和国家标准较少，但由各类增效剂加工生产的增效肥料大多数有了相关标准，包括国际标准、国家标准、化工行业标准、农业行业标准等。增效肥料部分相关标准及技术要求见表 11-2。

表11-2 增效肥料相关标准及技术要求

增效肥料类别	标准号	重要技术指标
稳定性肥料	GB/T 35113—2017	尿素残留差异率≥25%，硝化抑制率≥6%
缓释肥料	GB/T 23348—2009	总养分≥30%～40%，水溶性磷占有效磷的质量分数≥50%～60%，水分的质量分数≤2.0%～2.5%，粒度（1.0～4.75mm或3.35～5.60mm）≥90%，养分释放期见标明值，初期养分释放率15%，28天养分累积释放率≤80%，养分释放期的累积养分释放率≥80%
控释肥料	HG/T 4215—2011	总养分≥30%～40%，水溶性磷占有效磷的质量分数≥50%～60%，水分的质量分数≤2.0%～2.5%，粒度（1.0～4.75mm或3.35～5.60mm）≥90%，养分释放期见标明值，初期养分释放率12%，28天养分累积释放率≤75%，养分释放期的累积养分释放率≥80%
无机包裹型复混肥料	HG/T 4217—2011	总养分≥30%～40%，水分的质量分数≤2.0%～2.5%，粒度（1.0～4.75mm或3.35～5.60mm）≥90%，缓释氮占总氮的质量分数≥50%～70%，核心包裹率≥90%～95%
含海藻酸尿素	HG/T 5049—2016	总氮（N）的质量分数≥45%，海藻酸的质量分数≥0.03%，氨挥发抑制率≥5%，缩二脲的质量分数≤1.5%，水分的质量分数≤1.0%，亚甲基二脲的质量分数≤0.6%
含海藻酸磷铵	HG/T 5515—2019	总养分（$N+P_2O_5$）的质量分数≥52%（一铵）和53%（二铵），总氮（N）的质量分数≥9%（一铵）和13%（二铵），有效磷（P_2O_5）的质量分数≥41%（一铵）和38%（二铵），水溶性磷占有效磷的质量分数≥75%，海藻酸的质量分数≥0.03%，水溶性磷固定差异率≥25%，水分的质量分数≤3.0%，粒度（1.0～4.0mm）≥80%
含腐植酸尿素	HG/T 5045—2016	总氮（N）的质量分数≥45%，腐植酸的质量分数≥0.12%，氨挥发抑制率≥5%，缩二脲的质量分数≤1.5%，水分的质量分数≤1.0%，亚甲基二脲的质量分数≤0.6%
含腐植酸磷铵	HG/T 5514—2019	总养分（$N+P_2O_5$）的质量分数≥52%（一铵）和53%（二铵），总氮（N）的质量分数≥9%（一铵）和13%（二铵），有效磷（P_2O_5）的质量分数≥41%（一铵）和38%（二铵），水溶性磷占有效磷的质量分数≥75%，腐植酸的质量分数≥0.3%，水溶性磷固定差异率≥25%，水分的质量分数≤3.0%，粒度（1.0～4.0mm）≥80%
腐植酸复合肥料	HG/T 5046—2016	总养分（$N+P_2O_5+K_2O$）的质量分数≥25%～40%，水溶性磷占有效磷的质量分数≥40%～60%, 活化腐植酸的质量分数≥1.0%，总腐植酸的质量分数≥2.0%，水分的质量分数≤2.0%，粒度（1.0～4.75mm或3.35～5.60mm）≥90%，氯离子的质量分数≤3%～30%
含氨基酸水溶肥料	NY 1429—2010	中量元素型： 游离氨基酸含量≥10.0%（固体），≥100g/L（液体）；中量元素含量≥3.0%（固体），≥30g/L液体；水不溶物含量≤5.0%（固体），≤50g/L（液体）；pH（1∶250倍稀释）3～9；水分≤4.0%（固体）。 微量元素型： 游离氨基酸含量≥10.0%（固体），≥100g/L（液体）；微量元素含量≥2.0%（固体），≥20g/L液体；水不溶物含量≤5.0%（固体），≤50g/L（液体）；pH（1∶250倍稀释）3～9；水分≤4.0%（固体）

11.2　产业发展

我国的肥料产业，经历了农家肥料、化学肥料（单质肥料）、掺混肥料、复合肥料等一系列的发展和进步。近年来，随着环保、高效、生态农业的发展，人们对肥料产品也提出了更高的要求，同时，肥料产业本身也需要转型升级。在此形势下，越来越多的新型高效肥料不断涌现，如水溶性肥料、缓/控释肥料、稳定性肥料、增值肥料、微生物肥料等。新型高效肥料的不断发展，带动了肥料增效剂产业的快速发展。

下面分类介绍肥料增效剂的发展及其产业化应用。

11.2.1　物理性能改善类增效剂及其应用

物理性能改善类增效剂的主要功能是提高肥料的性状和功能，可优化肥料的理化性质，使肥料产品具有更高的使用价值。这类增效剂包括防结块剂、螯合剂、悬浮剂、表面活性剂等。

11.2.1.1　防结块剂

化肥结块是化肥工业长期以来致力于解决的问题，特别是碳酸氢铵、硫酸铵、硝酸铵、磷酸铵、尿素和复合肥等都易发生结块现象。化肥结块严重影响肥效，并给贮存、运输和使用带来不少困难。防结块剂的出现和发展，为化肥工业发展做出了不小的贡献。

① 传统防结块阶段　从20世纪70年代起到20世纪90年代，为解决化肥结块问题，出现了一系列防结块技术。20世纪70年代初，出现的早期技术是在化肥表面简单包裹高岭土、硅藻土等粉状材料，用量较大，为20～40kg/ t肥料，但防结块效果一般，生产过程中粉尘大、现场环境恶劣，而且大幅度降低了肥效。当时，人们也曾尝试用植物油脂来解决结块问题，但用量大、成本高。20世纪70年代中期，日本人开始使用醛类化合物作为肥料防结块剂，但成分中的低沸点醛和机油稀释剂易挥发产生刺激性异味，接触或吸入后产生毒性，会污染环境。20世纪80年代，德国学者研究了木质素磺酸钙等金属盐对肥料的防结块性和抗破碎性，克服了使用醛类的缺点，但这些物质的加入使肥料变成褐色或棕褐色，影响市场推广；芬兰T·阿尔纳斯将溶入醚中的阳离子胺类（脂肪胺、聚胺）和氨基二羧酸盐一起溶入矿物油中包裹复合肥，得到了较满意的防潮、防结块效果，但原料成本高、生产及使用均不方便，而且采用大量溶剂不安全，故难以进行实际应用；日本仓田笃三直接使用酰胺类化合物作为主要防结块剂，但这类物质价格十分昂贵。20世纪90年代，法国出现了采用油、蜡类的熔融物包裹化肥的技术，效果一般，也降低存放期间产品的颗粒强度，引起粉化现象。

② 新型防结块剂出现　进入21世纪，随着化肥行业的不断发展和壮大，出现了多种防止化肥结块的技术，较好地解决了化肥的结块问题。新型防结块剂特点如下：一是针对性更强。解决了以前采用一种通用配方低效甚至无效等问题，出现了针对烟草肥、硝铵磷、硝酸铵等高硝态氮产品的硝基防结块剂，出现了针对中国特有的高塔高尿态氮的防结块剂等。二是防结块剂的形态多样化。根据不同企业不同工艺的需求，有膏体防结块剂、粉体防结块剂、液体防结剂以及可在造粒之前加入的内添加型防结块剂。三是产品不断升级，功能复合

化、多样化。多功能包裹剂和造粒改良剂，不但具有优秀的防结块效果，而且能减少化肥吸潮、抑制粉尘、增加流动性、调整外观、增加光泽，并具有一定的缓释性能。

防结块剂包括惰性粉体防结块剂、无机盐类防结块剂、表面活性剂类防结块剂、非表面活性剂或疏水性物质类防结块剂和惰性物质-表面活性剂-其他填充物复合型防结块剂。

① 惰性粉末或惰性填充物类防结块剂。惰性粉末是世界上最早使用的防结块剂，这类防结块剂是具有大表面积的水不溶物质，既不溶于水，也不与肥料发生化学反应。使用时以适当的比例对肥料颗粒进行扑粉，使之吸附在肥料颗粒表面。尽管它们不能在肥料颗粒表面形成一个连续的惰性层从而阻止结块的发生，但它们可以在有限的范围内阻止肥料颗粒之间或肥料与大气之间进行水汽交换，从而减轻肥料的结块性。常用的惰性粉末多为无机物质，有硅藻土、高岭土、黏土、滑石粉、膨润土、凹凸棒土、硅酸铝、磷钙石粉、石灰石等。

② 无机盐类防结块剂。一些无机盐类能部分水合或完全水合，其与肥料中的水分结合，从而抑制水分引起的肥料溶解，防止肥料结晶板结。这类防结块剂特别适用于结晶化肥如尿素、硝酸铵和硫酸铵等中。如向这些肥料中添加硫酸钙或硫酸镁，混合后生产复盐，是一种改善肥料吸湿性的有效方法。另外，在硝酸铵中加入 0.3% 的硝酸钙或硝酸镁，可使硝酸铵的相变温度从 32℃降到 22℃，这样可防止由温度的变化导致的颗粒破碎和结块。

③ 表面活性剂类防结块剂。其主要作用是能将肥料颗粒表面由亲水性转变为疏水性，阻止水分交换，保护颗粒不受外界潮气的影响；能降低液体的表面张力，从而降低晶体物对溶液的毛细管吸附力；改变结晶习性，抑制晶体的溶解和重结晶，减弱颗粒间的黏结力和液膜扩散，从而达到防结块的目的。表面活性剂之所以能降低肥料颗粒的表面张力，与其分子结构密不可分。表面活性剂通常由两部分构成：一部分是疏水基团（hydrophobic group），它由疏水、亲油的非极性碳氢链构成，也可以是硅烷基、硅氧烷基或碳氟链；另一部分是亲水基团（hydrophilic group），通常由亲水、疏油的极性基团构成，如磺酸基、苯磺酸基、磷酸基团等。这两部分分别处于表面活性剂的两端，形成不对称的结构，既有亲水又有亲油的性质。因此，表面活性剂在肥料颗粒表面上以亲水基接触颗粒表面，并且选择性定向吸附，形成紧密排列的单分子吸附层；疏水基朝向气相界面，使界面被疏水基覆盖，从而显示疏水性。这样就可以防止肥料颗粒与空气中的水汽接触，从而达到良好的防结块效果。如清华大学为解决尿素结块问题开发了 TS-1、TS-2 防结块剂，其主要成分为表面活性剂聚合物。经研究表明，这两类防结块剂用量为 0.3% 左右即可达到较好的效果。表面活性剂由于成本较低、防结块效果显著，因此，在化肥防结块剂中应用较广泛。根据其电离特性可把表面活性剂分为阴离子型表面活性剂、阳离子型表面活性剂、两性型离子表面活性剂和非离子型表面活性剂。目前，研究应用较多的是阴离子型表面活性剂和非离子型表面活性剂，还有特殊类型表面活性剂。特殊类型表面活性剂具有特殊的结构特点、特殊的用途或特别优异的性能，主要包括含氟表面活性剂、含硅表面活性剂、生物表面活性剂、高分子表面活性剂等。

④ 非表面活性剂或疏水性物质类防结块剂。非表面活性剂类防结块剂的作用机理是在肥料颗粒表面形成防水性膜，以防止肥料吸湿或抑制粉化。这类防结块剂的应用研究起步较早，主要是一些有机疏水剂，如石蜡、矿物油、各种树脂聚合物等，它们不具有表面活性。这种防结块剂在温度不高的情况下使用效果较好，如果环境温度较高，效果会迅速下降。因为疏水层不可能完全阻止肥料颗粒的吸湿，当温度较高时会导致疏水层的破坏，这种情况一

旦发生，便会造成严重的结块现象，而且这种防结块剂成本较高，处理较难。

⑤ 惰性物质-表面活性剂-其他填充物复合型防结块剂。随着化肥由单一化向复合化以及由低浓度向高浓度的方向发展，单独使用某种防结块剂可能达不到长期的防结块效果，而各种防结块剂材料混配能有效地解决化肥结块问题。如烷基苯磺酸盐、烷基硫酸盐等阴离子型表面活性剂和膨润土、高岭土等的混合物，能将肥料颗粒机械隔离，并降低表面张力，能取得显著的防结块效果。

化肥防结块剂作为一种新型的肥料添加剂已被大多数化肥生产企业所采纳，它不仅能有效地解决肥料的结块问题，提高产品的流动性，而且能提高产品的外观品质。但肥料防结块剂在研究和应用当中还存在如下一些问题：a. 目前还没有统一规范的肥料结块的理论，不同化肥品种的结块方式不一样，应对结块机理和防结块剂的作用机制进行深入研究，为防结块剂的研制开发提供理论依据。b. 目前市场上流通的防结块剂产品大多采用包裹技术，操作不方便，而且很难包裹均匀，致使其防结块性能降低。应从不同产品结块的内在机理进行研究，从而控制结块的形成。c. 成本偏高是妨碍化肥防结块剂广泛应用的重要因素之一，要想达到理想的防结块效果就在很大程度上提高了肥料的生产成本。d. 目前各厂家生产的防结块剂良莠不齐，国家还没有完善的衡量肥料防结块剂质量的标准，也没有对处理后的不同肥料进行质量检测的标准规则，比如复合肥目前采用在一定温度、湿度、压力下测量剪切力的方法，但是这个方法不适合尿素和二铵等产品，特别是农用硝铵等特别容易吸潮结块类化肥。e. 防结块剂的组成部分大多以有机物质为主，这类物质很难降解，长期使用会造成农田及水体的污染，所以应该对防结块剂的生物降解进行深入研究，开发出绿色环保的化肥防结块剂。

随着农业现代化的发展，机械施肥已成为主流，使得具有良好防结块效果的化肥的需求量越来越大。特别是随着我国化肥二次加工肥料的发展，规模不断扩大，肥料的产量和储存时间也在不断地增加和延长，这些都会加重肥料的结块，要求应用防结块剂来改善肥料的形状，因此，肥料防结块剂显示出了很好的应用前景。鉴于当前化肥产品逐渐由单一化向多元化、由低浓度向高浓度、由速效向缓释和长效等方向的发展趋势，对防结块剂也提出了更高的要求。所以在研制和开发防结块剂时，一方面要尽量降低防结块剂的成本，另一方面要开发出多功能型的化肥防结块剂，使其同时具有防结、缓释、杀虫、除草等功能，并且要求做到长期使用对农田生态系统无污染。

化肥产品一般都需要使用防结块剂，各类产品所用的防结块剂也不尽相同。据调查，2021年肥料防结块剂的消耗量约为30万吨，其中磷铵约消耗5万吨，复混肥约消耗17万吨。全国范围内肥料防结块剂生产、科学研究和技术服务的企业不足200家，湖北富邦和安徽富瑞雪等是目前防结块剂较有影响力的企业。

11.2.1.2 螯合剂

金属原子或离子与含有两个或两个以上配位原子的配位体作用，生成具有环状结构的络合物，该络合物叫作螯合物。能生成螯合物的这种配体物质叫螯合剂，也称为络合剂。配体中有两个或两个以上配位原子，同时与一个中心原子（或离子）形成螯合环。螯合剂的成环作用使螯合物比组成和结构相近的非螯合配位化合物的稳定性高。螯合剂大多数是有机配体。目前已发现的螯合剂最多的达十四齿。螯合剂中的配位原子以氧和氮最为常见，其次是硫，还有磷、砷等。用“螯”描述这类化合物，就是因为分子结构很像“蟹”的两个大“钳”夹住金属原子或离子。螯合剂包括无机和有机两类，大多数是有机类化合物。常用的螯合剂有多磷酸盐、氨基羧酸、1,3-二酮、羟基羧酸、多胺等。

螯合剂在肥料中主要用于螯合中微量元素。螯合剂具有捕捉与稳定金属离子的作用，使中微量元素在土壤中不易被固定，可以促进植物对营养元素的吸收，并促进其在作物各器官中的分配。用螯合剂与植物必需的微量元素（硼和钼除外）制成的肥料，有螯合锌、螯合铁、螯合锰、螯合铜等。一般情况下土施的螯合微量元素肥料比无机微量元素肥料好，在土壤中不易被固定，易溶于水，又不离解，能很好地被植物吸收利用。也可与其他固态或液态肥料混合施用而不发生化学反应，不降低任何肥料的肥效。

高效的螯合剂多用于高端的叶面肥或水溶肥中。肥料中常见的螯合剂有乙二胺四乙酸（EDTA）及其二钠盐、二乙三胺五乙酸（DTPA）、乙二胺二羟基苯乙酸（EDDHA）和羟乙基乙二胺三乙酸（HEDTA）等。腐植酸中的黄腐酸也可与微量营养元素螯合制成螯合微肥。由有机物络合微量营养元素制成的有机微肥，有木质素磺酸锌、尿素铁络合物（三硝酸六尿素合铁）、黄腐酸二胺铁和环烷酸锌乳剂等。

11.2.1.3 悬浮剂

悬浮剂是使料浆中的细颗粒保持悬浮状态的物质。有较高的分散度，较大的表面积，较强的吸附力。能影响周围的水和周围的其他颗粒，使它们不致迅速下沉，从而保持料浆的浓度。悬浮剂分为水悬浮剂和油悬浮剂两种。水悬浮剂是水作溶剂。油悬浮剂是以油类为主要溶剂，不含水。油类一般为植物油，如玉米油、菜籽油等，也可使用人工合成的油类。

常用的悬浮剂有膨润土和羧甲基纤维素。膨润土是以蒙脱石（montmoril-lonite）为主要矿物成分的黏土矿物。它具有极强的吸水性、阳离子交换能力、膨胀性、可塑性和结合能力。颗粒极细，呈土状，常含有贝德石和皂石等杂质，因此颜色常呈白色、灰白色、黄色、浅玫瑰红、蓝色或绿色等，产于辽宁、吉林、浙江等省。膨润土的颗粒质点很小（可以小于 0.1mm），被水润湿后水分不仅吸附在其颗粒表面，还要进入它的晶层之间形成胶体质点，载液变为胶体溶液。膨润土质点在胶体溶液中形成空间网状结构，使膨润土浆具有屈服值，颗粒质点不易下沉。膨润土按吸附阳离子的不同分为钙膨润土、钠膨润土、锂膨润土及有机膨润土等。羧甲基纤维素为白色粉末，无味，无毒，易溶于水，呈透明黏稠状，溶液为中性或微碱性，有良好的分散力和结合力。

悬浮剂在农业上最常见的应用是用于农药产品中。随着我国农业水肥一体化进程的加快，悬浮型液体肥料也因其不分层、不结块、全水溶、易流动而受到青睐。悬浮型液体肥料的发展离不开悬浮剂的应用。悬浮型液体肥料目前在国内还处于初步研发与推广阶段，具有一定的发展潜力。

未来，悬浮剂的发展趋势：一是含量尽可能朝着高浓度方向发展；二是悬浮剂的发展表现出应用功能化的趋势，并逐步向安全化、环保化、水基化发展。

11.2.1.4 表面活性剂

表面活性剂（surfactant），是指能使目标溶液表面张力显著下降的物质。具有固定的亲水亲油基团，在溶液的表面能定向排列。表面活性剂的分子结构具有两性：一端为亲水基团；另一端为疏水基团。亲水基团常为极性基团，如羧酸、磺酸、硫酸、氨基或胺基及其盐，羟基、酰胺基、醚键等也可作为极性亲水基团；而疏水基团常为非极性烃链，如8个碳原子以上的烃链。表面活性剂分为离子型表面活性剂（包括阳离子表面活性剂与阴离子表面活性剂）、非离子型表面活性剂、两性表面活性剂、复配表面活性剂、其他表面活性剂等。表面活性剂有天然的，如磷脂、胆碱、蛋白质等，但更多的是人工合成的，如十八烷基硫酸钠（$C_{18}H_{37}SO_4Na$）、硬脂酸钠（$C_{17}H_{35}COONa$）等。

叶面肥中常用到表面活性剂，主要起降低表面张力的作用，可见有机硅与植物精油等，部分生物刺激素类增效剂也有类似功能。此类增效剂市场份额不大，目前多用作农药助剂，平衡成本与效果后，在叶面肥上的应用具有较大市场。

11.2.2 养分转化抑制类增效剂及其应用

养分转化抑制类增效剂主要包括硝化抑制剂和脲酶抑制剂，以及其混合物，主要用于尿素类氮素增效，个别使用在复合肥中。我国稳定性肥料成分则主要在复合肥上使用，尿素等氮肥上使用得很少，主要原因是：一是目前的各种抑制剂的稳定性比较差，大部分在110℃左右分解，失去效果；二是尿素生产工艺多为封闭性系统，外液很难加入，二次加工喷涂在尿素表面增加了生产成本和工艺难度；三是稳定性肥料产品之中的稳定剂成分检测困难，效果检测一般实验室无法完成；四是稳定性肥料的使用区域、作物、方式受到一定限制，肥效差异性比较大；五是成本增加相对较大，农民接受困难。

11.2.2.1 发展历程

硝化抑制剂的研究开始于20世纪50年代中期，美国学者Goring等首次报道了CP[2-氯-6-(三氯甲基)吡啶]具有硝化抑制特性，1974年CP被开发成一种硝化抑制产品N-server（DOW Chemical），随后大面积推广使用。但CP在应用过程中存在毒性较大、不水溶等难题，所以诞生了具有硝化抑制特性的双氰胺（DCD），不仅解决了水溶性问题，而且其稳定性也较高，在20世纪80年代被推广应用。此后，日本对硝化抑制剂也进行了深入的研究，提出了硫脲（TU）、2-氨基-4-氯-9-甲基吡啶（AM）、2-巯基-苯并噻唑（MBT）、4-氨基-1,2,4-三唑盐酸盐（ATC）和2-磺胺噻唑（ST）等应用品种[1]。针对DCD在使用中存在的易淋洗、添加量较大、添加成本较高等问题，德国BASF公司在20世纪90年代研制出了新的硝化抑制剂产品3,4-二甲基吡唑磷酸盐（DMPP），DMPP在尿素或铵态氮肥中添加1%的用量即可取得较好的硝化抑制效果，被广泛应用于农业生产中[2,3]。

我国硝化抑制剂研究与试用始于20世纪70年代，中国科学院沈阳应用生态研究所周礼恺团队开展了对硝化抑制剂在土壤酶、硝化、反硝化等方面的研究，90年代初开发出了含有DCD的长效尿素和长效碳铵产品。90年代中期以后，硝化抑制剂开始与脲酶抑制剂组合使用[4]，其中HQ+DCD组合价格低廉、效果较好，使用较为广泛。21世纪以来，国内对DMPP及其衍生物的研究普遍较多，其中，3,5-二甲基吡唑磷酸盐（DMPZP）和1-甲基吡唑-1羧酰胺（CMP）等吡唑类硝化抑制剂价格低廉、性能高效，有较好的硝化抑制效果[5]。目前，硝化抑制剂的产品仍在不断创新，产品特点更趋于高效稳定、环境友好。

不同时期国内外使用的硝化抑制剂产品发展对比情况见表11-3。

表11-3　不同时期国内外使用的硝化抑制剂产品发展对比

类型	简称	研制 / 使用的时间、国家	稳定性	添加量	结构式	评价 / 优缺点
2- 氯 -6-（三氯甲基）吡啶	CP N-Serve	20 世纪 60 ～ 70 年代 美国	光解、热解、刺激性气味	纯氮（除硝氮） 0.25% ～ 0.5%	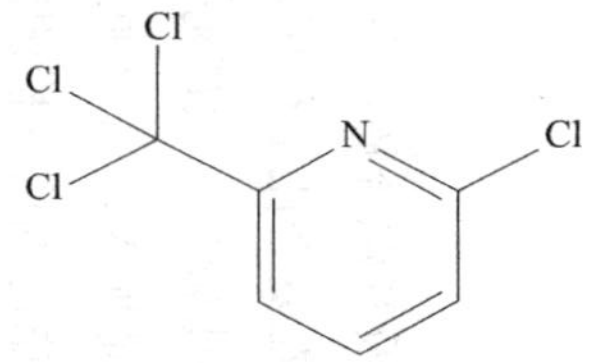	高蒸气压；气味大；有腐蚀性；易爆；不水溶；毒理学健康问题
双氰胺	DCD	19 世纪研发 20 世纪 70 年代使用 美国	良好	纯氮（除硝氮） 2.3% ～ 4.5%	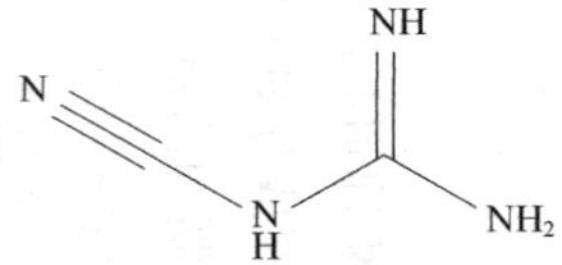	高剂量添加；易淋洗；价格高
3,5- 二甲基吡唑	DMP	20 世纪 80 年代 德国	熔点低、稳定性低于 DMPP	纯氮（除硝氮） 0.8% ～ 1.6%	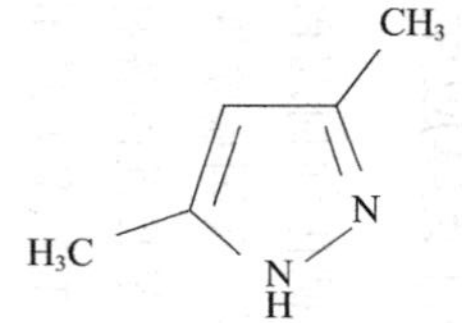	高效；低毒；不稳定
3,4- 二甲基吡唑磷酸盐	DMPP	20 世纪 90 年代 德国	良好	纯氮（除硝氮） 0.8% ～ 1.6%	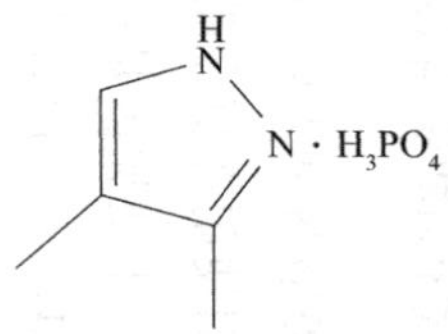	高效；低毒；稳定；价格较高
（3,4- 二甲基吡唑 -1- 基）- 琥珀酸与 2-（4,5- 二甲基吡唑 -1- 基）- 琥珀酸的同分异构体混合物	DMPSA	俄罗斯	良好	纯氮（除硝氮） 0.8% ～ 1.6%	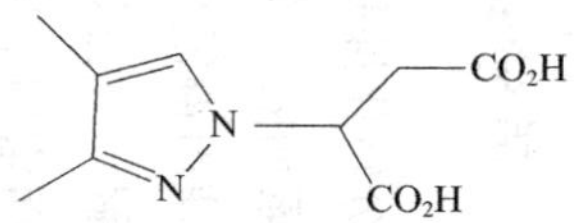	高效；低毒；稳定；价格较高

脲酶抑制剂是通过抑制土壤脲酶活性，延缓尿素水解的一类化学制剂。脲酶的抑制途径主要包括对脲酶巯基（—SH）的作用、争夺配位体、抑制或延缓脲酶的形成，通过产业化发展形成的产品主要是HQ、NBPT等物质。

1926年，Sumner首次发现土壤中脲酶的存在，并成功分离纯化出脲酶结晶，20世纪60年代初发现含硼化合物、原子量大于50的重金属、含氟化合物、多元酚、多元醌和抗代谢物质类等对脲酶活性均有抑制作用，但当时由于条件限制，各种脲酶抑制剂不能投入实际生产应用中。直到20世纪70年代脲酶抑制剂的研究才正式展开。HQ被认为是最为有效的一种土壤脲酶抑制剂，由于HQ具有强烈的致畸性，以及诱导基因突变等生理危害，其运用范畴较少[6]。随后，Medina等人在70年代发现类似尿素的磷酰胺类抑制剂PPDA对脲酶活性有显著的抑制效果[7]，并且磷酰胺类的脲酶抑制剂效果普遍好于HQ，但PPDA在田间对氨挥发抑制效果的表现并不稳定，在高温及pH较高的环境下，抑制效果受限制，易于分解形成酚。所以在20世纪80年代，正丁基硫代磷三酰胺（NBPT）作为一种高效、稳定的脲酶抑制剂被研发应用，于1996年被美国IMC-Agrico公司开发成一种脲酶抑制产品Agrotain"禾谷泰"并投入使用。NBPT是目前公认的最有效的[8]，也是应用最广且前景最好的脲酶抑制剂。

20世纪80年代初，中国科学院沈阳应用生态研究所周礼恺团队对氢醌进行了系统的研究实验，并于90年代初研发出长效尿素和一系列含尿素长效复合肥[9]。李晓鸣等研究表明，施用HQ能够提高小麦产量约11%、氮肥利用率13%[10]。陈利军等研究表明，HQ与DCD配合施用能显著减少N_2O和NH_3挥发，同时也能减少硝酸盐的累积[11]。我国在1980年以后研究的脲酶抑制剂多为磷酸胺类化合物，主要是*N*-丁基硫代磷酰三胺（NBPT）和苯基磷酰二胺（PPD）。中国农科院土壤肥料研究所王小彬等研究发现当尿素表施时，NBPT用量为0.25%更有利于减少氨挥发损失和提高尿素氮的有效性[12]。未来脲酶抑制剂产品将向着低成本、高效性、稳定性、环境友好的方向继续发展。

脲酶抑制剂种类根据来源和结构的不同主要分为：磷胺类化合物、酚醌类化合物、杂环类化合物、尿素类似物、重金属离子类、巯基类化合物、氧肟酸类化合物，以及硼酸及其衍生物等。目前已申请专利并应用于农业生产的脲酶抑制剂有NBPT、PPD等。

常见的脲酶抑制剂见表11-4。不同时期国内外使用的脲酶抑制剂产品发展对比见表11-5。

表11-4 常见的脲酶抑制剂

序号	类别	化合物
1	磷胺类	CNPT（环乙基磷酸三酰胺）、TPT（硫代磷酰三胺）、PT（磷酰三胺）、NBPT（*N*-丁基硫代磷酰三胺）、NPPT（正丙基硫代磷酸三胺）、NBPTO（*N*-丁基磷酰三胺）、PPD（苯基磷酰二胺）、CHTPT（环乙基硫代磷酸三酰胺）等
2	酚醌类	*P*-苯醌、HQ（酚醌）、醌氢醌、蒽醌、菲醌、1,4-对苯二酚（氢醌）、邻苯二酚、间苯二酚、苯酚、甲苯酚、苯三酚、茶多酚等
3	杂环类	HACTP（六酰胺基环三磷腈）、硫代吡啶类、硫代吡唑-*N*-氧化物、*N*-卤-2咪唑艾杜烯、*N*,*N*-二卤-2-咪唑艾杜烯
4	其他	楝树胶、腐植酸、硼酸、汞盐、银盐、木质素、硫酸铜、硫脲、菜籽饼、茶叶、烟叶、蓖麻叶等

表11-5　不同时期国内外使用的脲酶抑制剂产品发展对比

类型	简称	研制 / 使用时间与国家	稳定性	添加量	结构式	评价 / 优缺点
对苯二酚（氢醌）	HQ	20 世纪 70 年代美国	稳定，与强氧化剂、强碱、氧、铁盐不相容，光解	酰胺态氮 0.9% ～ 2%	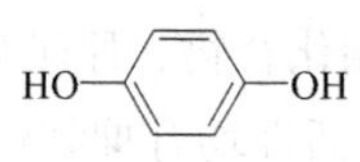	毒性，致畸性
N-正丁基硫代磷酰三胺	NBPT	20 世纪 90 年代美国	水解、热解、酸解	酰胺态氮 0.09% ～ 0.2%	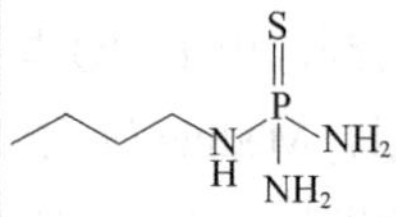	稳定性问题，与其他抑制剂、复合肥兼容问题
正丙基硫代磷酸三胺	NPPT	20 世纪 90 年代德国	水解、热解、酸解	一般不单独添加，与 NBPT 配合添加	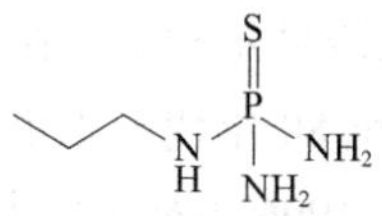	稳定性问题，与其他抑制剂、复合肥兼容问题

11.2.2.2　重点企业及产业化应用

CP 代表产品是 NMAX 增效剂，上海碧晶农业科技有限公司于 2007 年自主成功研发并量产出 NMAX 氮肥增效剂（表 11-6），从生产合成到 NMAX 的农业应用，共获得了 4 个发明专利、1 个德国发明专利、2 项新型实用专利，2012 年获得农业部肥料认证中心登记。NMAX 增效剂添加到复合肥中（恩倍力复合肥 16-16-16；恩久复合肥 26-11-11），设计目标是调节铵：硝 =3：1 的混合营养最佳搭配，从而解决在寒冷、干旱、高温、盐碱等条件下作物出苗困难、氮利用率低等问题。目前推荐用于玉米、水稻等大田作物以及枣树、苹果、番茄等园艺作物。施用方法可采用撒施、沟施、穴施、冲施等传统施肥方式，但没有用于滴灌体系的产品。

表11-6　CP抑制剂品牌及产品配方

序号	活性成分	抑制剂品牌	产品名称	生产企业	产品配方
1	CP	上海碧晶 NMAX	恩倍力	浙江巨隆化肥有限公司	16-16-16
2			恩久	浙江巨隆化肥有限公司	26-11-11
3	CP	金色 2.0 长效硝硫型	金色 2.0 长效硝硫型	广东拉多美化肥有限公司	17-17-17
4	CP	恩伴		美国陶氏益农公司	增效剂

研究发现，加入 900g/hm^2 NMAX 肥料增效剂可使玉米产量增产 2.8%。适宜氮肥用量配施 NMAX 增效剂可使水稻叶面积指数增大，促进植株生长量及地上部干物质量的积累，配施 NMAX 增效剂较仅施氮肥处理水稻最高增产 11.3%。NMAX 肥料增效剂可使旱地黑土单位施氮量下的 N_2O 排放通量降低 42.1% ～ 50.0%，玉米氮肥利用率最高提升 49.9%[13]。

众德集团双泰克稳定性肥料是添加 DCD 的稳定性肥料代表产品。双泰克是融合众德生物聚能包和索尔维抑制剂 2 项特殊原料的技术型产品。众德生物聚能包糅合了海洋生物提取液和陆地生物提取物。双泰克稳定性氮肥分别有硫酸铵型（21-0-0）、硝酸铵钙型（26-0-0）和尿素型（45-0-0）。并且双泰克稳定性氮肥同时添加了硝化抑制剂DCD与脲酶抑制剂NBPT，协同添加双效抑制剂的目的是期望能够同时抑制尿素的硝化和氨挥发。双泰克稳定性复合肥有硫型（15-6-28、16-16-16）与氯型（18-18-18、22-6-12）两种，但其中仅添加了硝化抑制剂DCD，这是由于NBPT在复合肥中的添加很不稳定，容易与磷等营养元素发生反应使其活性降低（表11-7）。

表11-7　国内市场上常见的硝化抑制剂品牌及稳定性肥料

<table>
<tr><th>序号</th><th>活性成分</th><th>抑制剂品牌</th><th>产品名称</th><th>生产企业</th><th>产品配方</th></tr>
<tr><td>1</td><td>DCD NBPT</td><td>索尔维 双泰克</td><td>双泰克稳定性氮肥</td><td>众德肥料（烟台）有限公司</td><td>21-0-0
26-0-0
45-0-0</td></tr>
<tr><td>2</td><td>DCD NBPT</td><td rowspan="2">中国科学院沈阳应用生态研究所 NAM</td><td>富满根稳定型复合肥料</td><td>吉林倍丰农业生产资料有限公司</td><td>25-11-12</td></tr>
<tr><td>3</td><td>DCD NBPT</td><td>稳定性复合肥料</td><td>施可丰化工股份有限公司</td><td>26-11-11</td></tr>
<tr><td>4</td><td>DCD</td><td>索尔维 双泰克</td><td>双泰克稳定性复合肥</td><td>众德肥料（烟台）有限公司</td><td>硫型 15-6-28、16-16-16；
氯型 18-18-18、22-6-12</td></tr>
</table>

20世纪90年代，DMPP原创于德国巴斯夫公司。目前，巴斯夫维百锁是在我国农业农村部正式登记的DMPP肥料增效剂，并与国内多家肥料企业合作，形成了系列肥料产品。其中稳定性氮肥包括四川金象化工股份有限公司Wistom稳定性氮肥26-0-0（硝酸铵钙），南宁汉和生物科技股份有限公司欧神系列欧氮稳定性氮肥20-0-0（硫酸铵型），云南云天化股份有限公司美滋乐稳定性氮肥26-0-0（硝酸铵钙）。稳定性复合肥包括Wistom稳定性复合肥20-10-10、15-4-26、16-14-16；美滋乐稳定性复合肥包括20-8-12+TE、15-15-15+TE、13-10-22+TE、17-17-17+TE、19-19-19+TE、21-21-21+TE等。维百锁DMPP肥料增效剂及其稳定性肥料推荐用于多种果树、蔬菜、大田以及经济作物和园艺作物等中。国内市场上常见的DMPP品牌及稳定性肥料见表11-8。

表11-8　国内市场上常见的DMPP品牌及稳定性肥料

<table>
<tr><th>序号</th><th>活性成分</th><th>抑制剂品牌</th><th>肥料产品名称</th><th>生产企业</th><th>产品配方</th></tr>
<tr><td>1</td><td>DMPP</td><td rowspan="3">巴斯夫 维百锁</td><td>Wistom</td><td>四川金象化工股份有限公司</td><td>26-0-0</td></tr>
<tr><td>2</td><td>DMPP</td><td>美滋乐</td><td>云南云天化股份有限公司</td><td>26-0-0</td></tr>
<tr><td>3</td><td>DMPP</td><td>欧神欧氮</td><td>南宁汉和生物科技股份有限公司</td><td>20-0-0</td></tr>
<tr><td>4</td><td>DMPP</td><td rowspan="2">康朴 诺泰克</td><td>速溶 诺泰克</td><td>德国康朴公司</td><td>20-5-10</td></tr>
<tr><td>5</td><td>DMPP</td><td>速溶 诺泰克</td><td>新洋丰农业科技股份有限公司</td><td>18-5-26</td></tr>
</table>

续表

序号	活性成分	抑制剂品牌	肥料产品名称	生产企业	产品配方
6	DMPP	欧洲化学 恩泰克	恩泰克复合肥料	欧洲化学安特卫普公司	22-7-11
7	DMPP	武威金仓	速比多	河北萌帮水溶肥料股份有限公司	17-16-17
8	DMPP	武威金仓	初牛	中农普罗丰禾湖北科技有限公司	24-0-0
9	DMPP	武威金仓	3+ 三	金正大集团股份有限公司	25-4-6
10	DMPP	Deltalent		德国康朴公司	45-0-0

NBPT 的代表产品是德国巴斯夫公司的力谋仕（Limus）。Limus 是巴斯夫公司最新研发的一款新型脲酶抑制剂，荣获多项发明专利，具有活性高、剂型稳定、操作方便等特点（表 11-9）。由尿素厂家直接将力谋仕喷涂在尿素表面生产稳定性尿素；或由配肥站、零售商、农户自己将力谋仕跟尿素混合均匀包衣后使用。国内添加 Limus 的肥料产品主要有南宁汉和生物科技股份有限公司生产的普滋蓝稳定性氮肥（45-0-0）和河南心连心化工集团的超控士尿素（46-0-0）。Limus 脲酶抑制剂耐储存，便于运输管理，能够增加作物产量，提高氮肥利用率，减少氨挥发，改善生态环境。并且由于土壤中有大量细菌、真菌和植物，所产生的脲酶略有不同，所以 Limus 产品中添加了 NBPT 与 NPPT 两种抑制剂，有效作用于不同脲酶的结合位点，阻碍脲酶和靶标底物结合，继而达到全面抑制的效果。

表11-9 国内外常见的脲酶抑制剂品牌及稳定性肥料

序号	活性成分	抑制剂品牌	产品名称	生产企业	产品配方
1	DCD NBPT	索尔维 双泰克	双泰克稳定性氮肥	众德肥料（烟台）有限公司	21-0-0 26-0-0 45-0-0
2	NBPT NPPT	巴斯夫 Limus	普罗施旺普滋蓝水溶肥	南宁汉和生物科技股份有限公司	45-0-0
3	NBPT NPPT	巴斯夫 Limus	超控士尿素	河南心连心化工集团	46-0-0
4	NBPT	科氏 Agrotain	脲酶抑制剂尿素	达州玖源新材料有限公司	46-0-0
5	NBPT	AgRHO NH_4 Protect		比利时索尔维集团	增效剂
6	NBPT	N-TEGRATION		美国科氏农业与能源公司	增效剂
7	NBPT	Agrotain		美国科氏农业与能源公司	增效剂

Limus 对玉米具有提早抽雄、吐丝、成熟的作用；降低玉米株高、穗位高，增强玉米抗旱性，增加玉米穗长、穗行数、行粒数、百粒重，提高玉米产量[14]。中国农业大学刘学军教授团队研究结果表明，Limus 能显著减少尿素的氨挥发损失，氮肥利用率提高 11% ～ 23%，有较好的环境效益。在小麦生产中，添加 Limus 处理较常规施氮处理小麦产量增幅达到 2.24% ～ 13.75%[15]。在尿素或尿素硝铵溶液中使用相同有效成分量时，力谋仕抑制氨挥发比单加 NBPT 更有效，NH_4^+ -N 的损失较单加 NBPT 降低了 21.7%[16]。另外，在 12 个月的

产品储存期内 Limus 几乎没有损失，而 NBPT 含量在储存期间明显降低。

11.2.2.3　农业农村部登记情况

肥料增效剂需要在农业农村部进行登记。截止到 2021 年底，有登记证的生产厂家共 5 个，涉及 2-氯-6-三氯甲基吡啶、正丁基硫代磷酰三胺（NBPT）以及 3,4-二甲基磷酸盐（DMPP）等 6 个产品。

11.2.2.4　产能和产量

稳定性肥料是指经过一定工艺加入脲酶抑制剂和（或）硝化抑制剂，施入土壤后通过脲酶抑制剂抑制尿素的水解，和（或）通过硝化抑制剂抑制铵态氮的硝化，使肥效期得到延长的一类含氮肥料（包括含氮的二元或三元肥料和单质氮肥）。全球 203 个样本的大范围研究表明脲酶抑制剂、硝化抑制剂及两者混合施用的双抑制剂施用于农田体系可以显著减少总活性氮损失 24%、22%、43%[17]。考虑到其添加量少（一般不超过 1%），无残留，成本低（一般不超过肥料成本的 5%）等优势，是当代氮素肥料增效的首选途径，可以有效解决当前以合成氨为基础的氮素损失高、利用率低的问题。

稳定性肥料自 20 世纪 50 年代开始研发至今已经在部分国家成为通用型产品，许多国家还相继出台了相关法规措施以强制推行施用。2019 年 6 月 25 日，欧盟肥料新法规发布，将含抑制剂肥料产品单独分为一类，并制定了肥料标准；德国从 2020 年 2 月 1 日开始禁用常规尿素，规定必须添加硝化或脲酶抑制剂或深施施用；英国政府也在考虑禁止使用固体尿素肥料或限制固体尿素肥料的使用来减少 NH_3 的排放。IFA 预计 2026 年全球稳定性肥料总量将达到 2700 万吨。然而，我国稳定性肥料起步较晚，2011 年形成了稳定性肥料的行业标准，2017 年正式颁布了稳定性肥料国家标准（GB/T 35113—2017）。随着我国农业绿色发展的步伐加快，稳定性肥料将成为重要的产品类型。

国内外针对稳定性肥料的环境效应和农学效应开展了大量试验和综述研究，总体上证明其具有调控铵硝营养、定向减少养分损失、一定程度上可控制养分释放速率等特点，但分析发现其效果存在极大的不确定性，体现在不同作物体系、不同土壤类型、不同气候条件均对其作用效果有影响[17,18]。但以往研究较少关注抑制剂类型、抑制剂与肥料产品配合以及施用技术不同所带来的效果变异。抑制剂自诞生以来，一直在创新发展，不仅在研究中探明了多种生物和工业合成的化合物[19]，在生产中也发展了多种产品类型。

养分转化抑制类增效剂利用抑制剂调节土壤微生物的活性，减缓尿素的水解和对铵态氮的硝化-反硝化作用，从而达到肥料氮素缓慢释放和减少损失的目的。最理想的添加模式应该是与尿素工厂合作，直接添加到尿素产品中。国内研发和推广该类增效剂较早的中国科学院沈阳应用生态研究所，在 2008 年就开始与锦天化、山东鲁西、泸天化等大型尿素企业合作，但因此类增效剂存在不耐高温、对设备产生腐蚀等问题，最终在尿素工厂没有实现连续工业化。随后他们将该类增效剂添加到了复混肥生产中，目前沈阳生态所的抑制剂在山东施可丰等 30 多个复混肥企业中得到了应用，并于 2010 年成立了“稳定性肥料产业技术联盟”，联盟的成立对促进稳定性肥料产业发展起到了积极的推动作用。目前联盟稳定性肥料年产能在 200 万吨左右，年产量约 100 万吨。

国外品牌如德国巴斯夫、比利时索尔维和美国陶氏益农、美国科氏等近年来在中国也展开了养分转化抑制类增效剂产品的推广和应用，他们的产品也是主要推广到了复混肥生产中，也有少量销售给种植户直接使用。

随着高效肥料需求的增加，养分转化抑制类增效剂及由其加工的稳定性肥料产能和产量迅速增长。2010 年养分转化抑制类增效剂销量约 1600t，稳定性肥料产能 156 万吨，产量 30 万吨；2021 年养分转化抑制类增效剂销量约 9100t，稳定性肥料产能 380 万吨，产量 190 万吨。2010 ～ 2021 年养分转化抑制类增效剂销量和稳定性肥料产能、产量年均增长率分别为 17%、8% 和 18%。养分转化抑制类增效剂快速增长的原因是随着参与公司的增多，加大了推广力度，产品除了用于稳定性肥料中外，还有一部分直接销售给种植户使用。稳定性肥料产量增速大大高于产能增速的原因是产品推广初期种植户认知度较低，销量不佳，随着政策的支持和企业的推广，种植户逐渐接受了新型肥料的使用，需求量快速增长，带动了产量的快速上升。

11.2.2.5　发展展望

化肥是国家粮食安全的基础，也是我国农业绿色发展的重要物资保障，化肥产业涉及粮食安全、资源安全、环境安全、营养健康、社会稳定等重大领域。新形势下，需要加快肥料产品创新创制的步伐，有效突破我国农业生产中减量、高效、增产、提质等瓶颈问题。预计未来几年内养分转化抑制类增效剂销量和稳定性肥料产能、产量年均增速将保持 8% 左右的水平。

当前，我国的稳定性肥料产业仍在不断创新与发展，但目前国内外稳定性肥料市场上还存在一些问题，比如：抑制剂的作用效果受土壤类型、有机质含量、温度、水分、土壤生物活性等环境因素影响，持效期不稳定，田间效果差异较大；单施某种抑制剂的效果不理想，但同时添加不同种类的抑制剂容易失活；某些抑制剂毒性较高，可能对作物与土壤微生物造成伤害，导致生态环境污染；目前抑制剂种类很多，但能够应用于稳定性肥料生产的较少；稳定性肥料价格偏高等。为实现稳定性肥料的健康发展，应进一步开展创新研究，强化产品研发能力，创新市场模式。未来，稳定性肥料将向着以下几个方向发展：

① 进一步推进抑制剂的研发创新。实现不同种类氮肥、复合肥专用抑制剂的开发。今后，新型脲酶抑制剂和硝化抑制剂的筛选与合成将向着环境友好、稳定高效的方向发展。

② 改良抑制剂添加工艺。创新改善脲酶 / 硝化抑制剂向不同氮肥、复合肥中添加的生产工艺，并配合开发硝化抑制剂与脲酶抑制剂的添加保护技术，提高抑制剂向肥料中添加的稳定性与持效时间。

③ 研发适合特定区域的稳定性肥料。根据不同地区的环境特点及不同作物的需肥规律，研发具有针对性的专用稳定性肥料。

④ 开发功能多元化的稳定性肥料。进一步开发不同脲酶 / 硝化抑制剂的协同使用技术，以及中微量元素、氨基酸、腐植酸、海藻酸等功能物质与抑制剂配合添加技术。

11.2.3　养分释放控制类增效剂及其应用

11.2.3.1　缓/控释类材料

缓 / 控释材料是以各种调控机制使肥料养分在土壤中延缓释放或使养分按照设定的释放率和释放期释放的材料。缓 / 控释材料包括缓释材料和控释材料，缓释材料使肥料中养分在土壤中的释放速度比常规水溶性肥料缓慢；控释材料则可以根据作物对养分的需求规律，通过包膜材料的调整，调控肥料养分在土壤里的释放量和肥效期，使养分的供给能够和作物生长发育的需肥量同步。缓 / 控释材料近年来的研究多向智能化、绿色可降解方向发展，市场上的主要产品为包膜材料，一般占缓 / 控释肥料质量的 6% ～ 8%。

缓 / 控释材料按照原料来源可分为以下两类：

（1）无机物包膜材料

常用无机物包膜材料主要有硫黄、硅铝酸盐、磷酸盐、膨润土、硅藻土和一些疏水性的无机矿粉等。硫黄包膜尿素是最早开发的一种无机物包膜材料，但硫黄作为包膜物质并不能很好地包覆在肥料颗粒表面，而且包膜中常存在一些“针孔”或裂缝，同时硫黄物性较脆，在储存和运输过程中很容易脱落，因此导致硫黄包膜肥料的缓释性能不佳。另外，还有利用硅铝酸盐四面体空腔结构的可逆性物理吸附作用缓 / 控释养分的材料；通过高温加热将掺杂钾、钙、镁或硅氧化物的结晶磷转变为无定形玻璃无机物玻璃态包膜材料；以钙镁磷肥、沉淀磷酸钙或骨粉等磷肥为包膜剂，用氮磷钾泥浆作为黏结剂的包裹材料。无机包膜材料的缺点是养分含量低，控释效果差；优点是材料来源广泛，价格低廉，肥料养分释放完毕后包膜材料能够自行降解，不仅不会对土壤环境造成污染，而且具有改善土壤结构、提供植物所需微量元素的作用。

（2）有机物包膜材料

有机物包膜材料来源广泛，种类较多，以高分子聚合物为主，又可分为天然高分子材料、合成高分子材料和半合成高分子材料。

① 天然高分子材料　天然高分子材料主要有纤维素、淀粉、木质素、松香的混合物（二聚松香、酯化松香、天然松香）、氨基酸、天然橡胶、海藻酸钠、腐植酸、壳聚糖等，其特点是来源广泛、廉价易得，养分释放完后包膜材料容易被生物降解，属于环境友好型材料。

② 合成高分子材料　合成高分子材料包括热塑性聚烯烃类和热固性树脂类，如聚乙烯、聚氯乙烯、聚丙烯、聚乙烯醇、聚丙烯酰胺、聚乙烯与 EVA（乙烯-醋酸乙烯共聚物）共聚物、聚砜、醇酸树脂类、聚氨酯类和脲醛树脂等。

热塑性聚烯烃类树脂包膜是用聚烯烃类高分子材料在化肥颗粒上包裹一层带有微孔的薄膜，以此控制养分释放。热塑性树脂包膜的缓 / 控释肥料种类较多，控释效果好，但此类聚合物难以降解，而且生产过程中使用有机溶剂溶解，可能导致二次污染。另外，热塑性聚烯烃类树脂包膜肥料的成本过高，限制了其在生产中的大规模推广应用。

常用的热固性树脂类包膜材料有醇酸树脂和聚氨酯树脂两大类。醇酸树脂是双环戊二烯和甘油酯的共聚物，养分的释放可以通过改变共聚单体的组成或膜的厚度来控制。利用这类树脂包膜通常不需要使用大量有毒溶剂，部分包膜材料能和肥料之间形成化学键，包膜的强度和耐磨性较好。热固性树脂包膜可以在开放性的转鼓中进行包衣，不涉及溶剂回收，可连续化生产，但热固性树脂的价格一般高于聚烯烃类热塑性树脂。

合成高分子包膜的特点是包膜层厚度可控、对土壤环境不敏感、养分扩散速率可通过调节聚合物的化学性质来控制，因而可实现对养分的控释。但该类包膜材料价格较高，使用有机溶剂溶解，包膜工艺复杂，而且在土壤环境中不易降解，从而带来环境污染问题。

③ 半合成高分子材料　针对天然高分子材料易被生物降解、控释养分性能较差的缺点，通常将其改性后用作包膜材料。半合成高分子材料包括醋酸纤维素、羧甲基纤维素、醋酸酯淀粉、甲基纤维素和乙基纤维素，以及天然高分子材料与聚丙烯酸、聚丙烯酰胺等水溶性高分子接枝改性的具有吸水、保水功能的包膜材料。另外，半合成高分子包膜材料还常辅以甲醛、海藻酸硅藻土、卡拉胶凝胶、农作物秸秆、凹凸棒黏土、腐植酸等材料以增加其缓释效果。

半合成高分子材料成膜性好，作为包膜材料具有较好的控释效果，同时将其作为保水剂与肥料结合，既具有缓释性，又具有保水性，而且具有促进作物根系生长、土壤调理等多项功能。

半合成有机高分子作为包膜材料的优点是缓/控释效果好，通过调整包膜物质的组分和配比，能够达到按照作物需肥规律控释养分的目的，但有机高分子包膜材料成本较高、包膜工艺复杂等因素阻碍了其推广和应用。

自 2006 年以来，我国缓/控释肥产业快速发展，产能迅猛增长。我国各类缓/控释材料用量由 2006 年的 0.9 万吨增长至 2015 年的约 2.7 万吨，年均增速为 13%。2015 年，农业农村部出台了《2020 年化肥农药使用量零增长方案》。此后，高效和环保的增效肥料更是得到了快速发展，2021 年我国缓/控释材料用量约 3.2 万吨。

国外控释肥料产品的包膜类型和国内控释肥料产品的包膜类型分别见表 11-10 和表 11-11。

表11-10　国外控释肥料产品的包膜类型

研发单位	国家	包膜/产品种类
TVA 公司	美国	硫包膜、硫-聚合物复合包膜
SCOTTS 公司	美国	醇酸树脂包膜
Aglukon 公司	德国	亚甲基脲（MU）、脲甲醛（UF）
Agrium 公司	加拿大	聚合物包膜
博特拉大学、LISA 联盟	马来西亚	硅铝酸盐
Haifa 公司	以色列	脂肪酸、金属氢氧化物包膜
英国利兹大学	英国	玻璃态控释肥料
Chisso-asahi 公司	日本	热塑性聚烯烃树脂、PE、EVA

表11-11　国内控释肥料产品的包膜类型

研发单位	产品种类
中国科学院南京土壤研究所	壳聚糖包膜尿素、磷矿粉包裹碳酸氢铵
中国农业科学院土壤肥料研究所	微米-纳米材料包膜
山东农业大学	硫黄包膜、沥青包膜、石蜡包膜、树脂类包膜
广东省农科院土壤肥料研究所	硫化木质素
湖南省农业科学院	热塑性树脂包膜、可降解包膜
郑州大学	磷酸铵镁包膜
中国科学院山西煤炭所	腐植酸包膜（UHA）
北京化工研究院	酚醛树脂包膜
华南农业大学	废弃物包膜、聚氨酯
金正大生态工程集团股份有限公司	硫黄加树脂复合包膜、高分子树脂包膜
首创集团	热塑性树脂包膜
深圳芭田生态工程集团股份有限公司	聚乙烯醇、缩合淀粉等水溶性高分子材料

11.2.3.2　发展历程

缓/控释肥于20世纪40年代起源于美国，随后欧洲、日本也开始了相关研究，始终以肥料的长效、高效为主线发展至今。从广义上讲，缓/控释肥是指养分缓慢释放，或按照预先设定的释放速率来释放养分（以满足作物整个生长周期养分的需要）的肥料。狭义上，缓/控释肥可分为缓释肥和控释肥。缓释肥的养分释放速率远小于速溶性肥料，在土壤中其养分能延缓释放，对作物具有缓效性和长效性，但不能控制养分的释放。缓释肥大多数为氮肥，施用后在化学和生物的作用下被逐渐分解，缓慢释放出氮素，以满足作物对氮素的需求。控释肥是缓释肥料的高级形式，通过各种控释机制来使其养分释放与农作物不同生长阶段的养分需求相一致，其中包膜控释肥是应用最多的一类。包膜控释肥是以颗粒肥料（单质或复合肥）为核心，表面采用水溶性无机物或聚合物包膜，通过调整聚合物降解速率来调控养分的释放速率。欧洲标准委员会（CEN）以肥料养分在水中的溶出率为标准，提出了缓/控释肥的具体标准，即在温度25℃时，肥料中的有效养分在24h内的释放率不能超过15%，28d内的养分释放率不能超过75%，在规定时间段内养分的释放率不能低于75%。还特别提出将专用控释肥的养分释放曲线与相应作物的养分吸收曲线相吻合作为标准之一。

20世纪60年代末，南京土壤研究所在国内最早开始长效氮肥的研究，最初的目的仅仅是解决碳酸氢铵挥发的问题，研制成功了碳酸氢铵粒肥，之后又研制成功了以钙镁磷肥为主要包膜材料的长效碳铵和长效尿素，并对其释放特性、供氮过程进行了系统研究。1973年，辽宁盘锦农科所研制出了沥青蜡包膜碳铵，但未形成规模化生产。80年代中期，包膜控释肥料的研究再度受到重视，国内有多家研究机构具备试制缓/控释肥料的实验设备和条件。1985年，浙江龙游化工厂研制生产出硫铵包膜肥，次年年产5000t的装置投产。1986年，广州氮肥厂研制成功了涂层尿素，即在尿素颗粒表面喷涂一层含有微量元素的胶状有机物。1986 年，北京化工学院（现北京化工大学）开始筛选可降解树脂包膜材料，最后建成了日产 10t 的以脲醛树脂为包膜剂的缓 / 控释肥料生产装置。1992 年，南化集团公司与南京农业大学合作研制成功杂交水稻制种专用包膜复混肥，产品推广使用后增产效果显著。

树脂包膜控释肥方面的研制，中国主要借鉴日本的经验。1992 年开始，北京市农林科学院率先系统开展了树脂包膜尿素的研究，在借鉴日本技术的基础上，在溶剂、包膜材料、设备等方面均有较大的改进和突破。研究筛选出低毒溶剂，回收率达 98% 以上；研制出连续型生产设备，已申请国家发明专利。90 年代以来，浙江农业大学研究用塑料包裹常规复合肥，以减少肥料挥发与淋失；郑州乐喜施磷复肥技术研究推广中心先后开发了以钙镁磷肥包裹尿素等 3 类包裹型复合肥料，其生产成本与普通复混肥料价格相当或略高，属于拥有中国自主知识产权的肥包肥环境友好型缓 / 控释肥。目前，中国已有多个研究部门研制出缓 / 控释肥料，其中中国科学院沈阳应用生态研究所、中国农业科学院、中国农业大学、山东农业大学、华南农业大学等多个科研机构所取得的科研成果已经实现了工业化生产。

近十年来，缓 / 控释肥被纳入国家中长期科技发展规划纲要，并写入中央一号文件。国家缓 / 控释肥工程技术研究中心、缓 / 控释肥技术创新平台建设等项目也相继成立，有力地推动了行业发展。

目前，整个产业已初具规模，缓释肥料、控释肥料、硫包衣肥料、脲醛肥料均得到了一定发展，并积极开展向大田作物应用的推广，一批优秀的品牌和企业还得到了世界其他国家和地区的认可，越来越多的用户逐渐认识到了缓 / 控释肥料在平衡施肥、减肥增效方面的作用。

11.2.3.3 产业化应用

我国是化肥生产和消费大国，但化肥利用率普遍较低，增加了农民的种植生产成本，造成大量的资源浪费以及化肥生产和施用过程的双重污染。因此，开发缓 / 控释肥料，提高化肥的利用率成为农业、化工和环保等各个行业迫切需要解决的问题。基于此，国家科学技术委员会在“863”计划和“十五”科技攻关中提出缓 / 控释肥料研究项目，随后一大批的科研院所和生产企业纷纷加入缓 / 控释肥料的研发和推广行列中。以下几类缓 / 控释肥料在我国的研究和发展较好。

（1）聚合物包膜肥料（polymer coated fertilizers）

聚合物包膜肥料（通称树脂包膜肥料）是肥料颗粒表面包覆了高分子膜层的肥料。通常有两种制备工艺方法，其一是喷雾相转化工艺（物理法），即将高分子材料制备成包膜剂后，用喷嘴涂布到肥料颗粒表面形成包裹层的工艺方法；其二是反应成膜工艺（化学法），即将反应单体直接涂布到肥料颗粒表面，直接反应形成高分子聚合物膜层的工艺方法。经过多年的发展，聚合物包膜控释肥料从生产技术到产业发展均取得了长足的进步，目前已经进入一个相对稳定的理性发展时期。从中国实际情况出发，降低聚合物包膜材料成本、研发可降解的包膜材料、连续化生产、加大推广力度仍然是聚合物包膜类控释肥料的努力方向。该类技术研发单位主要有山东农业大学、北京农林科学院、中国农业大学、中国农业科学院、华南农业大学等。代表性企业有茂施农业科技有限公司、金正大集团、山东农大肥业、众德集团等。

（2）硫包衣尿素（sulfur coated urea）

硫包衣肥料主要为硫包衣尿素。硫包衣尿素是以硫黄为主要包裹材料对颗粒尿素进行包裹，实现对氮素缓慢释放的缓 / 控释肥料，一般含氮 30% ～ 40%，含硫 10% ～ 30%。氮的释放时间与硫包衣的厚度、封蜡等技术有关。尿素氮释放途径是硫包衣产品表面产生的裂缝、小孔或不完整处，一旦水分透过包裹层，氮素即释放到周围的土壤中，因此其可控性不如聚合物包膜，但是硫包衣尿素在缺硫土壤中施用具有一定的优势。

2005 年，汉枫缓释肥料公司在国家倡导发展缓释肥料的积极环境下，在中国建立了首条硫包衣尿素生产线，打破中国缓释肥料产业化空白的境况，经过工艺升级和改造，突破各项技术瓶颈并申请多项工艺和生产设备专利、专有技术，使中国首次拥有成熟的硫包衣尿素（SCU®）工业化技术。汉枫缓释肥料公司先后在中国、印度尼西亚建立 5 条硫包衣尿素生产线，引领和推动硫包衣尿素（SCU®）缓释氮肥发展。

硫包衣尿素（SCU）产品的突出优势在于，以硫作为包裹材料包裹颗粒尿素，外包裹层为天然有机专用蜡密封剂，通过全自动化工艺控制技术，使养分释放更精准稳定，提高氮肥利用率超过 30%，而普通氮肥利用率不足 30%。硫包衣尿素（SCU®）的低碳环保、高效优势显著，能够极大地减少资源浪费，提高作物产量和品质。同时，作为植物所需第四大营养元素，硫与氮能够互促增效，减少作物中硝酸盐积累，提高作物蛋白质含量和品质。相比其他树脂包膜，硫包膜不会对土壤造成二次污染，可以培肥地力、修复土壤，是发展高效及无公害绿色农业的理想肥料。由中国肥料和土壤调理剂标准化技术委员会及汉枫缓释肥料公司共同主导起草的两项缓释肥料国际标准——《硫包衣尿素一般要求》及《硫包衣尿素分析方法》于 2015 年 3 月初全票通过最终国际标准草案（FDIS），成为中国肥料行业历史上首例国际标准。硫包衣尿素国际标准成功制定，有效促进低碳绿色硫包衣尿素缓释氮肥在全球快速发展和普及，对推动全球绿色农业可持续发展具有极其深远的意义。

（3）包裹肥料

包裹肥料（通称肥包肥）特指以无机材料作为包裹层的缓释肥料产品，以区别于以聚合物为包膜层的包膜型肥料。包裹肥料是我国独创的，它是缓释肥料的一种，与聚合物包膜肥料相比，主要区别是包裹肥料所用的包裹材料为植物营养物质，另外包裹肥料产品中用作包裹层的物料所占比例较高，在 20% 以上，通常产品包裹层的比例达 50% 以上。包裹肥料的化工行业标准《无机包裹型复混肥料（复合肥料）》（HG/T 4217—2011）已颁布实施。

自 1983 年以来，郑州大学（原郑州工学院、郑州工业大学）许秀成教授带领的研究团队系统地研究了以肥料包裹肥料的缓 / 控释肥料，并开发了相应的生产工艺技术及装备。典型产品是以尿素为核心，以不同类型的枸溶性含磷肥料为包裹层，在反应性黏结剂的作用下，生产不同类型的包裹缓释复合（混）肥料。在国内多家生产企业实现了产业化，目前已实现单系列年产 10×10^4t 自动化装置生产。

（4）脲醛肥料

微溶性含氮化合物是缓 / 控释肥料的重要类型之一，主要包括脲醛肥料（urea-form, UF）、异丁叉二脲（IBDU）、丁烯叉二脲（CDU）、草酰胺（乙二酸二酰胺）、磷酸铵镁等，其中最具代表性的产品是UF和IBDU，由于IBDU的价格远高于UF，所以，在这类缓释肥料中占主导地位的还是UF，UF也是国际上最早应用于实际的缓释肥料品种。

脲醛肥料是尿素和甲醛在一定条件下反应所生产的产物，其总氮含量一般在38%左右，产品并不是单一的化合物，而是由少量未反应尿素、羟甲基脲、亚甲基二脲、二亚甲基三脲、三亚甲基四脲、四亚甲基五脲、五亚甲基六脲等缩合物所组成的混合物。

脲醛缓释肥料由于其良好的缓释性，可加工配制成掺混肥、团粒肥和液体肥供用户施用，可延长养分释放期，增强土壤微生物活性，改善肥料物理性状，是非常有潜力的缓释肥料品种，对促进我国肥料产业升级具有积极意义。由于这种产品所表现出的高养分利用率及对环境的保护作用，其需求量和生产量将逐年增加，国内脲甲醛及含有脲甲醛的复合（混）肥料的生产能力也在迅速扩大，面向大田作物市场将是发展的主要方向。

缓释类肥料是国家鼓励发展的一类新型肥料品种，经过近十几年的快速发展，到2021年底，中国缓释肥料登记产品数38个，生产企业数30个。其中国外登记产品数量4个，分别来自美国和荷兰。登记产品均为颗粒产品。详细情况见表11-12。

表11-12　农业农村部登记的缓释肥料产品和企业

企业名称	登记技术指标	适宜范围	登记证号	登记证有效期
茂施农业科技有限公司	N ≥ 45.0%（连续浸提法：24小时释放率N ≤ 3%；28天释放率N ≤ 60%；50天释放率N ≥ 80%）；粒度（2.00 ～ 4.75mm）≥ 95%（主要原料：尿素、异氰酸酯、蓖麻油、大豆油多元醇、石蜡）	玉米	农肥（2018）准字11497号	2023年9月
	N ≥ 44.0%（连续浸提法：24小时释放率N ≤ 5%；28天释放率N ≤ 10%；120天释放率N ≥ 80%）；粒度（1.00 ～ 4.75mm）≥ 90%（主要原料：尿素、蓖麻油、异氰酸酯、大豆油多元醇、石蜡）	水稻、小麦	农肥（2021）准字17916号	2026年10月
海洋石油富岛有限公司	N ≥ 43.0%（连续浸提法：24小时释放率N ≤ 4%；7天释放率N ≤ 15%；28天释放率N ≤ 60%；70天释放率N ≥ 80%）；粒度（1.00～4.75mm）≥ 95%（主要原料：尿素、植物油、聚氨酯）	香蕉	农肥（2015）准字4575号	2025年10月
众德肥料（平原）有限公司	N ≥ 43.0%（连续浸提法：24小时释放率N ≤ 5%；28天释放率N ≤ 50%；90天释放率N ≥ 80%）；粒度（1.00 ～ 4.75mm）≥ 90%（主要原料：尿素、异氰酸酯）	玉米	农肥（2017）准字6505号	2022年7月
	N ≥ 44.0%（连续浸提法：24小时释放率N ≤ 10%；28天释放率N ≤ 50%；60天释放率N ≥ 80%）；粒度（2.00 ～ 4.75mm）≥ 90%（主要原料：尿素、异氰酸酯）	玉米	农肥（2021）准字17499号	2026年4月

续表

企业名称	登记技术指标	适宜范围	登记证号	登记证有效期
中盐安徽红四方肥业股份有限公司	N ≥ 43.0%（连续浸提法：24 小时释放率 N ≤ 5%；28 天释放率 N ≤ 30%；90 天释放率 N ≥ 80%）；粒度（2.00 ～ 4.75mm）≥ 95%（主要原料：尿素、异氰酸酯、改性多元醇、石蜡）	玉米	农肥（2018）准字 12494 号	2023 年 9 月
中国-阿拉伯化肥有限公司	N ≥ 44.0%（连续浸提法：24 小时释放率 N ≤ 8%；28 天释放率 N ≤ 50%；75 天释放率 N ≥ 80%）；粒度（2.00 ～ 4.75mm）≥ 95%（主要原料：尿素、植物油、异氰酸酯、石蜡）	玉米、水稻	农肥（2018）准字 12968 号	2023 年 12 月
杨凌唯拓尔农业科技有限公司	N ≥ 44.0%（连续浸提法：24 小时释放率 N ≤ 5%；28 天释放率 N ≤ 55%；90 天释放率 N ≥ 80%）；粒度（2.00 ～ 4.75mm）≥ 90%（主要原料：尿素、聚氨基甲酸酯、石蜡）	玉米	农肥（2021）准字 17918 号	2026 年 11 月
五洲丰农业科技有限公司	N ≥ 43.0%（连续浸提法：24 小时释放率 N ≤ 5%；28 天释放率 N ≤ 50%；75 天释放率 N ≥ 80%）；粒度（2.00 ～ 4.75mm）≥ 95%（主要原料：尿素、大豆油多元醇、异氰酸酯、蓖麻油、石蜡）	玉米	农肥（2017）准字 6504 号	2022 年 7 月
沃夫特复合肥有限公司	N ≥ 35.0%（连续浸提法：24 小时释放率 N ≤ 5%；28 天释放率 N ≤ 50%；90 天释放率 N ≥ 80%）；S ≥ 8.0%；粒度（2.00 ～ 4.75mm）≥ 95%（主要原料：尿素、硫黄、环氧树脂）	玉米、棉花	农肥（2018）准字 11494 号	2023 年 9 月
	N ≥ 43.0%（连续浸提法：24 小时释放率 N ≤ 3%；28 天释放率 N ≤ 60%；60 天释放率 N ≥ 80%）；粒度（2.00 ～ 4.75mm）≥ 95%（主要原料：尿素、聚乙烯）	马铃薯、小麦	农肥（2018）准字 11496 号	2023 年 9 月
	N ≥ 35.0%（连续浸提法：24 小时释放率 N ≤ 5%；28 天释放率 N ≤ 50%；120 天释放率 N ≥ 80%）；S ≥ 11.0%；粒度（2.00 ～ 4.75mm）≥ 90%（主要原料：尿素、硫黄、石蜡）	玉米	农肥（2018）准字 8802 号	2023 年 4 月
四川好时吉化工有限公司	N ≥ 40.0%（连续浸提法：24 小时释放率 N ≤ 10%；28 天释放率 N ≤ 50%；95 天释放率 N ≥ 80%）；粒度（1.00 ～ 4.75mm）≥ 90%（主要原料：尿素、聚乙烯、聚丙烯）	玉米	农肥（2016）准字 5696 号	2026 年 10 月
史丹利农业集团股份有限公司	N ≥ 44.0%（连续浸提法：24 小时释放率 N ≤ 3%；28 天释放率 N ≤ 25%；90 天释放率 N ≥ 80%）；粒度（1.00 ～ 4.75mm）≥ 95%（主要原料：尿素、异氰酸酯、植物油多元醇）	玉米	农肥（2017）准字 6155 号	2022 年 3 月

续表

企业名称	登记技术指标	适宜范围	登记证号	登记证有效期
施可丰化工股份有限公司	N ≥ 43.0%（连续浸提法：24 小时释放率 N ≤ 5%；28 天释放率 N ≤ 50%；80 天释放率 N ≥ 80%）；粒度（2.00 ～ 4.75mm）≥ 95%（主要原料：尿素、植物油、石蜡、聚异氰酸酯、纳米硅胶）	玉米	农肥（2018）准字 8800 号	2023 年 4 月
山东友邦肥业科技有限公司	N ≥ 36.0%（连续浸提法：24 小时释放率 N ≤ 12%；28 天释放率 N ≤ 60%；70 天释放率 N ≥ 80%）；S ≥ 10.0%；粒度（2.00 ～ 4.75mm）≥ 90%（主要原料：尿素、硫黄、石蜡）	玉米	农肥（2018）准字 9387 号	2023 年 5 月
山东新朝阳作物营养有限公司	N ≥ 44.5%（连续浸提法：24 小时释放率 N ≤ 10%；28 天释放率 N ≤ 52%；60 天释放率 N ≥ 80%）；粒度（1.00 ～ 4.75mm）≥ 90%（主要原料：尿素、大豆油多元醇、异氰酸酯、石蜡）	玉米	农肥（2020）准字 16050 号	2025 年 4 月
山东农邮肥业有限公司	N ≥ 44.0%（连续浸提法：24 小时释放率 N ≤ 3%；28 天释放率 N ≤ 20%；90 天释放率 N ≥ 80%）；粒度（1.00 ～ 4.75mm）≥ 95%（主要原料：尿素、异氰酸酯、植物油多元醇、植物油）	玉米	农肥（2020）准字 16049 号	2025 年 4 月
山东农大肥业科技有限公司	N ≥ 44.0%（连续浸提法：24 小时释放率 N ≤ 3%；28 天释放率 N ≤ 20%；90 天释放率 N ≥ 80%）；粒度（1.00 ～ 4.75mm）≥ 95%（主要原料：尿素、异氰酸酯、植物油多元醇、植物油）	玉米	农肥（2017）准字 6156 号	2022 年 3 月
	N ≥ 36.0%（连续浸提法：24 小时释放率 N ≤ 12%；28 天释放率 N ≤ 60%；60 天释放率 N ≥ 80%）；S ≥ 10.0%；粒度（2.00 ～ 4.75mm）≥ 95%（主要原料：尿素、硫黄、石英粉、松香）	玉米	农肥（2018）准字 8803 号	2023 年 4 月
	N ≥ 44.0%（连续浸提法：24 小时释放率 N ≤ 3%；28 天释放率 N ≤ 60%；60 天释放率 N ≥ 80%）；粒度（1.00 ～ 4.75mm）≥ 90%（主要原料：尿素、纤维素改性聚氨酯）	水稻	农肥（2019）准字 15262 号	2024 年 11 月
山东明泉缓释肥料有限公司	N ≥ 37.0%（连续浸提法：24 小时释放率 N ≤ 30%；28 天释放率 N ≤ 50%；90 天释放率 N ≥ 80%）；S ≥ 12.0%；粒度（2.00 ～ 4.75mm）≥ 90%（主要原料：尿素、硫黄、包膜蜡）	玉米	农肥（2017）准字 6157 号	2022 年 3 月
山东谷丰源生物科技集团	N ≥ 44.0%（连续浸提法：24 小时释放率 N ≤ 5%；28 天释放率 N ≤ 50%；80 天释放率 N ≥ 80%）；粒度（2.00 ～ 4.75mm）≥ 95%（主要原料：尿素、异氰胺酸酯、蓖麻油、大豆油多元醇、石蜡）	玉米	农肥（2018）准字 8801 号	2023 年 4 月

续表

企业名称	登记技术指标	适宜范围	登记证号	登记证有效期
三河市香丰肥业有限公司	N ≥ 42.0%（连续浸提法：24 小时释放率 N ≤ 20%；28 天释放率 N ≤ 55%；80 天释放率 N ≥ 80%）；粒度（2.00 ～ 4.75mm）≥ 90%（主要原料：尿素、聚乙烯）	玉米、芹菜	农肥（2017）准字 6503 号	2022 年 7 月
美国科氏农艺服务有限公司	N ≥ 42.0%（连续浸提法：24 小时释放率 N ≤ 10%；28 天释放率 N ≤ 50%；120 天释放率 N ≥ 80%；粒度（1.00 ～ 4.00mm）≥ 90%（主要原料：尿素、异氰酸酯、聚酯多元醇、三乙胺）	水稻	农肥（2021）准字 17914 号	2026 年 11 月
鲁西化工集团股份有限公司	N ≥ 44.0%（连续浸提法：24 小时释放率 N ≤ 5%；28 天释放率 N ≤ 40%；70 天释放率 N ≥ 80%）；粒度（2.00 ～ 4.75mm）≥ 85%（主要原料：尿素、醇酸树脂、植物油）	玉米	农肥（2017）准字 6506 号	2022 年 7 月
领先生物农业股份有限公司	N ≥ 42.0%（连续浸提法：24 小时释放率 N ≤ 10%；28 天释放率 N ≤ 50%；65 天释放率 N ≥ 80%）；粒度（1.00 ～ 4.75mm）≥ 90%（主要原料：尿素、聚乙烯、聚丙烯）	玉米、棉花	农肥（2016）准字 5689 号	2026 年 10 月
辽宁津大肥业有限公司	N ≥ 44.0%（连续浸提法：24 小时释放率 N ≤ 2%；28 天释放率 N ≤ 55%；60 天释放率 N ≥ 80%）；粒度（1.00 ～ 4.75mm）≥ 95%（主要原料：尿素、二苯基甲烷二异氰酸酯、环氧大豆油）	玉米	农肥（2018）准字 11666 号	2023 年 9 月
金正大生态工程集团股份公司	N ≥ 43.0%（连续浸提法：24 小时释放率 N ≤ 3%；28 天释放率 N ≤ 30%；90 天释放率 N ≥ 80%）；粒度（2.00 ～ 4.75mm）≥ 90%（主要原料：尿素、聚乙烯）	玉米、水稻	农肥（2017）准字 6154 号	2022 年 3 月
	N ≥ 43.0%（连续浸提法：24 小时释放率 N ≤ 12%；28 天释放率 N ≤ 60%；90 天释放率 N ≥ 80%）；粒度（2.00 ～ 4.75mm）≥ 90%（主要原料：尿素、异氰酸酯、棕榈油、石蜡）	玉米	农肥（2021）准字 17917 号	2026 年 11 月
吉林省长江缓控释肥料有限公司	N ≥ 44.0%（连续浸提法：24 小时释放率 N ≤ 3%；28 天释放率 N ≤ 35%；70 天释放率 N ≥ 80%）；粒度（2.00 ～ 4.75mm）≥ 95%（主要原料：尿素、异氰酸酯、蓖麻油、颗粒蜡）	玉米	农肥（2017）准字 6934 号	2022 年 11 月
呼伦贝尔金新化工有限公司	N ≥ 44.0%（连续浸提法：24 小时释放率 N ≤ 15%；28 天释放率 N ≤ 60%；60 天释放率 N ≥ 80%）；粒度（2.00 ～ 4.75mm）≥ 90%（主要原料：尿素、多元醇、多异氰酸酯）	玉米	农肥（2021）准字 17498 号	2026 年 4 月

续表

企业名称	登记技术指标	适宜范围	登记证号	登记证有效期
荷兰易乐施国际公司（EveInternational B.V.）	$N+P_2O_5+K_2O$ ≥ 30.0%（连续浸提法：24 小时释放率 N ≤ 8%，P_2O_5 ≤ 3%，K_2O ≤ 4%；28 天释放率 N ≤ 35%，P_2O_5 ≤ 25%，K_2O ≤ 30%；150 天释放率 N ≥ 80%，P_2O_5 ≥ 50%，K_2O ≥ 60%）；粒度（2.00 ～ 4.00mm）≥ 95%（主要原料：复混肥料、醇酸树脂）	石斛	农肥（2019）准字 13876 号	2024 年 3 月
	N ≥ 40.0%（连续浸提法：24 小时释放率 N ≤ 8%；28 天释放率 N ≤ 55%；90 天释放率 N ≥ 80%）；粒度（1.00 ～ 4.75mm）≥ 90%（主要原料：尿素、异氰酸酯、植物油多元醇）	水稻	农肥（2021）准字 17915 号	2026 年 11 月
荷兰康垦公司（ChemCom Industries B.V.）	N ≥ 340g/L（酰胺态氮≤ 120g/L；缓效氮占总氮百分率≥ 65.0%）（24 小时矿化率 N ≤ 3%；28 天矿化率 N ≤ 65%；90 天养分释放期累积养分释放率 N ≥ 80%）；pH 8.0 ～ 10.0；水不溶物≤ 50g/L（主要原料：尿素、甲醛）	水稻	农肥（2021）准字 17497 号	2026 年 4 月
河北忠农肥业有限公司	N ≥ 44.0%（连续浸提法：24 小时释放率 N ≤ 10%；28 天释放率 N ≤ 60%；90 天释放率 N ≥ 80%）；粒度（2.00 ～ 4.75mm）≥ 90%（主要原料：尿素、聚氨基甲酸酯）	玉米	农肥（2018）准字 13388 号	2024 年 1 月
北京科峰达生化技术中心	N ≥ 35.0%（连续浸提法：24 小时释放率 N ≤ 15%；28 天释放率 N ≤ 60%；90 天释放率 N ≥ 80%）；粒度（2.00 ～ 4.75mm）≥ 90%（主要原料：尿素、工业木质素、棕榈蜡、黏土）	玉米、水稻	农肥（2018）准字 11347 号	2023 年 9 月
北京富特来复合肥料有限公司	N ≥ 40.0%（连续浸提法：24 小时释放率 N ≤ 5%；28 天释放率 N ≤ 30%；90 天释放率 N ≥ 80%）；粒度（1.00 ～ 4.75mm）≥ 90%（主要原料：尿素、聚乙烯）	玉米	农肥（2018）准字 11511 号	2023 年 9 月

11.2.3.4 产能和产量

2000 年世界缓 / 控释肥料消费量约为 60 万吨，美国以占比 60% 位居榜首，当时中国缓 / 控释肥料数量还不足 5 万吨。近年来，政府鼓励生态高效肥的发展，农业种植需要环境友好的新型肥料，企业转型升级也聚焦在产品的高效创新上，缓 / 控释肥料在此形势下发展迅速。

2010 年，中国缓 / 控释肥料产能 180 万吨，产量 82 万吨；2021 年产能达 363 万吨，产量 139 万吨。2010 ～ 2021 年缓 / 控释肥料产能和产量的年均增长率分别为 6.5% 和 5%。需要说明的是，本节统计的产能和产量仅指纯品的缓 / 控释尿素，未包括由缓 / 控释尿素加工成的复混肥或掺混肥。市场上常见的缓 / 控释肥多数是含有缓 / 控释尿素的复混肥或掺混肥，一般含缓 / 控释尿素的比例为 5% ～ 20%。

分类型来看，对聚合物包膜尿素开展研发的科研院所较多，2010～2015年期间与企业合作建装置的也多见，由于技术问题和市场推广原因，能够持续生产和运营的相对较少。2010年，中国树脂包膜尿素产能55万吨，产量25万吨；2021年产能达180万吨，产量48万吨。2010～2021年树脂包膜尿素产能和产量的年均增长率分别为11%和6%。目前发展最好的是茂施农业科技有限公司，自有技术，而且包膜技术不断创新。该公司有三个生产基地（安徽青阳、山东平原和山东菏泽），控释尿素总产能约为80万吨，开工率约50%，产品有出口、销售母料和自配BB三个渠道。金正大集团产能18万吨，采用山东农业大学研发的技术，目前开工率较低，2021年生产控释尿素约5万吨，自配复混肥使用。山东农大肥业树脂包膜尿素产能10万吨，自有技术，2021年产量约5万吨，销售母料和自配复混肥用。众德集团装置产能10万吨，采用山东农业大学研发的二代技术，是近几年建成的装置，开工率约60%。

2005年开始汉枫集团采用加拿大加阳技术率先在中国建成硫包衣尿素装置，汉枫先后在江苏、山东、黑龙江等地建成10万吨硫包衣尿素装置。目前山东农大肥业、山东明水大化、山东瑞星集团、山西丰喜集团是主要的硫包衣尿素生产企业。2010年中国硫包衣尿素产能80万吨，产量40万吨；2021年产能达120万吨，产量60万吨。2010～2021年硫包衣尿素产能和产量的年均增长率分别为4%和6%。

肥包肥缓释技术是中国自主研发技术，主要是由郑州大学许秀成带领团队研发的，先后开发了三代技术，第一代是钙镁磷肥包裹肥料，第二代是磷矿粉包裹肥料，第三代是磷酸铵镁包裹肥料，先后在国内建成多套装置。近十年来肥包肥产能和产量相对稳定，产能一直保持40万～60万吨，产量视市场情况在15万～30万吨之间，产品出口占比较大。

2010～2021年缓/控释肥料产能和产量统计见表11-13。

表11-13 2010～2021年缓/控释肥料产能和产量统计 单位：万吨

年份	树脂包膜		硫包衣		肥包肥		脲醛类		合计	
	产能	产量	产能	产量	产能	产量	产能	产量	产能	产量
2010	55	25	80	40	40	15	5	2	180	82
2011	60	26	90	45	40	15	5	2	195	88
2012	62	28	93	45	40	15	5	2	200	90
2013	80	30	110	43	40	15	5	2	235	90
2014	100	30	120	43	40	15	5	2	265	90
2015	130	33	120	45	60	20	5	2	315	100
2016	150	35	120	47	60	20	3	1.5	333	103.5
2017	150	35	120	45	60	20	3	1.5	333	101.5
2018	160	37	100	48	60	20	3	1.3	323	106.3
2019	160	40	100	45	60	30	3	1.4	323	116.4
2020	180	45	110	50	60	30	3	1	353	126
2021	180	48	120	60	60	30	3	1.2	363	139.2

中国缓 / 控释肥的主要制造商有山东茂施生态肥料有限公司、山东金正大生态工程集团股份有限公司、山东农大肥业科技有限公司、烟台众德集团、中盐安徽红四方股份有限公司、深圳芭田生态工程股份有限公司和施可丰化工股份有限公司等约 30 多家。2021 年中国缓 / 控释肥的主要生产企业见表 11-14。

表11-14　2021年中国缓/控释肥主要生产企业情况　　单位：万吨

技术类别	公司名称和厂址	纯品能力	掺混能力	产品	技术来源
树脂包膜	山东茂施生态肥料有限公司	80	25	热固性树脂包膜材料	茂施自主研发技术，主要卖纯品
	山东金正大生态工程集团股份有限公司	18	100	聚乙烯包膜控释肥	山东农业大学张民技术
	山东农大肥业科技有限公司	10	10	聚合物包膜材料	山东农大自主技术
	烟台众德集团	10	20	聚氨酯包膜	山东农业大学张民改良技术
	中盐安徽红四方股份有限公司	5	20	可降解高分子包膜肥料	中国农业大学胡树文技术
	山东史丹利化肥有限公司	5	10	聚合物包膜材料，可连续化生产	中国农业科学院赵秉强团队
	山东金雷化工公司	5	30	聚氨酯	公司自主研发技术
	广东圃乐特控释肥料公司	1	10	水溶性树脂或水基聚合树脂包膜材料	华南农业大学樊小林
	山东施可丰化工股份有限公司	6	20	异粒变速控释肥	
	吉林省长江缓控释肥料有限公司（原吉林龙源）	2	20	植物油包膜	
	中海化学海南富岛公司	2	5	植物油包膜	
	三河香丰肥业有限公司（原首创装置）	0.5	5	热塑性树脂包膜的控释肥料	北京市农林科学院植物营养与资源所徐秋明
	山东常林集团	1	10		
	吉林云天化集团	1	10	环氧树脂	自主技术
	中化山东肥业有限公司	1	2	聚乙烯	中国农业大学曹一平技术
	中海化学中阿化肥公司	1	5	聚氨酯，转鼓	自主技术
	山东谷丰源生物肥料公司	1	10	聚氨酯包膜	不详
	中农烟台五洲丰公司	2	20	油脂包膜	不详
	四川好时吉化工公司	0.5	2	聚乙烯，聚丙烯	不详
	安徽司尔特化肥公司	1	10	植物汕包膜	不详

续表

技术类别	公司名称和厂址	纯品能力	掺混能力	产品	技术来源
硫包衣	江苏汉枫化肥公司	10		包裹硫黄、微晶蜡密封剂的尿素	加拿大汉枫，目前已有行业标准
	黑龙江汉枫化肥公司	0		包裹硫黄、微晶蜡密封剂的尿素	
	山西汉枫化肥公司	10		包裹硫黄、微晶蜡密封剂的尿素	
	山东汉枫化肥公司	10		包裹硫黄、微晶蜡密封剂的尿素	
	山东农大肥业有限公司	5		包裹硫黄、微晶蜡密封剂的尿素	
肥包肥	郑州乐喜施化肥公司	5		以钙镁磷肥为包裹层的肥料	郑州大学许秀成技术研发，具有自主知识产权，圆盘
	山东乐喜施化工公司	20			
	江苏乐喜施肥料公司	10		以磷矿粉和磷酸铵镁为包裹层的肥料	
	辽宁乐百禾科技有限公司	10			
	黑龙江倍丰集团	10			
	三门峡缓释肥料公司	5			
脲醛肥料	青岛住商肥料有限公司	0	20	脲醛复合肥（直接将脲醛反应物加入 NPK）	目前已有行业标准，2015 年 3 月上升为国际标准
	佛山住商肥料有限公司	0	10	脲醛复合肥	
	汉枫缓释肥料有限公司	0	30	脲醛复合肥（纯粉 2 万吨）2 种工艺，生产纯粉和直接加入 NPK	
	河南力浮科技有限公司	1		郑州大学技术	
	上海大洋集团	0		脲醛复合肥	
	武汉绿茵化工有限公司	1		脲醛复合肥	
	山东鲁西化工公司	1	10	脲醛复合肥	

11.2.3.5　市场形势

缓/控释肥在非农业领域和农业领域均有应用。非农业领域主要集中在家庭园艺、高尔夫球场草坪、专业草坪、景观维护和温床大棚等，这方面的市场比较成熟，形成了稳定的需求和消费，消费量增长较为缓慢。而在农业领域的消费近年来增长较快，其中，由于经济作物具有更高的产品附加值，农民易于接受价格较高的缓/控释肥以降低劳动力成本，所以在经济作物方面的应用较为广泛；而粮食作物方面的消费在政府和企业的大力推动下，近几年也有很快的提升。在黑龙江、山东等粮食主产区，农业生产集约化程度较高的地区，缓/控释肥的消费较为广泛，也有一部分缓/控释肥料产品用于出口。

2021 年，我国缓/控释肥消费量约为 120 万吨。其中，非农业领域消费量为 22 万吨，占总消费量的 18%；农业领域中，经济作物方面消费量为 58 万吨，占总消费量的 48%，而粮食作物方面的消费量为 40 万吨，占总消费量的 33%，增长主要来自在玉米和水稻耕作中的应用。

近几年来，缓/控释肥在农业方面的消费量逐年提高，2021 年达到 82%，今后在农业方面，尤其是大田作物方面的进一步推广是推动中国缓/控释肥市场发展的主要因素。

11.2.3.6 发展展望

① 供需展望。经过十多年的发展，目前中国已经成为世界上最大的缓/控释肥生产国和消费国。随着茂施等国内少数企业在国际上知名度的提高和技术进步，出口量增势明显。

② 存在问题。缓/控释肥料产业的发展虽然取得了一定的进步，但仍存在诸多不足。

首先，养分释放难以做到与作物吸肥规律相一致。任何作物特别是粮食、蔬菜和果树等在不同的生长发育时期对养分的吸收数量是不一样的。不同的作物需肥规律也是不一样的。但就目前缓释肥料的生产技术和工艺而言，特别是受包膜材料的制约，很难生产出养分释放速率与作物需肥规律相一致的缓释肥料，基本为等量释放，而且存在着前期释放量较多，中后期释放量较少的问题。这也是缓释肥料难以在主要农作物上大面积推广的主要原因之一。

其次，肥效评价较为简单。目前对缓释肥料肥效的评价，基本是以常规性田间对比试验和生产调查为依据，效果仍采用常规性试验进行评价，即投入与产出之间的比对。生态效益应是缓释肥料最主要的效益之一，这也是发展缓释肥料最重要的因素。但是，目前的田间试验条件和手段很难或者说是不可能对缓释肥料养分释放速率和养分去向进行检测的。另外，自然环境条件下对缓释肥料养分释放速率的影响是多方面的，这更增加了对缓释肥料养分释放速率和去向的检测难度。也是缓释肥料缺乏经济效益和环境效益定量评价的根本原因。

再次，缺乏统一标准。目前关于肥料控释性能的测试方法国际上或行业间还没有一个统一的标准，因而建立对肥料缓释性能的标准测试方法，促进和保证其工业化质量势在必行。同时，肥料生产技术和工艺以及在线质量检测技术还有待进一步提高，以满足缓释肥料产业化发展的需要。

最后，成本过高。农民是缓释肥料的使用者，是缓释肥料产业能否发展的最为关键的因素之一。与常规肥料相比，缓释肥料生产成本相对较高，国外缓释肥料绝大部分用于经济价值高的花卉、草坪等生产中。中国大田作物使用量占比较高，但均为掺混后使用，效果难尽人意。

③ 发展建议。农业绿色可持续发展需要高效生态环保的新型肥料，“十四五”期间，国家将重点发展缓释肥、控释肥、专用肥和功能肥等。大力发展缓/控释肥符合我国提出的创新、协调、绿色、开放、共享五大发展理念。为此，建议如下：

第一，增加政策和资金扶持力度。大力发展缓/控释肥是一项利国利民的行动，需要得到国家层面政策和资金的大力支持。好的政策引导，可以让化肥企业看到商机，从而激发企业活力，增加对缓/控释肥的研发投入。充足的资金支持，也能保证科研院所和企业进行大量研发生产。

第二，加强技术研发，降低生产成本。当今世界的竞争是科技的竞争，是核心技术的竞争，谁掌握了核心技术，谁就站在了科技发展的制高点。缓/控释肥作为21世纪肥料产业发展的方向，应该加强其核心技术的研发，更新生产设备，简化生产工艺。加强包膜材料的攻关研究，着力研发出可完全降解的无污染的包膜材料，并着力在降低成本上下功夫。

第三，开发专用型缓/控释肥。我国国土面积辽阔，土地类型多种多样。不同地区的土壤在成分、温度、湿度、pH值等方面都不同，施用缓/控释肥会产生不同的效果。结合土壤性质和作物需求施用专门的缓/控释肥，能提高作物养分利用率，促进作物增产。因此，必须要根据土壤类型和作物种类开发不同类型的缓/控释肥，以达到专肥专用，精准施肥。

第四，加强产品推广，提高农民对产品的认知。宣传缓/控释肥料的作用，使农民了解缓/控释肥的优点，对建设资源节约型和环境友好型社会具有重要意义，将更有利于实现农业的可持续发展。企业可以设立施用缓/控释肥的示范田，让农民眼见为实，加强对农民的培训，正确施用缓/控释肥料，降低农民投入成本，提高经济效益。

第五，加强市场监管，促进产业健康发展。为了保证肥料行业的健康可持续发展，必须加强市场监管，加强标准的建立和引导。企业自身也要树立责任意识，做到不制假、不售假，不做虚假夸大宣传，保证缓/控释肥的生产质量。

11.2.4 生物功能调节类增效剂及其应用

11.2.4.1 生物功能调节类增效剂分类

生物功能调节类增效剂按其主要成分可分为氨基酸类，包括游离氨基酸（蛋白水解物）、聚天门冬氨酸、聚谷氨酸以及其他氨基酸及其聚合物等；寡糖与多糖类，包括海藻提取物、甲壳素及其衍生物等；复杂有机物，包括腐植酸类、木醋液等。

（1）氨基酸类

① 游离氨基酸　氨基酸是蛋白质的基本组成单位，不同种类游离氨基酸具有特定的生理生化功能。氨基酸类增效剂由于其原料来源广泛且成本低廉，生产工艺简单，生产企业多且分散，附加值相对较低。截止到2021年12月31日，农业农村部登记的通用名称为含氨基酸水溶肥料的产品共计3392个，其中粉剂848个，占比25%；水剂2544个，占比75%，包含中量元素型与微量元素型两大类。

② 聚谷氨酸　聚谷氨酸是一种水溶性可降解的生物高分子材料，具有螯合元素、吸水保湿、改良土壤和刺激植物生长等功效。聚谷氨酸是一种具有良好生物特性的表面活性剂和螯合剂，其特点主要体现为：a．提高土壤的阳离子交换能力，因为具有大量的游离侧链羧基，可在分子内部或分子之间形成氢键，聚集土壤中的养分；b．螯合中微量元素，协调供应作物养分，促进蛋白质合成；c．在被微生物分解的过程中可释放出多肽，刺激植物生长，提高抗氧化酶的活性，降低抑制性激素的产生，提高抗病抗逆能力；d．具有缓冲能力，可平衡土壤酸碱性及盐度，减少土壤板结，制作成高吸水性树脂以后，可与土壤结合形成团粒

结构，具有保水保肥效果；e. 在杀虫剂、除草剂、驱虫剂等农药中适量添加聚谷氨酸可以延长药物在作用对象表面的停留时间，降低表面张力，提高药效。聚谷氨酸的生产采用发酵工艺，由于其相关菌种与发酵要求的限制，聚谷氨酸的市场相对集中，2021 年产量约 1.3 万吨，是目前应用最多的氨基酸类型。

③ 聚天门冬氨酸　是最早在肥料之中规模化使用的氨基酸。聚天门冬氨酸是一种带有羧酸侧链的聚合氨基酸，也是一种水溶性可降解的生物高分子材料。聚天门冬氨酸的发展历经 2010 ～ 2015 年的快速增长，2016 年以后逐步放缓，由于市场原因，部分产能处于闲置状态。据统计，2021 年农业用聚天门冬氨酸产量约 1 万吨，其中包含部分出口产量。

（2）寡糖与多糖类

① 海藻提取物　海藻提取物类增效剂通过调节农作物的新陈代谢和生理功能，促进作物根系生长，增加生物量，进而提高农作物的产量。

海藻提取物属于资源型增效剂，其主营企业绝大多数位于山东沿海地区，集中度相对较高，全国经营范围内含有海藻酸生产的制造业企业、科学研究和技术服务业企业共 90 个左右，注册资金小于 500 万的企业占比在 70% 左右。截止到 2021 年 12 月 31 日，农业农村部登记的产品通用名为有机水溶肥料的共计 611 个。根据海藻酸肥料标准规定，海藻酸尿素、海藻酸复合肥添加量限定在 0.05% 及以上，有机水溶肥添加量限定在 1.5% 及以上。

② 甲壳素及其衍生物　壳聚糖是一类无毒、可降解和生物相容性好的海洋生物多糖，具有特殊的化学结构，可起到抑制植物病原真菌、诱导作物抗病作用，还能通过调节体内相关激素及酶等物质的合成影响植物生理，促进作物的根、茎、叶发育，促进生长。

（3）复杂有机物

① 腐植酸类　腐植酸类增效剂是指腐殖物质中分子量较大，具有芳香族、脂肪族及多种功能团结构特征，能溶于稀碱溶液，不能溶于酸和水，呈黑色或棕黑色的无定型有机弱酸混合物。

腐植酸主营企业多为资源型企业，集中度相对较高，主要集中在山东、新疆、内蒙古、陕西、宁夏，但由于农用腐植酸行业准入门槛不高，全国经营范围内含有腐植酸生产的制造业企业、科学研究和技术服务业企业中注册资金小于 500 万元的占比在 70% 左右，注册为矿业的企业占有一定比例。

② 木醋液　木醋液为生物质热解产物，其发展对木材加工剩余物以及秸秆的综合利用有较大的意义，目前市场规模较小，企业主要集中于山东与河北，全国经营范围内含有木醋液生产的制造业、科学研究和技术服务业的企业共 150 个左右。

11.2.4.2　生物功能调节类增效剂的作用与制备

（1）氨基酸类

① 游离氨基酸　氨基酸是蛋白质的基本组成单位，不同种类的游离氨基酸具有特定的生理生化功能，协同作用可以促进植物叶绿素生成及内源激素生成，其生物刺激素的功能主要体现为：a. 提高土壤微生物的活性，加速土壤中有机质的降解速率，使其转变为可吸收矿物质，间接改善土壤的理化特性。b. 通过提高细胞膜上与氨基酸转运相关的载体蛋白与

微量元素的螯合能力，提高植物根、叶等对中微量元素的吸收与利用。c．通过植物体的激素活动来提高相关酶的活性，刺激植物的碳氮代谢，增加作物的氮同化。d．通过促进根系如侧根、根尖、根毛的生长影响作物的产量。e．提高作物对非生物胁迫的抵抗能力。

游离氨基酸的生产方法包括：水解法、微生物发酵法以及化学合成法。

水解法又分酸碱水解法以及酶水解法，其中酸碱水解法水解迅速且彻底，原料来源广泛，可以使用角蛋白、动物源废料与下脚料等，成本相对较低，为农业用游离氨基酸的主要来源，此类产品中还包含未完全水解的肽成分，其产物一方面可由植物的根部和叶片直接吸收，参与蛋白质的合成，另一方面可以配位结合其他营养元素，促进植物的吸收。另外，此类水解产物作用于土壤，可增加土壤微生物活力，提高土壤的空气量和土壤肥力，同时有利于降低重金属对植物的毒害。

发酵法原料成本较低，反应条件温和，易于规模生产，但产品浓度低，设备投资及生产工艺要求高，一般可使用各类发酵液余料作为农业用氨基酸原料。化学合成法生产氨基酸的优点在于可以得到纯净的特定氨基酸，但其生产成本高，农业用量不大。

② 聚谷氨酸　聚谷氨酸（polyglutamic acid，PGA）由D-谷氨酸和L-谷氨酸通过酰胺键聚合而成。由于聚合方式不同，聚谷氨酸主要有2种构型：通过α-酰胺键聚合的α-聚谷氨酸（α-PGA）和通过γ-酰胺键聚合的γ-聚谷氨酸（γ-PGA），分子量在10000～10000000。其中，α-PGA多以化学途径合成，而γ-PGA多以生物途径合成。Γ-PGA，也称多聚谷氨酸，是一种阴离子型多肽聚合物。γ-聚谷氨酸最早在1937年由Ivanovic等在炭疽芽孢杆菌（*Bacillus anthracis*）的荚膜中发现，属芽孢杆菌荚膜的主要成分。1942年，Bovarnick从枯草芽孢杆菌（*Bacillus subtilis*）的发酵液中提取到γ-PGA。之后，Nagai等又在纳豆杆菌（*Bacillus natto*）中发现γ-PGA的存在。γ-PGA具有分子量高、易分散和无毒无害可食用等优良特性，是一种新型绿色高分子材料，被广泛应用于农业生产、食品、医药等众多领域。

γ-PGA的制备方法主要有化学合成法、提取法、酶转化法和微生物发酵法等。

a．化学合成法包括二聚体缩聚法和传统多肽合成法。二聚体缩聚法制备γ-PGA分为3个部分，首先D-谷氨酸和L-谷氨酸反应生成α-甲基谷氨酸，之后由α-甲基谷氨酸经凝聚反应生成聚谷氨酸甲基酯，最后经过碱性水解得到γ-PGA。γ-PGA属于多肽聚合物，因此可使用多肽合成法将氨基酸逐个连接形成多肽。多肽合成法较为传统，合成需要进行基团保护、活化、氧化偶联和羧基脱保护等过程，合成工艺烦琐、成本高、得率低，而且伴有大量副产物的产出，尤其不适用于制备20个氨基酸以上的大分子物质。

b．提取法。纳豆是一种通过枯草芽孢杆菌发酵而成的豆制食物，具有一定的黏性，其纳豆黏性胶体的主要组成成分就是γ-PGA。提取γ-PGA时，首先将纳豆煮熟，然后浸泡在去离子水中，待γ-PGA完全溶于水中，再将水中的γ-PGA用有机溶剂提取出来。因此，早期获取γ-PGA大多是在发酵食物纳豆中利用有机溶剂进行提取。提取法虽然简便易操作，但利用该方法所分离出的γ-PGA为粗产品，杂质多、成本较高，而且难以大规模生产，应用价值较低。

c．酶转化法。可以有效地克服多肽合成法和提取法的缺点。酶转换法利用一步酶促反应，将谷氨酸单体连接成γ-PGA高分子，高效避免了复杂反应中的反馈和负反馈调节作用，积累得到高浓度的γ-PGA。在这个过程中，谷氨酸转肽酶（GTP）作为关键性酶，将谷氨酸基催化后移至受体，然后进行自动转肽。该方法反应温和、产物杂质少、纯度高，有利于后续的 γ-PGA 分离纯化。但使用酶转化法得到的 γ-PGA 聚合度低且分子量小，而 γ-PGA 分子量的大小直接关系到 γ-PGA 的物理性质、化学性质及其应用，因此该方法的应用价值同样有待提高。

d. 微生物发酵法。目前，微生物发酵法是工业生产中普遍采用的最佳 γ-PGA 制备方法，通过菌种筛选、菌体培养和分离纯化制得分子量适宜的 γ-PGA。该方法条件温和、工艺简单，可进行大规模生产。发酵法可分为液体发酵法、固体发酵法和分批发酵法等，发酵过程中主要使用的合成菌为枯草芽孢杆菌（*Bacillus subtilis*）、地衣芽孢杆菌（*Bacillus licheniformis*）和炭疽芽孢杆菌（*Bacillus anthracis*）等芽孢杆菌属。工业上生产 γ-PGA 多使用液体发酵法，使用液体发酵法易于通过调控发酵过程中的可控因素进而调节产物分子量，最终得到目标分子量产物，有效提高工业产率，可控因素包括 pH、环境温度、培养基离子强度、接种量等。固体发酵法因使用固体发酵物（如农业、工业产生的废弃物）作为发酵底物而得名，例如牛粪堆肥、味精和食醋生产产生的残留废物都已被研究应用于制备 γ-PGA，通过该方法既可获得目标产物，又提高了资源利用率。另外，分批发酵法也被广泛用于制备 γ-PGA，通过分批加入部分培养基营养成分，同时也分批次取出发酵液并进行分离提纯 γ-PGA，有效避免了 γ-PGA 蓄积导致的底物负反馈抑制效应，提高了产率。目前，对于微生物发酵法产 γ-PGA 的研究集中致力于筛选具有优良性状的菌株，之后将外源基因整合入 γ-PGA 菌株基因组中，以此提高 γ-PGA 产量。

聚谷氨酸类肥料主要利用聚谷氨酸在自然环境中的不断降解，使它所螯合的肥料元素逐步释放，让作物在一定时期内获得持续的养分供给，从而达到肥料缓释、控释的目的。然而聚谷氨酸在热环境下存在降解的现象，这使得它在作为肥料增效剂参与生产过程中存在稳定性的问题，一般可使用高聚合度聚谷氨酸。

③ 聚天门冬氨酸　聚天门冬氨酸是一种带有羧酸侧链的聚合氨基酸，也是一种水溶性、可降解的生物高分子材料。与聚谷氨酸不同的是，聚天门冬氨酸的生产少用发酵工艺，常采用化学合成法，一般无催化剂的热缩聚工艺条件下，其聚合度远小于使用发酵工艺的聚谷氨酸，农业用分子量一般在 4000 ～ 9000 不等，其原料可以使用天门冬氨酸或马来酸酐及其衍生物，合成工艺相对简单。

工业上聚天门冬氨酸是一种阻垢分散剂，具有良好的降黏作用，可用于循环冷却水系统、锅炉及油气田水处理；农业上聚天门冬氨酸作为一种生物刺激素，对植物生长所必需的金属元素离子具有螯合作用，可以富集氮、磷、钾及微量元素供给植物，在土壤中易于进入植物根部，提高养分利用率，并能改善土壤质量。聚天门冬氨酸具有一定的保水性能，但保水性低于聚谷氨酸，另外在农业上，聚天门冬氨酸还可与农药结合，增加农药分散性与渗透性。

聚天门冬氨酸的生产一般有两种工艺：一种是以 L-天门冬氨酸为原料直接热缩聚后生成 PSI 后，以 NaOH 或 KOH 水解后制得；另一种是以马来酸酐及其衍生物为原料，与能释放氨的含氮化合物反应生成马来酸氨盐等混合物，在双螺杆挤压机或带喷管的筒形反应器中聚合后再以碱水解后制得。

（2）寡糖与多糖类

① 海藻提取物　海藻提取物类增效剂是以褐藻、绿藻、红藻等海洋藻类为原料，经物

理、化学、生物酶等提取方法制备的一种混合物质，含有丰富的水溶性海藻活性成分，如海藻酸、海藻多糖、海藻寡糖等以及多聚不饱和脂肪酸、矿物质、维生素等营养成分，还含有多种生物活性物质，包括酚类化合物、甜菜碱及多种植物激素，其中海藻酸是此类增效剂主要的检测指标。

海藻提取物类增效剂通过调节农作物的新陈代谢和生理功能，促进作物根系生长，增加生物量进而提高农作物的产量。还可通过增强植物根部硝酸还原酶和磷酸酶的积累，增强植物对矿物营养成分的吸收能力，提高叶绿素含量，增强光合作用效率，提高植物抵抗各种环境胁迫及病虫害的能力，对农作物品质有一定的改善作用。其中寡糖是海藻中的多糖降解得到的一种低聚合度的化合物，是海藻中特有的一种生物活性物质，水溶性好、易吸收，在调节植物生长和诱导抗病领域发挥着重要的作用；甜菜碱可提高植物抗旱能力、耐盐能力，提高植物叶片中的叶绿素含量以及增加产量等；酚类化合物主要为间苯三酚，具有很好的抗氧化性，能抑制真菌生长，有利于农作物的保鲜与储存；植物激素类中细胞分裂素可促进植物的细胞分裂，促进细胞扩大，调控植物体内营养物质的运输，诱导植物体芽分化；赤霉素可刺激植物叶和芽的生长，调节植物幼态及成熟态的转换，影响植物花芽的分化；生长素可促进植物生长发育及增强光合作用；脱落酸在植物对抗逆境胁迫中起着重要的作用。

在微环境方面，海藻提取物类增效剂可以改善植物的根际土壤环境，形成腐殖黏土复合物，增强土壤团聚体稳定性和土壤透气性，促进作物对营养物质的吸收；还能影响植物根际微生物区系的分布，刺激土壤中有益菌生长，抑制病原微生物的增殖；同时还能螯合土壤中的重金属阳离子，钝化其生物活性。

海藻提取物类增效剂主要生产工艺关键点是海藻活性成分提取，提取技术有物理法、化学法和生物法。其中物理法即利用高温、高压或低温冷冻等手段强行破碎海藻细胞壁，使细胞内含物流出，包括渗透休克法、均质过滤法、超声波破碎法、微波辅助法、高压匀浆法、冷冻粉碎法等；化学法包含有机溶剂提取法、碱溶提取法、酸溶提取法，利用酸、碱及有机溶剂使细胞消解或内源物质增溶，将海藻功能物质从细胞内提取出来。

② 甲壳素及其衍生物　甲壳素，又称为几丁质，是一种天然多糖，它是仅次于纤维素的第二大天然高分子聚合物。主要来源于虾壳、蟹壳。甲壳素一般难溶于水，限制了其应用；壳聚糖是甲壳素的脱乙酰化的产物；壳寡糖是壳聚糖的降解产物。甲壳素和高分子量壳聚糖的溶解性很差，而低分子量壳聚糖和壳寡糖具有良好的水溶性，在农业上的应用更广。

壳聚糖是一类无毒、可降解和生物相容性好的海洋生物多糖，具有特殊的化学结构，可起到抑制植物病原真菌、诱导作物抗病的作用，还能通过调节体内相关激素及酶等物质的合成影响植物生理，促进作物的根、茎、叶发育，促进生长。同时，壳聚糖又是一种天然无毒、易生物降解、生物相容性好的生物材料。利用壳聚糖对农药的修饰，可以得到一类具有协同作用的新型壳聚糖农药耦合物，提高药效，降低毒副作用。

作为包膜材料，壳聚糖可以制备成包膜微球，经浸泡后表面出现大量的凸起和均匀的小孔，可作为释放通道，达到缓释效果；作为浸种剂和种子包衣剂，壳聚糖可以促进作物对营养物质的吸收与利用，调整生长状态，提高拮抗能力；作为土壤改良剂和生物降解地膜，壳聚糖溶解后黏度大，易于成膜，可制成黏附性好、通透性好和抗拉度强的农用地膜，还可以抑制土壤中病原菌的生长并改善土壤团粒结构；作为生长调节剂，壳聚糖可以促进作物的生长发育，诱导植物体内各种酶活的上升，诱导作物抗病抗逆基因的表达；作为抑菌剂，壳聚糖对植物病原菌具有一定程度的广谱抗性，其机理之一是壳聚糖分子中氨基构成阳离子团，与真菌细胞壁的磷脂等阴离子团互相吸引，导致真菌细胞壁的通透性发生变化。影响其抑菌活性的因素主要有：分子量、脱乙酰度、浓度、pH 值、壳聚糖的衍生化等。

其生产工艺一般是将虾蟹壳先经酸处理，溶解其中的碳酸钙，后进行碱处理，除去蛋白质，经脱色工艺后得到商品化甲壳素，对甲壳素进行脱乙酰化处理后可得到壳聚糖。

（3）复杂有机物

① 腐植酸类　腐植酸类增效剂是指腐殖物质中分子量较大，具有芳香族、脂肪族及多种功能团结构特征，能溶于稀碱溶液，不能溶于酸和水，呈黑色或棕黑色的无定型有机弱酸混合物。腐植酸类物质是有机质的重要组成部分，是土壤、动物粪便、低阶煤以及农业副产品和废弃物处理过程中形成的物质。

在物理特性方面，腐植酸是一种复杂的胶体体系，由分子量范围很宽的分子组成，其分子量由数百到数十万不等，而且表面主要带负电荷，具有絮凝特性。腐植酸还是表面活性剂，能降低溶液表面张力，分散和乳化高分子物质。此外，还具有强大的亲水能力，其最大吸水量可以超过其本身重量的 500%。在化学特性方面，腐植酸由碳、氧、氢、氮、硫，以及少量的钙、镁、铁、硅等灰分元素组成。结构上，腐植酸具有较多的芳环结构、酚羟基结构和羧基结构，这些结构使腐植酸表现出溶解性和弱酸性、带电性、吸附性能、离子交换和络合螯合性能。

腐植酸的物理与化学特性决定了其在肥料增效剂中的应用范围最广泛，除生物刺激作用外，在缓控释包膜、抑制剂、防结剂、磷活化剂、螯合剂以及土壤调理剂中均能有所体现。

腐植酸具有以下多种功能：

a．腐植酸能促进种子萌发，提高种子活力，增强苗期素质。

b．腐植酸含量在适宜范围内对植物的生长有促进作用。

c．腐植酸有类似赤霉素、细胞分裂素与脱落酸的活性，能促进植物种子萌发，促进叶子生长，抑制叶片开启度。

d．腐植酸可减少有毒物质的毒害。腐植酸可抑制作物对土壤中重金属的吸收，螯合土壤中铝离子，减少因与其他阳离子竞争而导致的营养元素的流失。

e．腐植酸可影响酶的活性。腐植酸能提升过氧化氢酶、硝酸还原酶、多酚氧化酶与转化酶的活性，促进作物生长。

f．腐植酸可影响光合作用与呼吸作用。一方面，腐植酸对光合作用的影响主要是通过影响叶绿素的含量来实现。另一方面，腐植酸中的酚基与醌基相互转化，在呼吸作用中传递电子并活化氧分子，从而加强植物的呼吸作用。

g．腐植酸可通过其螯合作用以及对相关酶活性的提高，促进植物对营养元素的吸收。

h．腐植酸可提高作物抗逆性。腐植酸可抑制作物气孔开启程度，降低蒸腾作用，从而提高其抗旱能力。在抗寒性方面，主要通过提高作物酶活性，调节细胞膜渗透作用。在抗盐碱方面，由于带负电的胶体性质，腐植酸吸附土壤中阳离子，同时会形成腐植酸盐，形成缓冲系统，降低土壤表层盐分含量。

腐植酸的生物刺激作用源自其综合活性，活性主要来源于对腐植酸分子构象上的三个改变：含氧官能团的增加、分子量变小以及在分子构建中加上含氮化合物。腐植酸的活化方式有三种：微生物法；物理方法，如机械法、辐射法、超声波法等；化学手段，如硝化、磺化、磺甲基化等。其中，化学法为主要方法。

② 木醋液　生物质热解的产物包括固态生物质炭，液态生物质油及木醋液，以及气态生物燃气。木醋液是指木材及木材加工剩余物、农作物秸秆等植物性生物质原料经慢速热解（干馏）后得到液体产物，分离出沉淀木焦油后得到的红褐色液体，是一种含有酸、醇、酚、酮、醛及其衍生物等多种物质的混合物，其性质及组分复杂，功能多样。一般在不同的制备工艺条件下，木醋液的产率、性质及组分都有较大的变化。

粗木醋液的收集方式有两种；第一种是通过收集炭窑烧炭过程中产生的烟气进一步冷凝得到；第二种是通过将生物质原料放入干馏设备中热解，收集产生的挥发分冷凝获得。在不同的烟气温度下，收集到的木醋液的成分也不同。木醋液现暂无国家标准或行业标准，企业多引用食醋卫生标准中的分析方法测定其总酸含量，以确定其特征理化指标，相关研究有待进一步深入。

木醋液可以促进植物生长，其中有机酸和苯酚及其衍生物等许多物质具有杀菌抑菌作用，可防病防虫、改良土壤，还可与农药混用增效。

11.2.4.3　产业化应用

生物功能调节类增效剂加工制成的增效肥料品种种类众多，如多肽尿素、SOD 尿素等，由于种类繁多，生产企业分散，规模不一而足，无法系统地进行统计。但由增效剂腐植酸、氨基酸和海藻酸加工的两类高效肥料已经较成规模，一类为水溶性肥料，另一类为增值肥料。一般应用在大宗肥料产品上的叫增值肥料（中国农科院独创），用在水溶肥及其小众产品上的叫生物刺激素类肥料（从国外传入的称呼）。

截止到 2021 年底，农业农村部登记的腐植酸水溶肥产品有 3753 个，氨基酸水溶肥产品有 3392 个，有机水溶肥（主要是含海藻酸水溶肥）产品有 611 个。这类产品的生产企业有专业水溶肥企业，如河北萌帮、青岛明月海藻、青岛海大生物、北京雷力、上海永通、上海芳甸等；也有传统化肥企业，如云天化集团、中海石油化学、河南心连心集团、湖北新洋丰、成都云图控股、深圳芭田等；还有外资企业，如智利 SQM、以色列 ICL 和海法、荷兰易普润、德国康朴等。这几类企业各有所长，共同推动了中国水溶肥产业的快速发展。专业水溶肥企业产品高端化和专业化，但生产规模一般较小，销售渠道也相对受限；传统化肥生产企业中，基础肥料企业原料优势和资金优势明显，二次加工企业销售渠道优势明显；外资企业品牌和质量占优，但成本往往较高。氨基酸水溶肥、腐植酸水溶肥和有机水溶肥随着水肥一体化进程加快和高质量农业的发展，未来前景看好。

增值肥料是由中国农业科学院赵秉强首席科学家带领的新型肥料团队研发的一类新型肥料。该类肥料是将安全环保的有机生物活性载体与化学肥料科学配伍，通过综合调控“肥料-作物-土壤”，系统改善肥效的肥料。从 2000 年开始，中国农业科学院新型肥料团队利用腐植酸、海藻提取物、氨基酸等天然 / 植物源材料，开发了高活性、环保安全、专用型肥料增效载体，并成功应用到大型化肥企业生产中。增值肥料是目前国内唯一一类可以直接与大型基础肥料生产相结合、可以大规模和连续化生产的增效肥料。

增值肥料的主要技术特点为：一是载体增效制肥。增值肥料利用环保安全的有机生物活性物质增效载体与肥料科学配伍制备高效化肥产品。二是增效载体为天然/植物源物质，安全环保。三是综合调控“肥料-作物-土壤”系统增效。增值肥料从系统角度出发，除了调控肥料减少损失、防止固定和优化供肥性外，还重视促根和调动根系吸收养分的能力，并对大、中、微量元素综合调控，活化土壤中的营养元素。四是增效载体微量高效。增效载体在肥料中的添加量一般不超过5‰（有效成分），基本不影响肥料养分含量。五是与大型化肥生产装置结合一体化生产。增值肥料利用微量高效载体增效制肥技术与尿素、磷铵、复合肥等大型化肥生产装置结合一体化生产，避免二次加工，突破了高效肥料普遍存在的产能低、成本高等技术短板。

2012年12月，在中国氮肥工业协会指导下，中国农业科学院农业资源和农业区划研究所联合国内30多家科研院所与生产企业成立了“化肥增值肥料产业技术创新联盟”，有力地推动了增值肥料产业的快速发展。二十多年来，该类增效剂和增值肥料行业建立了若干企业标准和十多项化工行业标准。目前，增值肥料在瑞星集团、中海石油化学、中化化肥、骏化集团、云天化、贵州磷化集团、安徽六国等国内数十家大型企业实现产业化，年产量1500万吨，形成了锌腐酸、聚氨锌、天野、金沙江、大嘿牛、黑力旺、东平湖等增值尿素，翔燕、撒可富、富岛、美麟美、开磷海藻酸、锌硼酸等增值磷铵，以及开门子海藻酸、农大腐植酸、恩宝海藻酸、六国安锌、骏化锌腐酸等增值复合肥品牌，年推广施用面积4.5亿亩，作物增产100亿千克，农民增收200亿元。增值肥料已成为全球产量最大的绿色高效肥料产品。

2021年国内增值肥料企业及品牌见表11-15。

表11-15　2021年国内增值肥料企业及品牌

企业名称	增值肥料产品	品牌
中海石油化学股份有限公司	增值尿素 增值磷铵 增值复合肥	锌腐酸、聚氨锌、天野、翔燕、撒可富、富岛
瑞星集团股份有限公司	增值尿素	瑞星
中化化肥有限公司	增值复合肥	美麟美、大嘿牛
江西开门子肥业股份有限公司	增值复合肥	开门子海藻酸
云南云天化股份有限公司	增值尿素	金沙江
贵州磷化集团有限责任公司	增值二铵 增值尿素	开磷海藻酸 锌硼酸
安徽六国化工股份有限公司	增值磷铵	六国安锌
河南晋开化工投资控股集团有限责任公司	增值尿素 多肽尿素	晋开

续表

企业名称	增值肥料产品	品牌
中盐安徽红四方股份有限公司	增值尿素	红四方
山东农大肥业科技有限公司	增值复合肥	农大腐植酸
山东恩宝生物科技有限公司	海藻酸增效剂	恩宝海藻酸
河南心连心化学工业集团股份有限公司	增值尿素	黑力旺
山西天泽煤化工集团有限公司	增值尿素	泽州牌
四川美丰化工股份有限公司	多肽尿素 含海藻酸尿素	美丰
秦皇岛五弦维爱科技有限公司	锌腐酸增效剂	锌腐酸
青岛海力源科技有限公司	海藻酸增效剂 壳聚糖	
昊华骏化集团有限公司	增值复合肥	骏化锌腐酸
安徽昊源化工集团有限公司	锌腐酸尿素 多肽尿素	昊源
四川泸天化股份有限公司	增值尿素	工农
山东华鲁恒升化工股份有限公司	增值尿素	友谊
江苏华昌化工股份有限公司	增值尿素	华昌化工 金字牌

11.2.4.4　发展展望

未来肥料产品的创新要以绿色增产为主导，新产品能否使作物增产或者品种改善是衡量该产品是否增效的唯一标准。绿色高效增值肥料产品可以通过补短板、调代谢、强功能的方式优化供给性、促进吸收、增强抗性、提高肥效，使得新产品可以由原来的提供营养到改善营养，最终实现等量投入可以增产，减量投入不减产的目标。新型肥料产品的增效途径将向系统性综合调控发展，由过去单纯调配肥料的营养功能发展成对肥料、作物和土壤进行整个系统的组合调配，在对肥料本身进行优化供应、防损失、防固定退化等基础调控的基础上，同时对根系和土壤进行调控。通过对根系数量、质量和空间分布的调控，调动根系吸收功能，通过调控土壤肥际的环境，进而提高肥料的利用率。

新产品的功能会向专用化、多元化方向发展，新型肥料产品需要在增加产量的同时兼顾改善农作物品质，增强抗逆性，保护土壤环境。增效材料要向绿色智能化方向发展，无论是肥料的增效材料还是缓释肥的包膜材料，都要遵循“四绿”原则，即绿色来源、绿色制备、绿色配伍、绿色功能。产品创新更重视学科交叉与融合，实现多策略、多机制、多途径综合增效，把更多的农艺增产等要素融合到工业产品中。产业技术方面，高效产品与大型化肥生产装置结合一体化生产，避免二次加工，这样才能实现大产能、低成本。产品创新的过程中还要满足农业生产对高效产品性能的关键需求。

目前，我国绿色高效肥料的发展仍存在五大关键问题：一是大幅度提高产量、品质、肥料利用率的关键技术亟待突破。二是氮素防损失、磷素防固定等高效增效材料缺乏。三是肥料产品在溶解性、防结块、防粉化、防挥发等产品性能方面存在短板。四是大、中、微量元素协同增效技术亟待突破。五是产业技术方向需要向大产能、低成本方向突破。

我国肥料产品创新过程中存在重应用、轻研究的问题，高效肥料的增效机理研究薄弱，企业应加强农艺原理和技术在工业生产端的应用研究。我国绿色肥料产品多为跟踪创新，工艺与农艺缺乏深度融合，企业应发挥原创性，促进产品创新与栽培、育种、生理学、生物学、信息学和基因学等学科交叉。此外，目前我国高效产品的效果、质量、性能、稳定性和商品性较国外同类产品仍有较大差距，施用技术和装备也与国外有较大差距，机械化和精准化施肥的水平亟待提高。

“十四五”期间，我国关于新型肥料有三个科技重点专项，分别是黑土地保护与利用科技创新，北方干旱半干旱与南方红黄壤等中低产田能力提升科技创新，农业面源、重金属污染防控和绿色投入品研发。未来 5 ～ 10 年，添加增效剂的肥料年产能将达到 5000 万吨，产量将达到 3500 万吨，占到农田直接施用尿素、磷铵、复合肥的 50% 以上，应用 10 亿亩，作物增产 200 亿公斤，形成绿色高效肥料最大产业。添加增效剂的肥料将在我国形成新常态、新业态，为化肥减施增效、绿色增产做出重要贡献。

11.3 肥料增效剂产业存在的问题

近年来我国增效剂产业发展较为迅速，但整体科研与创新能力偏弱，市场的规范程度有待提高，相关标准略显滞后。

（1）产品绿色智能化发展亟待增强

部分增效剂为合成类产品，存在降解及毒性问题，如矿物包裹油、树脂类缓控释增效剂以及多种抑制剂等。一方面，此类增效剂在发展的过程中需要进行技术更迭，须可降解，在使用过程中不造成二次污染；另一方面，各类增效剂也有必要制定绿色产品的评价标准，以规范增效剂的生产与应用全过程，其技术标准亦应与国际接轨，而且具有生态性。

（2）对机理研究不够，创新能力相对较弱

有些增效剂成分相对复杂，多数产品为混合物，含多种有效活性物质，而且存在原料批次不同或工艺稳定性问题导致的活性物质成分的波动，给其作用机理的研究带来了很多难点。

缓控释材料的研究重点在产品的降解方面，近年来鲜有突破。随着国外抑制剂类产品专利到期与国内使用规模限制，其实质创新较为乏力。多数企业的研发费用占营业收入比例很低，难以支撑高投入、高风险、长周期的自主创新，而且由于制备技术、能耗、成本、环保等方面约束，此类增效剂的初级产品居多，高端产品产能不足。

（3）部分标准规范亟待完善

在标准方面，目前针对增效剂的标准只有 NY/T 3504—2019 涉及了硝化抑制剂及使用规程。现有的方法标准难以完全解决各种肥料中增效剂的精确分析，存在误差的情况，难以实时指导生产，在一定程度上制约了增效剂产业的健康发展。

（4）推广与应用方面需要规范

肥料产业转型升级促进了各类增效肥料的快速发展，从而带动了增效剂的需求增长。门类繁多的增效剂和新型肥料存在过度宣传推广的情况，生产企业和应用部门应根据审慎的机理研究与广泛的田间试验规范的总结及引导，明确针对不同地区、不同作物、不同条件下的各类产品使用技术，建立健全绿色产品体系与负面清单制度。

11.4　肥料增效剂产业发展思考与建议

党的十九大报告明确提出“中国经济已由高速增长阶段转向高质量发展阶段”，农业高质量发展是国民经济高质量发展的重要组成部分，是促进中国农业加快向现代农业转变的必然要求，要以保证国家粮食安全为基础。“十四五”时期，中国农业的发展方向是创新、高质量和绿色化。

肥料是保证农业生产的重要物资，约一半的粮食产量来自使用肥料的增产。农业向高质量发展，进而肥料也需要不断创新和高质量发展，才能适应现代化农业的要求。中国农业科学院赵秉强研究员在“2020 CNCIC 全球特种肥料大会”上的报告指出，中国肥料的发展大概经历了 2 大阶段，即无效养分有效化和有效养分高效化。第一阶段是把不能被作物直接吸收利用的养分有效化，也就是把空气中的氮素、磷矿中的磷素和盐湖中的钾素这三大主要营养元素经过各种过程转化成可利用的有效肥料。第二阶段是把有效养分高效化。随着高效和环保农业的推进，肥料的高效化获得快速发展，肥料高效化离不开各种增效剂的助力。

我国传统化肥用量大，利用率相对较低，不仅造成资源浪费，增加种植成本，而且对环境造成一定污染。“双碳”形势下，化肥产业未来研究的重点应当是如何提高肥料利用率，达到减量增效的效果，保证我国农业绿色可持续发展。提高化肥利用率离不开增效剂的添加，我国从事肥料增效剂技术研究和生产的单位很多，增效技术也有了长足的发展，但仍存在各种各样的问题。为此，对增效剂及增效肥料的发展，建议如下。

（1）绿色发展，打造生态环保的增效剂体系

针对目前抑制剂的毒性问题和缓释材料的高成本与可降解性差等问题，科研院所应开发天然绿色的增效剂，致力于研发毒性小、原料易得、可降解的增效剂产品，生产出更多高效、生态环保的增效肥料，保障绿色优质高产农业的发展。

（2）加强机理研究，研发功能性增效剂

目前，增效剂种类多，但机理研究普遍较弱，增效剂筛选及有效成分分离和提纯的研究应

加强，而且生产工艺也有待进一步优化。今后，应加强增效剂的机理研究，研发出与不同肥料、不同土壤、不同作物相适应的功能性增效剂，确保增效肥料的功能性，促进农民增产增收。

（3）统一标准，提升质量，规范市场

标准是产品大规模推广的前提，由于质量标准缺乏，产品质量参差不齐，品牌杂乱，影响了增效剂的发展。针对不同的增效剂和增效肥料，需要建立对应的产品标准和评价方法。建立规范的质量技术标准不仅可以保证肥料质量，促进技术提升，而且可以规范市场，推动行业快速作用。

（4）加强引导，提高农民对增效剂和增效肥料的认识水平

目前，增效剂和增效肥料在国内肥料市场上的占有率还相对较低，农民对增效剂和增效肥料的认可度也较低。需要通过开展多途径和多形式的宣传进行引导，提升增效剂和增效肥料在农民心中的地位，从根本上改变农民不合理施肥的理念。农化服务团队要通过开展从种到收的一条龙服务，重点开展增效肥料的试验示范，通过现场观摩会等形式让农民能直接看到增效肥料带来的效果。选择种植能手或种植大户，通过以点带面，科技引领，给农户算经济账，让农民切实感受到增效肥料带来的效益。

（5）政策扶持，促进行业更快发展

目前，“绿色和环保”的理念已深入人心，“高质量发展”也越来越被人们认可。增效剂和增效肥料的发展已经得到了政府、科研院所和企业等方方面面的重视。国务院“中央一号文件”多次提到要大力发展高效新型肥料，科技部在“十五”至“十四五”期间一直在科研方面给予大力支持，工业和信息化部在“化肥产业转型升级”意见中也提到鼓励发展缓控释肥等产品，农业农村部在“化肥使用量零增长”方案中也强调要调整施肥结构，提高高效肥料的使用率。但是，针对农民施用方面的鼓励政策还较少，化肥补贴政策需转变观念，要对高效、环保肥料进行有效支持，这样农民才会快速接受增效肥料，从而降低肥料投入成本，减少不合理施肥和过量施肥带来的环境污染，促进增效剂和增效肥料的健康快速发展。

参考文献

[1] Trenkel M E.Controlled-release and stabilized fertilizers in agriculture[M]. Paris:International Fertilizer Industry Association,1997.

[2] Zerulla W, Barth T, Jürgen D, et al. 3,4-Dimethylpyrazole phosphate (DMPP)—A new nitrification inhibitor for agriculture and horticulture[J]. Biology & Fertility of Soils,2001,34(2):79-84.

[3] 孙志梅，张阔，刘建涛，等. 氮肥调控剂对潮褐土中不同氮源氮素转化及油菜生长的影响 [J]. 应用生态学报，2012, 23(9):2497-2503.

[4] Xu X, Wang Y, Zheng X, et al. Methane emission from a simulated rice field ecosystem as influenced by hydroquinone and dicyandiamide[J]. Science of the Total Environment,2000,18(1/3):243-253.

[5] 史云峰，武志杰，陈利军，等. 3,5-二甲基吡唑磷酸盐（DMPZP）对土壤硝化作用的影响 [J]. 应用生态学报，2007,18(5):1033-1037.

[6] 郑福丽，李彬，李晓云，等. 脲酶抑制剂的作用机理与效应 [J]. 吉林农业科学，2006,31(6):25-28.

[7] Medina R,Radel R J.Mechanisms of urease inhibiton[A]. In:Bock B R,Kissel D E.Ammonia Volatilization from Urea Fertilizers[C]. 1988:137-174.

[8] 田发祥，纪雄辉，官迪，等. 氮肥增效剂的研究进展 [J]. 杂交水稻，2020,35(5):7-13.

[9] 周礼恺，赵晓燕，李荣华，等. 脲酶抑制剂氢醌对土壤尿素氮转化的影响 [J]. 应用生态学报，1992,3(1):36-41.

[10] 李晓鸣. 氢醌在小麦吸收利用氮素中的作用 [J]. 黑龙江农业科学，2002,4:4-6.

[11] 陈利军，史奕，李荣华，等. 脲酶抑制剂和硝化抑制剂的协同作用对尿素氮转化和 N_2O 排放的影响 [J]. 应用生态学报，1995,6:365-372.

[12] 王小彬，Bailey L D,Grant C A，等. 关于几种土壤脲酶抑制剂的作用条件 [J]. 植物营养与肥料学报，1998,4:211-218.

[13] 孙磊，王丽华，高中超，等. 减氮配合增效剂和缓释肥对玉米田土壤温室气体排放和产量的影响 [J]. 土壤通报，2020,51(1):185-194.

[14] 张素萍，刘超，代先锋. 力谋仕脲酶抑制剂在玉米上的田间试验 [J]. 安徽农学通报，2019,25(18):115-116.

[15] 宋尚新，屈爱玲，张春山. 力谋仕脲酶抑制剂在小麦上应用报告 [J]. 农业科技通讯，2019,569(5):76-79.

[16] 李欠欠. 脲酶抑制剂 LIMUS 对我国农田氨减排及作物产量和氮素利用的影响 [D]. 北京：中国农业大学，2014.

[17] Li T, Zhang W, Yin J, et al. Enhanced-efficiency fertilizers are not a panacea for resolving the nitrogen problem[J].Global Change Biology,2017,24(2):359-360.

[18] Xia L, Shu K L, Chen D, et al. Can knowledge-based N management produce more staple grain with lower greenhouse gas emission and reactive nitrogen pollution?A meta-analysis[J]. Global Change Biology,2017,23(5):1917-1925.

[19] Fu Q, Abadie M, Blaud A, et al. Effects of urease and nitrification inhibitors on soil N,nitrifier abundance and activity in a sandy loam soil[J]. Biology and Fertility of Soils,2020,56(2):185-194

中国肥料研究与应用全书

Books of Fertilizer Research and Application in China

FERTILIZER

第12章

中国肥料流通行业与农业服务产业发展

12.1 历史沿革

化肥最早大约在1900年经日、英、德三国进入我国，目前已走过了130多年的历程。1900年，英国卜内门洋碱公司首先在上海设立中国总公司，经销蛾眉月牌肥田粉（硫酸铵）；德国巴斯夫同样在上海设立爱礼司洋行，作为中国总代理公司，销售狮马牌肥田粉。1901年，日本将日产肥田粉运往我国台湾，在甘蔗种植中施用。与日本靠行政力量推广肥田粉不同，英国卜内门公司和德国爱司礼洋行推销肥田粉基本是商业化运作，主要采取广告宣传、免费试用、现场参观、科普推广等模式。狮马牌肥田粉和蛾眉月牌肥田粉凭借试验效果和突出的品质，从沿海到内陆逐步被国人认可。1913年，巴斯夫在中国的销售额是其全球总量的14%，化肥是其在华销售的主要品类。1916年，在天津《大公报》上刊登整版的化肥广告。当时化肥分销点多在上海、广州、厦门、青岛、天津等沿海城市。1920年以后，河北、内蒙古、湖南一带也开始有肥田粉销售。

新中国成立后，我国化肥产量和进口量都很少，在很长一段时间内，对化肥的生产与流通实行严格的计划管理模式，特别是在流通方面，经历了统购统销和专营管理的计划经济时期、计划管理与市场博弈并存时期、市场经济时期。在新中国成立初的40年时间里，化肥作为一种紧缺的支农物资进行完全的“被计划、被调拨、被分配”，供销合作社系统尽管经历了与国营商业的“三分三合”，但在农业生产资料供应方面，始终发挥着独一无二和不可替代的作用。1998年，化肥流通与销售市场放开后，各种经营主体迎来了百花齐放的局面，在保障农业生产的同时，也呈现出了流通渠道多元化、多层次等新特点。

12.1.1 统购统销和专营管理的完全计划经济时期（新中国成立~1992年）

新中国成立后，党和政府把发展合作社作为促进农村经济发展、解决农民问题的重要方面，切实给予引导、支持和推动。1949年11月，国家成立了中央合作事业管理局，主管全国合作事业。1950年，中华全国合作社联合总社成立，内设供应局，供应局设立农业生产资料处和粮食经营部，前者负责农业生产资料系统管理，后者主管杂肥（包括饼肥、骨粉）等肥料的经营，当时的肥料以农家肥为主。

1952年，中共中央明确化肥业务（包括化肥的收购、调拨、分配和销售等）全部由全国供销合作总社统一负责经营和管理。

1953年，全国供销合作总社成立供应业务第二批发管理局，接替粮食经营部负责杂肥、化肥、农药的经营业务，并设立沈阳、上海、广州、汉口、重庆和西安6个批发站。

1955年，全国供销合作总社成立生产资料第一和第二管理局，第二局负责化肥、农药和农药械的业务，仍设6个化肥农药批发站。

1957年，全国供销合作总社将第一、第二管理局合并为农业生产资料供应管理局，并将原6个批发站改为沈阳、上海、广州、天津、郑州5个批发站。同时，全国各省（自治区、直辖市）、地（市）、县建立了相应的农业资料经营和管理机构，逐步形成了从中央到地方“四级批发、一级零售”的农业生产资料流通体系。

1962 年，供销合作社与国营商业分开，恢复成立全国供销合作总社和地方各级供销合作社，从上到下比较完整的农资经营和管理体系也相应恢复成立。全国供销合作总社成立农业生产资料局，负责农资的系统管理与业务经营，同时在局内设立了化肥农药采购供应站，具体负责进口和归中央直接经营的农资商品的批发业务。同时，国务院下发《关于 1962 年度收购经济作物和畜产品奖售办法的几项规定》，开始对收购重要农副产品实行化肥奖售政策，并一直延续到 1993 年，其间，奖售范围逐渐缩小，奖售标准逐渐降低。

1970 年，供销合作社与国营商业第二次合并为商业部，撤销农业生产资料局，成立生产资料组，后又改为生产资料处，并规定中央不再具体经营与管理农业生产资料，并将经营管理权下放给地方。

1975 年，供销合作社与国营商业再度分开，农业生产资料局恢复成立，统一负责全国农资商品的系统管理与计划调拨，地方各级农资公司也相继恢复。

1978 年，党的十一届三中全会召开，“化肥不是商品”的认识逐步改变，在化肥价格管理方面停止了片面降低价格的做法。全国供销合作总社恢复成立全国化肥农药采购供应站，负责国家统一分配的化肥、农药的计划收购、分配及进口经营，其下设立沈阳、天津、上海、广州、成都 5 个经营管理处，每个经营管理处又下设若干办事处，这是中国农业生产资料集团公司的前身。

1980 年，供销合作社经营管理的农业生产资料增加为化肥、农药、农药械、中小农具、耕畜、农膜等六大类。同时，全国供销合作总社明确了“小化肥”（主要指小氮肥——碳酸氢铵、小磷肥——普通过磷酸钙）可以在有关地区间进行余缺调剂的规定。“小化肥”因数量在相当一段时期内占据中国化肥总量的一半以上，其调剂作用在我国化肥流通史上具有十分重要的作用。

1982 年，供销合作社与国营商业第三次合并，全国供销合作总社与商业部、粮食部合并为新的商业部，农业生产资料局及化肥农药采购供应站合并为商业部农业生产资料局，同时成立中国农业生产资料公司，与农业生产资料局一套机构、一套人员、两块牌子、合署办公。原下辖的 5 个经营管理处分别更名为中国农业生产资料公司的 5 个采购供应站。

1983 ～ 1984 年，“化肥不是商品”的认识逐渐被改变，“低价薄利”的政策使化肥生产经营企业长期亏损，财政负担沉重。随着农产品收购价格的提高，按照使化肥生产经营保本微利的原则，化肥价格逐步理顺。国家先后三次提高了国产和进口化肥主要品种的出厂与销售价格。

1985 年，国家对化肥价格开始实行“双轨制”。

1988 年 9 月，国务院下发《国务院关于化肥、农药、农膜实行专营的决定》（国发〔1988〕68 号），决定从 1989 年 1 月 1 日起，国家委托中国农业生产资料公司和各级供销社的农业生产资料经营单位对化肥、农药、农膜实行专营，其他任何单位、部门、个人一律不准经营。通过专营和推行综合销售价格，在一定程度上遏制了化肥多头经营、流通秩序混乱、价格过猛上涨的现象。

1989 年，随着商业部的机构改革，农业生产资料局更名为农业生产资料办公室，仍与中国农业生产资料公司合署办公，5 个采购供应站成为中国农资公司直属公司。同年 12 月，国务院下发《国务院关于完善化肥、农药、农膜专营办法的通知》（国发〔1988〕87 号），在明确中国农业生产资料公司和各级供销社的农资经营单位是农资专营主渠道的同时，保留农业直属垦区的直供体制，允许县和县以下的农业“三站”（植保、土肥、农技）在提供技术服务时零售化肥，也允许生产企业将统配以外的化肥、农药、农膜直接销售给农民，除此之外，任何单位和个人都不得经营。

到 1992 年，化肥专营政策实施了整三年，取得了明显成效，基本上达到了治乱（市场乱）、治涨（乱涨价）、治假（假肥、假药流入市场）的目的，维护了农民利益。

12.1.2 计划管理与市场博弈并存时期（1993 ~ 1999 年）

1992 年，我国市场化改革加速，给化肥经营管理体制也带来了巨大变革。1993 年，国家对农业生产资料的生产价格依然实行计划内、外的管控的同时，对经营主体逐步放开。在供销社之外，又向农业、水利、外贸、银行、物价部门，以及乡镇企业和个人，发放了经营执照。同年，商业部与物资部合并为国内贸易部，农业生产资料办公室也隶属于国内贸易部。2 月 16 日，成立以中国农业生产资料集团公司为核心的中国农业生产资料集团，简称中农集团，与国内贸易部农业生产资料办公室合署办公。与此同时，成立刚一年的中国农业生产资料流通协会正在开始着手农资流通规范化的调研。

1994 年 4 月 23 日，国务院出台了《国务院批转国家计委关于改革化肥价格管理办法请示的通知》（国发〔1994〕27 号），决定按照市场形成价格的原则，对原统配化肥的国家统一定价、地方管理的化肥价格和计划外化肥的最高限价，统一改为国家规定化肥出厂中准价格和上下浮动幅度，由企业在国家允许的范围内自主确定出厂价格，化肥的调拨价格和零售价格实行经营差率或利润率控制。一系列的价格政策，并未抑制价格上涨，8 月 12 日，国务院又出台了《国务院关于改革化肥等农业生产资料流通体制的决定》（国发〔1994〕45 号），文件一是将中央调控的化肥降至总资源量 20% 左右的比例，中央调拨化肥由“四级批发一级零售”改为“两级批发一级零售”，地方调拨化肥由“三级批发一级零售”改为“一级批发一级零售”；二是中央进口统一由中国化工进出口总公司代理，各省、自治区、直辖市各保留一个进口代理机构；三是建立化肥淡季储备制度。

1995 年，党中央决定重新恢复成立中华全国供销合作总社，明确供销合作社的主要职能和任务之一就是“按照政府授权对重要农业生产资料、农副产品经营进行组织、协调、管理”，在内部设立农业生产资料局，并将中国农业生产资料集团公司等 11 家企业划归中华全国供销合作总社管理，对未来几年稳定化肥供给起到了积极作用。

1998 年 11 月 16 日，国务院下发《国务院关于深化化肥流通体制改革的通知》（国发〔1998〕39 号），国家对化肥流通管理由直接计划管理为主改为间接管理为主，发挥市场配置资源基础作用。

12.1.3 市场经济时期（2000 年至今）

2001 年 12 月 11 日，中国政府正式成为世界贸易组织（WTO）成员，并承诺未来 5 年之内放开化肥批发权。我国化肥流通体制市场化改革步伐进一步加快。按照我国加入 WTO 的议定书，化肥进口实行国营贸易管理，由中化集团和中农集团负责国营贸易进口。同时，批准了中国化工建设总公司、华垦国际贸易有限公司等8家公司从事化肥非国营贸易进口。2004年，商务部发布第52号公告，赋予中国石油国际事业公司等5家复合肥生产企业钾肥自营进口权，加上中阿化肥有限公司拥有自营进口钾肥进口权，我国共有10家企业具有钾肥进口经营权。除此之外，还有25家企业经过商务部批准从事边贸钾肥进口业务，如绥芬河市龙生经贸有限责任公司、绥芬河市广成经贸有限责任公司等。2005年，由中农集团、中化集团等企业组成的联合谈判小组开始一年一度的钾肥进口大合同谈判。

2005年1月12日，国家发展改革委和财政部颁布《化肥淡季商业储备管理办法》。办法指出，化肥淡季商业储备制度的目的是：解决化肥常年生产、季度使用的矛盾，促进化肥企业均衡生产，满足用肥旺季农业生产需要。化肥商业淡季储备制度成为政府稳定市场的重要手段，该制度遵循企业储备、银行贷款、政府贴息、市场运作、自负盈亏的原则。

2009年8月24日，国务院印发《国务院关于进一步深化化肥流通体制改革的决定》(国发〔2009〕31号)，肯定了国发〔1998〕39号文件颁布后取得的显著成效，并就放开化肥经营限制、规范企业经营行为、鼓励连锁集约经营、强化市场监督管理等方面进一步做出了部署安排。这是当前指导我国化肥流通体制改革的纲领性文件。文件明确提出：取消对化肥经营企业所有制性质的限制，允许具备条件的各种所有制及组织类型的企业、农民专业合作社和个体工商户等市场主体进入化肥流通领域，参与经营，公平竞争。随着国内化肥生产工艺不断提升，高浓度复合肥逐渐成为了我国化肥的主流产品。

尿素、磷酸一铵、氯化钾等复合肥的主要原料，则仍大多依靠省级农资公司或大贸易商的资金优势和省内渠道，实现了“尿素厂家（磷肥与钾肥类似）—大贸易商—中小复合肥厂家”的模式。在尿素、磷酸一铵、氯化钾三类原料肥的流通中，供销社系统的中农集团、各省级农资公司发挥着主渠道作用。在2000年以后，各省级农资公司依托上游厂家资源和资金优势，迅速在省内外成立分子公司，逐步建立完善了化肥原料的高效流通格局。

2015年，国家开始实施化肥农药零增长行动，有机肥的市场份额也逐年提升，其流通模式接近复合肥。由于有机肥的生产受本地原材料限制较大，以本地市场消费为主。大量元素水溶肥、中微量元素产品、液体冲施肥等新型肥料产品需要精准的技术推广，而复合肥的渠道商并不擅长技术服务，因此农药销售渠道成了相对好的选择。此外，部分特肥等新型肥料产品具有体积小、方便运输的优势，随着2015年农资电商的兴起，农药和特肥逐步成为互联网平台上农资类的热门产品。

2015年10月，国家“十三五”规划启动实施能源消耗总量和强度“双控”行动，这是国家推进生态文明建设，解决资源约束趋紧、环境污染严重的问题，倒逼经济发展方式转变，提高我国经济发展绿色水平的一项重要措施。这一政策对淘汰化肥落后产能起到了推动作用，化解了我国化肥行业的产能过剩情况，同时也使我国化肥行业由产能严重过剩向氮肥、磷肥供应“紧平衡”转变。

2020年3月农业农村部成立了农资保供专班，努力打通农资运输“绿色通道”。供销合作社系统也建立了系统农资保供工作机制，省级供销合作社均成立了农资保供工作专班。2021年9月，国家发展改革委牵头成立国家化肥保供稳价工作机制，机制涵盖工业和信息化部、财政部、生态环境部、交通运输部、农业农村部、商务部、国资委、海关总署、市场监管总局、供销合作总社、国铁集团公司等 11 个部门和单位，是目前国家化肥宏观调控的最核心的决策协调机制。国家化肥保供稳价工作机制逐步形成了以保护农民利益为核心，以化肥淡季商业储备、进出口管控为主要手段的宏观调控政策体系，在切实降低农民种地成本的前提下，实现了化肥流通的繁荣发展。疫情期间，供销合作社系统依托全系统 4130 家农资企业，充分发挥了农资流通主渠道作用，全系统肥料供应量达到农业需求的 70% 以上，为做好疫情期间农资保供贡献了供销力量。

12.2 发展现状

12.2.1 发展环境

（1）国家政策环境

国家全面推进乡村振兴和加快农业农村现代化，为农资行业带来了重大发展机遇。农资流通行业应该在保障国家粮食安全，提高我国农业创新力、竞争力和全要素生产率等重大任务中展现更大作为。

国家构建“国内大循环为主体、国内国际双循环相互促进”的新发展格局，为农资流通体系建设提供了广阔空间。加快建设现代流通体系是重要战略任务，服务构建新发展格局，也为重塑农资流通行业新优势提供了重要契机。国内农资市场内循环越顺畅，越能形成对全球农资市场要素的吸引，《区域全面经济伙伴关系协定》（RCEP）的签署将为农资行业参与国际市场竞争及合作提供更广阔的空间。

国家推进企业体制机制改革为农资企业高质量发展提供政策保障。中共中央、国务院印发《中共中央　国务院关于新时代加快完善社会主义市场经济体制的意见》，积极稳妥推进国有企业混合所有制改革。全国供销合作总社也印发《关于持续深化社有企业改革的指导意见》，切实破除体制机制障碍，加快推进供销合作社系统农资企业改革发展。农资流通行业应该把握机遇，在企业体制机制改革中焕发更强的生机活力。

国家深入推进信用体系建设为创新农资行业监管提供制度保障。国务院深入推进“放管服”改革，进一步发挥信用在创新监管机制、提高监管能力和水平方面的基础性功能。农资流通行业作为传统行业，应该把握机遇，逐步推进农资市场信用体系建设，更好激发市场主体活力，推动高质量发展。

农资储备政策稳定延续。“十三五”期间，农资行业积极参与化肥、农药储备制度的改革、完善和出台。储备政策的延续对应对自然和市场风险、保障和巩固粮食安全、稳定农民种粮积极性具有重要意义。

（2）农业发展趋势

“大国小农”的基本国情农情，决定了农资流通行业的不可替代性。当前，农村土地适度规模经营进程加快，但“大国小农”仍是我国基本国情农情。高效的流通体系能在更大范围内把农资生产和千家万户的消费联系起来，扩大交易范围，推动服务深化，提高农业生产效率。

长期以来，我国农业水土资源过度开发，化肥、农药等农业投入品的利用效率总体不高，导致农业生态环境渐趋恶化，耕地质量下降，农业高质量发展受到严峻挑战。当前，我国已建立全面小康社会，百姓对优质农产品和多功能农业的需求显著提高，农业生产正在由增产导向向提质导向转变。农资流通行业作为农业生产的主要服务行业，传播科学种植理念和农资正确使用方法具有得天独厚的优势，在践行“生态优先、绿色发展”方面责无旁贷。

（3）行业市场环境

随着行业经营主体的增多，竞争更趋激烈。随着国家乡村振兴战略的实施和市场经济改革的进一步深化，市场在资源配置过程中的重要作用越发凸显，一些行业外企业利用资源、品牌、资金及优质服务等优势进入农资流通领域，新的经营服务主体不断涌现，给传统农资流通企业带来巨大挑战。

农资市场化改革进程稳步推进。优惠政策逐步减少，农资流通成本有不同程度的增加。同时，国家金融监管政策和要求趋严、金融机构放贷趋紧，对资金的流动性、安全性提出更高的要求，融资难度加大，对资金密集型的传统农资流通企业构成较大挑战。

（4）服务保障国家粮食安全

当前，全球正面临至少50年来最严重的粮食危机，已有多个粮食主要出口国出台政策限制粮食出口。长期以来，中国是世界粮食安全的重要“稳压器”，保障谷物自给和口粮绝对安全是政府工作的首要任务。因此，保障农资供应，是中国农资流通行业服务保障国家粮食安全、维护世界粮食供应秩序的重要使命。

化肥等农资供应可能出现区域性、季节性短缺。一是化肥行业推进供给侧结构性改革，落后产能不断退出，供需结构已经由过去的产能过剩逐步转变至供需紧平衡状态。二是社会库存规模大幅缩减，基层用肥习惯改变，改为随采随用，基层不储肥已成常态。三是产销地分离影响旺季运输，不少省份农资依赖远距离调入，生产旺季临时调运可能出现运输瓶颈问题。

12.2.2 流通路径

肥料流通衔接产销、贯通工农、连接大规模生产与分散消费，对保障国家农业生产发挥着重要作用。我国肥料流通经历了从专营、双轨制到放开的三个时期，分别是计划经济时期、计划管理与市场博弈并存时期、市场经济时期，相应的流通路径也经过几次比较重大的变化，从专营到“一主两辅”到全面放开，逐渐形成了如今多元化经营的农资流通格局。

整体来说，肥料流通路径可以简化为从厂家到经销商（通常为多级），再到零售店到农户的“批发分销”经营模式，即中央或省级流通服务商从厂家大批量采购后，再逐级批发分销给地市级经销商，地市级经销商再批发给县级经销商，县级经销商再批发给乡镇或村级终端零售网点，零售网点最终实现对农户销售。

（1）化肥流通路径分析

从参与主体看流通，一般肥料流通路径如图 12-1 所示。其中厂家对经销商的诉求是量大、回款快、能共担风险，一般都要求先款后货，甚至提前进行一部分产品储备以降低自身储备成本；各级经销商的诉求是产品质量服务好，能赚钱；农民尤其是种植大户，需要的是性价比高、能为农产品增产提质的肥料产品。

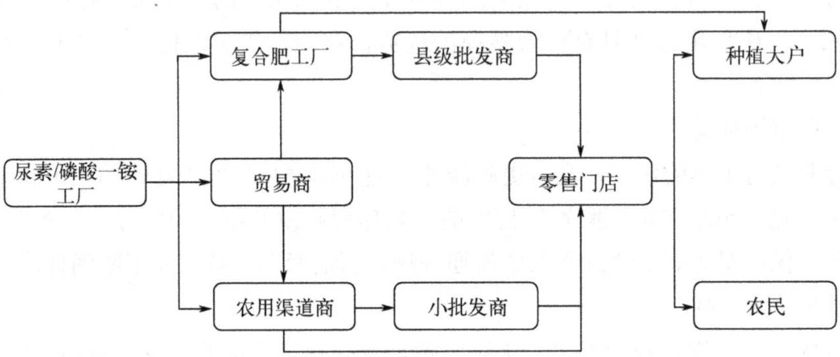

图 12-1　一般肥料流通路径

贸易商看似增加了流通环节，但至今仍然存在，是因为贸易商在整个流通路径中提供了独特价值：一是有相对稳定的货源供应，二是有较为充足的资金，三是可以建立相对固定的客户关系。

当前我国基层农资市场竞争十分激烈，为了争夺市场，基层农资经销商除了赊销给农民外，还主动帮助农民施肥打药，全力做好后续服务。目前，流通企业在整个农资行业中基本处于弱势地位，对上游厂家要打全款购货，对下游农户又有不少赊销情况。由于农资消费时间较为集中，所以资金压力较大，一般需要通过贷款方式解决，造成农资企业财务成本相对较高，经营风险也相应提升，其中不乏因为赊销、应收账款收不回来，直接导致倒闭的流通企业。

（2）供销合作社系统仍然发挥着农资流通主渠道作用

近年来，全国供销合作社系统充分发挥系统独特优势和网络优势，在实施乡村振兴战略中积极作为，抢抓全面深化供销合作社综合改革重大机遇，努力将自身打造成为我国农业社会化服务的骨干力量、农村现代流通的主导力量、农民专业合作的带动力量。据《全国供销合作社系统 2020 年基本情况统计公报》，2020 年全系统共有农资企业 3844 个、农资专业合作社 6327 个，累计实现农资销售额 8667.1 亿元，同比增长 10.1%，累计开展配方施肥服务 12350.4 万亩次，统防统治服务 11448.9 万亩次，农机作业服务 8454.3 万亩次。

（3）农业“三站”发挥着重要辅助作用

农业“三站”是指农业技术推广部门的农技站、土肥站、植保站，是传统“一主两辅”流通体制“两辅”之一。农业“三站”可以发挥农业部门人员和技术优势，在指导农户进行生产的过程中销售农资产品，属于以技术服务为依托的农资流通模式。虽然农业“三站”和供销社农资企业在经营农资产品中所占的份额不同，但就其服务宗旨而言，都是为了促进农业生产，提高农作物的产量，改善农产品品质，帮助农民增收致富。农业“三站”长期以来为保障农业生产资料供应做了大量艰苦细致的工作，从新产品的开发、引进、试验、示范、推广到售后服务等积累了丰富的经验，给农民科学种田带来很大帮助。

（4）化肥贸易体系与农资流通

化肥进出口贸易对保障我国化肥市场有效供应、调节维护化肥产业链稳定发挥着重要作用。整体来说，我们国家钾肥缺乏，进口量大；氮肥、磷肥相对过剩，出口量较大。

我国钾肥资源贫乏，目前对外依存度约为50%。由于国际钾肥资源和产能高度垄断，为保证国内钾肥供应和价格稳定，增强我国对外采购的议价能力，根据国务院指示精神，商务部从2005年底开始建立“政府指导、商协会协调、企业联合对外”的钾肥进口价格联合谈判机制。在商务部统一领导下，由五矿化工进出口商会牵头协调，组织中农集团控股股份有限公司、中化化肥有限公司、中国化工建设总公司等国内钾肥进口企业联合对外进行价格谈判，以达到“一个声音对外”、争取最大国家利益的目的。钾肥进口价格联合谈判机制有利于弥补国内钾肥供应不足，在一定程度上维护了国家粮食安全。

同时，我国仍然实施着化肥进口关税配额政策。2021年10月，商务部发布了《2022年化肥进口关税配额总量、分配原则及相关程序》，规定2022年化肥进口关税配额总量为1365万吨。

12.2.3　企业基本情况

（1）企业数量

据国家统计局数据，在国家实施供给侧结构性改革政策导向下，自2014年开始，中国限额以上化肥批发法人企业数量呈逐年下降趋势。2020年中国限额以上化肥批发法人企业个数为1507个，比2014年减少343个。

（2）企业资产情况

根据中国农资流通协会发布的《2021中国农资流通企业百强评选名单》，前20强企业有5家企业资产在100亿元以上。其中，中国农业生产资料集团公司、中化化肥控股有限公司一直轮流保持中国农资流通企业领跑者地位。

（3）从业人员数量情况

随着肥料行业供给侧结构性改革的推进，落后产能不断退出，近10年我国化肥流通企业数量逐渐减少，行业从业人员数量在2013年左右达到峰值后，也呈现逐年递减趋势。据国家统计局数据，2020年我国化肥批发行业从业人数为4.17万人，较2019年下降6.33%。

（4）网络建设情况

网络是农资流通企业的根基。近年来，农资企业在粮食主产区、交通枢纽、农资集散地等重要节点加大农资仓储物流设施和区域物流配送中心建设投入，完善仓储、配送、分销及服务功能，增强辐射带动能力。同时，积极构建“配送中心 + 直营店 / 加盟店 + 农村新型经营主体”的农资供应网络，探索打造农资综合服务“4S”店。主要呈现以下几个发展特点。

① 农资连锁经营得到快速发展。伴随 1998 年后化肥流通市场经营逐步放开，原有的由供销社独家经营农资的局面被打破，代之以由供销社农资公司、农资生产企业、农业“三站”、种子公司、私人企业、个体工商户等多种市场主体、多种流通渠道共同参与农资经营的格局。市场全面放开，使以农资连锁配送经销为主要经营形式的新型业态在全国范围内迅速发展。

② 头部肥料流通龙头企业持续扩张。伴随着激烈的市场竞争，优秀的大中型农资流通企业通过兼并重组、发展连锁经营，逐渐建立了较为完善的连锁配送经营网络体系，企业规模不断扩大。

被调查的大中型农资流通企业 2019 年直营网点个数共 2.02 万个，较 2016 年增长了 9.9%。

③ 企业借助信息化手段提升网络运营效率。当前云计算、大数据、物联网、人工智能及 5G 等新一代信息技术创新活跃，加速在传统农资行业中渗透，农资企业积极推动现代信息技术在农资流通领域的应用。2011 年 9 月，中华全国供销合作总社与中国科学院签署战略合作协议，双方携手共建农资物联网和“智慧农资”服务体系。2016 年，双方共同承担国家科技部农资物联网应用与示范项目，在农资物联网整体技术解决方案、质量追溯技术标准、溯源智能化终端、国家化肥商业储备数据管理平台建设等方面取得积极成果。示范项目分别选择在无锡市供销社、中农立华、安徽辉隆、中种集团、吉林省供销社、浙农集团，江苏苏农公司等开展了建设试点，建立了覆盖化肥、农药、种子等主要农资商品的全过程产品可追溯机制。2017 年 9 月，中国农资质量安全追溯平台正式上线。截至 2021 年底，全国供销合作社系统已有 17 个省（自治区、直辖市）的 1098 家农资企业使用农资质量追溯体系，累计发放产品追溯码 10 亿个，查询超过 6000 万人次。

12.2.4 地域分布情况

12.2.4.1 肥料需求总量变化

我国化肥生产经历了从无到有的过程，新中国成立以后，随着农业生产的快速发展，我国肥料施用量也持续上升。但从 2015 年开始，国家相继实施化肥农药减量增效、有机肥替代化肥行动。随着政策的逐步深入实施，我国化肥施用量从 2015 年的 6022.6 万吨（折纯量，下同）逐渐减少至 2020 年的 5250.7 万吨，其中农用氮肥、磷肥、钾肥、复合肥施用量分别为 1833.9 万吨、653.8 万吨、541.9 万吨、2221 万吨，同比分别下降 4.99%、4.08%、3.34%、0.43%。

12.2.4.2 肥料需求地域分布

我国肥料空间需求分布不平衡，7 个大区的化肥施用量地区分布差异较大。如图 12-2 所示，2020 年华东地区化肥施用量达 1237.7 万吨（折纯量，下同），为全国化肥施用量最高的地区，占比达 23.57%；华中地区化肥施用量达 1139 万吨，占比 21.69%；其他地区占比均为 10% 左右。

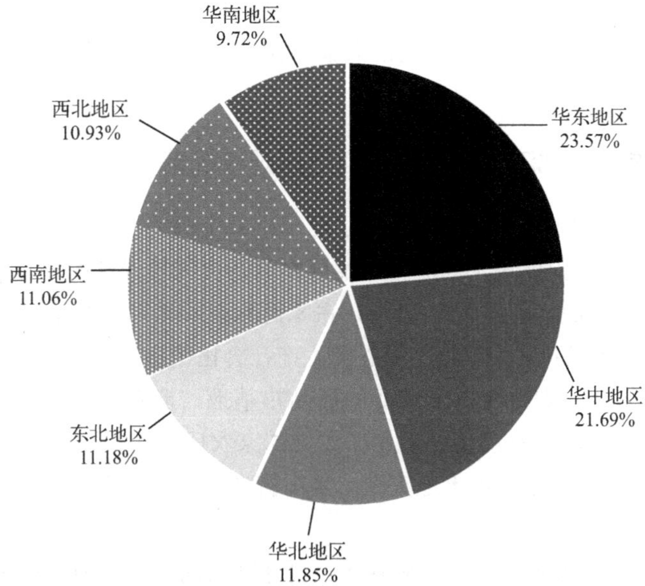

图 12-2　我国 7 个大区农用化肥施用量占比情况
（数据来源：国家统计局）

从各省农业用肥需求量来看，根据国家统计局数据，2020 年我国农用化肥施用量大，年均施用量超过 100 万吨（折纯量）的省份共有 21 个，包括粮食主产区 13 个（河南、山东、安徽、江苏、河北、黑龙江、吉林、四川、湖南、湖北、内蒙古、江西和辽宁）和主要经济作物产区 8 个（新疆、陕西、云南、广东、广西、福建、山西和重庆）。2020 年，河南省农用化肥施用量为 648 万吨，占全国的 12.34%。此外，占比超过 5% 的省份还有山东、安徽、河北、江苏、湖北。天津、上海、北京、青海、西藏等省份的肥料需求较少，占比均在 0.3% 以下。

12.2.4.3　肥料流通地域分布

由于化肥流通是连接化肥生产和需求的桥梁，所以我国化肥流通地域分布主要集中在化肥净流出和净流入省份。化肥净流入省份，主要是由于本省化肥生产不能满足当地化肥需求，需要到外省采购；化肥净流出省份，主要是由于本省化肥生产超出当地化肥需求，需要向外省销售或出口。根据国家统计局数据，2020 年我国化肥主要净流出省份为青海、山西、贵州、湖北、内蒙古、四川、重庆、新疆、宁夏、云南、海南，主要净流入省份为广东、吉林、广西、黑龙江、河南、湖南、辽宁、江西、河北等。

12.2.5 转型创新

面对农资行业产能总体过剩、竞争激烈、经营风险加大的新形势，农资流通企业积极适应新形势、新要求，加快转型升级，通过强化连锁经营、线上线下融合、订单配送、为农服务中心建设等，深入基层，融入产业，大力开展土地托管、配方施肥、统防统治、农机作业等农业社会化服务，积极为农民合作社、家庭农场等新型农业经营主体提供种植解决方案，不断创新服务方式，增强与农民的利益联结和客户黏性，加快向现代农业综合服务商转型发展。

12.2.5.1 积极参与土地流转，促进农业适度规模经营

2008 年 10 月，党的十七届三中全会通过的《中共中央关于推进农村改革发展若干重大问题的决定》，拉开了我国促进土地流转、发展农业适度规模经营的序幕。截至 2020 年底，全国家庭承包耕地流转面积超过 5.55 亿亩，占家庭承包经营耕地总面积的 37%。农资企业顺应国家政策引导，积极开展土地流转等农业生产社会化服务。

以东北为例，东北三省是我国最重要的商品粮基地，拥有大量土地，适合开展土地流通。作为行业龙头企业，中农集团在黑龙江成立 5 家农民合作社，成功流转土地 7.7 万亩。黑龙江倍丰农资集团 2014 年涉足土地流转，目前流转土地面积在 5 万亩左右，提供农化服务的土地面积达到百万亩。

土地流转还催生订单农业。农资龙头企业通过给农民提供产前、产中、产后的全程服务，逐步构建起农业全产业链闭环管理，不仅提升了农资企业的核心竞争力，还帮助解决了农民进城打工后“谁来种地？种的东西怎么卖个好价钱？”等问题。

12.2.5.2 大力开展测土配方施肥，促进农业节本增效

2005 年，国家投入专项资金建立了测土配方施肥实验室，并逐年加大投入，扶持测土配方施肥技术发展及成果应用。如果说化肥的应用曾带来一次农业革命，实行测土配方施肥无疑带来又一次农业革命。“十三五”期间，我国各地加快推广科学施肥用药技术，大力开展测土配方施肥，取得明显成效。截至 2020 年底，测土配方肥已占三大粮食作物施用总量的 60% 以上。

实现测土配方施肥的关键是农民能够用上配方肥。农业农村部发文鼓励引导大中型肥料生产、经营企业进入测土配方领域，直接到乡村设立营销点；通过现代物流，包括连锁、超市、配送等模式，减少环节，降低流通成本。测土配方施肥是一个包括政府引导、企业参与、农民得益的系统工程。“测、配、产、供、施”是其完整的运作链条，链条中每一个环节都对整个项目的实施有不可或缺的意义。按照流通企业在其中所参与作用的不同，主要有如下几种模式。

一是倍丰模式。集团已先后投资 5000 余万元在全省建立了 1 个大型土壤肥料检测中心、4 个基层土壤肥料检测站、17 个土样处理站和 12 个配肥站，购置了先进的 ASI 土壤检测设备，日处理土样近千份，并自主研发了测土配方施肥计算机管理系统，农民自己就可以通过登录集团网站查询土样的检测结果，选择适合自己的科学配方，极大地提高了测土配方施肥

工作的效率。同时，集团与相关科研单位合作研发专用作物配方肥，经过多年积累初步建立起了覆盖黑龙江全省的土壤档案。

二是土肥站实施免费土壤测试服务到位，向农户发放测土配方施肥建议卡，同时指定省内质量好、企业形象佳的单位生产，委托或指定合格的流通企业经营，农户到指定的经销单位购买。

三是测、配、产、供、销一体化模式。湖北省主要采取此种模式，由省农业农村厅土壤肥料工作站将任务分解到30多个试点县市农业农村局下属农技站，由农技站开出测土配方施肥建议卡，通过委托或招投标方式选择一批质量优异的企业负责生产，而流通企业的作用较以前也无多大改变。

12.2.5.3　积极开展统防统治服务，以植保服务带动企业转型

作物生长施肥用药是个技术活，尤其是对病虫害的预防与治理。在以往农民自防过程中，存在着使用高毒高残留农药、用错药剂、农药包装物随手乱扔、残留药液乱倒的现象，降低了农作物产品品质，也存在着药害减产、污染环境、损害施药人员健康等问题。近年来，许多农资流通企业响应国家大力发展农作物病虫害专业化统防统治的政策导向，将“统防统治”技术服务与现代农资流通经营服务紧密结合。

12.2.5.4　多元化发展，全方位拓展服务领域

近年来，农资企业在做好农资主业的同时，在多元化发展的道路上也不断开拓进取，并获得更多的竞争优势。

作为全国供销合作社系统中最早上市的农资流通企业，安徽辉隆股份近些年坚持“工贸并举，工业强企；以工带贸，以贸助工”的发展格局。辉隆股份以“农”字为圆心，不断开拓为农服务经营范围和领域，形成辉隆商业、辉隆工业、辉隆农业、辉隆投融资四大板块，建立了“配送中心＋加盟店＋农村新型经营主体”全方位服务网络，构建了全产业链服务模式，科技服务成为辉隆的核心竞争力。

浙农集团在推进农资业务发展的基础上，努力开拓、不断创新、多元发展，相关非农业务在行业或区域内取得了领先地位，非农主业规模、效益连续几年占集团总量的2/3以上，成为企业持续发展的主要增长点，极大地提升了公司的综合实力和反哺农资主业的能力。

12.2.5.5　创新商业模式，强化为农综合服务能力

2017年，《中共中央　国务院关于深入推进农业供给侧结构性改革加快培育农业农村发展新动能的若干意见》（中发〔2017〕1号）明确提出要支持供销、邮政、农机等系统发挥为农服务综合平台作用，促进传统农资流通网点向现代农资综合服务商转型。

山东省供销合作社创立“土地股份合作社＋全程托管服务＋保底承诺”模式，在村级以土地经营权入股组织建设土地股份合作社，合作社内部建立“保底收益＋盈余分红分配机制”，供销社为土地股份合作社提供“全程托管＋保底承诺”服务，形成农民、村集体、供销社稳定的利益联结机制。截至2021年底，全省系统参与试点的县已达到38个，成立区域

服务公司16家，服务带动土地股份合作社600多家，全程托管土地30多万亩。

2017年，中化化肥控股有限公司推出现代农业平台（MAP）发展模式，重点通过与新型规模化农业经营主体进行战略合作，共同建设MAP农场，为规模种植户提供种子、化肥、农药、农技、农机、气象、金融、农业数据、农产销售等全程服务，并导入信息化技术，线上线下结合，实现农业生产的高效化、集约化。

12.2.5.6 发展互联网经济，实现线上线下融合发展

2015年7月，工业和信息化部发布了《工业和信息化部关于推进化肥行业转型发展的指导意见》，肯定了“互联网+农资”这一广受行业关注的行业热潮，并提出鼓励行业协会、化肥生产、流通企业联合建立电子商务平台，积极开展“互联网+农资”活动，提供农化服务信息、进行在线展示展销和推广，利用农资电商等新兴业态和商业新模式促进行业发展。

2015年也被称为农资电商元年。农资市场在“互联网+农资”的兴起和国家政策的大力支持下，资本市场风起云涌，各路大佬纷纷布局农资电商，阿里、京东、诺普信、金正大、云农场等“互联网+”及“+互联网”企业突然发力，农资电商异常火爆。传统的农资流通企业也开始试水农资电商。

苏农集团在2016年抢抓机遇，聚焦电商，打造了农资电商平台——“苏农网”。通过把厂商、经销商和种田大户、专业合作社、新型农业经营主体连接起来，以B2B、O2O模式实现“安全、便捷、经济”的农资网上交易，实现线上下单，线下配送。

广东天禾农资股份有限公司牵头建立省级电子商务平台，并投资1000万元成立广东嘉网电商公司，作为电商平台运营主体，目标是打造基于农资互联网营销，上接供销合作总社“供销e家”电商平台、下联市县供销合作社的电商平台。

2020年，农资企业纷纷进军电商新媒体领域，开展农化服务大课堂、线上营销、产品推介等视频直播活动。农资直播对于农资企业来说，不仅是营销的手段，更是一种很好的转型服务方式，进一步密切了农资经销商和农民消费者的关系。由于直播成本低，品牌影响力广，农资企业开展的农化服务更加有针对性，更利于普及推广农资产品和配套的农业技术。如黑龙江倍丰集团在2020年春季通过快手短视频采用线上直播方式，为广大农户推广与分享了春季备耕中农户如何选肥购肥以及黑龙江省水稻、大豆、玉米三大作物高效的施肥方式，不仅确保了黑龙江农业生产有序进行、农业关键技术及时有效地推广，而且扩大了企业品牌影响力，树立了良好的服务形象。

12.2.5.7 积极参与国家农业面源污染防治

随着化肥农药零增长政策的实施，农资产品市场需求保持基本稳定，要求农资企业从过去重视“数量”的经营，向重视“质量”和“服务”转变。

推进控肥控药试点，加快发展“绿色农资”液体配肥站模式是中农集团落实国家化肥农药零增长政策、解决农业面源污染问题的重要措施。目前中农集团已在全国范围内建设了27座液体加肥站，有效提升了化肥利用率，减少了化肥使用量，降低了农业面源污染。

河北省农业生产资料有限公司则通过聘请专业人士对自有品牌商品进行整体设计，突出河北农资专供，突出新型功能，满足了基层产品推广需要。同时，全面实施自有品牌战略，

打造自有品牌系列商品，在丰富经营品种上入手，在复合肥、掺混肥、水溶肥、缓（控）释肥、有机肥、生物肥和高效低毒低残留农药、生物农药经营上寻求突破，开拓新型绿色农资市场。

12.2.5.8　建设“智慧农资”，提升信息化、智能化水平

农业服务的本质在于提升农业生产效率、解决农业发展各个环节的问题，农业服务的智慧化正成为引领行业发展的新方向。近年来，农资企业利用物联网、云计算、大数据积极推进“智慧农资”建设，打造数字化农资和网上庄稼医院。依托“中国农资质量安全追溯平台”等追溯系统，加快农资质量追溯、农资物联网建设，提高企业信息化、智能化、数字化水平。如浙农集团股份有限公司、山西农资集团有限公司、福建省福农农资集团有限公司等都开展了网上庄稼医院建设，建立新型庄稼医院线上服务模式；吉林省供销合作社按照统一标准，以统一技术装备，按统一操作规范的要求推进农资质量追溯体系建设，并辐射带动其他社会企业参与。初步在省内建立了“生产有记录、信息可查询、去向可追踪、责任可追溯”的农资商品质量可追溯机制。

12.2.5.9　统筹利用国内、国际两种资源，积极布局海外市场

经济全球化让中国与世界的联系更加紧密，也让国际、国内两个市场快速接轨。面对激烈竞争的国内市场，中国企业逐步将目光转向国际市场。

我国既是全球肥料生产大国，也是全球肥料消费大国。农资流通企业参与国际市场竞争，主要通过以下几种形式。

一是出口化肥产品，用品质征服国际市场。中农五洲丰农业科技有限公司在产品上开拓创新，研发出质量过硬、深受市场好评的新型肥料，并且在国家“一带一路”走出去战略的号召下，将产品远销美国、巴西等地，让世界看到了中国肥料的“质造”能力。安徽辉隆集团以直销模式走出国门，将销售柜台延伸到海外，并在澳大利亚、新加坡等建立了分公司，2021 年辉隆出口的 50 多万吨肥料，一半以上出口到东南亚和南亚地区，并且初次尝试通过中欧班列进口了一批乌兹别克斯坦尿素，用于辉隆自己的复合肥生产。

二是通过资本输出，建设海外供应基地，更好地服务全球农业。经过多年的经验积累和资本积累，中国化肥企业已不再满足于单纯输出产品，而是主动选择海外并购，希望以行业多元化、产业全球化、技术高级化战略打破现有发展僵局，更好地服务全球农业。2017 年，中国化工以 440 亿美元收购了全球最大的作物保护公司瑞士先正达，有力提升了我国在种业研发、作物保护等方面的技术能力。

三是跨国合作，通过资源互补实现共同发展。针对我国钾肥供求缺口大的突出矛盾，到国外勘查开发资源、建设中资企业海外钾肥基地，成为解决我国钾肥短缺问题的重要途径之一。近年来，以中农矿产、四川开元、云天化中寮、中国水电矿业（老挝）钾盐有限公司为首的海外找钾“第一梯队”一直为此不懈地努力。目前中农国际老挝第一个 100 万吨钾盐项目由 75 万吨 / 年新扩建项目和 25 万吨 / 年改建项目组成，自 2020 年 4 月启动，至 2021 年 8 月进入调试阶段，逐步开展设备单机试车、联动投料试车工作。老挝开元公司一期 50 万吨钾肥项目已达产达标，产品畅销 10 多个国家；2021 年老挝开元公司二期 150 万吨氯化钾

项目的一期工程开工建设，建设周期约为1年。

12.2.6 行业标准

我国肥料流通行业标准起步较晚。在2007年以前，整个行业标准处于空白时期。从2007年起，商务部、农业农村部、中华全国供销合作总社先后制定了多项肥料流通行业标准。2016年，我国首个肥料流通行业国家标准《农业生产资料连锁经营网络规范》正式发布，对引导行业发展、规范企业行为起到了重要作用。

12.2.6.1 标准建设现状

过去10多年，根据政府政策引导和行业发展需要，肥料流通行业在经营网络、庄稼医院、行业信息化建设、农业社会化服务等方面出台了行业标准共21项（表12-1）。其中国家标准5项，行业标准15项，团体标准1项。

表12-1 我国肥料流通行业已发布正在执行的标准

发布日期	实施日期	标准名称	标准编号	标准类别
2007年12月18日	2008年3月1日	农资营销员	NY/T 1540—2007	行业标准
2010年5月18日	2010年6月1日	农业生产资料连锁经营网络规范	GH/T 1061—2010	行业标准
2011年7月7日	2011年11月1日	农资配送中心运营管理规范	SB/T 10598—2011	行业标准
2012年7月9日	2012年8月1日	农业生产资料连锁经营网络配送中心建设与管理规范	GH/T 1079—2012	行业标准
2012年7月9日	2012年8月1日	农业生产资料连锁经营网络评价指标体系	GH/T 1080—2012	行业标准
2013年10月25日	2014年1月1日	农资商品电子代码编码规则	GH/T 1086—2013	行业标准
2015年3月27日	2015年6月1日	农业生产资料供应商评价准则	GH/T 1101—2015	行业标准
2020年12月7日	2021年3月1日	庄稼医院与建设管理规范	GH/T 1122—2020	行业标准
2015年12月30日	2016年6月1日	庄稼医院科技服务规范	GH/T 1121—2015	行业标准
2016年10月13日	2017年5月1日	农业生产资料连锁经营网络规范	GB/T 33044—2016	国家标准
2018年6月20日	2018年10月1日	农资物流信息系统技术规范	GH/T 1224—2018	行业标准
2018年6月20日	2018年10月1日	农资质量追溯体系建设规范	GH/T 1225—2018	行业标准
2018年6月20日	2018年10月1日	农资零售市场信息采集技术规范	GH/T 1199—2018	行业标准
2018年6月20日	2018年10月1日	农资追溯电子标签（RFID）技术规范	GH/T 1200—2018	行业标准

续表

发布日期	实施日期	标准名称	标准编号	标准类别
2018 年 12 月 28 日	2018 年 12 月 28 日	农业生产资料供应服务 农资仓储服务规范	GB/T 37070—2018	国家标准
2019 年 6 月 4 日	2019 年 6 月 4 日	农业生产资料供应服务 农资电子商务交易服务规范	GB/T 37675—2019	国家标准
2019 年 6 月 4 日	2019 年 6 月 4 日	农业生产资料供应服务 农资销售服务通则	GB/T 37670—2019	国家标准
2019 年 6 月 4 日	2019 年 6 月 4 日	农业生产资料供应服务 农资配送服务质量要求	GB/T 37680—2019	国家标准
2020 年 2 月 17 日	2020 年 2 月 17 日	有机无机生物复混肥料（复混肥料）	T/CAMPA 001—2020	团体标准
2021 年 11 月 8 日	2022 年 1 月 1 日	农资农技社会化服务主体服务能力评价指南	GH/T 1350—2021	行业标准

通过肥料流通系列标准的制定，进一步规范市场秩序，提高行业网络建设水平，提升行业整体竞争力，引导行业健康发展。

12.2.6.2　行业标准发展方向

① 农业社会化服务标准是未来发展的重点方向。伴随农业新型经营主体的出现，农资服务逐渐从过去卖产品向卖服务转变，由单一地提供农资买卖服务向农业社会化全产业链延伸，农资企业开始探索农服之路。与此同时，企业对农业社会化服务标准化的需求会越来越强烈，行业也需要制定相关标准来规范市场经营主体行为，保障农民根本利益，促进农民节本增收。

② 农资流通行业团体标准将呈现爆发式增长态势。从 2015 年起，政府开始培育发展团体标准，供市场自愿选用，增加标准的有效供给。团体标准相对行业标准的制定更自由，但法律地位不如行业标准。伴随政府引导和肥料流通市场发展，符合市场和创新需求的团体标准将迎来发展机遇，增长空间也更广阔。

12.2.7　国内外对比

世界各国自然资源禀赋、农业发展水平、农业运行模式各不相同，导致农资经营、流通模式也各有特点。本节选取美国、日本、印度三个自然资源禀赋、农业发展水平差异较大的国家，介绍其肥料流通情况，并与我国肥料流通行业进行对比。

12.2.7.1　美国

美国肥料流通组织形式主要有两种：一是由肥料生产企业采用产销一体化方式进行流通，二是包含在农业合作社的产前、产后服务中。其中，以肥料生产企业为主导的组织形式占主导地位。

相比中国，美国的肥料流通环节更短、更扁平化，流通成本相对更低。同时，美国肥料流通的市场化程度更高，竞争更激烈，化肥生产企业不仅销售肥料，还提供与农业生产相关的服务，开展农产品收购业务，从产前、产中、产后全方位参与到农业生产中，这种体系经过多年发展，已经成熟。

① 肥料生产企业　美国肥料行业主要包括氮肥、磷肥和混配肥企业。从行业布局来看，美国肥料生产企业主要分布在原材料产地或传统农业种植区域周边：约 70% 的合成氨生产企业集中在天然气供应充足的地区，氮肥生产企业主要分布在中西部地区、南部中心和海湾地区，磷矿石开采及深加工则主要集中在佛罗里达州中部和北卡罗来纳州。从行业规模来看，磷肥企业总体呈现出数量少、规模大的特点，主要原因是磷矿石开采及深加工行业具有规模经济性质；混配肥企业分布零散，规模较小，主要原因是其工艺简单，邻近用肥地点分布能够节约运输成本；氮肥行业分布、规模居于中间。

美国肥料企业与中间商（如农业合作社）或农场进行对接，在销售肥料的同时，也为农场提供农业相关服务，如提供测土配方施肥、肥料供应及市场行情等信息咨询服务，从而与农场主建立联系，牢牢把握住客户，以此在竞争激烈的市场中争取并巩固更多市场份额。在美国农村，农业社会化服务十分普遍。以美国嘉吉公司（GARGILL）为例，其肥料 80% 批发销售给当地农业合作社或中间商，20% 通过分销点直接销售给农场，而分销点会向农场主无偿提供测土配方服务，并根据结果及农场主要求混配肥料。此外，嘉吉公司的肥料分销点还会开展粮食收购业务，解决农场主的后顾之忧。

② 农业合作社　美国农业合作社是农业生产者集体组织的农业互助组织。根据相关法律规定，只有“以农场主、种植者、畜牧和乳品生产者、干鲜果品生产者的身份从事农产品生产的人”才能成为农业合作社的社员。农业合作社实施民主管理，不以营利为目的，社员公平分配利润，共同承担风险。农业合作社作为大型肥料企业和农场主之间的中间商，向 80% 的农场主提供肥料。

从规模来看，在美国，农业类合作社的数量及收入较其他类型的合作社更多。根据 2016 年美国合作银行（National Cooperative Bank，NCB）发布的年度合作社 100 强名单及统计数据，100 强中 52 家为农业类合作社，年收入总额达 1160 亿美元，占 100 强总收入的 56%，远超其他类型的合作社。

12.2.7.2　日本

在日本，肥料通过农业协同组合（即“农协”）进行流通。相比中国，日本肥料流通的渠道较为单一，农业社会化服务较为完善。

日本农协是以农业从业者（包括农户以及小规模农业法人）为主体，由农民自主经营的农业经济合作组织，分综合农协和专业农协两类。在日本，农协以“共买共卖”为原则，为农户购进生产资料，销售农产品，发挥着举足轻重的作用，绝大多数农户都是农协成员。

日本在 1947 年颁布的《农业协同组合法》中规定，农协主要在农村开展指导业务、经济业务、信用业务和厚生共济业务，主要包括生产指导、生产生活资料统一采购、农产品销售、信用合作、互助共济、社会福利等方面。化肥流通就包含在农协经济业务中。

12.2.7.3　印度

为适应农业发展需要，印度肥料流通经历了“加强管制”和“放松管制”两个阶段，与我国肥料流通行业的发展历史具有一定的相似性。相比我国，印度的农业社会化服务受制于农业从业者素质、家庭小作坊式生产方式等因素影响，起步较晚，发展水平较低。

①“加强管制”阶段　从印度独立至20世纪90年代，印度政府对肥料产供销各个环节实行全面干预，通过价格管制和流通管制的手段，实现肥料低价销售、公平分配。当时的印度政府对肥料产品统一定价，通过补贴的方式补偿生产厂家的亏损，并对肥料流通的各个环节实施了严格的管制。

一是由中央政府统筹安排各邦肥料供应，确保市场供求平衡。当时的印度中央政府在每年春耕、秋耕之前都会召开全国化肥供需动员大会，由肥料协调委员会与各邦农业管理部门及化肥生产企业协商，确认其后半年的肥料供求数量，估算产销缺口，制订进口计划，并向相应肥料企业下达以邦为单位的肥料供应指标。

二是印度各邦境内肥料流通实施封闭式运行机制。肥料流转只能在邦内进行，各邦的肥料由邦属农业市场合作联盟组织（State Level Apex Cooperative Marketing Federations）作为一级批发商垄断经营，邦属辖区各级农业合作社承担二级乃至三级批发业务，最终由基层农村信用合作社（Primary Agricultural Credit Societies）销售给农户。这些农村信用合作社同时也负责为农户解决资金上的问题。

②“放松管制”阶段　20世纪90年代后，随着印度肥料产业的发展，肥料供求形势转好，印度政府实施了肥料流通体制改革，放宽了对肥料的管制。1992年，印度政府全面取消了对磷肥和钾肥的管制，只保留对氮肥的管制。但因取消管制之后磷肥、钾肥价格飞涨，印度政府不得不在1996年开始对磷肥、钾肥产品实施最高限价政策，并给予其国内生产企业折价销售补贴。同时，在流通环节上，肥料企业开始建立新的肥料分销机制。2003年，印度政府开始分阶段放宽对尿素的管制，从价格上实施分组定价策略。2010年，印度政府推出“按养分含量发放补贴”计划，将尿素零售价格提高10%，并解除了18种肥料的价格限制。

目前，印度肥料主要通过个体、合作社、政府三种渠道销售，各渠道所占比例在不同地区不尽相同。其中，合作社销售渠道在印度发展迅速。

印度农民肥料合作社（Indian Farmers Fertilizer Cooperative Limited，IFFCO）成立于1975年，社员从最初的57个发展到现在的数万个，是印度也是亚洲最大的肥料合作公司，控制着印度35%的肥料生产销售市场。IFFCO在全国设有多个肥料销售中心，其肥料主要销售给社员，销售方式主要分为两种：一是“生产厂家—省级合作社联盟—基层社—农民”，二是“生产厂家—分销中心—社员—农民”。IFFCO会根据各邦的具体情况不同，采用不同的肥料销售方式。此外，IFFCO也向农民提供农业技术服务，推广科学的施肥方法，通过田间示范、测土施肥、农民会议、种子培育、乡村改造等活动为农民提供科学生产方面的培训和服务。

12.3 中国农资流通行业发展的新趋势

党的十八大以来，中国农资流通行业以农业供给侧结构性改革为主线，加快向现代农业综合服务商转型，深入实施“绿色农资”行动，持续优化农资产品结构，推进农业社会化服务模式创新，为农服务能力稳步迈上新台阶，在助力农业高质量发展和服务保障国家粮食安全等方面发挥着不可替代的作用。

“十三五”以来，国家对化肥等农资行业的优惠政策逐渐退出，化肥农药减量增效、化肥生产环评常态化、持续淘汰落后产能等政策举措对农资企业的生产经营提出了更高要求，倒逼农资流通企业在保障农资充足供应的同时，向着绿色高质量发展的方向转型升级。同时，行业外企业利用资源、品牌、资金及商业模式等优势向农资流通业务渗透，土地流转、适度规模化不断提速，新的经营服务主体不断涌现，农资流通行业竞争日趋激烈，给传统流通企业带来极大的挑战。与此同时，假冒伪劣农资产品屡禁不止，影响正常市场秩序。在过去 3 年新型冠状病毒疫情持续蔓延和国际地缘政治冲突加剧的背景下，全球粮食、肥料等农资供应秩序面临着前所未有的不确定性，保障农资供应安全的重要性愈发凸显。

目前，我国化肥供需结构已进入紧平衡，基层不储肥、产销地分离已成常态，化肥价格处于历史高位且波动幅度较大，给企业正常经营带来严峻挑战，农民购肥积极性下降，对做好农资储备、调运和销售服务也提出更高的要求，农资保供稳价任务更加艰巨。传统的农资流通模式亟需改变，要发展新业态、新模式、新经济，提升市场竞争力和综合服务能力，打造流通行业独特的核心竞争力。总体来看，我国农资流通行业发展呈现出如下新趋势。

12.3.1 行业集中度有望进一步提高

随着农资市场的完全放开，我国基层农资市场经营主体逐渐呈现“数量多、模式杂”的现状，终端零售经营主体多数是个体经营户（夫妻店），经营的农资产品良莠不齐、鱼龙混杂，给市场监管带来严峻挑战。目前我国已初步形成以中农集团、中化化肥两大中字头央企为主，辉隆股份、浙农股份、天禾股份等上市公司为辅的头部农资流通企业。但头部公司市场占有率总体仍偏低，呈现“大行业、小龙头”的市场格局，行业整体呈分散格局，未来行业集中度有望进一步提高。

12.3.2 流通渠道将进一步扁平化

长期以来，以批发为主的流通企业作为农资销售环节中的重要一环，承担着连接厂家与基层零售商、小农户的重要作用，但随着信息沟通成本的降低，上游生产公司积极推动网络下沉，零售商、农民合作社与种植大户等终端消费者也在积极寻求直接与上游供应商对接。依赖于信息不对称而获取差额利润的流通企业，难以创造独特价值，在供应链上处于弱势地位，一方面表现为与上下游的议价能力较弱，面临着上游厂商垄断货源、下游客户沟通低效、内部成本管理控制难度越来越大的困局；另一方面表现为行业进入门槛低，竞争对手多，而且竞争对手同质性较强，竞争手段多以价格战、赊销为主。这些都将倒逼传统流通企业减少中间批发环节，加快渠道扁平化步伐。以中化MAP为代表，很多大型流通企业正在加速打造自己的服务中心。

12.3.3　向现代农业综合服务商转型升级速度将进一步加快

随着农村经济社会发展进入新阶段，我国农业生产经营方式发生深刻变化，家庭农场、农民合作社等新型农业经营主体不断涌现，需求更加专业的农资产品和种植服务，农资经营面临新的形势要求，市场竞争更趋激烈，农资企业单纯的一买一卖传统农资经营方式亟需与时俱进，积极开展土地托管、测土配方施肥、统防统治、农机作业等农业全产业链生产性服务，逐步实现从以产品为中心到以作物为中心的转变。

12.3.4　智慧农资建设水平将进一步提升

国家“十四五”规划明确提出建设数字中国，其中包括加快发展智慧农业，推进农业生产经营和管理服务数字化改造。智慧农业的提出和推进，必然要求农资服务的“智慧化”，目前已经有农资流通企业在提供“智慧农资”服务，包括但不限于农资质量追溯体系建设、视频会议、APP远程诊断、测土配方网上申请受理、网上商城等。以快手为代表的电商新媒体也在积极开展农资直播销售，加快打造快手农资电商实体店，实现线上线下融合发展。

12.3.5　新兴农资零售群体正在发展壮大

据中国农资传媒2019年的《硫基复合肥市场调研报告》，传统的乡村农资销售门店，店主年纪偏大、不主动向农户推销产品，是典型的“坐商”；新进的年轻从业者，往往从有机肥、大量元素水溶肥和液体冲施肥入手，该类产品占压资金较少，同时利润较高。农资经销商群体的更新换代，是我国农资流通行业走向市场化以来，第一次大规模的群体更新，这也为农业适度规模化发展提供了必要的人才条件。他们年轻、富有活力，学习能力强，能够主动地研究本地的作物和种植条件，有利于新技术的传播。

12.4　中国现代化农资流通体系建设展望

中国是世界上居于前列的农业大国，我国粮食生产已经实现“十八连增”，肥料作为重要投入品和粮食的“粮食”做出了重要贡献。可以预见，我国高投入的农业生产模式还将持续较长一段时间。因此，构建功能完备、科学规范、运行高效的农资流通体系，对应对重大自然和市场风险挑战、保障和巩固国家粮食安全、促进农业绿色高质量可持续发展具有重要意义。为进一步促进我国农资流通行业绿色高质量发展，对标国际先进经验，提出如下发展展望。

12.4.1 全面推进农资流通领域供给侧结构性改革

坚持问题导向，加强顶层设计，着眼于提高供给质量和效率，优化流通领域各要素配置。促进行业资源整合与共享，加强产需对接，优化农资流通供应链管理，延长产业链、提升价值链、拓宽增收链，实现农资流通行业与农村一、二、三产业有效对接。大力推进农资流通企业经营服务创新，优化整合服务资源，注重服务体验和解决方案，实现产品创新和服务创新相结合，有效满足家庭农场、种植大户、农民合作社等新型农业规模经营主体的农资消费需求。

12.4.2 加快完善现代农资流通网络布局

加快推进大宗农资流通通道和重要流通节点的基础设施建设，在农作物主产区、重点交通枢纽、农资集散地等重要农资流通节点，建设改造一批具备现代化装卸、转运、仓储、配送设施的农资物流转运中心、配送中心和交易服务中心，形成联结东西、贯穿南北、辐射内外、高效畅通的全国一体化骨干农资流通网络。大胆改革化肥运输多式联运转运方式，推进“散改集”试点，提高化肥物流效率，降低成本。推进农资配送网络体系建设，进一步发挥供销、邮政、农机等系统的流通网络和服务优势，整合改造一批区域配送中心和乡镇农资销售终端，按照网络布局科学合理、高效畅通的要求，减少农资流通中间环节，实现农资供应一站式服务。打破条块分割，通过政策引导和市场化运作，推动供销合作社、农业农村部门、邮政系统以及其他多种类型的农资生产流通企业进行资产重组、资源整合、合作对接，实现基础设施资源共享和优势互补。推动农资流通网络体系的一体化建设和联动发展，依托农资流通网络优势，拓宽农产品收购、加工、销售和日用消费品下乡等流通渠道，提高农资流通网络“双向流通、双向开拓”的功能，实现“一网多用”。

12.4.3 大力提升农资流通信息化、现代化水平

支持农资流通企业加强信息化建设，推动移动互联、物联网、云计算、大数据等信息技术在农资流通领域的创新和应用。完善农资商品编码体系，推动条码和智能标签等标识技术、自动识别技术以及电子数据交换技术的广泛应用。鼓励农资流通企业积极应用供应链管理、客户关系管理、自动化配送、信息管理系统等现代管理技术，提高采购供应、物流配送、仓储管理、资金结算、客户管理、订单管理的现代化水平。加快发展农资物联网，建立健全农资检验检测和质量追溯体系，实现农资产品质量的全程可追溯。推动“互联网 + 农资”创新发展，依托农资线下流通网络优势，积极探索农资线上交易和线下服务融合发展。鼓励重点龙头企业建立农资流通专业信息平台，提供全方位农资流通服务，促进供需信息有效衔接和双向沟通；支持行业协会等社会机构建立具有价格发现、市场预警、信息发布、行业咨询等功能的农资流通公共信息平台，推动相关政务信息资源的开放共享。按照重点突

出、结构合理、层次分明、科学适用、满足发展需要的要求，健全农资流通标准体系框架，加强对农资流通业发展和服务水平提升有重大促进作用的标准制定工作，强化农资流通标准的实施应用。

12.4.4 着力培育农资流通龙头企业

鼓励农资流通企业通过参股控股、兼并重组、协作联盟等方式做大做强，发展形成一批技术水平先进、主营业务突出、核心竞争力强的大型现代农资流通企业集团，通过规模化经营提高农资流通服务的一体化、网络化水平。鼓励传统农资流通企业向上下游延伸服务，推进农资流通业与其他产业互动融合，协同发展。鼓励传统农资流通企业与生产企业深化战略合作，建立与发展现代农业相适应的农资流通服务体系，形成一批具有全球采购、全球配送能力的农资供应服务商。发挥大型农资流通企业的龙头带动作用，依托基层经营服务网络资源，抓好联合对接与合作，推动中小流通企业走出一条专业化、特色化的路子，形成区域竞争优势，共同构建农资现代流通服务体系。

12.4.5 全面提升农资综合服务水平

在全面提高农资流通专业化服务水平的基础上，强化创新驱动，加快推进农资流通服务模式创新，支持供销、邮政、农机等系统发挥为农服务综合平台作用，促进传统农资流通网点向现代农业综合服务商转型。积极适应新型农业经营主体发展现代农业的需要，加快建立健全面向家庭农场、种植大户、农民合作社等多种新型农业经营主体的现代农资综合服务体系。鼓励省级、区域级农资龙头企业联合供销合作社、专业合作社，建设改造一批提供“产品＋服务＋解决方案”的农资综合服务网点。深入开展农资销售、农资配送、配方施肥、统防统治、农技培训、农机作业、秧苗培育等农业生产全程社会化服务，探索开展代耕代种、联耕联种、土地托管等专业化、规模化服务，推动农业全环节升级、全链条增值，实现低成本、高效益、集约式发展。

12.4.6 大力推进农资流通绿色高质量发展

根据我国农业种植结构调整和耕地质量变化情况，优化农资产品结构，强化高效、环保、新型农资产品的供应服务，引导农户和新型农业经营主体科学施肥、用药，提高肥药利用率。打造绿色农资供应链，加快建立以资源节约、环境友好为导向的采购、生产、营销、废弃物回收等绿色流通体系，促进农业节本增效；加强与科研机构合作，向农民推广节肥、节药、节水技术，为农民提供更多科技含量高、环保高效、使用简便的农资产品，减少土壤污染。大力推广甩挂运输、共同配送、统一配送等先进物流组织模式在农资流通领域的应用，提高储运工具的信息化水平，减少返空、迂回运输；鼓励采用低能耗、低排放运输工具和节能型绿色仓储设施，推广集装单元化技术，促进农资流通的降本增效、节能减排。鼓励农资流通企业采用集约化生产流通模式，在港口建设加工分装厂，利用散装原料进行掺混等简单加工，减少二次包装。

12.4.7 继续深化农资流通对外开放合作

进一步提高农资流通领域的对外开放水平，鼓励外资流通企业以参股、联营、合作等方式参与我国农资现代流通体系建设，积极引进国外先进技术、管理经验、商业模式和知名品牌。加快农资流通企业“走出去”，扩大与“一带一路”合作伙伴的产能合作和贸易合作，推进国际大宗农资流通通道和重要节点建设。鼓励大型骨干龙头企业通过新建、并购、参股等方式，建设境外生产、营销、仓储物流和售后服务网络，推动国内流通渠道向境外延伸。鼓励创建农资内外融合发展平台，打造一批具有国际影响力的大型农资展会。加强农资边贸市场的建设和改造升级，培育一批能够提供展示、交易、通关、物流、仓储、信息等服务的农资边贸市场。